ensayos/planeta

EL ROMANCERO
Tradicionalidad y pervivencia

Madrid, 1982

MANUEL ALVAR

El Romancero

Tradicionalidad y pervivencia

SEGUNDA EDICIÓN

CORREGIDA Y MUY AUMENTADA

EDITORIAL PLANETA BARCELONA

ensayos/planeta

DE LINGÜÍSTICA Y CRÍTICA LITERARIA

Dirección: ANTONIO PRIETO y ÁNGEL VALBUENA PRAT

Editorial Planeta, S. A., Calvet, 51-53, Barcelona (España)

Sobrecubierta: J. Domínguez García

Depósito legal: B. 53883 - 1974

ISBN 84-320-7607-4

Printed in Spain/Impreso en España

Talleres Gráficos "Duplex, S. A.", Ciudad de la Asunción, 26-D, Barcelona-16

SUMARIO

NOTA PRELIMINAR

Al reunir estos estudios en torno al romancero, he procurado agrupar trabajos que tuvieran coherencia, sin descender —salvo en lo que mi exposición precisaba— a menudos detalles de erudición. Por eso, he prescindido de otros que trataban de aspectos muy particulares o que no podía incardinar en las visiones de conjunto o en los presupuestos metodológicos que ahora me interesan.

Cada una de las partes del libro presenta una coherencia temática que no precisa de mayor justificación. Quiero creer que en la totalidad de los estudios —por grande que sea su diferencia— es solidaria en ese pozo airón del romancero. Al menos hay una problemática de tradicionalidad que no se quiebra a lo largo de todas estas páginas. Y una prueba de la fidelidad con que las gentes de nuestra cultura han conservado —a lo largo de los siglos— una expresión muy clara de su quehacer colectivo.

Para que tuviera coherencia tanto paso disperso, he tenido que restructurar muchos temas, darles una nueva unidad dentro del conjunto y multiplicar las referencias internas. A toda costa he querido evitar repeticiones, aunque —aquí, allí— no haya podido salvar el obstáculo que se oponía a mi tarea. Creo firmemente que la insistencia ocasional sirve para aclarar o completar ciertos aspectos; lo que no las hará insufribles. Insisto, de todos modos, en que he reelaborado mis trabajos para no remachar en cuanto sea prescindible.

La Introducción metodológica *es, en líneas generales, mi estudio* Menéndez Pelayo y la poesía de tipo tradicional *(«Boletín de la Universidad de Granada», V, 1956, pp. 51-79). Ahora trato de valorar más otras aportaciones, amplío mucho algún capitulillo o anoto motivos que en la primera redacción no estimé necesario dar en pormenor.*

La *Segunda Parte del libro* (La frontera y la maurofilia literaria) *está formada por una serie de trabajos cuya unidad temática es evidente. Dos de ellos* (Pervivencia de las gestas *y* El romancero morisco) *fueron el prólogo que puse al* Romancero fronterizo y morisco *que publicó «Romermar Ediciones», de Santa Cruz de Tenerife. Nada he de decir de la* Pervivencia, *pensada y redactada para esa edición, y sin que haya pasado tiempo suficiente para modificar mis puntos de vista. No está en la misma situación* El romancero morisco. *Trabajos míos anteriores, nueva perspectiva motivada por los años, la necesidad de una visión de conjunto han hecho que junto a una parte nueva —la mayor con mucho— haya necesitado considerar materiales que ya había publicado. Así (pp. 92-116) vuelvo a tomar en cuenta unos textos que recogí en Marruecos, reelaborando parte del estudio, considerando nuevas investigaciones y discutiendo algún punto de vista distinto del mío. De este modo los* Romances de Lope de Vega vivos en la tradición marroquí *(«Romanische Forschungen», LXIII, 1951, pp. 282-305) quedan ahora actualizados y con nueva vida dentro del conjunto en el que se incluyen. Buena parte de la* Reacción contra el romancero morisco *(pp. 116-120) procede de un librito* (Granada y el romancero) *al que me referiré en seguida. El nuevo orden creo que ayuda a ver los problemas con claridad.*

Granada y el romancero *se publicó en una colección de estudios y ensayos de la Universidad de Granada (1956). Las páginas que incluyo en este volumen presentan cierta reducción: en parte, porque la materia se ha cedido al estudio precedente; en parte, porque el análisis de los textos de Lope, a que me he referido, me evita más repeticiones.*

En Sobre tradicionalidad y geografía folklórica *(sección tercera del volumen) reúno tres estudios sobre la historia de*

Amnón y Tamar. En momentos distintos me ocupé —con independencia— del tema. Primero en el homenaje a Arnald Steiger («Vox Romanica», XV, 1956, pp. 228-235). Amnón y Tamar en el romancero marroquí *fue un estudio desgajado —como tantos otros— de una obra proyectada con las versiones que recogí en Marruecos; responde, pues, a la época de mis primeros intereses por el romancero. El trabajo me llevó a estudiar la elaboración de García Lorca en la breve nota de «Archivum»* (García Lorca en la encrucijada). *Entre estos dos hitos fui recogiendo versiones tradicionales y preparando el estudio de la tradición peninsular. Con el estímulo de Menéndez Pidal acabé la penosa tarea: quedaban unas pocas páginas por redactar para las cuales nunca encontraba tiempo. Un homenaje a don Ramón me decidió a reconsiderar mis materiales, publicados hace poco («Cuadernos Hispanoamericanos», números 238-240, pp. 308-376). La unidad del conjunto se establece ahora por vez primera, los estudios son coherentes y bien significativos para conocer la vida de la tradición. Al reimprimirlos, los he unificado, añadiendo fragmentos, ampliando las referencias bibliográficas y ejemplificando con el* Apéndice I *(pp. 299-308).*

La última parte del libro (El mundo sefardí) *reproduce, sin modificaciones, el trabajo de la* RFE, *XLII, 1958-59, pp. 19-35, y con ampliaciones —que se proyectan también en el* Apéndice II— *mi lección inaugural en la Universidad Internacional de Canarias (Las Palmas, 1966).*

Los estudios recién descritos —y otros que se citan a lo largo del libro— son veinte años de familiaridad con el romancero. Quedan silenciados otros trabajos de recolección y tareas de cátedra. Esos veinte años fueron los de mi vida académica en Granada: la ocasión de ir a Marruecos en comisiones docentes me llevó a explorar el romancero sefardí; los problemas de la tradición lingüística de Andalucía me hicieron pensar en esta otra tradicionalidad; la ciudad en la que vivía fue el acicate para intentar el conocimiento de una parcela de su historia literaria. El azar me llevó a Granada, y otro azar hizo que, en las agobiantes tardes de los veranos marroquíes, me dedicara a coleccionar cantos de bodas, endechas y romances. Si la evocación me obliga al recuerdo personal es porque —cerrados ya los veinte años de mi vida— en la alusión queda justificado, también, el porqué de este libro.

Universidad de Madrid, 31 de marzo de 1970.

NOTA PRELIMINAR A LA SEGUNDA EDICIÓN

Al justificar la segunda edición de este libro tengo que empezar con una larga lista de gratitudes. En primer lugar, a mi gran amigo Antonio Prieto: él hizo que reuniera todos estos trabajos, y él, con su cariñosa insistencia, hace que me atreva a esta nueva singladura, cuando pensé haber cerrado un capítulo de mi quehacer. Y por Antonio Prieto debo expresar mi reconocimiento a esos lectores que agotaron la primera edición, y de los que, en su anonimato, me siento deudor.

Después, quiero dejar constancia de gratitud a quienes, con el estímulo de sus reseñas, me han animado a la ampliación del libro. Sus nombres van de Bogotá a Moscú y, por orden alfabético, son: Enrique Barco Teruel, Miguel Dolç, Leo Ospovat, María Josefa Pérez Posadas, María Luisa Rodríguez de Montes y José María Vázquez Dodero.

En cuanto a la condición actual de la obra debo decir que el primer estudio ha sido muy ampliado y que son nuevos en el volumen todos los estudios que constituyen la parte quinta de la obra. Las pertinentes referencias bibliográficas son las que siguen: la Transmisión lingüística en los romanceros antiguos *vio la luz en «Prohemio», III, 2, 1972, pp. 197-219; los* Romances en pliegos de cordel *constituyen el prólogo a una obra que con tal título imprimió el Ayuntamiento de Málaga en 1974;* Una recogida de romances *fue mi contribución al simposio «El ro-*

mancero en la tradición oral moderna», Madrid, 1973, pp. 95-116. Pienso que cada uno de estos estudios significa un corte sincrónico en la transmisión del romancero. Indudables signos de tradicionalidad oral, en el primero; persistencia de temas viejos, reelaboraciones nuevas y creaciones más o menos afortunadas, en el segundo; vida actual de los romances, en el tercero. Creo que el conjunto constituye una aportación coherente y, además, completa ese estudio de la tradicionalidad y pervivencia con el que pretendo enhilar un aspecto de la poesía oral del mundo hispánico.

Universidad de Madrid, 20 de febrero de 1974.

ABREVIATURAS

AFA: *Archivo de Filología Aragonesa*, Zaragoza.

ALEA: Manuel Alvar, con la colaboración de A. Llorente y G. Salvador, *Atlas Lingüístico y Etnográfico de Andalucía*, Granada.

Ant. lír.: Marcelino Menéndez Pelayo, *Antología de poetas líricos castellanos*, apud Edición Nacional de las Obras Completas, Madrid.

Antología: Vid. la anterior.

AO: *Archivum*, Universidad de Oviedo.

BAAEE: *Biblioteca de Autores Españoles*, Madrid.

BBMP: *Boletín de la Biblioteca Menéndez Pelayo*, Santander.

Bénichou, *Romancero*: Paul Bénichou, *Romancero judeo-español de Marruecos*, Madrid, 1968.

Bénichou: Paul Bénichou, *Romances judeo-españoles de Marruecos*, RFH, VI, 1944, 36-76, 105-138, 225-279, 313-381.

BHi: *Bulletin Hispanique*, Burdeos.

Bib. Aut. Esp.: Vid. BAAEE.

BRAE: *Boletín de la Real Academia Española*, Madrid.

Canc. rom.: *Cancionero de romances*, impreso en Amberes, s. a. Edición facsímil, con una introducción, por R. Menéndez Pidal, Madrid, 1945.

Catálogo: Ramón Menéndez Pidal, *Catálogo del romancero judeo-español*, apud *El romancero. Teoría e investigaciones*, Madrid, s. a., y *Los romances de América*, «Col. Austral», n.º 55.

Clás. Cast.: *Clásicos Castellanos*, Madrid.

DRAE: Real Academia Española, *Diccionario de la Lengua española*, Madrid, 1956.

Est. dedic. Men. Pidal: *Estudios dedicados a Menéndez Pidal*, Madrid.

Est. Romànics: *Estudis Romànics*, Barcelona.

KRQ: *Kentucky Romance Quarterly*, Lexington.

NBAAEE: *Nueva Biblioteca de Autores Españoles*, Madrid.

NRFH: *Nueva Revista de Filología Hispánica*, México.

O.C.: Obras Completas.

RDTP: *Revista de Dialectología y Tradiciones Populares*, Madrid.

RFE: *Revista de Filología Española*, Madrid.

REJ: *Revue des Études Juives*, París.

RFH: *Revista de Filología Hispánica*, Buenos Aires.

RHL: *Revista de Historia*, La Laguna (Tenerife).

Rom. Forsch.: *Romanische Forschungen*, Erlangen.

Rom. Gen.: *Romancero General* (1600). Edic. A. González Palencia, Madrid, 1947.

Rom. hisp.: Ramón Menéndez Pidal, *Romancero Hispánico. (Hispano-portugués, americano y sefardí)*, Madrid, 1953.

RPh: *Romance Philology*, Berkeley.

Sef.: *Sefarad*, Madrid.

VRo.: *Vox Romanica*, Zürich.

1. INTRODUCCIÓN METODOLÓGICA

LA TRADICIONALIDAD EN LA ESCUELA ESPAÑOLA DE FILOLOGÍA

1. Cuestión previa: la poesía tradicional

El título de este estudio acaso pueda parecer anacrónico, puesto que en los días de Milá o de Menéndez Pelayo la que hoy llamamos «poesía tradicional» todavía no estaba bien definida; sin embargo, la delimitación establecida por Menéndez Pidal es lo suficiente clara y lo bastante generalizada para que se pueda aplicar con carácter retroactivo. Antes de pasar adelante, traslademos su definición: «esta poesía que se rehace en cada repetición, que se refunde en cada una de sus variantes, las cuales viven y se propagan en ondas de carácter colectivo, a través de un grupo humano y sobre un territorio determinado, es la poesía propiamente *tradicional,* bien distinta de la otra meramente *popular*. La esencia de lo tradicional está, pues, más allá en la mera recepción o aceptación de una poesía por el pueblo... ; está en la reelaboración de la poesía por medio de las variantes».[1] Pues bien, Menéndez Pelayo asaeteó desde distintos

1. R. Menéndez Pidal, *Poesía popular y poesía tradicional en la literatura española,* apud *Los romances de América,* 3.ª ed., «Col. Austral», núm. 55, pp. 76-77. Véase ahora *Romancero hispánico,* t. I, Madrid, 1953, pp. 40 y ss. Joaquín Costa había intuido cosas semejantes. En un trabajo que resulta precursor diría: «La forma originaria que el poeta imprime a su obra antes de confiarla al pueblo que la inspira no es definitiva ni la última. Una vez que ha sido prohijada por el pueblo y héchose patrimonio universal, queda sometida al influjo de todas las energías plásticas y transformadoras que en su seno actúan: ha principiado para ella un trabajo de renovación molecular y de florecimiento consuetudinario tanto más activo cuanto menos reflexiva es la vida de la sociedad, y más fecunda en obras asimilables por ella el genio de las individualidades artísticas. Resultado de este trabajo es una cosecha óptima de *variantes*» (*La poesía popular española y mitología celto-hispana,* Madrid, 1881. Cito por la edición de Rafael Pérez de la Dehesa, Madrid, 1969, p. 146).

puntos de vista este nuevo concepto de la poesía, aunque no llegara a definirlo: sus ideas sobre la lírica, sobre la épica, sobre el romancero, sobre el popularismo en los cancioneros y en el teatro, son otras tantas flechas dirigidas al blanco de la que nosotros llamamos «poesía tradicional».

Ahora bien, ¿qué era para Menéndez Pelayo esta clase de poesía? Dámaso Alonso ha señalado las dos posturas de don Marcelino ante la poesía tradicional (o popular);[2] desde la negación por 1877 hasta el descubrimiento de sus grandes valores estéticos por 1890. En esos trece años se purgaron muchas injusticias y no pocas inexactitudes; de la vuelta nos quedaron los grandes atisbos del maestro y la necesidad de perfilar conceptos.

Tal vez mejor que en otro sitio, los *Estudios sobre el teatro de Lope de Vega*[3] permitan seguir el rastro ideológico de don Marcelino. Allí, de refilón sobre tanto tema capital, toca una y otra vez la cuestión de esta poesía «popular». Trasfondo lírico, oímos las voces de los cantores y Menéndez Pelayo se detiene, siquiera sea un instante, para identificar el son. Estos poemitas son llamados *cantarcillo vulgar,*[4] *poesía tradicional,*[5] *elemento popular,*[6] *trozo cantable,*[7] *letra para cantar,*[8] *cantos y poesías populares,*[9] *canto nacional,*[10] *musa popular,*[11] *poesía lírica popular,*[12] *letra popular,*[13] *cantarcillos populares.*[14] Sorprende la variedad de las denominaciones: parece como si conscientemente se hubiera evitado a todo trance llamar a la misma cosa por un nombre solo, aunque lo frecuente sea en ellas el denominador

2. *Menéndez Pelayo, crítico literario,* Madrid, 1956, pp. 51-65.
3. Citaré siempre por la *Edición Nacional de las Obras Completas de Menéndez Pelayo* hecha por el Consejo Superior de Investigaciones Científicas. Los *Estudios* son los volúmenes XXIX-XXXIV de la colección y serán aducidos mediante la abreviatura *Teatro Lope.* O.C. = Obras Completas.
4. *Teatro Lope,* O.C., XXIX, p. 75.
5. Ib., O.C., XXIX, p. 89.
6. Ib., O.C., XXIX, p. 88.
7. Ib., O.C., XXIX, p. 112.
8. Ib., O.C., XXIX, p. 117; O.C., XXXI, p. 189.
9. Ib., O.C., XXX, p. 53; *poesía popular,* ib., XXXII, p. 165; XXXIII, p. 141.
10. Ib., O.C., XXX, p. 123.
11. Ib., O.C., XXX, p. 321.
12. Ib., O.C., XXXI, p. 65.
13. Ib., O.C., XXXI, p. 296.
14. Ib., O.C., XXXI, p. 380.

de lo popular.[15] Bien es cierto que el maestro vio la insuficiencia de la denominación (¿no basta su propia incertidumbre?) y más de una vez tentó el hallazgo. Basten un par de muestras. Al estudiar el auto sacramental *La Venta de la Zarzuela* [16] y con referencia a la famosísima serranilla de la Zarzuela [17] dice: «de las fazañas de esta Circe montaraz... hubo de componerse un romancillo, en algún modo análogo a las antiguas *villanescas*». Más adelante [18] volvió a ocuparse de este mismo asunto, en *El sol parado,* con las siguientes palabras: «Tiene la linda escena [padre hallado y reconocido por su hijo] reminiscencias evidentes de la poesía popular, o más bien semipopular, no sólo en el metro y estilo general de ella, sino también en algunos versos. Ya con ocasión del auto sacramental *La Venta de la Zarzuela*... tuvimos ocasión de mencionar un romancillo villanesco, que debió de ser muy popular, pero que no conocemos ya en su primitiva forma, sino a través de las *glosas a lo divino* que de él hicieron varios ingenios del siglo XVI, por ejemplo, Juan López de Úbeda... Es evidente que una misma canción, no precisamente vulgar (salvo, acaso, los cuatro primeros versos), sino artística popularizada, sirvió de base al auto y a la comedia». En el caso particular, las mismas vacilaciones que en la generalización: *villanesca, poesía popular, poesía*

15. JOAQUÍN COSTA, hombre de geniales intuiciones, se enfrentó con el problema del popularismo en poesía y escribió las palabras que copio: «Toda poesía... cuyo autor se ha inspirado en el espíritu general y ha procedido como órgano y ministro suyo, identificándose más o menos con él y llevando su voz, es poesía popular.» (*La poesía popular española*, p. 142.) Y poco más adelante añade: «Toda obra literaria es de creación individual —erudito, cuando por razón de su contenido es subjetiva o extemporánea, hija de la pura individualidad del artista, cuando no reconoce por base los materiales fragmentarios ofrecidos por la tradición, ni ha bebido la inspiración en el arsenal de los recuerdos vivos y de las creencias y aspiraciones ideales de la sociedad, cuando la sociedad no ha sido consultada ni atendida—; popular, en el caso contrario, cuando el poeta se ha hecho nación, raza, humanidad, desprendiéndose de todo elemento egoísta y particular empapándose del sentido universal histórico e informándolo en un cuerpo esplendoroso.» (Ib., página 144.) Lo insatisfactorio e inexacto del término *popular* está sometido a ilustración histórica en el *Romancero hispano-portugués* de MENÉNDEZ PIDAL, apud *Castilla, la tradición, el idioma*, Col. Austral, núm. 501, pp. 45 y ss.

16. *Teatro Lope*, O.C., XXIX, pp. 120-121.

17. Hoy tenemos sobre ella un estudio definitivo: R. MENÉNDEZ PIDAL, *Serranilla de la Zarzuela,* apud *Poesía árabe y poesía europea,* «Col. Austral», núm. 190, pp. 119-135.

18. *Teatro Lope,* O.C., XXXII, pp. 164-165.

semipopular, romancillo villanesco, canción no precisamente vulgar, canción artística popularizada... Todo ello no son sino variantes del concepto poesía tradicional: esto es, poesía de origen popular o culto, transmitida oralmente y reelaborada en los distintos momentos de la transmisión. Con este hallazgo, Lope se nos mostraría con total nitidez: poeta tradicional,[19] creador y reelaborador de los cantos que su pueblo amaba. Esto lo evidencian *Las famosas asturianas,* obra dramática en la que se intercala la sabida endecha de «Parióme mi madre / una noche oscura». Menéndez Pelayo conoció esta «reminiscencia de poesía popular», pero se dejó engañar por el Fénix: «esta composición tiene todo el corte de lo popular; pero Lope de Vega era muy capaz de hacerla él mismo».[20] Estamos, otra vez, ante idénticos hechos: un tema que Lope toma de la voz del pueblo y que luego se transmite junto y desde la obra literaria, según probé en otra ocasión.[21] Y este hecho atisbado por Menéndez Pelayo, cercado ahora también de sugerencias, es el de la poesía tradicional.

No mucho después de estos volúmenes sobre Lope, en 1903-1906, aparecía su memorable *Tratado de los romances viejos.*[22] Allí se enuncia algo que hoy consideramos indeleble. A vuelta del popularismo o de las fórmulas poco comprometedoras, Menéndez Pelayo ha descubierto, fulgurante, la luz. Sus palabras coinciden casi totalmente con las de Menéndez Pidal; en ellas, aunque sea de pasada, se han visto los nuevos horizontes: «La propensión narrativa es común a todo el género humano, y lo

19. No de escuela «tradicionalista», sino de la eterna tradición de nuestro pueblo.

20. *Teatro Lope.* O.C., XXXI, p. 121.

21. *Endechas judeo-españolas,* Granada, 1953, pp. 114-124 (2.ª ed., Madrid, 1969, pp. 59-68).

22. *Antología de poetas líricos castellanos,* O.C., XXII, p. 38. O como diría Costa: «Esta reelaboración, esta palingenesia poética se opera unas veces por la *adición* de nuevos componentes a algunas de las partes constitutivas de la obra o a todas; otras veces, al contrario, por la *sustracción* o desuso de este o aquel elemento que integraba en ella desde el principio, o mediante el *desarrollo* y cultivo de alguno de sus episodios heroicos, o de algunas de sus nociones religiosas o morales, o mediante *alteraciones* más o menos profundas sufridas en su desenlace, en sus tendencias, en sus móviles, en todo aquello que constituye la materia elemental y cósmica del producto poético» (*La poesía* popular, p. 147).

es también el placer que las narraciones causan y la facilidad con que se retiene lo substancial de ellas, al paso que se alteran los pormenores, según la memoria y entendimiento de cada uno de los que repiten la historia: de donde nace la variante, que es el principio de evolución interna en toda poesía tradicional».

Era necesario este camino previo. No para señalar una indecisión en la obra del maestro. Sino para comprender el alcance de su postura. Para ver cuán cautamente procedía Menéndez Pelayo al andar sobre suelos en su tiempo aún no bien asentados y para denunciar cómo su sagacidad se anticipaba; él descubrió lo insatisfactorio de una crítica y lo insuficiente de una terminología. Él se anticipó a todos y dejó abierto el camino que llevaba al definitivo hallazgo.

2. Orígenes de la épica española

El último de los textos transcritos de don Marcelino nos lleva de la mano a una nueva cuestión: el carácter tradicional de las gestas. Poco importa que la doctrina se muestre vacilante unas líneas más abajo; lo sustancial es el hallazgo y la insistencia en él: «subsiste el cuadro épico —dice—, aunque alguna vez se dilaten sus términos por anexión de nuevos cantos relativos al mismo héroe, y otras veces se estrechen, por haber cobrado cierto género de autonomía los que antes eran meros episodios».[23] Esto es cierto y tiene valor general. Menéndez Pelayo mismo pudo aducir el testimonio de la Francia del Norte,[24] Bédier tuvo que reconocer que las gestas perduran a través de refundiciones[25] y, entre nosotros, Menéndez Pidal, logró establecer de modo definitivo el carácter tradicional de la épica.[26]

23. *Antología líricos*, O.C., XXII, p. 38.
24. Ibídem.
25. *La Chanson de Roland, publiée d'après la manuscrit d'Oxford*, 1922, p. IX, y en otros sitios.
26. *Poesía popular*, pp. 86 y ss. Y, ya con una proyección mucho mayor, en *La Chanson de Roland et la tradition épique des Francs* (2.ª ed.), París, 1960.

Muchos años después, Dámaso Alonso tuvo la fortuna de encontrar una nota en letra visigótica copiada en San Millán de la Cogolla (1065-1075).[27] La importancia de esas breves líneas [28] es decisiva, pues muestra que antes de la *Chanson de Roland* «estaba formada la *materia* épica» de la gesta francesa y en ella se habían proyectado «un relato o varios relatos poemáticos en una lengua romance»; «el autor de la *Nota Emilianense* está así a la cabeza de una tradición hispánica bien comprobada: la utilización de los elementos legendarios como material histórico».[29] La importancia de esta *Nota* en lo que ahora nos puede interesar es, precisamente, que viene a confirmar, contra Bédier, una continuidad ininterrumpida en la transmisión de los relatos épicos. Esto es, el tradicionalismo defendido por los investigadores españoles, desde los tiempos de Milá.

He aquí una intuición que ha venido a ser confirmada. No por cuanto la idea fuera en sí misma estrictamente nueva, ya que la crítica del romanticismo conoció el variar de la epopeya, sino por el acierto de no separar la creación individual de la

27. *La primitiva épica francesa a la luz de una «Nota Emilianense»* (*RFE*, XXXVII, 1953, pp. 1-94).

28. «In era dcccxvi venit Carlus rex ad Cesaragusta. In his diebus habuit duodecim neptis: unusquisque habebat tria milia equitum cum loricis suis. Nomina ex his: Rodlane, Bertlane, Oggero spatacurta, Ghigelmo alcorbitanas, Olibero et episcopo domini Torpini. Et unusquisque singulos menses serbiebat ad regem cum scolicis suis. Contigit ut regem cum suis ostis pausabit in Cesaragusta. Post aliquantulum temporis suis dederunt consilium ut munera acciperet multa, ne a famis periret exercitum, sed ad propriam rediret. Quod factum est. De inde placuit ad regem pro salutem hominum exercituum ut Rodlane belligerator fortis cum suis posterum veniret. At ubi exercitum portum de Sicera transiret, in Rozaballes a gentibus Sarrazenorum fuit rodlane occiso.» El propio Dámaso Alonso ha traducido así las líneas anteriores: «En la era de 816 (año de Cristo, 778) vino el rey Carlos a Zaragoza. Por aquel entonces tenía doce sobrinos. Cada uno tenía tres mil caballeros con sus lorigas. Sus nombres: Roldán, Beltrán, Ogier el de la corta espada, Guillermo el de la corva nariz, Olivier y el obispo don Turpín. Y cada uno servía un mes al rey en su séquito. Sucedió que el rey con su hueste se detuvo en Zaragoza. Después de algún tiempo los suyos le aconsejaron que recibiera muchos regalos para que el ejército no pereciera de hambre, sino que pudiera volver a la tierra propia. Lo que fue hecho. Luego quiso el rey por la seguridad de las gentes de su ejército que Roldán, fuerte guerrero, viniera con los suyos el último. Pero cuando el ejército atravesaba el puerto de Cisa fue Roldán muerto en Roncesvalles por los Sarracenos» (apud *Antología: Crítica*. Madrid, 1956, pp. 141-143).

29. Los pasajes entrecomillados proceden de las pp. 62-64 del trabajo de Dámaso Alonso en la *RFE*.

elaboración colectiva y ver cómo ambas pueden evolucionar juntas a lo largo del río andante que es la tradición.[30]

Sentada esta cuestión previa, hace falta ver ahora la postura de la escuela española ante el origen de las gestas, su transmisión y desarrollo.

En 1874, Milá y Fontanals, el gran maestro catalán, fundamentaba sólidamente el origen de la epopeya: para él la poesía heroica fue primitivamente poesía de «la prepotente aristocracia militar» y no estuvo formada por «cantos aislados y breves, sino compuesta de extensos relatos».[31] Esta doctrina se oponía a la habitualmente sostenida por los investigadores franceses (Fauriel, Barrois, d'Hericault, Gautier e incluso Gaston Paris),[32] y «representa el fin de la opinión romántica». En efecto, Pio Rajna (1884), Benedicto Niese (1882), Andrew Lang (1893), reaccionaban en idéntico sentido y Menéndez Pelayo (a partir de 1890) aseguraba, entre nosotros, con el enorme peso de su autoridad, el triunfo de la doctrina de Milá.

Sobre el carácter germánico de la epopeya romance, don Marcelino sigue, principalmente, a Pio Rajna,[33] pero no acepta

30. De Menéndez Pelayo son estas palabras: «Esta poesía [la épica], en su más remoto origen, pudo y debió ser compuesta por cualquier hombre de viva imaginación, fácil palabra e instinto musical que hubiese sido testigo de un hecho grande o que por la tradición oral lo supiera» (*Antología líricos*, O.C., XXII, p. 38; véase también la p. 39 del mismo libro). No muy lejos de todo esto, Joaquín Costa había escrito en *La poesía popular*, de 1881, ya citada: «Lo primero que a cualquiera se le ocurre cuando reflexiona sobre este tema es que el pueblo no puede ser, en modo alguno, poeta directo, esto es, *colectivamente*; que las entidades colectivas no pueden producir *por sí mismas* la más ínfima obra literaria, como no pueden crear una costumbre ni una ley. El pueblo no es una personalidad individual, no es un cerebro para pensar, ni un corazón para sentir, ni una fantasía elemental para informar sus pensamientos y sus sentimientos, ni una lengua con que traducir esas formas en el mundo exterior del lenguaje, ni una mano para pulsar la lira: es un conjunto orgánico, es un compuesto de elementos racionales y dotados de albedrío, y sólo *mediante* esos elementos puede concebir y dar vida social a sus concepciones.» (Pp. 140-141.)

31. Vid. *De la poesía heroico-popular castellana*, en O.C. de Milá y Fontanals, t. VII, pp. 395 y 396.

32. Ib., p. 454. Paulin Paris, que luego cambió de postura, y Jonckbloet negaron la posibilidad de unos cantos cortos como base de la epopeya.

33. *Le Origini dell'Epopea Francese*, Firenze, 1884.

—y en esto hermana lógica y patriotismo— la sumisión de las nuestras a las gestas francesas. Ciertamente, «no ha de admitirse de ligero que los visigodos fuesen excepción entre las demás poblaciones bárbaras»;[34] por eso en defensa del ascendiente germánico, sin intermediarios, de nuestra épica invoca los nombres del historiador Jordanes[35] y de san Julián,[36] aduce las *Historias Góticas* de Casiodoro,[37] recuerda el testimonio de Walter de España[38] y sienta definitivamente una hipótesis de trabajo («si es incierto y vago todo lo que se refiere a la parte de nuestros visigodos en la elaboración de la epopeya germánica, todavía es menos asequible a la investigación actual el enlace que esta remotísima poesía pudo tener con la nuestra. P e r o t a l e n l a c e n o e s i n v e r o s í m i l , s i n o t o d o l o c o n t r a r i o ; a l p a s o q u e d e b e r e c h a z a r s e d e p l a n o , y y a t o d o e l m u n d o r e c h a z a , l a h i p ó t e s i s d e l a i n f l u e n c i a a r á b i g a »)[39] al mismo tiempo que se adelanta a la mejor crítica moderna con una página de felicísimas intuiciones:

> Por otros rumbos distintos de los que se puedan descubrir en el Pacense habría que buscar la poesía épica de los visigodos, si alguna vez se emprendiese esta investigación con rigor científico. Quizá en la primitiva poesía escandinava, quizá en la epopeya germánica y en la francesa, se encuentre un día, si no la clave del enigma, a lo menos algún rayo de luz que nos permita entrever lo que hoy por hoy no es más que una región nebulosa e incógnita. El punto de partida será siempre aquel famoso texto de Jornandes [sic] (que escribía en el siglo VI) aplicable por igual a visigodos y ostrogodos: «*cantu maiorum facta modulationibus citharisque canebant*». Vestigios de esos cantos heroicos quedan en la narración del mismo historiador (y serían mayores sin duda en las *Historias Góticas*, de Casiodoro, que Jornandes, según declara, no hizo más que extractar), el cual expresamente nos dice que en ellos se referían al origen de las dos familias reales, los Balthos y los Ama-

34. *Antología líricos*, O.C., XXII, p. 49.
35. Ib., pp. 50 y 55.
36. Ib., pp. 50-51.
37. Ib., p. 55.
38. Ib., pp. 56 y ss.
39. Ib., p. 58.

los, y las hazañas de los héroes indígenas Ethespamara, Hanala, Fridigerno, Vitiges y otros, comparable con los más célebres de la antigüedad clásica. Una de estas tradiciones, consignada por Jornandes, y que se refiere a la venganza que los dos hermanos de la descuartizada Svanibilda tomaron del rey godo Hermanrico, que la había mandado atar a dos potros salvajes, reaparece con todos sus caracteres épicos en un fragmento del Edda de Saemund *(Handismal)*, que pudiera titularse «la venganza de Gudruna».[40]

No conforme con estas reliquias, Menéndez Pelayo aduce otras; su portentosa erudición se apoya en los nombres más diversos y en los estudios más variados (Rajna, Grimm, Ozanam) y, con indiscutible acierto, pero siempre con ecuanimidad envidiable, rechaza la hipótesis de Rajna, según la cual «i Visigoti, perdettero l'epopea loro, senza generarvene una nuova».[41] La hipótesis de Menéndez Pelayo era audaz y sugestiva; pero hubo de contar con la repulsa de Bédier y sus seguidores. Sin embargo, en 1955, Menéndez Pidal volvía a la tesis del sabio montañés, y en la plenitud de su genio, asentaba con sólidos cimientos lo que en Menéndez Pelayo fueron atisbos sagaces.[42] En Spoleto, junto a Jordanes y sus narraciones épicas, resonaron los nombres de Ablabio «egregio y veraz historiador de los godos», Casiodoro, Hidacio, san Isidoro; los temas comunes a godos de Oriente y epopeya castellana, la comunidad de costumbres, la literatura con objetivo social-político... Todo un cuerpo doctrinario elaborado medio siglo más tarde, pero dentro de nuestra más ortodoxa tradición científica.

Pocas líneas antes he señalado cómo Menéndez Pelayo habló de la posible vinculación de nuestras gestas con «la primitiva poesía escandinava». Un tema concreto de estas relaciones fue espléndidamente ilustrado por Menéndez Pidal.[43] Para entrar en

40. Ib., p. 55.
41. Esta teoría y sus fundamentos fueron expuestos por Wolf con anterioridad a Rajna.
42. *Los godos y el origen de la epopeya española*, en el libro que lleva este mismo título, «Col. Austral», núm. 1275, pp. 9-57. La comunicación se leyó en Spoleto el día 1 de abril de 1955.
43. Vid. *Supervivencia del «Poema de Kudrun». (Orígenes de la balada)*, *RFE*, XX, 1933, pp. 1-59. Puede verse en las pp. 89-173 del libro citado en la nota anterior.

el terrible mundo que se va a describir, valgan las propias palabras de don Ramón:

> [los Nibelungos] es la Ilíada, y Kudrun es la Odisea alemana, se dice. Y en verdad, aunque diluya la impresión poética desparramando demasiado sus aventuras durante el sucederse generaciones de abuelos, de padres y de hijos, el poema de Kudrun nos confía tipos y escenas inolvidables, sobre todo la figura de la joven princesa que acepta con firmeza inconmovible su martirio de amor, el hambre, los trabajos serviles, la desnudez sobre la nieve y entre los helados vientos del mar del Norte.

En efecto, el poema de comienzos del siglo XIII inspiró a los juglares, que lo transmitieron a través de los tiempos y de las tierras. Lo más notable es que la épica española por su conservadurismo arcaico ayuda a demostrar (contra Wolf y los románticos) que el poema extenso precede habitualmente a las cantilenas breves. Y lo que ha ocurrido en la historia literaria peninsular (el romance procede de la gesta) tiene su parangón en el mundo germánico. En el solar hispánico, la tradición de la gesta alemana se ha continuado en el romance de don Bueso, cantado en España, y por los judíos de los Balcanes y de Marruecos;[44] su conservación —igual que en las regiones marginales de Dinamarca y Gottschee— es mucho mejor que en Alemania, donde la canción ha sido muy adulterada. Como en lingüística, las zonas periféricas son más arcaizantes que las del centro, innovadoras, y, por otra parte, las supervivencias de la balada han venido a comprobar que el estilo *tradicional* «no es por lo común un estilo primario, sino que adquiere sus caracteres propios tan sólo mediante el rodar de la tradición».[45]

Precisamente a esta amplia síntesis se ha llegado después de largos años de elaboración científica, por más que mucho antes se hubieran intuido las conclusiones. Al analizar tres versiones del romance *En Santa Gadea de Burgos,* vio Menéndez Pidal

44. En mi *Poesía tradicional de los judíos españoles* (México, 1966, páginas 46-49) he reunido cinco versiones sefardíes de Levante y del norte de Africa.

45. *RFE,* XX, p. 59.

cómo en cada una de ellas hay un abandono de los elementos que se estiman menos eficaces y la aparición de otros nuevos. La versión más antigua se vincula a la fuente épica por «muchos recuerdos más o menos claros»; la cronológicamente intermedia pierde algunos de ellos y se contamina con el romance de *Cabalga Diego Laínez*; la tardía (1550) se aparta todavía más, y añade algún incidente ajeno a las fuentes primitivas (epopeya, crónicas).[46]

3. La influencia francesa

El ascendiente germánico directo de nuestra épica, supone tácitamente, su independencia con respecto a Francia. Pero la postura de Milá[47] o la de Menéndez Pelayo están totalmente alejadas del pueril patriotismo, pues se debe reconocer «que el centro de la vida literaria de la edad media estuvo en Francia».[48] Sin embargo, debe huirse tanto de los que niegan el influjo transpirenaico, como de los que piensan en que toda la cultura medieval es una simple «dépendance» gala.[49] Tal ha sido la opinión defendida por la crítica moderna:[50] la épica española es de una gran antigüedad y de clara independencia con respecto a la ultramontana (Steiger, Hämel, Cirot, Voretzsch, Blasi, Wagner, Frings, por no citar sino a los extranjeros).[51] Precisamente su antigüedad intuida por Menéndez Pelayo[52] ha sido demostrada hasta la saciedad por Menéndez Pidal y su independencia

46. *Poesía popular y romancero* (*RFE*, I, 1914, p. 373).
47. Ver, por ejemplo, *Carácter general de la literatura española*, pp. XIII-XIV, en el t. VII de sus O.C.
48. *Antología líricos*, O.C., XVII, p. 129.
49. Juicios de los eruditos románticos, ya antiguallas inútiles, se pueden ver en la *Introducción* de Wolf a la *Primavera y Flor de romances* (vid. *Antología líricos*, O.C., XXIV, pp. 12 y ss.).
50. Vid. *Antología líricos*, O.C., XVII, pp. 130-135.
51. Vid. R. Menéndez Pidal, *Problemas de la poesía épica*, apud *Los godos y la epopeya española*, pp. 74-78.
52. «Creemos firmemente que la epopeya castellana nació al calor de la antigua rivalidad entre León y Castilla... y que éste es su sentido histórico primordial; lo cual no quiere decir que haya cantar alguno que se remonte a los obscuros y lejanos tiempos en que se elaboró la independencia del Condado» (*Antología líricos*, O.C., XVII, p. 129).

se reconoce de tal magnitud que Hämel pudo emitir la hipótesis de que fuera Francia la tributaria de nuestra epopeya.[53]

El sentido de independencia de la epopeya española está, no sólo en los temas o su tratamiento, sino en los héroes preferidos, «por caso singular nos encontramos con que la epopeya castellana jamás expresó el modo de sentir de la aristocracia palaciega ni de la Iglesia feudal [esto es, las gentes más afrancesadas]... y por el contrario parece haberse complacido en circundar de gloria a los rebeldes como Fernán González, a los proscriptos como Bernardo y el Cid... Y lejos de ser francesa la inspiración de tal poesía, más bien parece un reto, una continua protesta del sentimiento nacional herido».[54] Naturalmente, no quiere esto decir que Menéndez Pelayo negara —tan mesurado siempre— lo que es evidente: tan sólo señalar cómo sabía conducirse por unos derroteros acechados de sirtes. Su juicio sereno huyó tanto de Scila como de Caribdis, escollos de los que no ha sabido salvarse la crítica más reciente: ver en tópicos universales una prueba de galicismo es tanto como cerrar los ojos cuando llega la luz.[55] Nunca negó Menéndez Pelayo el valor de la influencia francesa[56] o la penetración de sus ciclos épicos; es más, también ahora, sus atisbos acaban de tener confirmación: «que la admirable *canción de Rolando* —son palabras suyas—, divulgada por lo menos desde el siglo XI, y tan interesante a los españoles por su asunto, se hiciese familiar a nuestros juglares, y que en pos de ella entrasen otras narraciones del mismo ciclo y de ciclos secundarios, era no sólo natural, sino históricamente forzoso».[57] Es cierto, en ese siglo XI, que don Marcelino da como fecha probable, las gestas de Roldán se conocían ya en España, según hemos tenido ocasión de comentar a propósito de la importantísima nota emilianense, estudiada por Dámaso

53. Vid. nota 51 en la página anterior.
54. *Antología líricos*, O.C., XVII, p. 132. Cfr. id., O.C., XXII, pp. 68-69 y 83.
55. Tal ocurre con E. R. CURTIUS, *Antike Rhetorik und vergleichende Literaturwissenschaft*, *CL*, I, 1949, pp. 27-31. Véase ahora la réplica de MENÉNDEZ PIDAL en *Fórmulas épicas en el «Poema del Cid»*, apud *Los godos y la epopeya española*, pp. 242-245.
56. Vid. *Antología líricos*, O.C., XVII, p. 135; ib., XXII, pp. 63 y ss.
57. Ib., O.C., XVII, p. 130.

Alonso,[58] y es cierto también que, al amparo del héroe francés, penetraron en España otros temas carolinos, reunidos por Martín de Riquer.[59]

4. Castilla y la epopeya

Esta poesía épica autóctona, no nacida por extraños influjos románicos, tiene un hogar donde recibe calor y vida: es la vieja Castilla «del alfoz de Burgos, o de la Bureba».[60] Aquel «pequeño rincón» del que hablan los versos del *Poema de Fernán González,* y del que salieron los condes castellanos, los Infantes de Salas o el Cid. Poesía épica nacida «al calor de la antigua rivalidad entre León y Castilla» que hace que tal sea «su sentido histórico primordial».[61] Esclarecer por qué nuestra epopeya es castellana y sus héroes están animados de un mismo sentimiento de independencia ha sido labor infatigable en el quehacer de Menéndez Pidal, quien al resumir y precisar sus propias ideas emite este juicio definitivo: «el aparecer la poesía épica en Castilla hemos de mirarlo como un hecho debido al apartarse Burgos de la tradición oficial visigoda, tan fielmente seguida por la monarquía astur-leonesa; la epopeya castellana no es más que una de tantas costumbres germánicas... que, repudiada también y relegada a la oscuridad en la época visigoda, revive con fuerza en Castilla al par de las otras instituciones que hicieron necesaria la simbólica quema del Fuero del Juzgo en la glera del Arlanzón».[62] Juicio definitivo que, tras una vida infatigable de trabajo y de geniales aciertos, viene a confirmar otras de aquellas hipótesis de nuestra tradición científica.

Al plantearse, pues, la épica como poesía política al servicio de una causa de independencia, ha de buscar sus argumentos no

58. Vid más arriba, pp. 19 y 20.
59. *Los cantares de gesta franceses,* Madrid, 1952, pp. 125-131, especialmente.
60. *Antología líricos,* O.C., XVII, p. 128.
61. Ib., p. 129. Vid. también, XXII, p. 156.
62. *Carácter originario de Castilla,* apud *Castilla, la tradición, el idioma,* «Col. Austral», núm. 501, p. 23.

en la ficción, sino en la historia. Justificar la rebeldía, repetir las causas del resentimiento, crear sus propios héroes tales serán —de una u otra forma— los móviles que guíen la pluma. Pero nada de ello es otra cosa que historia. Y el valor histórico de nuestras gestas tendrá un decidido campeón en Menéndez Pelayo,[63] que pudo escribir del carácter profundamente histórico de la epopeya castellana «que hasta cuando parece inventar no hace nada más que trasponer y acomodar a sus héroes lances de la vida real».[64] Y al tratar de los romances fronterizos vio con singular claridad que

> Por muy íntimas que fuesen las relaciones que siempre guardaron en España la poesía narrativa y la historia, sería tan inútil en el caso de la guerra de Granada, como en cualquier otro, buscar un paralelismo exacto entre ambas, como si el canto épico hubiese de acompañar forzosamente a las acciones más ínclitas y gloriosas. Lo contrario, precisamente, suele acontecer y en este caso acontece. La poesía viene a dar luz a lo que la historia deja en penumbra u omite del todo por su valor secundario.[65]

Siempre que de materia épica tratemos, las opiniones de don Marcelino deberán compulsarse con las de Menéndez Pidal, en cierto modo —por genialidad, laboriosidad y sabiduría— su continuador. El cotejo, de seguro, no molestaría a Menéndez Pelayo: él dijo —¡en 1903!— de don Ramón «que va renovando por completo la historia de nuestra poesía de la Edad Media con los descubrimientos más inesperados y las inducciones más felices».[66] Y en efecto, las investigaciones de Menéndez Pidal han hecho olvidar el concepto de don Marcelino sobre la historicidad del *Poema del Cid*[67] o han rectificado su valoración de Fernán

63. Vid. *Antología líricos*, O.C., XXII, pp. 192 y ss.; ib., pp. 272 y ss. y otras muchas veces.
64. Ib., XXII, p. 352.
65. Ib., XXIII, p. 128.
66. Ib., XXII, p. 204. Merece la pena, a este respecto, leer la contestación de don Marcelino al discurso de ingreso de Menéndez Pidal en la Academia Española.
67. Ib., XXII, pp. 271-272. Tras las espléndidas aportaciones del *Cantar de Mio Cid* (1908) y de *La España del Cid* (1929), la reconstrucción más honda

González,[68] pero contra los hombres más ilustres (Dozy, Curtius, Lévy-Provençal, Kienats) ha hecho prevalecer el sustancial valor histórico de nuestras gestas.

La historia de Castilla —retazos de la historia de Castilla— están en los cantares épicos, como luego volverán a estar en el romancero. Castilla con sus costumbres, sus gentes y sus héroes. Salvada la aparente discrepancia de Bernardo del Carpio, el héroe leonés que, como toda nuestra épica, lucha por la independencia, nuestras gestas pueden servir para iluminar largos años de historia porque en esencia, desde el principio, la épica vivió entre nosotros alimentada por ella y es «que la epopeya castellana nació por un proceso de desintegración análogo al que determinó la independencia del Condado».[69] Por eso ahora —al volver de los siglos— la épica castellana tiene sustancial valor histórico para todo lo que la historia ha olvidado y las creaciones literarias de nuestras gestas encierran un contenido

y sagaz que jamás se haya hecho en España, MENÉNDEZ PIDAL ha vuelto a reconsiderar nuevos aspectos de esta historicidad en *Cuestiones de método histórico* en el volumen, ya citado, de *Castilla, la tradición, el idioma*; *En torno al poema del Cid*, Barcelona, 1970. Al margen de estos hechos, bien que no reñido con ellos, está la supervivencia de *doña Elvira* y *doña Sol* —los nombres «épicos» de las hijas del Cid— en un texto del Siglo de Oro. La famosísima *Sátira del Incógnito* que comienza *¡Déjame en paz, oh bella Citerea!* tiene los siguientes versos:

> Di, ¿por qué inquietas a la hermosa Lidia,
> sabiendo que la vara de su casa
> castiga en tantas esa tu perfidia?
> Bastara haber heñido esotra masa
> del pan más floreado de Castilla,
> pagando a açotes el quebrar la tasa;
> pues aunque fueron sobre la rodilla,
> no hay que tener en género de afrenta
> a *doña Elvira* y *doña Sol* mancilla.

(BARTOLOMÉ LEONARDO DE ARGENSOLA, *Rimas*, edic. Blecua, Zaragoza, 1951, p. 489, vv. 709-717.)

68. Vid., R. MENÉNDEZ PIDAL, *Carácter originario de Castilla,* aludido en otro sitio, p. 13.
69. *Antología líricos,* O.C., XXII, p. 156.

que se puede valorar desde el mundo de la realidad, no sólo desde el de la ficción o de la belleza.[70]

Para tener conciencia del valor que la historia tiene en estos relatos, nada tan ilustrativo como conocer la polémica de Leo Spitzer[71] y Menéndez Pidal.[72] Considera Spitzer un resabio positivista de Menéndez Pidal su interpretación de los datos geográficos e históricos del *Cantar* como «comprobadores de una realidad extra-artística reflejada en la obra de arte», pero la geografía en el poema es anti-histórica, pseudo-histórica, y de ella no cabe inferir sino el carácter «ficticio» de la gesta. Tal carácter quedaría manifiesto en el episodio novelesco de la afrenta de Corpes: la precisión geográfica viene a vivificar lo que es fantasía. Y es que el poema pretende crear un héroe dechado de perfecciones absolutas frente al cual no habrá sino enemigos innobles. Por eso el episodio del robledo no hace —a vueltas de precisiones geográficas— sino ayudar a la creación de este mundo de valores esenciales: el bueno a un lado; los malos, a otro. Así también en el episodio ficticio de las arcas de arena y el engaño sufrido por Raquel y Vidas. Según Leo Spitzer, el poeta pretende señalar, con este «nadir» de la acción, la triste situación en la que cae el héroe por culpas ajenas y cómo el progreso ascendente del héroe no es sino la merecida recompensa de bienes exteriores que alcanza la virtud incardinada en el caballero. Estos y otros elementos ficticios —historia del león, oración de Jimena— «se revelan como elementos no advenedizos, sino fundamentales en la fabulación del Cantar, que sirven para poner de relieve la trayectoria ascendente de la vida exterior del héroe». El error de Menéndez Pidal estriba en proyectar a la edad media su ideal de español moderno —su noventayochismo— y no acertar a ver que la inmediata vecindad de Medi-

70. Sobre otros rasgos paralelos en la historia de las culturas hispánicas, vid. *La crítica cidiana y la historia medieval* en el libro *Castilla*, citado anteriormente, p. 129, *passim*.

71. *Sobre el carácter histórico del «Cantar del Mio Cid»* (*NRFH*, II, 1948, pp. 105-117).

72. *Poesía e historia en el Mío Cid. El problema de la épica española* (*NRFH*, III, 1949, pp. 113-129).

naceli no hacía sino poner un marco local al internacionalismo de la materia épica. Por eso no es exacta la comparación, tantas veces hecha, del *Cantar* con la *Chanson de Roland*; se trata de «dos fenómenos inconmensurables» que no pueden enfrentarse en un cotejo, pues mientras el poema francés «pone en juego los eternos derechos de lo divino sobre el hombre, y sus efectos artísticos no son buscados por un poeta efectista, sino que son efectos, en el sentido literal de la palabra, del milagro, ...el Cantar es el más ilustre representante de un subgénero épico distinto del de la *Chanson*, ...el género de la biografía novelada o, por decirlo así, *epopeyizada*». De ello infiere Spitzer que no hay que oponer —como Menéndez Pidal hace— el realismo español a la mitogenia francesa, sino la epopeya mítica *(Roldán)* a la biografía epopeyizada *(Cid)*. Y aquí reside la gran originalidad del cantar castellano: en haber transportado la biografía (narrada en todos los pueblos bajo la forma de cantilenas, *Kurzepos*) a un vasto poema *(Grossepos)* del tipo de la *Chanson*, y en haber convertido su narración en «ejemplo precioso no tanto de la historicidad de una obra épica como de la *deshistorización* o anovelamiento de un asunto histórico bajo el espíritu del influjo de la leyenda». Menéndez Pidal responde con datos posteriores a los de 1913, que Spitzer maneja (trabajos de 1940 y 1944), y en los que insiste en motivos anteriores. Spitzer confunde la historicidad del *Cantar* con la autenticidad histórica, y en tal sentido hay que reconocer que la gesta española es «obra enteramente de arte y de ficción». Por eso Menéndez Pidal hace especial hincapié en falseamientos poéticos que pugnan con la verdad histórica (no sabemos que Alvar Fáñez acompañara al Cid en su destierro, el héroe tuvo más de un destierro y dos prisiones el conde de Barcelona, inventa, o por lo menos agranda, los episodios de Castejón y Alcocer, etc.) y nota, como ha hecho otras veces, «que la fidelidad histórica jamás entra como algo intencionado en los planes del autor [del *Cantar*]». Lo que, naturalmente, no amengua, sino que refuerza la tesis del maestro español sobre los orígenes de epopeya: poesía noticiera basada en hechos reales y coetáneos (contra la tesis de Becker y Bédier que consideran tardíos a los cantares de gesta) y rebosante de verismo. «En suma, todos los elementos históricos no se hallan en un poema primitivo en cuanto históricos, sino en cuanto sirven a una ficción poética» y en este sentido, la afrenta de Corpes es el elemento poético lleno de emoción que inserta el poeta en una inacabable teoría de enlaces matrimoniales patrocinados por Alfonso VI y en los que cabría situar con toda verosimilitud —a la que ayudan numerosos indicios documentales— los desposorios (no matrimonio) de las hijas del Cid con los Infantes de Carrión y la posterior ruptura de los esponsales.

Menéndez Pidal ve «la milicia española del Campeador como esencialmente obra de cristiandad» y así se comprendió en Francia y así, con espíritu de comunidad católica, hay que entender el sentido europeísta del Cid (cuando ayuda a la reforma de la Iglesia, cuando da a un francés la sede de Valencia, cuando impone nuevas ideas feudales). Y es que la *Chanson* y el *Cantar* pertenecen a un mismo género, pues no cabe diferenciar dos poemas —o todos los poemas épicos— cuyo sentido «gira en torno a la persona del héroe» (p. 122), ni separar lo impersonal de lo personal. El *Cantar* —como la *Chanson*— participa de lo que Menéndez Pidal considera «tres temas épicos principales»: 1.º) La cruzada, presente en todas las batallas del héroe. 2.º) La venganza por odios de familia, aunque en el *Cid* se convierta en una reparación legal. 3.º) El destierro y la pobreza del héroe, como en las gestas de Renaud de Montauban o Girart de Rousillon, aunque —también ahora— la gesta española presenta la doble originalidad de que su héroe no combata al rey que lo castiga.

Como conclusión, Menéndez Pidal señala el carácter «verista» de la épica hispánica, que si en la edad media sirve para diferenciar el *Cantar*, y las otras gestas castellanas, de la *Chanson*, en el Renacimiento (Camoens, Ercilla, Esquilache) dio personalidad hispánica al arte de los italianos y, antes de que existieran España y Portugal, Lucano cantó la historia próxima con veraces acentos, lo que suscitó la repulsa de Servio. Estos hitos (Roma, Edad Media, Renacimiento) del espíritu hispánico son los que ligan producciones de muy diferente estilo a lo largo de muchas centurias y, precisamente, sirven para caracterizar en su verismo a la épica española frente a la francesa. Por más que la francesa poseyera en sus orígenes este gusto hacia la verdad histórica, de la que se apartó en una evolución ulterior.

El historicismo, que no quiere decir dato y fecha impecable históricos, fue estimado por Menéndez Pelayo en su justo y restringido valor.[73] Pero era tal su verosimilitud, que las gestas tenían que convertirse en historia; pasaron a las *Crónicas* y en éstas se han conservado no pocos testimonios poéticos, perdidos como cantares de gesta.[74] Sin embargo, su continuidad poética es fácil de hacer, comparando las prosificaciones con los romances impresos desde antiguo, al mismo tiempo que puede así rastrearse la vida tradicional de nuestra epopeya.[75]

5. El romancero como poesía tradicional

El concepto romántico sobre la poesía popular con su «mito del pueblo poeta» desaparece con nosotros alrededor de 1853. Cuando en ese año Milá y Fontanals publica sus *Observaciones sobre la poesía popular,* la doctrina sostenida por Durán hace crisis. En esencia —con tardíos rebrotes llegados con casi cien años de rezago— es la postura de Menéndez Pelayo y de Menéndez Pidal. Hoy por hoy la única que creemos sostenible. Pero justamente en esa negativa del pueblo como creador, gracias a

73. Vid. p. 24, nota.
74. Cfr. lo que se ha señalado a propósito de la *Nota emilianense* (p. 26). En la Antigüedad, las epopeyas homéricas y su prolongación las cíclicas tomaron su forma última en las tardías prosificaciones. Así, en el siglo IV, Dictis el Cretense escribió su *Ephemeris belli Troiani* y, en el siglo VI, Dares el Frigio, *De excidio Troiae historia*: la epopeya se había convertido en prosa; del mismo modo, las epopeyas heroicas y los poemas caballerescos se prosificaron en Francia (cf. E. R. Curtius, *Literatura europea y Edad Media latina*, México, 1955, I, p. 252). Sin embargo, lo que caracteriza a la epopeya española es que se utiliza como fuente histórica, y como historia se encuentra prosificada, y, por otra parte, haber generado nuevas formas poéticas a partir de las prosificaciones.
75. Menéndez Pidal ha recogido en un volumen los restos de los cantares de gesta perdidos: *Reliquias de la poesía épica española*, Madrid, 1951.

una inspiración cuasi divina, está implícito otro problema: el de la acción del pueblo sobre las creaciones individuales.

Milá y Fontanals, antes que nadie entre nosotros, se dio cuenta del valor de la palabra *tradicional,*[76] habla de ella como poesía que «ha llegado a nuestros tiempos al través de numerosas generaciones, amorosamente conservada y aun enriquecida por clases populares, ingenuas y por lo común iletradas»[77] y añade, con observaciones valederas hoy: «la poesía popular ha sido transmitida por las mujeres. Sírveles para entretener y adormecer a los niños, para divertir las largas horas destinadas a tareas domésticas y solitarias, para darse aire, según dicen, en las faenas más activas del campo».[78] Estas palabras suyas de los *Preliminares,* póstumos, reflejan la experiencia del Milá colector de textos tradicionales. Sus *Observaciones sobre la poesía popular* (1853) es la primera recogida que, con carácter sistemático, se hace en España de la poesía tradicional, pero Milá, por exageración contra Wolf, Durán, etc., no llegó a conocer el sentido exacto de la acción del pueblo, a pesar de que no la ignorara;[79] pues «obedecía en gran parte a la reacción antirromántica y propendía a desconocer el valor colectivo de cierta clase de poesía popular, creyendo que un individuo lo es todo en la creación poética».[80] Así su *Romancerillo* se presenta como un *corpus* poético semejante a la obra de cualquier poeta conocido.[81]

Fue Menéndez Pelayo quien desarrolló cumplidamente las intuiciones de su maestro. Y así, percatado de lo que la tradición oral significa,[82] adicionó la *Primavera* y *Flor* de Wolf y Hofmann

76. Vid. *Romancerillo catalán,* O.C., VI, Barcelona, 1895, pp. 192-193.
77. Ib., p. 193. Véase, también, el comienzo de esa misma página donde se exponen ideas de gran significado.
78. Ib., p. 193; vid. p. 78.
79. «todo el pueblo toma parte en la composición, ora dando variadas versiones..., ora disponiendo como de un patrimonio común de las frases habituales y cómodas variantes, ora zurciendo retazos de diferente procedencia» (*Observaciones sobre la poesía popular,* O.C., VI, p. 14).
80. R. Menéndez Pidal, *Poesía popular y poesía tradicional,* apud *Los romances de América,* ya citados, p. 75.
81. «Añadiremos que de la mayor parte hemos podido comparar seis o más versiones, mientras de otras nos hemos debido contentar con una sola» (ib., p. 87), pero sólo dos veces, en setenta texos, indica variantes.
82. Vid. *Antología líricos,* O.C., XXII, pp. 43 y 112-114.

con un espléndido tercer tomo de *Romances populares recogidos de la tradición oral,* al que precedió de exacta y ponderada advertencia:

> Aunque la mayor y mejor parte de los romances castellanos sólo ha llegado a nosotros por la tradición escrita (ya en los pliegos sueltos góticos, ya en los romanceros del siglo XVI), no es poco ni insignificante lo que todavía vive en labios del vulgo sobre todo en algunas comarcas y grupos de población que, por su relativo aislamiento, han podido retener hasta nuestros días este caudal poético... Las versiones tradicionales, si bien muchas veces aparezcan incompletas, y otras veces estropeadas por adiciones modernas, nacidas del nefando contubernio de la poesía vulgar con la popular, merecen alto aprecio, lo mismo cuando son variantes de romances ya conocidos, que cuando nos conservan temas evidentemente primitivos, pero que no han dejado rastro en los romances impresos.[83]

Estamos ya en trance de conocer lo que Menéndez Pidal ha llamado «poesía que vive en variantes»[84] y es que, en efecto, como Menéndez Pelayo pregonó con el ejemplo dando cabida en su *Antología* a los romances recogidos en todo el dominio hispano, «la única diferencia entre la recolección de romances antigua y la moderna está en que aquélla, guiada sólo por un espíritu artístico, se solía contentar con una muestra de cada poesía, mientras que modernamente se recogen los romances con un propósito, a la vez que artístico, científico, y se acumulan versiones y variantes».[85]

Bien merece la pena meditar sobre estas palabras, porque son las que en última instancia condicionan nuestra tarea de colectores de romances. Es necesario «acumular versiones y variantes», pero cada una de ellas para fraguarse necesita largos períodos de tiempo. Del mismo modo que la geografía lingüística recoge enormes masas de material sincrónico, que se explican unas

83. Ib., XXV, p. 151.
84. *Romancero hispánico,* I, pp. 40-43 y referencias allí aducidas.
85. R. Menéndez Pidal, *Sobre geografía folklórica (Ensayo de un método),* *RFE,* VII, 1920, pp. 331-332.

veces por la creación ocasional, pero las más por la diacronía del sistema al que pertenecen. Así en la doble coordenada del hoy y de la historia es donde cabrá la explicación de los hechos que contemplamos. Y ambas líneas no son otra cosa que tradición, en trance de nacimiento o en desarrollo. Entonces se vuelve a iluminar el proceso de la creación de las gestas y su evolución hacia el romancero:

> Al reflejar la situación escogida de la gesta, o el asunto de un romance amplio, el poeta popular prefiere, más que narrar los hechos, actualizarlos, expresando la emoción afectiva o la impresión sensual recibida ante la acción que imagina como presente a los ojos. En vez de describir, parece que ve las personas y sus gestos, y los lugares en que se mueven; en vez de referir un diálogo, parece que escucha hablar a los personajes, y manifiesta la viveza de la impresión por el frecuente uso gramatical del presente histórico en lugar del pretérito. El tono lírico invade por todas partes, ora en forma exclamativa, ora de enumeraciones simétricas, ora rompiendo la trabada articulación entre las partes del relato amplio, para adoptar transiciones bruscas o final fragmentario. Además, el poeta popular aparta gustoso el interés de lo que los personajes obran materialmente para concentrarlo en lo que sienten y piensan; las palabras que cada persona dice manifiestan su acción como en el drama, de modo que ni siquiera es preciso anunciar quién es el interlocutor. Romances hay que suprimen toda acción para quedar reducidos a un mero diálogo dramático.[86]

En tiempos de Menéndez Pelayo los romances recogidos de la tradición oral lo habían sido más con criterio estético que erudito (Almeida Garret, Estacio da Veiga, Aguiló), pero en Teófilo Braga, en Milá, en Juan Menéndez Pidal, en Coello y en Danon encontró medios con los que ir preparando un romancero hispánico. Hoy, tras muchos años de recogida, este volumen de

86. R. Menéndez Pidal, *Poesía popular y romancero* (*RFE*, III, 1916, p. 385). Vid. también, lo que dice en la p. 283 del mismo artículo. Dentro de esta trayectoria científica se expresa María Rosa Lida al hablar de los romances truncos («las muestras más primorosas de la lírica tradicional española»), la ampliación de los detalles más sugestivos o la interferencia de unos romances sobre otros (*El romance de la misa de amor*, *RFH*, III, 1941, p. 24).

Menéndez Pelayo nos puede parecer incompleto, por mucho que su criterio supere al de Milá; sin embargo, sus versiones son de gran utilidad y los comentarios que las acompañan de valor inapreciable. Lógicamente, don Marcelino tuvo que atenerse a lo que en su tiempo se conocía y valorar de acuerdo con ello: tienen plena vigencia sus observaciones sobre el romancero asturiano,[87] mientras que no sin restricciones podríamos suscribir su valoración del judeo-español.[88] Pero es que mientras el amor a lo popular en Asturias tuvo viejas y encariñadas raíces, el resto de la gran familia hispánica anduvo moroso en esta clase de afectos. En tiempos de don Marcelino, nada se sabía del romancero de América,[89] poco más del resto de la tradición hispánica si se exceptúan Asturias y Oriente. Sin embargo, este medio siglo que nos separa de él ha sido decisivo para el romancero sefardí, sin duda, el mejor conocido de todos. Los hallazgos de las versiones marroquíes —superiores, con frecuencia, a las de Oriente—, el descubrimiento y publicación de textos más depurados y el estudio de las variantes allegadas obligan a reconocer que la tradición sefardí mejora o completa en muchos casos incluso a las versiones peninsulares más viejas.[90] No obstante —y al maestro le cabe la honra de haberlo dicho— son válidas, también para los judíos, sus palabras sobre la degeneración novelesca de los romances históricos,[91] como hemos comprobado Bénichou,[92] y, con menos ejemplos, yo mismo.[93]

Tal ha sido la obra de Menéndez Pelayo en este sentido: se acercó con clarísimo juicio a estudiar el romancero no sólo en los textos, sino también en las versiones orales; vio que en éstas importaba disponer de grandes masas para rastrear con efi-

87. Vid. *Antología líricos*, O.C., XXV, pp. 152 y ss.
88. Ib., XXV, pp. 389 y ss.
89. Vid. R. MENÉNDEZ PIDAL, *Los romances de América*, «Col. Austral», núm. 55.
90. Vid. R. MENÉNDEZ PIDAL, *Catálogo del romancero judeo-español*, en el libro citado en la nota anterior, pp. 125 y ss.
91. *Antología líricos*, O.C., XXV, p. 160.
92. *Romancero judeo-español de Marruecos*, *RFH*, VII, 1944, p. 358.
93. *Cinco romances de asunto novelesco*, «Est. Romànics», III, 1951-1952, p. 68; *Romances de Lope de Vega vivos en la tradición oral marroquí*, «Rom. Forsch.», LXIII, 1951, p. 294, y *Los romances de «La bella en misa» y de «Virgilios» en Marruecos*, «Archivum», IV, 1954, p. 276.

cacia la historia del poema; valoró debidamente el arcaismo de Asturias o de la tradición sefardí;[94] reconoció la degeneración en que suele caer la tradición oral y, en todo momento, supo ser discípulo —esto es, continuidad y superación— de la gran obra de Milá y Fontanals. También tuvo grandeza en la devoción y cariño al esfuerzo de su maestro y, esta generosidad de su espíritu, creó nuestro mejor tradicionalismo científico al enlazar la doctrina de Milá con la del más egregio de sus propios discípulos, la de Menéndez Pidal.[95]

6. La crítica del romancero

Cuando Menéndez Pelayo se enfrenta con el romancero gravita sobre él el peso de una crítica ya abundante. Es de un alto valor humano ver la comprensión, la falta de acrimonia con que el maestro juzga incluso los trabajos más desafortunados. Estos preciados quilates de su humanidad han sido reconocidos siempre por los mejores espíritus: Rubén Darío,[96] Ángel Ganivet,[97] Menéndez Pidal,[98] Dámaso Alonso.[99] Rara vez atacará una postura, rectificará suavemente, expondrá nuevas teorías —¡cuán valiosos sus silencios!— sin destruir con ataques directos lo que cae sin necesidad de ellos, lamentará la discrepancia... *sed amicior veritas*. Llega, como en el caso de la *Primavera* y *Flor*, a publicar íntegra en su *Antología* la *Introducción* de Wolf, a pesar de que insalvables discrepancias le separaban de ella.

Al juzgar a los críticos de la época romántica, acepta, incluso, los elogios formulados por los contemporáneos, cuando hay un

94. En este sentido coincide con Menéndez Pidal, vid. *Sobre geografía folklórica, RFE*, VII, 1920, pp. 313-314 y 316, entre otras ocasiones.

95. Vid. *Romancero hispánico*, I, p. 32. Vid. la atinada observación de G. Diego en *Menéndez Pelayo y la Historia de la poesía española hasta el siglo XIX* (*BBMP*, XIII, 1931, p. 131).

96. *Homenaje a Menéndez Pelayo*, apud «España Contemporánea», París, 1901, pp. 296-310. Cito por los fragmentos que trae J. Simón Díaz, *Estudios sobre Menéndez Pelayo*, Madrid, 1954, p. 27, núm. 148.

97. *Idearium español*, Granada, 1897, p. 25.

98. *Romancero hispánico*, I, p. 32.

99. *Menéndez Pelayo, crítico literario*, Madrid, 1956. p. 103, *passim*.

mérito elogiable: «El *Romancero* de Durán es el monumento más grandioso levantado a la poesía nacional de ningún pueblo. Así lo proclamó la crítica alemana, por boca de Fernando Wolf, el más digno de formular tal sentencia» [100] y una página después escribe nobilísimas palabras sobre el esforzado investigador, de quien tantas diferencias científicas le separaban: «su *Romancero* es el monumento de una vida entera, consagrada a recoger y congregar las reliquias del alma poética de su raza. Los errores que tiene son errores de pormenor, fáciles de subsanar: confusión a veces de lo popular con lo artístico popularizado: transcripción ecléctica entre diversas lecciones de un mismo romance, con lo cual viene a resultar un texto restaurado». ¡Fácil hubiera sido la rectificación de muchas deficiencias! Pero esa tarea la llevó a cabo don Marcelino con generosidad y sin asperezas. El gesto agrio, la voz destemplada, quédense para el dómine pedante, alejados de esta serena plenitud.[101]

Acaso sólo ante Dozy esta crítica se aguza. No con destemplanza, sino con rigurosas dudas científicas o, lo que resulta más demoledor, con salada ironía. No acepta el Cid *condottiero* que había elaborado el orientalista holandés [102] y la duda de don Marcelino tuvo —y sus frutos duran— una larga resonancia de certidumbres,[103] no acepta una arbitraria interpretación de un texto y quiebra —en un ágil sesgo— su rigurosa argumentación: «con toda la reverencia debida al gran orientalista, no puede uno menos de acordarse de aquel gallo pitagórico de uno de los más sabrosos diálogos de Luciano, cuando sostiene que Homero no pudo saber a ciencia cierta lo que pasó en el sitio de Troya porque en aquel tiempo era camello en la Bactriana».[104]

100. *Antología líricos*, O.C., XVII, p. 27.

101. Otros juicios sobre los romanceristas anteriores se pueden ver en O.C., XXV, pp. 161 y ss. No me detengo en ellas por mor de la brevedad.

102. O.C., XXII, p. 258.

103. Cuando MENÉNDEZ PIDAL justificaba en 1944 su forma de estudiar al héroe castellano tiene que hablar de su «reacción contra una corriente de cidofobia» y lamentarse de que todavía duren los «errores cometidos por el gran arabista de Leyden, debidos a una arbitraria deformación de las fuentes» (*Cuestiones de método histórico*, ya citadas, p. 101).

104. *Tratado de lós romances viejos*, O.C., XXII, p. 267. Cito aquí las críticas de DOZY porque atañen a cuestiones del romancero.

De dos hombres se siente cerca Menéndez Pelayo al estudiar el romancero: de su maestro Milá y de su discípulo Menéndez Pidal. ¡Cuánta gratitud rebosan sus elogios hacia el primero![105] Le dolerá la ignorancia o incomprensión que en España se tiene hacia la obra de Milá, «el mayor esfuerzo con que la ciencia española ha contribuido hasta ahora al esclarecimiento de las tinieblas de la edad media»;[106] se conmoverá ante la humildad de su «venerado maestro»;[107] le dedicará los elogios más elevados[108] o sentirá discrepar de él, aunque sea en cosa mínima.[109] A Menéndez Pidal lo ve desde un principio como «joven erudito digno de toda alabanza», como autor de trabajos ya clásicos, como renovador de la historia de nuestra poesía medieval, como autor de una «admirable monografía [se refiere a las *Notas para el Romancero del conde Fernán González*]... que sería temerario retocar», como guía en la investigación del medievo una vez faltos de Milá.[110] Que no se trataba sólo de admiración científica lo dice el testamento de don Marcelino[111] y lo dicen aquellas palabras preñadas de afecto que, no sin emociones, ha recordado el propio don Ramón: «Mi maestro Menéndez Pelayo, al recibirme en la Academia Española, me auguraba lejanos resultados, esperanzándome con "aquel sobrenatural poder[112] que proporciona sabiamente los medios a los fines y nunca desampara al artífice de una obra honrada, hasta que la ve dignamente cumplida"».[113] El augurio, Dios lo quiso para fortuna nuestra, fue profecía.

105. Como es sabido, don Marcelino ordenó y dispuso para la imprenta las O.C. del gran investigador catalán. Es instructivo en este momento leer su semblanza literaria de *El Doctor don Manuel Milá y Fontanals*, Barcelona, 1908, véanse especialmente las pp. 9, 11 y 19-23.

106. *Antología líricos*, O.C., XXIV, pp. 8-9.

107. Ib., O.C., XXV, p. 163.

108. Ib., p. 165.

109. Texto aducido en el *Romancero hispánico*, I, p. 32.

110. Todos estos elogios están en la *Antología líricos*, O.C., XXII, pp. 14, 73-74, 204, 210 y 231.

111. Donde se le nombra albacea, vid. A. Bonilla Sanmartín, *Marcelino Menéndez y Pelayo (1856-1912)*, Madrid, 1914, p. 114.

112. A partir del segundo encomillado y hasta el final, son palabras de Menéndez Pelayo.

113. *Poesía tradicional en el romancero hispanoportugués*, apud *Castilla*, pp. 44-45.

No sólo valor humano tienen los elogios anteriores. Con claridad nos denuncian la postura de Menéndez Pelayo ante el inmenso mundo del romancero. Su nombre está asociado —y lo dicen sin lugar a duda sus palabras— a los de Milá y Menéndez Pidal. Trilogía ejemplar para nosotros, estudiantes españoles. Pero hay algo que nos debe ocupar todavía: es su doctrina ante las teorías de Wolf, de la que ahora voy a tratar y de ella intentaré deducir, también, tradicionalidad española en la crítica de la poesía tradicional.

7. La «Primavera y Flor» y el «Tratado de los romances viejos»

Fernando Wolf, «el hombre más sabio de cosas de España y el más benemérito de nuestra literatura entre cuantos extranjeros han escrito sobre ella», es autor de la *Introducción* con que se abre la *Primavera y Flor de romances* [114] (Berlín, 1856). Anteriormente había publicado algún otro estudio interesante a este respecto: *Ueber die Lais, Sequenzen und Leiche* (Heidelberg, 1841), *Ueber die Romanzen-poesie der Spanier* (Viena, 1846-1847) y *Ueber eine Sammlung Spanischer Romanzen in fliegenden Blättern auf der Universitäts Bibliotek zu Prag* (Viena, 1850).

La *Introducción* es un resumen de *Ueber die Romanzen-poesie* «con algunas adiciones y nuevas citas, especialmente de Durán».[115] Las teorías de Wolf (1846-1847) acerca del romancero, y parcialmente de la épica se podían resumir así: los romances son anteriores a las gestas; su datación debe situarse entre los siglos X al XIII, aunque los más antiguos romances conservados son del XIV (alguno acaso del XIII); en España no hubo epopeya [116] y por tanto los versos largos no son indígenas de España; el *Poema del Cid* es una imitación de las formas épicas ultramon-

114. La posible colaboración de Hofmann fue señalada por Milá, *De la poesía heroico-popular castellana*. O.C., VII, p. 85, n. 1.
115. Milá, *De la poesía heroico-popular*, p. 85.
116. La misma opinión defienden Dozy y Gaston Paris.

tanas.[117] Nueve años más tarde su postura ante los mismos hechos era la siguiente: acepta de Durán que los romances debieron ser «los primitivos ensayos de la poesía castellano-vulgar»; insiste en la antigüedad del romancero (siglos X-XII); el verso de los romances era, originariamente, el octosílabo ya que —como dijo en su *Romanzen-poesie*— España no tiene épica, por tanto no puede tener verso largo y, por último, el *Cantar del Cid* es de imitación extranjera; contra Milá, cree que los romances son el germen de las gestas; los romances históricos son los de mayor antigüedad.[118] Como se ve, muy poco ha variado su postura: ha aceptado de Durán alguna cosa,[119] según denunció Milá, y ha desestimado una lúcida hipótesis del gran maestro catalán. ¿Qué pueden valer todo esto al quehacer de don Marcelino? Realmente muy poco. Hemos de elogiar —otra vez— el profundo respeto que a Menéndez Pelayo le inspira la obra ajena. Lo válido de la *Primavera y Flor* no era, en 1903-1906, la doctrina, sino la compilación: no obstante, en la *Antología de líricos* cupieron ambas, aunque el *Tratado de los romances viejos* viniera a dar al traste con los romanticismos de Tapia, de Durán y de Wolf. Una vez más, la inspiración de Menéndez Pelayo estaba en los atisbos de su maestro Milá.

En efecto, al comenzar su *Tratado* defiende, de una u otra forma, la existencia de nuestras gestas;[120] más adelante rechaza «la anticuada hipótesis de las *cantinelas* épicas o cantos breves que sirviesen como de núcleo a los poemas largos»,[121] mientras que defiende la hipótesis —hoy generalmente admitida— de que «nuestros romances descienden de las antiguas gestas, ya por la línea recta, ya por la línea transversal de las crónicas»;[122] sostiene la existencia de un metro largo para la epopeya espa-

117. He hecho el resumen siguiendo la exposición de MILÁ en sus O.C., VII, pp. 61-67.
118. Sigo la reimpresión del texto de *Antología líricos*, O.C., XXIV, pp. 12-35.
119. Otras cuestiones de las que se ocupa (clases de romances, su clasificación, sus fuentes) no son de este lugar.
120. *Antología líricos*, O.C., XXII, pp. 12-18.
121. Ib., p. 37.
122. Ib., p. 40.

ñola [123] y, expresamente, se opone a Wolf cuando considera el verso de dieciséis sílabas como propio del romance; [124] el romancero no es anterior al final del siglo XIV en que se emancipó definitivamente «de las antiguas gestas en descomposición» [125] y, por último, rechaza el extranjerismo del *Poema del Cid.* [126] Todo ello sin salir de su memorable *Tratado,* y téngase en cuenta que algunos de estos temas eran específicamente romancescos, pero que otros habían sido ya discutidos por Menéndez Pelayo de modo definitivo.

Como se ve, nada, casi nada, de la tradición romántica era válido para don Marcelino. Induciríamos a error si no hiciéramos otra cosa que oponer el *Tratado de romances viejos* a la *Primavera y Flor.* A lo largo de estas páginas he hablado más de una vez —salvando lo que en ella hay de personalidad genial— del tradicionalismo de la crítica de Menéndez Pelayo. Él, como cualquier escritor, estaba dentro de una trayectoria cultural y no olvidemos que nada nace *ex nihilo.* Esta «trayectoria cultural» entre nosotros había sido fundada por Manuel Milá y Fontanals, maestro —¿fatal? ¿providencialmente?— de don Marcelino. Milá, tras estudiar con sumo cuidado y diligencia los testimonios de la poesía heroico-popular, llegó a la conclusión de «que Castilla tuvo una epopeya, dando a esta palabra la significación de un conjunto de cantos narrativos extensos, de asunto nacional y de espíritu y estilo análogos, aunque relativos a personajes y a tiempos diferentes»; [127] antes que nadie señaló que los romances procedían de las gestas, pudiendo existir entre ambos las prosificaciones de las crónicas [128] o que la versificación

123. Ib., p. 38.
124. Al imprimir la *Primavera y Flor,* don MARCELINO escribe los romances como versos de dieciséis sílabas (siguiendo a Grimm y Milá) y añade: «la venerable sombra de Wolf..., nos perdonará, sin duda, no sólo el disentir en este punto capital, sino el haber aplicado a su edición de los romances un sistema contrario al que él defendió y practicó siempre» (*Antología líricos,* O.C., XXIV, p. IX). Vid., también, O.C., XXII, pp. 74, 82-83 y 104.
125. Ib., O.C., XXII, pp. 40-41 y 82. En otro lugar llama *viejos* a los romances «cuya existencia en el siglo XV constaba de modo positivo» (ib., p. 114).
126. Ib., p. 83.
127. *De la poesía heroico-popular,* O.C., VII, p. 396.
128. Ib., p. 207; vid. también las pp. 215-216 y la 218. Me fijo sólo, en los romances de Fernán González donde el paso gesta > crónica > romance está señalado con gran nitidez; otro tanto cabría decir del ciclo de Rodrigo. Cfr., no obstante, las pp. 126, 128, 129, entre muchísimas.

de la epopeya castellana «tuvo una forma adecuada a su naturaleza» [129] y con razón rechazó la fantástica cronología dada a los romances, aunque en su reacción tendió a fecharlos con exceso de modernidad.[130]

Vemos, pues, que la gran obra de don Marcelino era subsidiaria de otras dos aportaciones: una documental, debida a Wolf; otra teórica, apoyada en Milá. En uno y otro caso, sin embargo, no se limitó a ser un mero seguidor. Así enriqueció a la *Primavera y Flor* con cincuenta y siete romances sacados de «fuentes desconocidas para Wolf» [131] y con el espléndido volumen de los *Romances populares recogidos de la tradición oral,* y, del mismo modo, enriqueció también la obra de Milá: aportó a ella nuevos datos, se benefició de los estudios de Menéndez Pidal sobre las crónicas de España y dio un transcendente sentido histórico a la tradición española ya que vio por vez primera que eran *viejos* los romances «recogidos modernamente de la tradición oral» [132] con lo que se establecía esa continuidad preciosa que es una de las constantes de nuestra cultura.[133] Pero hay más, aun queriendo ser fiel en todo momento a la doctrina de Milá, la supo enriquecer con el regalo de su estilo y de su portentosa erudición.[134] Para el romancero, el *Tratado* fue un soplo de gracia: él hizo, según la autoridad incuestionable de Menéndez Pidal, que los romances viejos «comenzasen a ser conocidos y gustados por el público en general. Una nueva vida comienza para ellos, mucho más intensa que la que les había dado la obra de Durán».[135] Por mi parte quisiera insistir, una vez más, en el mismo hecho: la continuidad científica servida a nuestra cultura. He hablado de su devoción a Milá y de su cariño a Menéndez Pidal, de ambos supo aprovechar los frutos y los vio (paso de la versificación de las gestas al romancero, valor de las *Crónicas,* carácter autóctono

129. Ib., p. 410.
130. Vid. R. Menéndez Pidal, *Romancero hispánico,* I, p. 153, n. 4.
131. Vid., obra de la nota anterior, II, p. 287-288.
132. *Antología líricos,* O.C., XXII, p. 114.
133. Él mismo se había situado en idéntica posición de continuidad al estudiar las causas que motivaron la pérdida de nuestras gestas (vid. *Antología líricos,* O.C., XVII, p. 122).
134. Vid. *Romancero hispánico,* II, p. 288.
135. Ib., p. 289.

de nuestra epopeya, etc., etc.) dentro de una misma línea de trabajo y él, como eslabón que aseguraba la continuidad:

> No fue total el naufragio de nuestra epopeya: la historia que en sus orígenes se confunde con ella, la salvó amorosamente cuando ya comenzaba su decadencia... El estudio comparativo de las diversas crónicas generales, no intentado formalmente hasta nuestros días por obra y estudio de un joven erudito digno de toda alabanza, no sólo derrama inesperada luz sobre cada una de las leyendas, sino que permite ya establecer ciertos períodos en el desarrollo de nuestra poesía heroico-popular, dando complemento a las enseñanzas de Milá.[136]

8. Orígenes de la lírica castellana. Postura antisemitista

El desconocimiento de los textos líricos más viejos hizo proceder por balbucientes tanteos a los antiguos tratadistas. En esta ocasión más que en otra alguna se pretendió explicar las causas por una suerte de analogía. Pero una y otra vez la solución se escapaba. En este problema, como en todos, Menéndez Pelayo procedió con suma cautela, sin comprometer su nombre en una hipótesis absurda. Conoció muy bien lo que se sabía de las influencias semíticas, conoció muy bien el significado de la lírica gallega, pero, reiteradamente, se evadía de aceptar como incuestionable cualquiera de las hipótesis formuladas.

Y esto es más de admirar cuando sabemos su inicial desarraigo de la lírica tradicional.[137] ¡Cuán fácil le hubiera sido aceptar una u otra teoría! Y, sin embargo, el rigor que a sí mismo se exigía le obligó a tantear la solución menos cómoda. Justamente esa solución que se busca, con iteración, en la *Antología de líricos* a pesar de que en ella no se recoja ni una sola cancioncilla de tipo tradicional.

En efecto, don Marcelino sabía muy bien las influencias ára-

136. *Antología líricos*, O.C., XXII, pp. 14-15.
137. Véase Dámaso Alonso, *Menéndez Pelayo, crítico literario*, Madrid, 1956, pp. 58-65.

bes que en su tiempo se habían señalado sobre las líricas romances. Pero su reacción ante estas elucubraciones era extrañamente violenta:[138]

> Pensar que la poesía de estos artificiosísimos retóricos del tiempo del Califato andaluz y de los reyes de Taifas, podía pasar cosa alguna al arte simple y rudo, si es que arte puede llamarse, de los primitivos castellanos, ha sido un inexplicable delirio, que únicamente a la sombra de la ignorancia y de la preocupación pudo acreditarse. Todo contribuía a aislar la poesía de los árabes y a hacerla incomunicable; su carácter cortesano y aristocrático, su refinamiento académico, su languidez sensual, y sobre todo sus mil artificios de forma, que aún para los orientalistas más probados la convierten muchas veces en un verdadero logogrifo. Lo que hoy con grandísima fatiga llegan a entender los discípulos de Silvestre de Sacy, de Dozy o de Renan, contando con todos los recursos de una filología tan adelantada como lo está la semítica y de una disciplina gramatical tan exacta y severa, ¡se quiere que lo hayan adivinado por ciencia infusa, y no ya adivinado, sino comprendido e imitado los humildes rapsodas del *mester de juglaría*!

El fragmento es injusto para esa poesía —delicadísima tantas veces— que no merece para don Marcelino ni el dictado de artística; el fragmento es cumplidamente inexacto desde la realidad histórica. Si para la concepción estética de Menéndez Pelayo, los cancioneros galaico-portugueses sirvieron de admonición y le llevaron a una de sus «palinodias», el propio discurrir de su pluma le obligó a la rectificación:

> Investigaciones posteriores parece que han comprobado la existencia de ciertos géneros de poesía popular o popularizada, como el *zaschal* y la *muvaschaja*, y la existencia también de cantores ambulantes y de juglaresas que penetraban en los reinos cristianos y que habiendo influido, como notoriamente influyeron, en la música y en la danza, también es de suponer que algún cantarcillo debieron de transmitirnos.[139]

138. Vid. *Prólogo* a la *Antología líricos,* O.C., XVII, pp. 79-80 donde está el texto que copio.
139. Ib., p. 85-86.

Y más adelante su fallo vuelve a atemperarse: de admitir, admite, sólo, cierta influencia difusa, pero no sabe en qué grado, pues resulta —después de las flores que dedicó a la filología semítica— que apenas se ha publicado nada de la poesía árabe, que no sabemos cómo se habrán interpretado los zéjeles y que está inédito, todavía, el cancionero de Abén Guzmán...[140]

Es verdad que el arabismo se exageró y la negativa de Menéndez Pelayo fue más lejos de los justos límites. No es que distinguiera entre poesía árabe culta y poesía popular. No. Decididamente en el primero de sus textos se limitó a generalizar; luego tuvo que ir atenuando sus afirmaciones pero muy a regañadientes y sin quererse convencer. Vinieron, luego, los hallazgos de nuestros arabistas y la prodigiosa vitalidad del zéjel en todas las literaturas románicas;[141] han llegado ahora los hallazgos increíbles de las *jarchas* y con ellos un planteamiento totalmente seguro de los problemas que atañen a nuestra primitiva lírica.[142] Con ello la negativa de Menéndez Pelayo, por una vez, nos resulta remota,[143] pero la doctrina de Menéndez Pelayo no era, solamente, lo que acabamos de ver. Unos años —pocos años— más tarde contempló las cosas de otro modo.

En efecto, a finales del tomo primero de su famosísima *Antología*, «don Marcelino acaba de descubrir, a través del cancionero gallego-portugués, la poesía popular».[144] Entonces, en Juan Zorro, encuentra con que «nos hallamos en presencia de verdaderas letras *vulgares*, que los trovadores explotan como un fondo lírico anterior a todos ellos»[145] y, conclu-

140. Ib., p. 92-93. En el tomo VI de la *Antología* (O.C., XXII, p. 61) sin demasiada convicción dice de zéjeles y muwaxahas, «que pueden tener remota semejanza con los villancicos y serranillas».

141. Vid. R. MENÉNDEZ PIDAL, *Poesía árabe y poesía europea*, en el volumen que lleva ese título, «Col. Austral», núm. 190.

142. Como es sabido, Menéndez Pelayo supo la existencia de las *jarchas*, vid. DÁMASO ALONSO, *Cancioncillas «de amigo» mozárabes*, *RFE*, XXXIII, 1949, p. 298.

143. También habló de una presunta influencia hebrea sobre la lírica española, vid. *Antología líricos*, O.C., XVII, p. 102.

144. DÁMASO ALONSO, *Menéndez Pelayo, crítico literario*, p. 59.

145. *Antología líricos*, O.C., XVII, pp. 229-230 y muchos ejemplos en las 231-235. Sobre el juglar aducido, vid. C. FERREIRA DA CUNHA, *O Cancioneiro de Joan Zorro*, Río de Janeiro, 1949, y M. ALVAR, *Las once cantigas de Juan Zorro* (2.ª ed.), Granada, 1969.

ye don Marcelino, «para mí no hay duda que con elementos poético-musicales de origen puramente gallego se han combinado reminiscencias muy directas de ciertos géneros subalternos de la lírica provenzal».[146] Hoy sólo la primera referencia nos parece válida; en la otra sobra lo de «puramente gallego» y, para lo auténticamente popular, la ascendencia languedociana. Sin embargo, la primera de nuestras discrepancias permitió a don Marcelino pensar en la influencia gallega sobre Castilla, o más bien, en el carácter gallego de la primitiva lírica peninsular [147] y acaso este hallazgo le hiciera insistir en su incredulidad sobre el arabismo.

Sin embargo, en 1919, Menéndez Pidal estableció con claridad el carácter autóctono de la lírica castellana. Don Marcelino —como siempre— tuvo atisbos («se advertirá que hemos huido cuidadosamente de toda hipótesis relativa a cantos populares breves, porque s i n n e g a r l a p o s i b i l i d a d de que existieran formas líricas rudimentarias... entendemos que tales afirmaciones... no tienen hasta el presente comprobación histórica alguna»,[148] pero justamente en el campo de la lírica tradicional se quedaron, solamente, en incertidumbres.[149] Y es que, como con exactitud se ha señalado, los testimonios de esta poesía castellana de tipo tradicional eran muy escasos y los eruditos se habían detenido poco ante ellos.[150] Bien hizo, pues, Menéndez Pelayo de abstenerse cuando el terreno estaba tan movedizo; sin embargo, su fino sentido estético pasó —y se detuvo— sobre lindas muestras tradicionales incrustadas en la farragosa casuística del siglo XV.[151]

146. O.C., XVII, p. 229.
147. Ib., pp. 216 y ss.
148. Ib., O.C., XVII, pp. 149-150.
149. Véanse también las pp. 223-225 del t. III de su *Antología* (XVII, de las O.C.).
150. J. M. BLECUA en su *Antología de poesía española (Poesía de tipo tradicional)*, Madrid, 1956, p. XXXIII (la selección está hecha en colaboración con DÁMASO ALONSO). Vid. también *art. cit.* en la nota siguiente, p. 268.
151. Vid. R. MENÉNDEZ PIDAL, *La primitiva lírica española*, apud *Estudios literarios*, «Col. Austral», n.º 28, pp. 202-203.

9. La lírica tradicional

Con el hallazgo de ese «fondo lírico» anterior a los trovadores gallegos y coincidiendo con los *Estudios* sobre el teatro de Lope, Menéndez Pelayo formula una de sus sagaces intuiciones, aunque limitándose a Galicia:

> Esta es la vena legítima del lirismo gallego [la que representan las *cantigas de amigo* y las *villanescas*], lo único verdaderamente poético que los Cancioneros ofrecen. No hay rastro de tales poesías en el de Ajuda, compuesto en general de trovadores muy antiguos; por lo cual debemos creer que la irrupción de la poesía popular en el arte culto ha de referirse principalmente al reinado de D. Diniz, en que por gala y bizarría se dieron a remedar príncipes y magnates los candorosos acentos de las canciones de romeros, pescadores y aldeanas, adaptando sin duda nuevas palabras a una música antigua. El descubrimiento de este lirismo tradicional, que pertenece al pueblo por sus orígenes, aunque sufriese sin duda una elaboración artística, es el más inesperado así como el más positivo resultado de las últimas investigaciones sobre nuestra literatura de la Edad Media. Hoy no es posible negarlo: hubo en los siglos XIII y XIV una poesía lírica popular de rara ingenuidad y belleza, como hubo una poesía épica, aunque en lengua diferente.[152]

Lo extraño es que don Marcelino viendo como vio el fondo tradicional —mejor que popular— palpitante en el teatro de Lope no intentara la reconstrucción de la lírica primitiva que en él se encerraba. Realmente, el hallazgo primero estaba, sí, en las canciones galaico-portuguesas, pero un rastro abundante —ahora sabemos que, incluso, más antiguo— se deslizaba sin agotar el venero a lo largo de toda la literatura española. Tal fue el hallazgo —maravilloso hallazgo— de Menéndez Pidal; la senda por donde luego vinieron purísimas voces de poesía. Fue bastante que Menéndez Pelayo llegara a amar la belleza de estas cancion-

152. *Antología líricos*, O.C., XVII, p. 223. Vid. también las pp. 249-250.

cillas dispersas, aunque no siempre valorara su significación.[153] Gracias a su nueva sensibilidad acertó con el valor de estas joyas y las convirtió —nada menos— en germen de una buena parte del teatro primitivo: «Así por obra de Juan del Enzina, de Lucas Fernández, de Gil Vicente y de sus numerosos imitadores, las antiguas *villanescas* no sólo adquieren la forma definitiva del *villancico* artístico, sino que se transforman en elemento dramático, y son como la célula de donde sucesivamente se van desenvolviendo la *égloga* y el *auto*».[154]

El teatro de Lope gozó de esta nueva interpretación del maestro: los cantarcillos intercalados lejos de quebrar la armonía del conjunto, embellecen —como piedras preciosas— las escenas donde se engastan. Y —¡quién lo diría!— don Marcelino se convierte en adalid de este modo de crear: «Ha sido tan olvidado en Lope el poeta musical que no nos pesa insistir en esta fase casi desconocida de su talento».[155] Si en los albores del teatro moderno, los cantarcillos líricos han sido fuente inagotable de poesía, ahora, en una de las más grandes creaciones dramáticas de todos los pueblos y de todos los tiempos, la canción tradicional vuelve a resonar con una emoción infinita y con una belleza incomparable. Y ellas —las cancioncillas intercaladas— son o inspiración directa o chispa inductora de poesía. Por eso, la tradicionalidad lírica es —también— uno de los factores que crean el sentido nacional del teatro de Lope (así en el auto de *La Maya,*[156] en *El Vaquero de Moraña,*[157] en *El gallardo catalán,*[158] en *El sol parado,*[159] en *El galán de la Membrilla,*[160] en *Peribá-*

153. Vid., por ejemplo, lo que dice a propósito del *Eya velar* en O.C., XVII, p. 143.
154. O.C. XVII, p. 250.
155. *Teatro Lope,* O.C. XXIX, p. 43. Vid. también O.C., XXXII, pp. 384-385. Cfr. R. MENÉNDEZ PIDAL, *La primitiva lírica,* en *Estudios literarios,* pp. 266-267.
156. «Estas reminiscencias de poesía (¿y quién sabe si de teatro?) popular dan cierto valor tradicional a este *auto,* que, como tantas otras obras de Lope de Vega, recoge el último eco de antiquísimas supersticiones que yacen en la capa más honda de nuestra cultura occidental» (*Teatro Lope,* O.C., XXIX, pp. 45-46).
157. Ib., XXXI, pp. 339-340.
158. Ib., XXXII, p. 68.
159. Ib., XXXII, pp. 158 y 164.
160. Ib., XXXII, pp. 166 y 169.

ñez,[161] en *El caballero de Olmedo,*[162] en *Los guanches de Tenerife* [163] o en *El Nuevo Mundo descubierto por Cristóbal Colón,*[164] por no citar sino unos cuantos casos) y que hacen de Lope caudal vivo, manadero inagotable de poesía tradicional. Esta última consideración (llámese en Menéndez Pelayo de una u otra forma) fue seguida paso a paso por don Marcelino en sus portentosos *Estudios sobre el teatro de Lope* y gracias a ella aprehendió mejor el sentido que para nosotros tiene el teatro del Fénix. Sin embargo, fue Menéndez Pidal quien al dar cohesión y conexión a estos viejos poemitas pudo descubrir la existencia de una tradición lírica castellana, original e independiente.[165]

10. Final

He querido seguir la elaboración del concepto de «tradicionalidad» en nuestra historia literaria. Era un principio inmaturo cuando Milá trabaja o cuando don Marcelino muere; sin embargo, por una serie de clarísimas intuiciones, Menéndez Pelayo supo comprender lo insatisfactorio de la terminología que en su tiempo se usaba. Más aún, él, con prioridad a todos, sentó el concepto de poesía que nace en las variantes y que por ellas vive y se desarrolla. Esto es: algo que sólo de un modo muy parcial podía llamarse popular, según probó abrumadoramente Menéndez Pidal.

En este sentido puede estudiarse la épica. Poesía, también tradicional, como nítidamente se viene mostrando desde Milá, aunque el nombre haya nacido después. Y ya, dentro del tradicionalismo, se justifica, no como una teoría más, sino como razón última, el germanismo de la epopeya castellana y su carácter autóctono. En la misma línea está el romancero, épica evolucionada, gestas vivas después de una transformación secular y ellos,

161. Ib., XXXIII, pp. 37, 43 y 44.
162. Ib., XXXIII, p. 56.
163. Ib., XXXIII, p. 303.
164. Ib., XXXIII, p. 319.
165. Cfr. *La primitiva poesía lírica española,* que he citado anteriormente.

los romances, sí, con absoluta seguridad, poesía tradicional; por vez primera recogida en sus variantes y, por vez primera, establecida la prodigiosa identidad de los romances de finales del siglo XIV, del siglo XV, con los que cantan hoy —en la rueda, en el columpio— todas las tierras hispánicas o todas las gentes de nuestra lengua. En esto —epopeya, romancero— Milá fue el iniciador y Menéndez Pelayo, discípulo del gran maestro, acrecentó la herencia recibida. Supo ser maestro y su obra se multiplicó en óptima cosecha. He aquí algo que vino a ser de importancia capital: dio continuidad n u e s t r a a lo que él recogió como simple fruto personal; gracias a él se pudo crear en España una escuela científica coherente y disciplinada. Él dio un paso al frente y Menéndez Pidal pudo salir sin retroceder, otra vez, al principio. Milá, Menéndez Pelayo, Menéndez Pidal, trilogía de hombres de letras que vino a crear la mejor ciencia española.

La lírica tradicional en tiempos de Milá o de don Marcelino era desconocida. No se llegó a crear un cuerpo doctrinario homogéneo. No se podía tanto. Sin embargo, se asentaron las bases para que Menéndez Pidal [166] lograra una de sus más geniales reconstrucciones.

Y en todo el respeto hacia la obra de los demás, el afecto al prójimo. Sin desdén, sin una palabra de suficiencia. Porque esa escuela de humanidades nos supo legar una herencia mejor que la de su genio: la de su humanidad.

166. Vid. *La primitiva lírica*, apud *Estudios literarios*, ya citados, pp. 200-204.

2. LA FRONTERA Y LA MAUROFILIA LITERARIA

PERVIVENCIA DE LAS GESTAS EN EL ROMANCERO FRONTERIZO

1. Romances fronterizos

«La creación del género de los romances fronterizos es un acto de justicia histórica y poética. La poesía popular, más aún que la poesía culta, ve los acontecimientos históricos con ojo desapasionado, como peripecias o vicisitudes de la vida humana en general. Por eso puede desdoblar una victoria en dos cuadros dialécticamente opuestos: el del triunfo y el de la derrota posible.» Así explica Leo Spitzer[1] el nacimiento del romancero fronterizo y en la explicación va implícito el carácter muchas veces señalado de esta clase de relatos. Porque, si la epopeya sirvió para cantar a los héroes vistos como modelos de ejemplaridad —en su alegría y en su tristeza—, ahora, el romancero de la frontera granadina sirve para narrar la historia que Castilla va trazando para dar unidad a las tierras de España. Pero sirve —también— para presentarnos la imagen de ese reino peninsular —sus ciudades, sus gentes, sus sentimientos— que estaba llamado a desaparecer. Y este carácter aparte de los poemas de la frontera es lo que ha inducido a creer que hubo una poesía árabe de la que el romancero se hizo eco, como si para cantar a los vencidos no fuera suficiente ese *spirito de amore* que lleva a contemplar al enemigo que muere, con ojos distintos de los que lo miraban en el abrazo donde pugnaba la propia vida.[2] Hay

1. *El romance de Abenámar,* apud *Sobre antigua poesía española,* Buenos Aires, 1962, pp. 70-71.
2. Cfr. R. Menéndez Pidal, *Romancero hispánico,* t. II. Madrid, 1953, p. 12, y *La epopeya castellana a través de la literatura española,* Buenos Aires, 1945, pp. 149-150.

—ciertamente— relatos hechos desde el campo moro o con moros adornados de nobles cualidades, pero —como habremos de ver— nada de esto es otra cosa que ficción literaria; nada enajena a tales poemas de la realidad castellana en que nacieron. La maurofilia fue en estos finales del siglo XV una moda literaria, como volvió a serlo a finales del siglo XVI, bien que por causas diferentes, como volvió a serlo en el romanticismo. La condición específica de los romances fronterizos no está en dar la visión del campo vencido o la imagen de las cosas a través de unos ojos derrotados, sino en conservar las esencias más específicamente castellanas de la poesía épica. Su nacimiento es un nacimiento distinto del de los otros romances. No hay aquí gestas que se fragmentan ni crónicas que inspiran; antes por el contrario, son poemas nacidos con la misma motivación de los más viejos, y perdidos, relatos épicos[3] y, como ellos, también fueron prosificados.[4] Así, pues, los romances fronterizos constituyen un núcleo primario de tradicionalidad, idéntico al que constituyeron las más antiguas versiones de las gestas: pasaron a las crónicas, fueron germen de otros poemas y de su «degeneración» nació otro género romanceril, el morisco. Sin embargo, o acaso por ello, las conexiones de los romances de la guerra de Granada con el espíritu y la forma de la epopeya castellana son verdaderamente ejemplares: en las páginas que siguen haré ver cómo cada uno de los motivos que han servido para caracterizar a nuestra épica, tanto en el plano de la forma como en el del contenido, llega prolongándose hasta esta poesía noticiera. Y esta condición no se ha podido soslayar cualquiera que fuera el espejo desde el que se proyectó luz sobre estos poemas: acabo de aducir (nota 3) un texto de Menéndez Pelayo verdaderamente ejemplar; podría copiar otro de Menéndez Pidal[5] que nos haría

3. «Cada uno de los romances fronterizos es, en medio de su brevedad, un íntegro poema... en los mejores, podemos sorprender la elaboración del canto popular, tal como brotó del hecho mismo... La parte de ficción puede decirse que es nula en estos romances» (M. MENÉNDEZ PELAYO, *Antología de poetas líricos castellanos*, t. VI, p. 86. Siempre que me refiera a este autor citaré por la Edición Nacional de sus Obras Completas, según he hecho ya).

4. Cfr. MENÉNDEZ PIDAL, *Rom. hisp.*, I, p. 307.

5. «Sabemos que ya a comienzos del siglo XIV se practica corrientemente en forma de romances un noticierismo nuevo, de temas coetáneos, refiriendo sucesos desde Fernando IV, Alfonso XI y Pedro el Cruel hasta los Reyes Ca-

pensar en la tradicionalidad científica de que he hablado alguna vez[6] y, pasando del plano del contenido al de la forma, Leo Spitzer coincidiría —por bien otros caminos— con el testimonio de nuestros grandes maestros: «el romance [de *Abenámar*] conserva lo bastante de la libertad formal de la vieja epopeya para adaptar la forma individual de cada poesía al organismo particular que constituye: un romance será más extenso o más breve según su constitución orgánica».[7]

De este modo se crea el romancero fronterizo, nueva epopeya que viene a cantar la guerra de Granada; nueva por cuanto nace para nuevos fines y necesita de nuevos moldes, pero trasvasando a la necesidad hodierna todo el vino añejo que llenó con su aroma e impregnó con su sabor a la épica más remota.

2. Las gestas y el romancero fronterizo

La persistencia de elementos épicos en el romancero fronterizo no hace sino confirmar —una vez más— la vieja tesis de la tradicionalidad de nuestra literatura. Como un ave fénix van resurgiendo —con nueva juventud y lozanía— viejos temas, viejas formas o, adaptadas a cada circunstancia, viejas y eternas motivaciones. Bastaría un solo botón de muestra: «esta comunidad de sentimientos y de gustos produjo en la poesía española, mejor que en ninguna otra, monumentos de valor secular, y dio origen sucesivamente a tres géneros principales muy relacionados entre sí: los *Cantares de gesta*, el *Romancero* y el *Teatro*».[8] Como en una sarta, se van enhilando los motivos que, si vestidos de ropaje distinto, conservan siempre el inconfundible aire común.

---

tólicos, y así en el romancero se refleja en continuados episodios toda la historia medieval desde el siglo x hasta los comienzos del XVI» (*Rom. hisp.*, I, p. 302).

6. *Menéndez Pelayo y la poesía de tipo tradicional*, «Boletín de la Universidad de Granada», V, 1956, pp. 51-79, y la reelaboración de las pp. 15 y ss. de este libro.

7. *Op cit.*, nota 1, p. 83.

8. R. Menéndez Pidal, *La epopeya castellana a través de la literatura española*, Madrid, 1945, p. 14.

Cuando Menéndez Pidal caracterizaba al *Poema de Mio Cid,* lo hacía valorando una serie de elementos: su valor histórico, su carácter local, su valor arqueológico y su valor nacional.[9] Como en un cañamazo podríamos volver a bordar idéntico dibujo, aunque con hilos diferentes. Esos cuatro motivos que el maestro señala podrían reducirse a uno solo: veracidad. Porque la verdad ha hecho que la narración sea historia y no fábula; pero la proximidad física a personas y lugares da ese aire de autenticidad que nuestras gestas tienen, por eso, precisamente, se puede puntear con el punzón de la épica —o de sus versiones cronísticas— los datos inmediatos con que poder construir, y a veces reconstruir, la historia externa.[10] Por eso nuestra épica tiene carácter nacional: porque ha sido fiel a gentes que, sobre el suelo, han personificado los ideales de los hombres que en ellos se quisieron ver reflejados, y porque en la poesía se han respetado dos motivos que hacen ser al hombre criatura arraigada: el paisaje y las cosas. He aquí cómo desde la precisión del terruño, la épica castellana se ha convertido, por el camino de su verdad más íntima, en una poesía nacional.

No de otro modo procedió el romancero. Sobre todo el fronterizo, cuyas causas primeras fueron idénticas a las gestas:[11] poesía basada en la historia, asentada en unas circunstancias muy precisas, con una extraordinaria exactitud arqueológica y, sobre todo, con un marcado carácter nacional. He aquí cada uno de esos elementos que se aunaron para caracterizar a nuestras gestas, desplegados en las nuevas posibilidades que les abría el romancero fronterizo.

9. Son cuestiones que proceden de su prólogo a la edición de «Clásicos Castellanos».

10. Pienso, por ejemplo, toda la luz que se desprende del *Romanz del Infant García.* Según los juglares, el infante, muerto en León, fue llevado a enterrar a Oña y, en efecto, en Oña apareció un epitafio de singular valor: desde él, Sancho el Mayor de Navarra no sale demasiado limpio en la tenebrosa muerte del infante, ni los Velas debieron de ser los únicos traidores (vid. Menéndez Pidal, *Historia y Epopeya,* Madrid, 1934, pp. 29-98). Después, ya será más fácil entender la postura del gran rey vascón como «antiemperador» (cfr. Menéndez Pidal, *El «Imperio Hispánico» y los cinco reinos,* Madrid, 1950).

11. Cfr. R. Menéndez Pidal, *Un romance fronterizo* (apud *Los romanos de América,* «Col. Austral», núm. 55, p. 119).

3. Valor histórico

Por su carácter noticiero, los romances fronterizos mantienen el mismo valor que las gestas,[12] igual que sabemos la desastrada historia de los Infantes de Lara gracias a gestas que en su primera redacción serían coetáneas de los hechos [13] o que el juglar —o juglares— del *Mio Cid* eran casi contemporáneos del héroe [14] y no más de un siglo después de ocurrir los hechos, un poeta aragonés escribió el cantar de la campana de Huesca.[15] He aquí unos cuantos testimonios que apartan la épica española de otro tipo de poesía histórica; [16] podríamos aducir *ad nauseam* la precisión de nuestros viejos textos, que se apartan —en ello radica uno de sus caracteres más específicos— de lo que Van Gennep escribió referido a las leyendas históricas: «Del mismo modo es raro que una leyenda se forme seguidamente del acontecimiento. Pasa tiempo, y poco a poco la narración se modela, se complica

12. Del mismo maestro: «[los romances] heredan también la función originaria de la épica, la de noticiar los acontecimientos actuales, con la veracidad consiguiente a la coetaneidad de la noticia con el suceso» (*Reliquias de la poesía épica castellana*, Madrid, 1951, p. LXXVI).

13. Menéndez Pidal, entre otros muchos sitios, *La España del Cid* (4.ª ed., Madrid, 1947, pp. 50-51), *Historia y epopeya*, ya citado (estudios sobre el *Romanz del Infant don García* y de la *Condesa traidora*); *Mio Cid el de Valencia*, apud *Castilla, la tradición, el idioma* («Col. Austral», núm. 501), p. 155; *Romancero hispánico*, t. I, Madrid, 1953, p. 301.

14. Rodrigo Díaz de Vivar murió el 1099 y su gesta es de c. 1040. Modernamente, A. Ubieto ha pretendido retrasar la fecha de composición del poema (*Observaciones al Cantar de Mio Cid*, «Arbor», 1957, núm. 138, pp. 145-170), pero su tesis ha sido rebatida por Menéndez Pidal (*En torno al Poema del Cid*, 2.ª edic., Barcelona, 1964, p. 166 y ss.).

15. Cfr. A. Ubieto, *La campana de Huesca* (*RFE*, XXXV, 1951, p. 57). Como es sabido, algún historiador sin bases fundadas trató de negar veracidad a la leyenda (D. Sangorrín, trabajo del mismo título que el de Ubieto, *Memorias del II Congreso de Historia de la Corona de Aragón*, Huesca, 1922, páginas 83-171).

16. Véase la polémica entre Leo Spitzer y Menéndez Pidal. Al artículo *Sobre el carácter histórico del «Cantar de Mio Cid»* (*NRFH*, II, 1948, pp. 105-117) contestó el maestro español con otro *Poesía e Historia en el Mio Cid. El problema de la épica española* (ib., III, 1949, pp. 113-129), en el que —tras rebatir los problemas concretos planteados— llega a la conclusión de que el verismo de la epopeya hispánica sirvió en la edad media para diferenciar el *Cantar* de la *Chanson* y, en el renacimiento, dio personalidad al arte de Camoens, Ercilla o Esquilache frente al de los italianos; lo mismo que Lucano —por esta fidelidad a la verdad histórica y a la poesía noticiera— había merecido la repulsa del gramático Servio. Vid. las páginas 28-31 de este libro.

y se fija relativamente. Pero entonces la noción del tiempo se restringe y la narración da por contemporáneos hechos que sucedieron en intervalos a veces muy separados. A menos de poseer, por otra parte, puntos precisos de referencia, por ejemplo, inscripciones fechadas, es imposible restituir a una narración histórica, y todavía menos a una leyenda histórica, su valor real temporal».[17]

Igual que las gestas más antiguas, el romancero fronterizo tiene un sustancial carácter histórico. Hechos menudos o personajes de significado muy secundario cobran luz cuando hermanamos el testimonio de la historia con las narraciones poéticas. Elegiremos unos cuantos ejemplos que ilustrarán estas palabras.

Ya el romance fronterizo más antiguo, el de *Cercada tiene a Baeza,*[18] ofrece testimonios de historicidad olvidados poco después de los hechos y vivos —sin embargo— en la tradicionalidad de la transmisión. El rey don Pedro I es designado como «el traidor de Pero Gil», nombre que daba Enrique de Trastámara a su medio-hermano en alguna carta autógrafa.[19] El nombre difamatorio hacía referencia a una especie calumniosa: el Rey Cruel sería hijo adulterino de María de Portugal y don Juan Alfonso de Alburquerque (que tenía el de *Gil* entre sus apellidos). Por lo demás, la patraña se olvidaría —y convendría hacerla olvidar, tanto como convino divulgarla— cuando se unieron los descendientes del vencedor y del vencido (en 1388). Así explica Menéndez Pidal de modo muy plausible la laguna de ignorancia

17. A. Van Gennep, *La formación de las leyendas*, Madrid, 1914. Uso la traducción de G. Escobar, única que tengo a mano, a pesar de no ser siempre correcta, según deduzco de alguna comparación que hago con notas tomadas del original francés. El autor, al hablar del «valor documental de las leyendas históricas», y a pesar de manejar textos de pueblos y lenguas variadísimos, no tiene en cuenta la épica española, que tanto hubiera podido ilustrarle (cap. II de la obra).

18. Es de 1368 o muy poco después, según Menéndez Pelayo, *Antología líricos*, t. XXIII de las O.C., p. 87, y Menéndez Pidal, *Romancero Hispánico*, I, p. 158, y II, p. 5. El romance falta en las colecciones de Durán y Wolf; fue transmitido por Argote de Molina en su *Nobleza de Andalucía.*

19. Cfr. *Romancero Hispánico*, II, p. 5; vid., también, D. Catalán, *Un romance histórico de Alfonso XI*. «Est. dedic. Men. Pidal», VI, 1958, pp. 259-285. La identificación de *Pero Gil* con Pedro I fue hecha por don Ángel de los Ríos y Menéndez Pelayo la confirmó (*op. cit.*, pp. 89-90).

que va desde el siglo XIV hasta el XIX: como un fósil más que sigue presente en el texto, pero cuyo sentido ignora el transmisor. Ni más ni menos que el *arraez Abdallamir*, la *puerta de Vedmar*, la *de Calonje* y el *caudillo Ruy Fernández.*[20] Y, sin embargo, no tenemos noticia documental de un cerco de Baeza en 1368, cuando el rey de Granada, aliado de Pedro I, corrió las tierras del Guadalquivir, desde Córdoba hasta Úbeda. Pero —en este caso— el romance puede servir como documento histórico: atacadas Úbeda y Andújar, es difícil que Baeza quedara intacta y menos verosímil si sabemos del rigor de la lucha, incluso por una carta de Enrique II en la que dice que «el traydor tyrano de Pero Gil fizo estruyr la cibdad de Ubeda con los moros».[21] Difícil, pues, para Baeza inhibirse de la suerte de Úbeda. Y he aquí como el más viejo de nuestros romances fronterizos se presenta entreverado con hechos de la historia castellana: la entrada de los moros en tierras cristianas por esta vez ha sido favorecida por el rey legítimo, que poco después acabaría en Montiel.[22] Creo que podría establecerse parangón entre este hecho y alguno del *Cantar del Cid*; la historia documental silencia la ocupación y venta de Alcocer, castillo próximo a Ateca. Sin embargo, el viejo poeta gasta 450 versos para describirnos la historia de episodios tan poco relevantes. Ese mismo poeta que no emplea más de 130 para narrar la ocupación de Valencia. Del mismo modo que el romancero se convierte en fuente documental del cerco de Baeza en 1368, el *Cantar* lo es para el asedio y cesión de Alcocer.

Leo Spitzer vio en el romance del cerco de Baeza una muestra de la nueva sensibilidad literaria que traían los cantares fronterizos. Siguiendo a Vossler, se aparta de la interpretación de Menéndez Pidal para descubrir en el romancero «algo nuevo

20. Ruy Fernández de Fuenmayor fue caballero de Baeza y caudillo de los escuderos; mató al jefe moro en el asalto y trocó —en recuerdo de su empleo— el apellido de Fuenmayor por el de los Escuderos.

21. Vid. MENÉNDEZ PIDAL, *Los orígenes del romancero,* apud *Los romances de América*, ya citados, pp. 99-100.

22. De tiempos de Pedro I, y narrados desde su propio campo, son tres versos que nos han llegado a través de varias fuentes. Me refiero a la sublevación de don Juan de la Cerda en 1357 y su derrota por los sevillanos (cfr. D. CATALÁN, «*Nunca viera jaboneros tan bien vender su jabón*», *BRAE*, XXXII, 1952, pp. 233-245).

en comparación del cantar de gesta». Y así pudo escribir: «El autor del romance del cerco de Baeza fue un revolucionario político y artístico que convirtió inmediatamente en arte datos de la historia contemporánea, tan presentes para él como para su auditorio».[23]

Pero al hablar de valor histórico y poesía noticiera no debe olvidarse un hecho previo: tanto las gestas como los romances fronterizos son literatura y no historia.[24] Pretender que en ellas hay —sólo— datos documentales sería tanto como privar al poeta de su capacidad de creación. Las gestas y los romances son, ciertamente, fuentes que pueden facilitar información histórica, incluso ser la única información histórica que poseemos (como el cerco de Baeza en 1368 por el rey de Granada aliado con Pedro I), pero no puede —ni debe— ser historia cada palabra que en el poema se lee. Y creo que esta postura se prueba con las últimas investigaciones sobre el romance de *Abenámar*. Como es bien sabido, Morel Fatio, entre otros, negó la historicidad del romance, que —sin embargo— ha sido probada hasta la saciedad por Menéndez Pidal [25] y Erasmo Buceta.[26] Creo que no se puede negar el fundamento real de lo que el poema cuenta.

Ahora bien: ¿fueron las cosas tal como dice Pérez de Hita? Y esta segunda cuestión merece un nuevo comentario. Porque el arte del autor de *Las guerras civiles de Granada* no tenía por qué ser un arte de dato y fecha. En alguna ocasión he mostrado cómo procedía el novelista para dar vida a su narración:[27] su «verdad», tantas veces fundada en los hechos precisos, no tenía por qué ser histórica. Y el texto de *Abenámar* que él nos ha conservado es, sí, un poema de inspiración histórica, aunque haya

23. Conviene no confundir —como alguna vez se ha hecho— historia y poesía, pues cada una de ellas tiene sus propios diferentes abalorios. Véanse las pp. 28-32 de este libro.

24. *Sobre antigua poesía española*, Buenos Aires, 1962, p. 75.

25. *La epopeya castellana*, ya cit., pp. 150-151, y, abrumadoramente, en *Los orígenes del romancero*, también citados, pp. 100-108.

26. *Un dato sobre la historicidad del romance de Abenámar* (*RFE*, VI, 1919, pp. 57-59). Posibles influjos de nuestro romance en las literaturas nórdicas son señalados por MENÉNDEZ PIDAL, *La epopeya castellana a través de la literatura española*, Buenos Aires, 1945, p. 151.

27. *Granada y el romancero*, Granada, 1956, pp. 59-61, y ahora en la p. 142 de este libro.

habido la superposición de varias historias antes de llegar al estado en que nos los transmitió. Pérez de Hita pudo fundir narraciones previas, pudo oírlas ya fundidas o pudo retocar el romance; cierto que tras los estudios de Seco de Lucena ya no parece lícito suscribir las palabras de Menéndez Pelayo: «la forma pura, primitiva y perfecta de este romance, es la que conservó Ginés Pérez de Hita».[28] Ahora bien, el texto —literariamente bellísimo— de las *Guerras civiles* tiene elementos que no pueden cohonestarse con la entrada de Juan II por la vega de Granada, y el mérito de Seco de Lucena ha sido eliminar todos los motivos interpolados:[29] tales como hacer a Abenámar hijo de una cristiana cautiva[30] y los nombres de Torres Bermejas y Generalife llamados *ribat Mawrūr* y *ŷinna-l-'arīf*, respectivamente.[31] Así, pues, Seco vuelve a la tesis de Milá de un romance anterior a las tres versiones conocidas, aunque acentúa el arabismo del texto; sus conclusiones, bien que sugestivas, no me parecen suficientemente probadas: «Su autor fue un moro granadino, que conocía bien la poesía árabe, estaba en posesión de la lengua castellana y gustaba componer en nuestro metro tradicional. El poeta trasplantó a nuestra literatura una bella metáfora usual entre los árabes y dejó traslucir su orgullo de granadino y su sentido nacionalista» (p. 28). No me parecen decisivas las razones que da el ilustre arabista, pues los elementos que más podían «interesar a un moro granadino» (la Alhambra, los Alijares, la mezquita y la propia ciudad) serían los mismos que llamarían la atención de un cristiano; el hablar de lo bien defendida que está Grana-

28. *Antología líricos*, ed. cit., XXIII, p. 103.
29. *Investigaciones sobre el romancero. Estudio de tres romances fronterizos*, Granada, 1958.
30. Hecho histórico, pero referido a Reduán ibn Banigas, *el Tornadizo*, cuñado de Abenámar (SECO, p. 21), y que también jugó su papel en el romancero. Reduán se hizo cargo de Granada cuando la ciudad se entregó a Yūsuf ibn al-Mawl (el Abenámar de los romances) tras la batalla de la Higueruela (cfr. L. SECO DE LUCENA, *Las campañas de Castilla contra Granada en el año 1431*, en la «Revista del Instituto Egipcio de Estudios Islámicos en Madrid», IV, 1956, pp. 119-120).
31. *Torres Bermejas* no aparece hasta Mármol, ha de ser, pues, de finales del siglo XVI; los cristianos las llamaban *castillo Mauror* o *fortaleza Maurora*. En cuanto al Generalife, Navagero (1526) lo nombró —como los textos castellanos de la época— *Ginalarife* y Mármol (1600), *Ginaralife*; la forma actual debe ser de finales del XVI y sólo hecha común en el XVII (SECO, *Investigaciones*, pp. 21-23).

da y los guerreros que tiene aprestados para la lucha, tampoco me parece que puedan traernos la convicción. Y en contra de la hipótesis se aprestan ese espléndido castellano en que el romance se escribe, la maestría del versificador y la deformación del nombre del protagonista.[32] He aquí el texto reconstruido por Seco (p. 27):

¡Abenámar, Abenámar, moro de la morería!
¿qué castillos son aquéllos? ¡Altos son y relucían!
—El Alhambra era, señor, y la otra la Mezquita;
los otros los Alijares, labrados a maravilla.
El moro que los labraba, cien doblas ganaba al día.
La otra era Granada, Granada la ennoblecida,
de los muchos caballeros y de la gran ballestería.
Allí habla el rey don Juan, bien oiréis lo que decía:
—Granada, si tú quisieses, contigo me casaría;
darte he yo en arras y dote, a Córdoba y a Sevilla.
—Casada só, el rey don Juan, casada soy que no viuda,
el moro que a mí me tiene, muy grande bien me quería.

Las investigaciones de Seco, que tanta luz acaban de verter sobre la «realidad» histórica del romance, nos dan otra luz —no por indirecta menos brillante— sobre la «realidad» de la poesía tradicional. Igual que las gestas, el romancero sufre un proceso de reelaboración por parte de cada uno de sus cantores o recitadores. E igual que la poesía más antigua, el romancero fronterizo ha ido cumpliendo los procesos que han condicionado la vida de las gestas: 1) su nacimiento como poesía noticiera, 2) su reelaboración tradicional, 3) en un período de decadencia, la adición de temas secundarios o el desarrollo de motivos puramente descriptivos. Y he aquí que el romance de *Abenámar* cumple con estos presupuestos: nació como poesía noticiera

32. La tesis del espíritu musulmán había sido sustentada por MENÉNDEZ PIDAL, pero L. SPITZER la rechazó con razones a mi parecer suficientes (vid. *El romance de Abenámar*, en su libro *Sobre antigua poesía española*, Buenos Aires, 1962, p. 70, especialmente). Sin embargo, el propio MENÉNDEZ PIDAL (*Romancero Hispánico*, II, 1953, p. 34) había escrito taxativamente: «No hay, pues, tampoco motivo alguno para suponer, como Milá supone, que *Abenámar, Abenámar* pueda ser obra de un moro latinado... Desde antiguo revelan los romances influjo, a veces muy fuerte, de ideas y sentimientos moros, simpatía hacia el pueblo enemigo, pero no traducción de originales árabes».

(para contar a los cristianos la belleza de aquella ciudad avistada después de la victoria en la Higueruela); se ha reelaborado en una época posterior con episodios que se juzgan novelescos (fusión de Reduán y Abenámar) o que actualizan la visión de las cosas (las Torres Bermejas, el Generalife) y, por último, se ha novelado en algunas versiones, con el motivo de una batalla, de una artillería que dispara, de unos moros vencidos y de un rico botín entregado por el rey sometido,[33] que nunca existieron.

4. Localismo

Se ha hablado reiteradamente de la fidelidad de nuestros viejos cantares de gesta a la geografía que describen. Frente a las poetizaciones de la *Chanson de Roland*,[34] que —por otra parte— tienen indudable eficacia estética, el viejo poeta de *Mio Cid* se atiene a unas precisiones muy concretas: aquello que no conoce, no es descrito.[35] El romancero fronterizo vuelve a recoger la herencia. Hemos visto cómo en nuestros comentarios sobre *Cercada tiene a Baeza* aparecen los nombres de las puertas de la ciudad; lo mismo que para Granada se hace en el del Maestre de Calatrava *(¡Ay Dios!, qué buen caballero)* de la *Silva* de 1550,[36] descripciones precisas que recuerdan el *Romance de doña Urraca*:[37]

Zamora había por nombre, Zamora la bien cercada;
de una parte la cerca el Duero, de otra Peña tajada;
de la otra la Morería: ¡una cosa muy preciada!

33. *Cancionero de romances*, s.a., *Canc. rom.*, 1550, *Silva* de 1550, *Can. rom.*, 1570, y *Rosa española* de Timoneda (vid. *Antología líricos*, ed. cit., XXIV, p. 209).

34. Así, cuando habla del Ebro lo define como «ewe de Sebre... mult es parfunde, merveilluse e curant» (vv. 2465-66) o coloca a Zaragoza en un alto («Saragosse, qui est sur une montagne», v. 6), sin que importe mucho la verdad geográfica.

35. Menéndez Pidal ha hablado reiteradamente de la cuestión, vid. *Poema de Mio Cid* («Clás. Cast.»), pp. 24-27.

36. ¡Cuán bien corre los moros por la vega de Granada,
desde la puerta de Elvira hasta la de Bibarrambla!
(*Antología líricos*, XXIV, p. 223.)

37. *Antología líricos*, XXIV, p. 136.

Pero todas ellas no hacen sino reproducir la imagen —real y precisa— de las ciudades de las gestas. Cuando el Cid no puede alojarse dentro de Burgos, el anónimo poeta nos va pasando, como un tomavistas que fuera desplazándose, la visión precisa de la ciudad, en la que podemos identificar cada uno de sus relieves igual que en un viejo tapiz:

> Ya lo vede el Çid que el rey non avie graçia.
> Partiós de la puerta, por Burgos aguiiaua,
> llegó a Santa María, luego descavalgaua.
> ....
> Salió por la puerta e Arlançón passava.
>
> (vv. 50-55).[38]

No de otro modo, la descripción de Zamora copiada en los versos del romance, aparece en el *Cantar de Sancho II,* tal y como la prosificó la *Crónica particular del Cid*:

> ...vio como estaua bien asentada
> del un cabo le corria Duero et del otro penna tajada.[39]

He aquí dos claras muestras, una de transmisión directa (gesta > crónica > romance) en los poemas del cerco de Zamora; otra, la descripción de Burgos en el *Mio Cid,* con esos elementos (precisión geográfica, nombres de lugares) que permiten —en las gestas o en el romancero fronterizo— la identificación de cada ciudad en los elementos que constituyen su paisaje urbano.

Claro es que esta precisión localista no se reduce a darnos los nombres exactos de unos cuantos elementos —puertas, iglesias, ríos, etc.— que puedan presentar la imagen inequívoca de una ciudad. Hay otros hechos en los que podemos seguir la visión precisa de unas tierras, que el ignorado cantor ha conocido circunstancialmente. Bien sabidos son los itinerarios de *Mio Cid*

38. La descripción de Valencia (vv. 1610-1615) también tiene elementos muy precisos (el alcázar, el mar, la huerta), que son inconfundibles, por más que no sean lugares identificados con su nombre, como en los casos que venimos citando.

39. C. Reig, *El cantar de Sancho II y cerco de Zamora,* Madrid, 1947, p. 104.

para que repitamos lo que está aclarado para siempre.[40] No menos exacta es —entre otras— la siguiente descripción que tomo de la *Gesta de los Siete Infantes de Salas*.[41]

> En otro dia el traidor de Saldaña partio,
> agua de Carrion ayuso fuese para Monçon.
> Don Mudarra sopo las nuevas, para allá adereço:
> topo con su rastro a par del rio Carrion;
> cuitose de andar por lo fallar en Monçon,
> e quando don Mudarra a Monçon llego
> el traidor era ya ido en la Torre de Mormojon,
> e don Mudarra tras el por el rastro lo siguio
> e quando don Mudarra a la Torre llego
> el traidor de Ruy Velazquez a Dueñas se torno,
> e quando don Mudarra en Dueñas entro
> el traidor ya pasava Pisuerga e Carrion;
> fuese para Tariego, el castiello basteçio.

Esta precisión por seguir a los protagonistas —paso a paso— en su apresurado caminar, vuelve a convertirse en lugar común de los romances fronterizos. Cuando en 1900, Menéndez Pidal descubrió el *Romance de la pérdida de Ben Zulema*,[42] nos encontramos con una descripción de lugares (de Granada a Osuna y Estepa para regresar por Antequera) que son exactos, pero que poco podrían decirnos a pesar de su exactitud; sin embargo, el romance añade algo extrañamente preciso, si no tenemos en cuenta el carácter localista de estos poemas: Rodrigo de Narváez sale en busca de los moros «por un jaral que él save». Sí, el 1 de mayo de 1424 tuvo lugar el encuentro con la buena andanza del alcaide de Antequera, según narra el romance. Pero la precisión del «jaral» a la que hemos aludido se confirma con otras fuentes. Un soldado, Juan Galindo, cantó la hazaña en unas coplas totalmente independientes del romance,[43] que luego acaso fueran prosificadas por Alonso García de Yegros (1609).

40. MENÉNDEZ PIDAL, *Cantar de Mio Cid*, t. I, pp. 36-37.
41. En las *Reliquias*, ya cit., de MENÉNDEZ PIDAL, p. 225.
42. Lo publicó en el *Homenaje a Almeida Garret* (Génova, 1900) y ahora se puede ver en el t. 55 de la «Col. Austral», pp. 110-121, por donde cito.
43. *Art. cit.* p. 112.

Y así sabemos que Rodrigo de Narváez atacó a Helim Zulema en «llegando al Chaparral, que está de la ciudad [Antequera] poco menos de una legua».[44]

Cierto que las descripciones de ciudades pasaron del romance fronterizo a sus descendientes más tardíos.[45] Si la guerra de Granada hizo nacer un nuevo tipo de poesía noticiera, no es menos cierto que otra poesía —noticiera también— nació de ella y en Granada montó el tablado de su artificio. Pero, junto a estas precisiones para describir una ciudad, muchas veces sólo presentida como criatura poética, se heredó también el gusto por el caminar acompasado con los soldados. Ginés Pérez de Hita insertó en sus *Guerras civiles* un «romance poco tradicional, muy juglaresco»,[46] pero no falto de belleza y emoción. Me refiero a la descripción de la batalla de los Alporchones (1452), narrada con viveza y movimiento:

Allá en Granada la rica instrumentos oí tocar
en la calle de los Gomeles, a la puerta de Abidbar.

Cuéntase la reunión de los capitanes moros, de los caminos que siguen (fuente de Pulpé, puerto de los Peines, campo de Cartagena, el rincón de San Ginés, el Pinatar y vuelta a Vera por el Puntarón y Lorca, donde se quiebra la buena andanza) y del desarrollo de la batalla. Tal es la precisión topográfica y el carácter minuciosamente localista de todo lo que se narra, que Menéndez Pelayo pudo tener por «verosímil» que asistiera a la batalla el propio cantor de los hechos.[47] Probablemente, el romance es tardío: escrito «en pleno XVI», según las precisiones históricas aducidas por Seco de Lucena.[48] Pero esto no hace sino reforzar cuanto venimos señalando: las gestas dieron al romancero y, por supuesto, al romancero fronterizo, esa emoción de los datos concretos y precisos, la vibración humana de quien no es ajeno a su narración, sino que cabalga trotando con la misma

44. Ibidem, p. 115.
45. M. ALVAR, *Granada y el romancero*, pp. 81-85. Y, en este libro, las pp. 140-141.
46. MENÉNDEZ PIDAL, *Romancero Hispánico*, I, p. 69, y II, 308-309.
47. *Antología líricos*, O.C., XXIII, p. 115.
48. *Investigaciones* citadas, p. 40.

andadura. Después —otra continuidad tradicional de la literatura española— los romances tardíos que remedan a los fronterizos, o el propio romancero morisco, siguieron unos moldes que venían acuñando formas poéticas desde los siglos remotos de las gestas.

5. Valor arqueológico

Si los romances fronterizos se ajustan ceñidamente a la historia y a la geografía, parece incuestionable creer que sus informes sobre la vida en una determinada época también sean de rigurosa precisión. Herederos, también en esto, de la tradición de las gestas, podemos ver en ellos una serie de elementos que iluminarán algunos aspectos de la vida social del siglo xv. Naturalmente, han de ser aspectos muy limitados porque el romancero fronterizo centra su interés en las luchas para incorporar el reino de Granada, y así la guerra será el móvil que dé calor a estos breves poemas y —en torno a ella— la caracterización de las gentes por sus gestos o por su atavío. Me voy a fijar en unos cuantos elementos que permiten reunir unos informes relativamente coherentes.

1) La guerra. Menéndez Pidal señaló que «para la historia de la guerra tiene también el Poema un valor de que suelen carecer las chansons francesas, con ser éstas más militares que el cantar castellano».[49] Vamos a ver a continuación cómo el romancero fronterizo es fiel a esta tradición que se hereda. Cierto que los números son muchas veces caprichosos y, diríamos, ampulosamente propagandísticos;[50] sin embargo, las cifras que

49. Apud «Clásicos Castellanos», número 24, p. 79.
50. Por ejemplo, cuando da cifras disparatadamente altas:

Y ansí con ese mandado   se juntó gran morería;
ochenta mil peones fueron   el socorro que venía,
con *cinco mil* de caballo,   los mejores que tenía.
(*Romance de Antequera*, *Ant. lír.*, O.C., XXIV, p. 201.)

veinte mil hombres llevó,   y ninguno no tornara
(*Del Maestre de Calatrava*, ib., p. 224.)

En el *Romance de Antequera*, recién citado, se llega a decir que cayeron ciento veinte cristianos por quince mil moros. Pero, en verdad, estas exageraciones son la excepción.

se manejan suelen ser muy modestas, de acuerdo con lo que la historia nos cuenta. Así, por ejemplo, Fernandarias Sayavedra se retira con «catorce hijosdalgo»;[51] en la aventura desdichada del obispo de Jaén, salen a buscar honra «trescientos hijosdalgo» que son cercados por «mil, moros mancebos»;[52] dos mil moros salen de Granada para combatir al Maestre de Calatrava[53] y con no mayores fuerzas combate don Alonso de Aguilar.[54] Como se ve, salvo esos raros casos de exageración manifiesta,[55] el romancero es parco en sus apreciaciones y se mantiene dentro de unas cifras muy tolerables.[56]

Los combatientes eran convocados por *trompetas* y *añafiles* y *añafiles de plata,* con *trompas* y *cajas de guerra*[57] y en el combate pedían ayuda o invocaban a *Santiago,*[58] *Jesús*[59] y *Calatrava,*[60] los cristianos; mientras que los moros se acordaban de *Alá* y *Mahoma.*[61] Trescientos años atrás, las cosas no eran de otro modo: en el *Cantar,* los *atamores* de los moros con su ruido admiraban a los caballeros cristianos y asustaban a las mujeres (vid. *Cantar,* II, s.v.) y los alaridos de los combatientes iban —también— mezclados con las invocaciones religiosas bien sabidas: «los moros laman Mafómat e los christianos Santi Yague» (v. 731).

No hay que olvidar que la guerra de Granada —tan larga—

51. *Romance de la venganza de Fernandarias* (*Ant. lír.*, O.C., XXIV, p. 199).
52. *Romance de la Prisión del obispo don Gonzalo* (ib., pp. 214-215).
53. *Romance de la muerte de Albayaldos* (ib., p. 227).
54. «Con quinientos de a caballo, y mil infantes llevaba» (ib., p. 239).
55. También en el *Cantar del Cid* los moros llegan a reunir hasta 50.000 hombres (vv. 1626, 1718, 1851, 2313), frente a los efectivos bien reducidos del héroe castellano.
56. Tras la victoria de Fernandarias, hay trescientos moros muertos y veinticinco prisioneros a cambio de «hartos buenos cristianos» (*Ant. lír.*, O.C., XXIV, 199).
57. *Ant. lír.*, O.C., XXIV, pp. 201, 203, 218, 219. Cfr.: «quando se habien de ayuntar [emperadores y reyes] unos con otros para lidiar, solien facer tañer *trompas* e bater *atamores,* lo que non era dado a otros homes» (*Partida II,* 24-27).
58. *Ant. lír.*, O.C., XXIV, pp. 199 («blandeando la su lanza iba diciendo: ¡Santiago!»), 215.
59. Ib., p. 230.
60. Naturalmente, el grito era prorrumpido por el Maestre de la Orden (ib., p. 228).
61. *Antología líricos,* O.C., XXIV, pp. 198, 229.

tuvo una fisonomía muy característica: la falta de grandes batallas. No hubo encuentros espectaculares de los ejércitos, sino algo semejante a lo que llamaríamos guerrilla: rápidas incursiones depredadoras, emboscadas y combates singulares. Todo ello ha pasado al romancero. Igual que en la *corrida* 'correría en país enemigo' (*Cid,* v. 953), moros y cristianos *corren* las tierras enemigas para saquear y llevarse cautivos.[62] No sabemos cómo se repartía el botín; sin embargo, hasta el romancero fronterizo llega un eco de una antigua institución castellana, tomada de los árabes. El tardío romance de la batalla de los Alporchones (*Ant. lír.*, O. C., XXIV, pp. 210-212) cuenta cómo fue apresado un caballero principal de Lorca llamado *Quiñonero*: he aquí una supervivencia, fosilizada en la onomástica, de la *quinta* medieval ('quinta parte de lo ganado en guerra, que correspondía al señor de la hueste', según el *Cid*), que llevaron a América los españoles. El 'repartidor del botín' se llamaba en nuestra edad media *quiñonero*:

Mandó partir tod aqueste aver sin falla,
sos *quiñoneros* que gelos diessen por carta.
(*Cid,* vv. 510-511.)

de donde el apellido del caballero de Lorca, que, por un triste azar, es apresado en vez de gozar del botín.

Las tácticas empleadas en los combates quedan reducidas a unos pocos ardides, que se repiten con frecuencia. El grueso de los combatientes suele marchar dividido (*Ant. lír.*, VIII, 211) y se divide también para preparar los asaltos por sorpresa. Así, en el romance de *La venganza de Fernandarias* se dice

En bosque cabe la vega gente de armas se ha *emboscado*

62. *Ant. lír.*, O.C., XXIV, pp. 199 y 211. El fruto de la algara recibe el nombre de *cabalgada* o *presa*:

Faxardo prendió a Alaber con esfuerzo singular
Quitáronle la *cabalgada,* que en riqueza no hay su par.
(*Ant. lír.*, O.C., XXIV, p. 212.)

Ya que llevaban la *presa,* de moros hueste ha asomado.
(Ib., p. 215)

pero el término más común es el de *celada*, que se repite en éste y otros romances:

> A Gonzalo de Aguilar en *celada* le han dejado (p. 199).
> donde estaba la *celada* que a los moros ha cercado (id.).
> siete *celadas* le ponen de mucha caballería (p. 200).

No de otro modo a como ocurre en el *Cantar del Cid*

> Mio Çid se echó en *çelada* con aquellos que él trae (v. 436).
> El Campeador salió de la *çelada* (v. 464).
> Dando grandes alaridos los que están en la *çelada* (v. 606).

Cuando no se tienden sorpresas, los romances transcritos por Pérez de Hita nos hablan de combatientes que se aproximan al enemigo con banderas desplegadas (*Ant. lír.*, O. C., XXIV, p. 232), en tanto que otros poemas nos hablan de los moros que combaten en escuadrones de peones y jinetes, mientras les anima el ruido de los *atambores* y los *pendones* campean (*Ant. lír.*, ib., 215). Cuando el choque se produce, las *batallas* o 'fuerzas de combatientes' [63] se enfrentan, los caballeros moros se protegen con *adargas blancas* (p. 213) [64] que colocan ante su pecho (p. 215) y, en el encuentro, las haces más débiles se desbaratan (p. 213) y ceden *plaza y lugar* (p. 212).

Si recordáramos las descripciones del *Mio Cid*, las cosas no ocurrirían de modo muy diferente:

> ante roído de atamores la tierra querié quebrar;
> veriedes armarse moros, apriessa entrar en az.
> De parte de los moros dos señas ha cabdales,
> e los pendones mezclados, ¿qui los podrié contar?
> (vv. 696-699).

63. «Cuatro a cuatro, cinco a cinco, juntado se ha gran *batalla*» (ib., p. 218). Casi las mismas palabras una página después. Otras veces, el significado es 'haz, tropa dispuesta para el combate': «de tres batallas de moros la una ha desbaratado» (p. 213).

64. Las *adargas* eran de cuero y los escudos de madera, al menos en el *Cid* (t. II, s.v. *escudo*). No sé si estas *adargas blancas* se podrán relacionar con los *escudos con oro y con plata* que para los días de gala se usaban en el *Cantar* (v. 1970). Claro que también podían llevar *flocas pintadas*, según el *Ordenamiento de Sevilla* (*Cid*, s.v. *escudo*).

enbraçan los escudos delant los coraçones,
abaxan las lanças abueltas de los pendones,
enclinaron las caras de suso de los arzones,
ívanlos ferir de fuertes coraçones
(vv. 715-718 y 3615-317.)

Los combates singulares —prueba donde se medía el valor individual— fueron constantes en la guerra de Granada. Al faltar la posibilidad de maniobra, los movimientos del ejército fueron sustituidos por pruebas de heroísmo de cada caballero. El embajador Navagero cuenta cómo el amor a las damas estimuló el heroísmo de los caballeros en un texto que luego aduciré por extenso,[65] pero son romances del *Maestre de Calatrava* o de *Garcilaso* los que permiten encontrar descripciones más precisas de estos encuentros individuales; sea en los textos de la *Rosa Española,* sea en los que transmitió Pérez de Hita:

Apártanse uno de otro con diligencia y presteza,
juegan muy bien de las lanzas, arman muy buena pelea.
El Maestre era más diestro, al moro muy mal hiriera.
(*Ant. lír.*, XXIV, 223.)

Comienzan la escaramuza con un furor muy sobrado.
Garcilaso, aunque era mozo, mostraba calor sobrado;
diole al moro una lanzada por debajo del sobaco:
el moro cayera muerto, tendido le había en el campo.
(Ib., p. 235.)

Se sabía: las heridas «por baxo del brazo, por la escotadura de las corazas» tenían mala cura. Así murió en brazos de sus escuderos el famoso don Rodrigo Téllez Girón, el Maestre de los romances, según cuenta Hernando del Pulgar.

En los romances fronterizos no hay nada comparable por su minuciosidad y precisión a las descripciones del *Cantar del Cid.* Los tres combates singulares de Pedro Vermúdez, Martín Antolínez y Muño Gustioz contra los infantes de Carrión y Asur

65. *Carta V*, apud P. BLANCHARD-DEMOUGE, p. 336 de su edición de *Las guerras civiles de Granada* de Ginés Pérez de Hita. Madrid, 1913. Vid. la p. 151 de este libro.

González (vv. 3580-3692) quedan señeros en nuestra historia literaria: nunca se volverá a encontrar nada que por exactitud, vigor y emoción se pueda comparar al arte de *Mio Cid.* Frente a esta manera que se demora en los detalles, porque el tiempo no cuenta, el romancero deja esas pinceladas impresionistas de lo que es una técnica narrativa, que si hereda la tradición épica aparece ahora limitada por muy otras necesidades.

2) La dotación de un caballero está cuidadosamente descrita. Veremos cómo el gusto de una época tardía se va a inclinar hacia circunstanciadas explicaciones en torno a las armas, los caballos o trajes. El romancero fronterizo no está sólo en este interés.[66] Le acompañan las crónicas y los relatos novelescos. Pero de este amaneramiento nacerán, más tarde, las descripciones de los romances moriscos y de la propia novela de Ginés Pérez de Hita.

Tampoco ahora las diferencias de las armas que encontramos en el romancero difieren mucho de las que en el *Cid* se describen. En uno y otro caso, se usan lanzas, provistas de hierros *tajadores* y un pendón; cuando la lanza era inútil o quebrada, los caballeros echaban mano de su espada.[67] Al lado de este breve resumen, hecho sobre el poema del siglo XII, el romancero nos permite algunas precisiones: la lanza era *gruesa* (*Ant. lír.*, O. C., XXIV, 237), podía medir hasta más de siete metros, si hemos de creer que tuviera más de treinta palmos la que usa el moro Alatar, a posta hecha de tan descomunal tamaño (ib., página 229); en la punta tenía un *hierro* 'cuchilla' de *acero* (229, 233) o, lo que más se pondera, *dos hierros* (229). Las lanzas podían traer *veleta* 'banderola debajo de la moharra' (229) o *pendón* (202), bordado por las damas. En el combate personal se *terciaba* la lanza para interponerla al ataque del enemigo (236) o se arrojaba (pp. 223, 225, 228), contra el fugitivo, haciendo fuerza con los pies sobre los estribos (228). Cuando se lu-

66. No se olvide que María Rosa Lida señaló cómo el romancero atestigua el paso de versiones narrativas a otras meramente descriptivas. Así, la *Misa de amor,* miniatura del atuendo de una dama, sin cabida para ninguna otra circunstancia (*RFH,* III, 1941, pp. 24-42).
67. *Poema de Mio Cid* («Clás. Cast.»), pp. 85-87.

chaba sin lanza, los moros usaban el *alfanje* (238) y los cristianos la *espada* (196, 241).

Añadamos que la *visera* (208) protegía la frente y la *adarga* —hecha en Fez (233)—, el pecho (215, 229). Los *escudos* se *embrazaban,* tras montar en el caballo (236). De una *ballesta* preparada para disparar se decía que estaba *armada,* y llamaban *cuadrillos* a las saetas que arrojaba (208).

Los c a b a l l o s se ensillaban *a la jineta* (215, 222), esto es, con borrenes altos y poco distantes, las aciones cortas y grandes los estribos. Es decir, la misma silla que ya aparece en el Beato de Valcavado (del año 970) o en el de Madrid (1047); la misma que usaban los castellanos en el *Cantar del Cid* y que era más conveniente para combatir con lanza, que se podía apoyar sobre los borrenes. Además, el romancero fronterizo habla del *arzón* de la silla, en el que colgaban la cabeza de los enemigos vencidos (p. 230). En otras ocasiones describe caballos con ricos adornos: *jaeces azules,* bordados de oro y plata (p. 215), y *reatas,* acaso 'bridones', que eran regalos de las damas. Cuando Ginés Pérez de Hita poetiza la visión de su mundo oriental, hace que los jinetes calcen *espuela de oro* y las *estriberas* sean de *plata* (p. 198), pero no creamos que esto es una exageración: ya en el *Cantar del Cid* (v. 733) aparece un *arzón exorado* y son abundantísimos los documentos que hablan de *frenos esorados* o de *plata,* de *petrales dorados,* de *sillas doradas* o *argenteas,* etc., hasta el extremo que la Corona intervino (1348) para atajar el derroche suntuario.[68]

3) El v e s t i d o que el romancero fronterizo describe es, casi, exclusivamente el de los caballeros moros. Se explica: la nota ambientadora está en aquello que llama la atención a los castellanos que escuchan nuevas de la guerra de Granada; todo lo que pudiera concitar la imaginación, el ensueño o la sorpresa de unas gentes que oían hablar de un mundo remoto, en el que se estaba jugando una partida decisiva. Por eso, sólo vemos pasar —en un abigarrado desfile— caballeros moros con su atuendo preciso y alguna vez —muy rara, rarísima— se hará referen-

68. Vid. *Cantar de Mio Cid,* II, s.v. *siella, exorado.*

cia a las joyas femeninas o, falto de caracterización, al traje de los cristianos.

Sabemos, pues, que los caballeros moros usaban *tocas* en la cabeza (200), que podían hasta darle nueve vueltas y terminar en *cabos de oro* y *seda granadina* (229); o en *borlones de seda* (200); en ocasiones, la toca recibía el nombre árabe: *alhaleme*.[69] Se cubrían con *albornoz colorado* (pp. 213, 215) y se *alheñaban* las manos (229). No son muchos elementos, pero suficientes —incluso por el arabismo léxico— para ver cómo se intentó captar una realidad. Cierto que en descripciones antiguas (el *Paso honroso*) o tardías (*Fiestas* de Burgos, 1570, o Toledo, 1605) hay minuciosas descripciones de los trajes moriscos, según ha probado P. Blanchard-Demouge (*Guerras civiles,* pp. LXXI-LXXIII): se trata, pues, de un arte minucioso que gustaba de precisar —como en una miniatura— hasta la última puntada del atuendo. En la página 156 de este mismo libro aduzco una descripción de Andrés Bernáldez, que en nada envidia a las más brillantes de Ginés Pérez de Hita o del *Romancero General.*[70] Y no sólo los españoles, hubo también extranjeros que gozaron con tan abigarradas descripciones,[71] como la que hizo Roger de Machado, caballero que servía a Enrique VII de Inglaterra, del tocado de la Reina Católica. Por eso no extraña que hayamos podido hablar (vid., p. 72) de romances nacidos porque la descripción del vestuario haya convertido en criatura independiente lo que sólo era una pincelada ambientadora. Cuando Ginés Pérez de Hita toma los romances fronterizos, se intensifica el «color local»: en uno solo, hay jinetes moros con *marlota verde, aljuba de escarlata, capellar de grana* y *bayo borceguí* (*Ant. lír.*, XXIV, página 198).

Fuera de esto, las damas moras usan *ajorcas, tejillos* y *atutes de oro* (p. 231), o los mozos cristianos visten de *verde* y su obispo de *azul y blanco* (p. 212).

69. El *Diccionario* de la Academia sólo registra *alfareme*; del árabe a l - h a r a m 'pieza de tela blanca'.

70. Consta en la *Historia de los Reyes Católicos, BAAEE,* LXX, p. 623 *a-b*.

71. J. García Mercadal, *Viajes de extranjeros por España y Portugal,* t. I. Madrid, 1952, pp. 56*b*-57*a*.

Toda esta moda de la que el romancero fronterizo participa es una fuente de conocimientos arqueológicos de un valor tan sobresaliente como el de las gestas medievales. Y creo útil hacer ver cómo no se inventa nada, sino que se alquitara algo que está en la vida común y que la literatura nos transmite. Porque la obra poética tiene una duración sin límites; acostumbramos a caracterizar genéricamente lo que en ella descubrimos, olvidándonos de la realidad en que la literatura surgió. Cuando los moriscos se rebelan contra Castilla, la Corona procedió al secuestro e inventario de sus bienes; estos inventarios están hoy en el Archivo de la Alhambra y en ellos se encuentra —como acertadamente ha dicho J. Martínez Ruiz— «el auténtico guardarropa de los moriscos de carne y hueso».[72] En los inventarios de 1550 a 1580 aparece documentado todo un riquísimo material. En él se registra —en la humilde realidad cotidiana— lo que la literatura convirtió en criatura artística. Desde estos bienes requisados podemos comprobar la verdad del romancero fronterizo y, ante todo, el cimiento sobre el que se apoyó la literatura morisca. Bien difícil adivinar que aquellos montones de objetos que se iban allegando, como despojos de una fácil presa, iban a convertirse en la más brillante literatura de occidente; que, desde la Granada en guerra civil, migrarían con un halo poético a los países más lejanos. Y he aquí cómo si las gestas no pudieron dar —materialmente— elementos a una verdad muy distinta de la suya, sí indujeron, con una distancia de siglos, a mantener esa exactitud «arqueológica» que es constante en la epopeya castellana.

6. Valor nacional

Caracterizando al *Mio Cid,* Menéndez Pidal dijo: «no es nacional por el patriotismo que en él se manifieste, sino más bien como retrato del pueblo donde se escribió».[73] El romancero fron-

72. *La indumentaria de los moriscos, según Pérez de Hita y los documentos de la Alhambra* («Cuadernos de la Alhambra», 3, 1967, p. 57).
73. Prólogo a la edic. de «Clás. Cast.», p. 95.

terizo participa de idénticos sentimientos, pero —podríamos ampliar— acuciados ahora por un imperativo nacionalista, menos vago que ese ideal ensoñado del *Cantar*, por cuanto estaba al alcance de la mano la unidad batallada durante siglos. Por eso surge el romancero fronterizo como poesía noticiera, pero —por eso mismo— necesita mantener vivo un entusiasmo colectivo, y que colectivamente se sentía. Ya Juan de Mena había intuido la unión de todas las tierras en unos versos memorables

> Vi las provinçias de España, e poniente
> la de Tarragona, la de Çeltiberia,
> la menor Cartago que fue la de Esperia
> con los rincones de todo oçidente;
> mostrose Vandalia la bien pareçiente,
> e toda la tierra de la Lusitania,
> la brava Galiçia con la Tingitania
> donde se cria feroçe la gente
>
> (copla 48.)

Por eso este sentimiento se vio favorecido por una política orientada hacia el fin de la unidad. Poco es decir que «la propaganda estatal en favor de la guerra con los moros se nos manifiesta muy activa durante el reinado de los Reyes Católicos, en los diez años que duró la reconquista del territorio granadino».[74] La política se apoyaba en hechos reales: el sentimiento de toda la colectividad. Por eso la literatura se va salpicando de los anhelos comunes[75] o llega al arte —granadas estilizadas— la imagen de una ciudad que hace vibrar todas las esperanzas.[76] El símbolo de la unidad que se forja en Granada es el testamento de los Reyes y su voluntad de permanecer «unidos en la vida y unidos en la muerte» en aquel *Finisterrae* hispánico que se llamó Granada. El romancero fronterizo fue el pregonero de la nueva gesta: Ponce de León, el Maestre de Calatrava, Garcilaso. Y la

74. Menéndez Pidal, *Romancero Hispánico*, II, p. 31.
75. Por ejemplo, el «ganada es Granada» de *La Celestina* (III, p. 130 de la ed. «Clás. Cast.») o el «aballemos a Granada / que se dice que es ganada» de Juan del Encina.
76. Por ejemplo, en los claustros de Santo Tomé (Ávila) o de San Esteban (Salamanca).

pérdida del obispo don Gonzalo, de Sayavedra o de Juan Delgadillo. A perro que mata lobo, lo mata el lobo. Pero la voluntad nacional estaba más allá de los lobos que pudieran acechar y encargar donceles de piedra para la posteridad.

El romance fronterizo volvió a ser —como las gestas de muchos siglos atrás— la voz imperiosa que exigía el cumplimiento del destino histórico. Cuando Castilla nacía, la epopeya sirvió para cantar héroes que amaban ferozmente su independencia. Cuando Castilla iba a unir —y a unirse— todas las tierras peninsulares, el romance de la guerra granadina volvía a ser epopeya nacional: «en Castilla [los romances] eran principalmente estimados en su aspecto de poesía política, destinada a mantener el público interés despierto hacia la guerra de Granada».[77] Por eso muy pronto se recogieron en las compilaciones musicales. Así en el *Cancionero Musical de Palacio,* tan bellamente editado por don Higinio Anglés (Barcelona, 1947) están entre otros los de *Caballeros de Alcalá* (I, LXVIII), *Sobre Baça estaba el Rey* (I, LXXX), *Setenil, a y Setenil* (I, LXXXV).

Y no fue esto sólo. Del romancero fronterizo nacerá —nueva andadura— el romancero morisco. Y entonces —olvidadas las congojas de la refriega cotidiana— los moros se convierten en una especie de símbolo nacional contra el pastoreo italianizante.[78] Nuevo Cid, vuelven a ganar la batalla del sentido nacionalista, cuando España ha empezado a ser barco que no puede achicar el agua: y el romancero nuevo —nuevo por esas calendas— no es sino otro brote de lo que fue la guerra en la Frontera. Pero ahora, juntos moros y cristianos, contra un nuevo enemigo que quiere entrar en la unidad tan trabajosamente lograda:

Si es español don Rodrigo,
español el fuerte Audalla.

77. Menéndez Pidal, *Flor nueva de romances viejos* (2.ª ed.), Madrid, 1933, p. 39.
78. Manuel Alvar, *Granada y el romancero,* Granada, 1960, pp. 85-87, y p. 160 de este libro.

7. Los medios expresivos

Si las gestas perviven en el romancero fronterizo con su contenido ideológico intacto, no es menos cierto que se continúan en unas fórmulas lingüísticas que establecen esa rara continuidad formal desde los más viejos testimonios épicos hasta la época en que los *Romanceros* se recogen, y aun después.

Claro que resulta parcial que pretendamos aislar el romance fronterizo de cualquier otro tipo de romances. Pero no menos cierto también que si en ellos encontramos fórmulas épicas tendremos la seguridad de haber descubierto un seguro manadero de pervivencia de las gestas: que en un romance cualquiera haya giros épicos se debe a la propia condición del poema, continuadora de la vieja poesía. Pero, si eso mismo encontramos en los romances fronterizos, es que ha habido una voluntad firme de crear una determinada forma «nueva» conformándola a la que ya existía. No sé si merece la pena aclarar o insistir: los romances del Cid, de los Infantes de Lara o de Fernán González continúan una materia y unas formas preexistentes, mutándolas tan sólo en lo que la evolución literaria ha impuesto. Que el cerco de Baeza, la toma de Antequera o la pérdida de Alhama empleen de esos mismos recursos es que hay una intención de seguir con temas nuevos los mismos recursos viejos.

Así, por ejemplo, resulta sorprendente que al contar la muerte del conde de Niebla (agosto de 1436) se recurra al antiquísimo recurso de la *-e* paragógica, propia de nuestra épica y muestra siempre del carácter viejo de la épica castellana.

Dadme nuevas, caballeros, nuevas me queredes dar
de aquese conde de Niebla, don Henrique de Guzmán,
que hace guerra a los moros, y ha cercado a Gibraltar.
Veo hoy lutos en mi corte, ayer vi fiestas muy grandes;
o el príncipe es fallecido, o alguno de mi sangre,
o don Álvaro de Luna, el maestre y condestable.[79]

79. *Romance de don Enrique de Guzmán* (*Ant. lír.*, VIII, p. 209).

No de otra forma a como puede documentarse en el *Cid.*

Lloraran de los ojos las dueñas e Álbar Fáñez,
e per Vermudoz otro tanto las ha;
«Don Elvira e doña Sol, cuydado non ayades,
quando vos sodes sanas e bivas e sin otro mal.
Buen casamiento perdiestes, mejor podredes ganar».
(vv. 2863-2867.)

o en *Los Infantes de Lara*:

«Ganamos ocho cabeças de omnes de alta sangre,
mas tales ganancias caras nos cuestan asaz;
tres reys e quinze mill de otros perdiemoslos alla,
si me yo alla mas llegara, otro troxera el mensaje.»
(vv. 36-39.)

Si esta persistencia de la *-e* paragógica es un rasgo del arte de los juglares, no de otro modo hay que interpretar las fórmulas coloquiales que aparecen en la narración. Se ha hablado de los «usos juglarescos» del *Mio Cid,* y Menéndez Pidal ha reunido los testimonios en que «el juglar cuenta su historia pensando siempre en el auditorio que tiene delante»:

Dirévos de los cavalleros que levaron el mensaje...
Es' día ha de plazo, *sepades* que non más...
¡*Aquí veriedes* quexarse ifantes de Carrion! [80]

De modo bien parecido en los romances fronterizos, sean de estilo viejo, sean de estilo juglaresco:

Viérades moros y moras todos huir al castillo (p. 208)
que *aquí no digo* sus nombres por quitar prolijidad (211)
Allí hablara el rey moro, *bien oiréis* lo que diría (p. 240).

También Menéndez Pidal ha señalado que en las descripciones de ejércitos «es natural que los romances, continuando el tratar la guerra con los moros, continuasen hábitos de los can-

80. Cfr. R. Menéndez Pidal, *Poesía juglaresca,* Madrid, 1957, p. 259, y R. H. Webber, *Formulistic Diction in the Spanish Ballad,* Berkeley-Los Ángeles, 1951, pp. 183-189.

tares de gesta».[81] Así el *Mio Cid*, recurre a enumeraciones enfáticas en las que se repite el adverbio *tanto*:

Veriedes *tantas* lanças premer e alçar,
tanta adáraga foradar e passar,
tanta loriga falssar e desmanchar,
tantos pendones blancos salir vermejos en sangre,
tantos buenos cavallos sin sos dueños andar.

(vv. 726-730.)[82]

En la quinta lid del *Rodrigo* volvemos a encontrar:

Veriedes lidiar a profía,
et tan firme se dar,
atantos pendones obrados
alçar e abaxar,
atantas lanças quebradas
por el primero quebrar,
atantos cavallos caer
et non se levantar,
atanto cavallo sin dueño
por el campo andar (vv. 930-934.)

Así también en el *Romance de la prisión de don Gonzalo*, tal como lo recoge Timoneda en la *Rosa española*:

vieron *tanta* yegua overa, *tanto* caballo alazano,
tanta lanza con dos fierros, *tanto* del fierro acerado,
tantos pendones azules y de luna plateados,
con *tanta* adarga ante pechos, cada cual muy bien armado.[83]

(*Ant. lír.*, O. C., XXIV, p. 215.)

La reiteración intensificativa de otros elementos aparece también en las gestas. Valgan unas cuantas muestras: en la oración de doña Jimena, se repiten enfáticamente fórmulas verbales como *fezist, salvest* (vv. 330-342); en las descripciones de batallas, *todos* (vv. 723-724); en las donaciones generosas, *darvos*

81. *Romancero Hispánico*, I, pp. 66-67.
82. Vid., también, vv. 1966-1969, 2404-2405, 3242-3244.
83. Cfr.: *Tanta* gruessa mula e *tanto* palafré de sazón,
tanta buena arma e *tanto* buen cavallo corredor,
tanta buena capa e mantos e pelliçones.
(*Cid*, vv. 1987-1989.)

(vv. 2568-2575). Por su parte, el *Rodrigo* reitera *traer* para mostrar insistentemente la importancia de las capturas (vv. 300-302); *mandar,* para ponderar los señoríos del rey (vv. 787-790); *a pessar,* para acumular dificultades en un esfuerzo (vv. 797-799), etc. Y en los romances fronterizos se repetirá *ver* para dar plasticidad a un brillante espectáculo que se agolpa ante los ojos;[84] *muchos,* como *tanto,* para valorar la importancia del botín conseguido,[85] no de otro modo a cómo el *Rodrigo* quiere presentarnos la grandeza de una matanza,[86] o *llorar* para acrecer el dolor en un relato luctuoso (*Ant. lír.*, O. C., XXIV, p. 238).

Queda también de las gestas el gusto por las caracterizaciones en una adjetivación inmutable, como efigie en moneda bien troquelada: «Martín Antolínez, *el burgalés de pro*», «Galín Garciaz, *el bueno de Aragón*», el «obispo don Jerome, *coronado leal*», «Muño Gustioz, *el cavallero de pro*», «Albar Fáñez, *pora tod el mejor*» (ejemplos de *Mio Cid*), «Martín González, *persona mucho onrada*», «Suero Gonçalez, *cuerpo tan leale*», «Fernant Gonçalez, *cuerpo honrado*», «Ruy Gonçalez, *cuerpo muy entendido*» (todos en *Los Infantes de Lara*), «Galín Laynez, *el bueno de Carrión*», «Garçía de Cabra, *de todos el mejor*», «Martín Gómez, *un portogalés de pro*» (en el *Rodrigo*). Y ya en tierras de Granada, otros clisés se perpetúan: el *buen rey,*[87] el *buen alcai-*

84. En el *Romance de la prisión del obispo don Gonzalo* (*Ant. lír.*, O.C. XXIV, p. 215):

Ven tocar los atambores, *ven* pendones campeando,
ven poner los escuadrones los de pie y los de caballo;
vieron mil moros mancebos, tanto albornoz colorado;
vieron tanta yegua overa, tanto caballo alazano.

85. Vid. *Del Maestre de Calatrava* (*Ant. lír.*, O.C., XXIV, p. 225):

Por los campos de Jaén todo el ganado robaba,
muchas vacas, *mucha* oveja, y el pastor que lo guardaba;
mucho cristiano mancebo y *mucha* linda cristiana.

86. Compárense éstos con los versos de la nota anterior:

Muchas gentes se perdieron
de moros e de christianos;
....
muchos buenos cavalleros
enderredor Rodrigo los ovo encontrados.
(vv. 675-677).

87. En *Cid* (v. 2825): *el buen rey.* Cfr. WEBBER, *op. cit.*, p. 201, y n. 39 en la p. 300 de este libro.

de de Cañete, «Mexía, el *noble hidalgo*», «Moro alcaide, *el de la barba velluda*», «un alfaquí de *barba crecida y cana*», «un moro viejo, *la barba crecida y cana*», «Ojicar *la nombrada*», etc., y en Ginés Pérez de Hita: «ese conde de Cabra, *en guerra experimentado*», «Martín Galindo, *que es valeroso soldado*», «Garcilaso, *mozo gallardo, esforzado*». En todos estos casos, la aposición cumple —en las gestas, en los romances fronterizos— una misión caracterizadora: el rey tiene unos atributos inherentes a su realeza (ser *bueno* será la sublimación de todas las virtudes; con Lope diríamos, «la mayor virtud de un rey»), las ciudades difieren unas de otras por su fama, por su grandeza o por su hermosura, mientras que los hombres son independizados por un solo rasgo, que el poeta hace unívocamente valedero: por su condición moral (bondad, nobleza, lealtad, valor) o por su presencia física (barba vellida, gallardía, etc.). No otra función cumplen las fórmulas deícticas que con su ademán mostrativo sitúan al personaje, a la ciudad o al objeto dentro de una esfera cordial en la que no caben los demás seres. Las gestas dirán *este don Jerónimo, aqueste Muño Gustioz, aquel Felez Muñoz*[88] y el romancero fronterizo —aunque no sea rasgo exclusivamente suyo— perpetuará las fórmulas: *aquese buen Faxardo* (p. 216), *ese Cegrí nombrado* (p. 232), *ese moro tan nombrado* (p. 235) e incluso arcaísmos sintácticos en los que se usa el artículo, o un demostrativo que funciona como tal, se trasvasarán de la épica antigua al romancero fronterizo. Junto a las fórmulas del *Cid (Valençia la casa, Valencia sos onores, cabo Burgos essa villa)* o de la poesía antigua (*Tiro la çibdat, el Duero essa agua cabdal*)[89] se emparejan las que acuñó el romancero de la guerra de Granada: *Antequera, esa mi villa* (pp. 200, 201), *San Antón, ese santo señalado* (p. 212), *Lorca, esa villa muy nombrada* (p. 225).[90]

Dámaso Alonso ha señalado en el *Poema del Cid* que «el paso al lenguaje directo se hace muchas veces sin verbo introductor,

88. *Cantar de Mio Cid*, I, p. 330, y Webber, *op. cit.*, p. 201.
89. Ejemplos citados en *Cid*, II, pp. 312-313.
90. El último ejemplo de un romance transmitido por Ginés Pérez de Hita.

es decir, sin empleo de las fórmulas del tipo «*A dijo, B contestó*» [91] y aduce ejemplos de los que extraigo uno:

Raquel e Vidas seiense consejando:
«Nos huebos avemos en todo de ganar algo»
(vv. 122-123.)

El recurso —como hontanar oculto durante siglos— vuelve a borbotar en el romancero:

El rey, que venir lo vido, a recebirlo salía
con trescientos de caballo, la flor de la morería.
—Bien seas venido moro, buena sea tu venida.
—Alá te mantenga, el rey, con toda tu compañía.
(*Romance de Antequera*, p. 200.)

Sáleselo a recibir el rey Chico de Granada.
—Bien vengáis vos, Albayaldos, buena sea vuestra llegada.
(*Del Maestre de Calatrava*, p. 224.)

Levantóse don Alonso que de Aguilar se llamaba.
—Yo subiré allá, buen rey, desde ahora lo aceptaba;
tal empresa como aquesa para mí estaba guardada.
(*Romance de don Alonso de Aguilar*, p. 236.)

Si, como quiere Dámaso Alonso, estos procedimientos pueden ser sólo «previsión del recitado y la mímica juglaresca ante un auditorio», [92] no menos cierto es que el romancero fronterizo continúa, justamente, la expresividad del *Mio Cid* con un salto de más de trescientos años. El *Cantar*, por su asiduidad en el empleo del recurso, se apartó de la norma narrativa de su siglo, cuando otras gestas, otros poemas de clerecía, otras obras en prosa, pudieron haberlo empleado y no lo hicieron. Y verdad también que en las narraciones fronterizas, entre muchos casos en los que aparece el verbo *dicendi*, estos ejemplos, y otros que podríamos haber espigado, muestran el reverdecimiento de la antigua expresividad. Y es que en uno y otro caso el poeta ha

91. *Estilo y creación en el Poema del Cid*, en *Ensayos sobre poesía española*, Buenos Aires, 1946, p. 71. Vid. también, Webber, *op. cit.*, pp. 183-189, aunque los esquemas que presenta son introductorios al diálogo.

92. *Art. cit.*, p. 73.

dramatizado sus creaciones y les ha dado la espontaneidad y la verdad con que se comportan los hombres de carne y hueso. Esto nos sitúa ante un tipo de sintaxis verbal fluctuante, adecuada en cada momento a su necesidad precisa, y sin unos moldes que fuercen según esquemas previos. El *Cid* va saltando del pasado narrativo al presente actualizado en que —de pronto— empiezan a moverse las criaturas:

> Raquel e Vidas en uno *estavan* amos,
> en cuenta de sus averes, de los que *avien* ganados.
> *Llegó* Martín Antolínez a guisa de membrado:
> «¿O *sodes* Raquel a Vidas, los mios amigos caros?»
>
> (vv. 100-103.)

> Raquel e Vidas *seiense* aconsejando:
> «Nos huebos *avemos* en todo de ganar algo.
> «Bien lo *sabemos* que él algo *a gañado.*»
>
> (vv. 122-124.)

Lapesa [93] ha dicho que «el uso de los tiempos verbales era particularmente anárquico». Preferiría otro adjetivo que no indujera a una valoración peyorativa; el propio investigador ha ordenado unas cuantas normas que regían la libertad de los poetas. Lograba el cantor de Medinaceli rebasar las estrechas limitaciones de la lógica para traernos retazos de vida. He aquí que también el romancero fronterizo nos va a llevar por las mismas sendas de la imprecisión. Unas veces, desde la descripción en el pasado (perfectos absolutos, imperfectos) nos coloca violentamente al héroe ante nuestros ojos admirados:

> de Antequera *partió* el moro tres horas antes del día,
> con cartas en la su mano en que socorro *pedía.*
> ....
> Siete celadas le *ponen* de mucha caballería,
> mas la yegua *era* ligera, de entre todos se *salía.*
>
> (*Ant. lír.*, O. C., XXIV, p. 200.)

> Cuando los *tuviera* juntos, un moro allí le *dijera*:
> —¿Para qué nos llamas, rey, con trompa y caja de guerra?
>
> (Ib., p. 220.)

93. *Historia de la lengua española* (6.ª ed.), Madrid, 1965, pp. 159-160.

Otras, el imperfecto, con su valor durativo en el pasado, se enlaza con un presente, que así cobra una proyección hacia tiempos anteriores:

> No juguemos más, Fajardo, ni tengamos más porfía,
> que *sois* tan buen caballero, que todo el mundo os *temía*.
> (Ib., p. 216.)

Situación ésta que puede suscitarse de modo inverso: la duración desde el pasado hasta el presente se actualiza cambiando el imperfecto de indicativo, que exigiría la construcción normal:

> Y por nombre le *habian puesto* doña María de Alhama;
> el nombre que ella *tenía* mora Fátima se *llama*.
> (Ib., p. 218.)

En algún caso, el imperfecto de indicativo equivale a una construcción presente, sea de indicativo (como atestigua la variante de un pliego suelto), sea de subjuntivo (como parece preferible por el contexto). De cualquier modo se intentan contraponer los dos planos distintos: el de los enemigos (proyectado hacia un pasado de lejanía) y el de las propias tropas (en presente):

> —¡Vuelta, vuelta, caballeros, vuelta, vuelta a la batalla!
> que aunque ellos *eran* muchos, cobarde es el que *desmaya*.
> (p. 237.)

Pienso que con este tipo de construcciones habrá que ordenar otras en las que la acción aparece en pasado (y en pasado también la referencia a gestas anónimas), mientras que el propio héroe pasa ante nuestros ojos como una realidad tangible:

> Aun no *era* amanecido don Alonso ya *cabalga*.
> Con quinientos de a caballo, y mil infantes *llevaba*.
> *Comienza* a subir la sierra que llamaban la Nevada.
> (p. 239.)

No de otro modo a como en el *Romance de Sayavedra* (*Ant. lír.*, O. C., XXIV, p. 240) el río, que se supone en fluir perpetuo, se muestra como una presencia personificada y con realización actual, mientras que la acción narrada se desarrolla en imperfecto de indicativo o en perfecto absoluto:

¡Río Verde, Río Verde, más negro *vas* que la tinta!
entre ti y Sierra Bermeja *murió* gran caballería.
Mataron a Ordiales, Sayavedra huyendo *iba.*[94]

8. Conclusión

Rastrear la persistencia de las gestas en el romancero fronterizo es intentar reconstruir el sentido que esta poesía tuvo en el momento de su creación. Porque, si encontramos un determinado tema épico en los romances del Cid o de los Infantes de Lara, no hacemos sino añadir un eslabón más a una cadena de la que poseemos abundantes anillos: gestas primitivas, prosificaciones cronísticas, gestas tardías. Otro mundo es el de los romances fronterizos. Nacidos de la nada, su conformación a moldes preexistentes para otros fines y su estructura voluntariamente arcaica nos muestran muy a las claras que, a través de muchos siglos, se mantuvo vivo el espíritu que creó la epopeya castellana. Si Humboldt ha podido hablar de una *innere Sprachform,* no menos cierto es que podríamos tratar también de una *innere Epikform.* Porque no es bastante enunciar una verdad innegable para que toda la verdad quede dicha. Las gestas, el romancero fronterizo, el nuevo romancero son poesía noticiera. Pero lo que es cierto sin lugar a dudas merece una determinación mayor: esa poesía noticiera se configuró en épocas muy distintas, de acuerdo con un espíritu que la dotó en todas ocasiones de sentido histórico, de precisión local, de valores arqueo-

94. Las repeticiones *Vuelta, vuelta* o *Río Verde, río Verde* que acabo de citar son también fórmulas épicas, vid. Webber, *op. cit.*, pp. 215-216.

lógicos y de intención nacional. Es decir, de la pluralidad de caminos que ante la poesía noticiera se abrían, las gestas y el romancero fronterizo —con todas las diferencias que queramos— eligieron precisamente el que, por encima de todo, conducía a la veracidad. Y esta verdad es la forma interior que estructura y da sentido a la épica castellana. Pero no sólo es esto. Una vez más, la literatura española cuaja en frutos tardíos o, mejor, reitera viejos «tópicos» adaptándolos a la necesidad de un momento preciso. Y he aquí como el significado de la épica —poesía de veracidad— se conforma a un significante evolucionado pero en el que descubrimos los viejos antecesores (los elementos externos que perviven o reafloran al cabo de los siglos). Del mismo modo que en la estructura de la lengua, va cambiando el significado, pero se mantiene viva la peculiaridad diferencial (a pesar de los germanos y de los árabes el castellano sigue siendo latín); va cambiando el significante, pero se puede establecer el nexo preciso que liga nuestras voces de hoy con las que se usaban hace más de dos mil años.

EL ROMANCERO MORISCO

1. Romances moriscos

La maurofilia literaria empezó en el siglo xv, cuando los poetas castellanos se acostumbraron a ver la historia narrada desde el campo moro. Así pudo escribir Menéndez Pidal a propósito del romance de Abenámar: «Tenemos aquí una etapa inicial de lo que serán los llamados romances moriscos a fines del xvi, sin que ahora falte alguna vez, además del citado colorismo, el tema galante o amoroso y otras características que después se harán predominantes en este género de composiciones. Caso de completo viraje en considerar al moro no como simple enemigo, según la edad media hacía, sino enfocando hacia él la simpatía del vencedor».[1]

En efecto, hemos visto que el romancero fronterizo encierra en germen algunas brillantes notas de color: en los arreos de los soldados, en la descripción de los atuendos. Pero más debe el romancero morisco al de la guerra granadina: se vincula a él por ser poesía noticiera no sometida a textos previos. Bien es verdad que, si el romancero fronterizo servía para mantener vivo el sentido nacional, el romancero morisco se iba a limitar a contarnos una serie de historias —a veces identificadas, otras, no— en las que cada poeta iba a reflejar sus propias penalidades. Al pasar de un tipo a otro de romance se había dado el salto de la narración épica a la puramente lírica, por más que en una y otra se identifiquen las mismas descripciones, el mismo tipo de caballerosidad hacia el enemigo y la misma visión desde el cam-

1. R. Menéndez Pidal, *Romancero Hispánico*, Madrid, 1953, t. II, p. 11. Diego Catalán ha encontrado «ideales moriscos» en una crónica de 1344 (*NRFH*, VII, 1953, pp. 570-582).

po moro. Elementos éstos que no son suficientes para desvirtuar el carácter épico o el lírico de cada uno de tales conjuntos poemáticos, pero que sirven para establecer los nexos entre el siglo XV y los finales del XVI. Bien que no debamos llegar a la identificación de ambos géneros, pues —cómo señaló doña María Goyri— «en los romances fronterizos se relata brevemente una acción bélica ocurrida en la frontera... [mientras que en los moriscos] la descripción de fiestas, la enumeración de vestiduras con alarde de nombres árabes..., los ricos jaeces, las medallas, los motes y las empresas dan brillantez y un tono jovial a los relatos».[2] Se trata, bien a las claras se ve, de dos mundos totalmente distintos: el originario de las gestas y el literatizado de la poesía lírica tardía. Para los primeros, la historia bélica era la razón de ser; para los segundos, ese fluir de la vida hacia la literatura y de la literatura para condicionar la vida, que Vossler señalaría en la existencia de Lope.[3] Y, no se olvide, Lope dio vida al romancero morisco, viviendo antes de ser fábula las historias que él mismo tuvo buen cuidado de divulgar.

El nacimiento de los romances moriscos puede fijarse por los años de 1575 a 1585. Paula Blanchard-Demouge[4] hizo notar con justeza que «si se observa que las colecciones de romances de Valencia (1573) y Barcelona (1578) no contienen ningún romance morisco, se puede fijar el origen y difusión de esta moda, de la que Madrid y Castilla fueron la cuna, entre 1575 y 1585». Hoy podemos precisar algo más. La *Flor de romances* de Andrés de Villalta (1588) pasa por ser la primera colección con auténticos romances moriscos.[5] Claro que ahora, gracias a la diligencia de Menéndez Pidal[6] es fácil trazar la historia del género, desde su

2. *Los romances de Gazul*, en *NRFH*, VII, 1953, p. 403.
3. K. VOSSLER, *Lope de Vega y su tiempo* (2.ª edc.), Madrid, 1948. Añádanse, sobre todo, J. F. de Montesinos, *Lope de Vega, poeta de circunstancias* (apud *Estudios sobre Lope*, México, 1951) y J. M. Blecua, edic. de *La Dorotea*, Madrid, 1955, parte I. En la obra de U. Knoke (*Die spanische 'Maurenromanze'*, Göttingen, 1966, pp. 197-219) se analiza el amor cortés del romancero morisco con unos presupuestos puramente literarios.
4. En su edición de *Las guerras civiles de Granada*, de GINÉS PÉREZ DE HITA, t. I, Madrid, 1913, LIII.
5. MARÍA GOYRI, *art. cit.*, p. 404.
6. *Romancero Hispánico*, II, p. 125.

orto hasta su ocaso. Cierto que el apogeo de la moda coincide con la publicación de las *Flores de romances*: en la Primera (Huesca, 1589) había un 40 % de romances moriscos; después, la boga decrece: un 16 % en la Sexta (1593), en la Novena (1597) han cedido la primacía a los históricos y llega su casi extinción al comenzar el siglo XVII.[7] En esos once años que median desde que Pedro de Marcuello imprime su *Romancero* hasta el albor de la centuria siguiente ha habido varios hechos que han ayudado a consolidar el triunfo: de una parte, el prestigio creciente de Lope de Vega; de otra, la publicación (1595) de las *Guerras civiles de Granada*. En la *Flor* de 1589 —y se repite en la de 1591— se incluye ya el famosísimo romance de *Sale la estrella de Venus*, del Fénix, que ha de ser anterior a 1587, fecha en que comenzó el proceso contra Lope de Vega por los libelos injuriosos que había escrito en detrimento de la familia de Elena Osorio.[8] Así, pues, muy pronto la historia amorosa del poeta pasó a las compilaciones romanceriles[9] y por si ello fuera poco, el teatro vino a darle nuevos disfraces.[10] Esta difusión de las peripecias sentimentales de Lope se recogió ya en el *Romancero General*. Al empezar la *Sexta Parte*, hay un romance *(Oídme, señor Belardo)* con estos versos:

> Pero estáis en todas partes,
> que no puede en ningún modo
> dexar de topar con vos
> ningun cristiano ni moro.
> Sois un mapa general,
> y en nombre sois un Antonio,

7. La moda cesa de la X a la XIII *Flores* (*Romancero Hispánico*, p. 160). Al parecer, en los *Romances varios de diversos autores* (por Pedro Lanaja, en Zaragoza, 1640) se imprimieron los dos últimos moriscos del siglo XVII, aunque fueran muy anteriores (cfr. J. F. MONTESINOS, *Romancerillos tardíos*, Salamanca, 1964, p. 16).

8. Vid. A. TOMILLO y C. PÉREZ PASTOR, *Proceso de Lope de Vega por libelos contra unos cómicos*, Madrid, 1901, pp. 143 y 162. Lope fue detenido la tarde del 29 de diciembre.

9. «En morisco o en pastoril, a las nueve partes de la *Flor* fue a parar, como poesía anónima de la colectividad, toda la biografía sentimental de Lope de Vega» (MENÉNDEZ PIDAL, *El romancero nuevo*, Madrid, 1949, p. 15).

10. Vid. JOSÉ MARÍA DE COSSÍO, *Lope, personaje de sus comedias*, Madrid, 1948.

Calepino en traducciones,
desde el uno al otro polo.
Una vez sois moro Adulce,
que está en la prisión quexoso,
porque le dejó Celinda,
y es que os dio Filis del codo.[11]

En la *Novena* se lee:

Sus mismas pisadas siguen
el boticario y barbero,
que entrambos cantan romances
de Belardo y de Riselo.[12]

En la *Oncena*, estos otros:

¿Qué se me da que Belardo,
caballero en una yegua
se vaya a casar alegre
con su Filis a la aldea? [13]

Pero no quedó aquí la andadura lopesca:[14] cuando Ginés Pérez de Hita publica las *Guerras civiles de Granada*, urde el capítulo VI de su novela con una serie de romances del poeta,[15] que trasplanta a la Granada de Boabdil,[16] y aun termina esa *Historia de los bandos de Zegríes y Abencerrajes* con algún episodio que no hace sino prosificar el *Sale la estrella de Venus*,[17] que

11. Ed. A. González Palencia, Madrid, 1947, t. I, núm, 349, pp. 237 *b* - 238 *a*. El romance tiene gran valor para la biografía de Lope. Es posterior a su rompimiento con Elena Osorio y enfermedad que el rompimiento ocasionó al poeta, vid. el capítulo V del *Lope de Vega*, de J. de Entrambasaguas.

12. Ibidem, núm. 790 p. 533 *a*. *Belardo* es Lope de Vega y *Riselo*, Liñán de Riaza.

13. Ibidem, núm. 856, t. II, p. 37 *a*. Hay dudas para atribuir este romance a Lope.

14. Para todos estos testimonios, vid. M. Alvar, *Romances de Lope de Vega, vivos en la tradición oral marroquí* («Romanische Forschungen», LXIII, 1951, pp. 282-305, trabajo que ahora reelaboro).

15. *Por la calle de su dama*; *Bella Zaida de mis ojos*: *Mira, Zaide, que te aviso; Di, Zaida, ¿de qué me avisas?; Afuera, afuera, afuera* y la canción *Lágrimas que no pudieron*.

16. Cfr. M. Alvar, *Granada y el romancero*. Granada, 1956, pp. 71-76, y 157-160 de este volumen.

17. Vid. el Prólogo a mi edición de la obra, en prensa por la editorial Porrúa de México. Y las ya citadas pp. 21-160 de este libro.

tan ligado está con los anteriores. Sí, Pérez de Hita había confesado paladinamente su deuda con las *Flores* de Moncayo,[18] pero fue más allá de lo que se puede deducir de su referencia: prosificó romances de Lope y le copió otros, aunque todo fundido en su hábil técnica de narrador formó ese conjunto único en el que es difícil separar la historia política de la literatura, la verdad de la ficción verosímil.[19] Y, como resultado, una novela que, durante siglos, ha servido de manadero erudito para quienes se acercaron cordialmente al exotismo de la maurofilia. Por si no fuera bastante, Lope en su atuendo morisco sufrió una nueva e inverosímil metamorfosis: convertido en gato, pasó a algún pliego de cordel de finales del siglo XVIII.[20]

2. Tradicionalidad del romancero morisco

Las *Guerras civiles de Granada* se han aprovechado —sí— del mundo morisco que las *Flores* han creado,[21] pero lo han unido al que había descrito el romancero fronterizo y han venido a cumplir una vez más ese carácter tradicional que da sentido a la poesía española. Si las gestas pasaron prosificadas a las crónicas y de unas y otras salieron los romances y el teatro áureo —desde las crónicas y el romancero— dio continuidad al espíritu de la épica, ahora los romances granadinos pasaban a la prosificación de las *Guerras*[22] y la novela de Pérez de Hita, como una crónica, se convertía en fuente de toda suerte de prosas y versos orientalizadores. El «vecino de Murcia» acertó con el espíritu de nuestra literatura: los romances viejos, en cuyo histo-

18. «Desta dama [Lindaraja amada de Gazul] se hace mención en otras partes, y más en una recopilación del bachiller Pedro de Moncayo, adonde la llama Celina» (cap. XI, pp. 114-115 del t. I de la ed. de Blanchard-Demouge).

19. Paula Blanchard-Demouge en su edición de las *Guerras* ha señalado la primera impresión de los romances moriscos, pero no ha visto —ni desde lejos— la complejidad que en ellos se encerraba.

20. Vid. el que incluyo en mi *Romancero morisco*, en prensa por la Editorial Romermar, de Santa Cruz de Tenerife.

21. Vid. Blanchard-Demouge, ed. cit., pp. LIV y ss., donde se señala la procedencia de muchos de estos romances.

22. Vid. las pp. 157-159 de este volumen. Trato más demoradamente el tema en mi edición de las *Guerras*.

ricismo no voy a insistir ya, tenían esa verdad suficiente para que, gracias a ellos, la historia nacional accediera a la narración; pero los romances moriscos tenían también esa verdad histórica suficiente como para poder confiar en cuanto narraban. Es harina de otro costal la interpretación particular y concreta que Pérez de Hita hace de cada romance; el valor intrínseco de su acierto está en ese haber sabido ver la posibilidad histórica de un género literario que hereda a las gestas y que —como ellas— pasa a una narración en prosa, reviviendo a la vuelta de los siglos los procedimientos de la *Primera Crónica General,* de la *Crónica de 1344* o de la *Pinatense.* Menéndez Pidal ha señalado agudamente cómo estos romances moriscos en los que están las peripecias amorosas del joven Lope volvían a ser «poesía noticiera de sucesos actuales..., como durante la edad heroica lo fue la epopeya en tiempo de los Infantes de Lara, o los romances en tiempo de Abenámar, de Reduán y de Sayavedra. Pero, por desgracia, la edad heroica había pasado, y no hay sino una edad chismográfica en que el sentimiento poético divulgable sólo sirve a los enredos y hablillas de los cenáculos literarios».[23]

Vistas las cosas así, y parangonado el espíritu del romancero morisco con el del fronterizo, ya no extraña que —incluso— se diera «forma» morisca a lo que en su origen no fue sino un canto de frontera. Menéndez Pelayo señaló cómo en el romance de «La mañana de Sant Joan —al punto que alboreaba» se han incrustado elementos moriscos a partir del tercer verso («Revolviendo sus caballos— y jugando de las lanzas»),[24] pero nuestro gran crítico veía en esto un proceso de deturpación,[25] que ciertamente pudo haberlo, pero, con o sin empeoramiento, la adopción de un romance para nuevas necesidades no indica otra cosa que la vitalidad de un género cuya eficacia no se pierde al mudarlo de época o de circunstancias. No otro procedimiento es el

23. *Romancero Hispánico,* II, p. 130. Por su parte, J. Fradejas señala cómo la creación del romancero morisco hizo «vivir la literatura» (*El romancero morisco.* «Cuadernos de la Biblioteca Española de Tetuán», núm. 2. Tetuán, 1964, p. 10 de la separata).

24. *Antología de líricos,* O.C., XXIII, p. 98.

25. «La degeneración del tipo fronterizo en morisco puede estudiarse también en el romance que Durán llamó caprichosamente de *Boabdil y Vindaraja,* y Wolf excluyó de la *Primavera,* por considerarle artístico» (ib., p. 99).

que se cumplió en la elaboración tradicional del texto francés de *Flores y Blancaflor*: una novela de aventuras y reconocimientos pasa a ser un romance de cautivos, tras quedar convertida en polvo casi impalpable una larga teoría de más de cuatro mil versos.[26] Y es que la guerra con los moros y la incursión fronteriza era lo que conseguía reordenar —por su verdad íntima— una serie de episodios que la tradición había ido desarticulando, y se salvaba así, con nuevo sentido, un viejo poema carolingio.[27] De la misma manera, un romance fronterizo puede sufrir una reelaboración y adaptarse al nuevo mundo de los moriscos. Tenía razón don Marcelino al protestar del capricho de Durán y de los versos con que en la *Rosa de amores* se estropea el lindo poema, pero no menos cierto que, en los renglones añadidos, Timoneda —o quien fuese— había hecho también poesía tradicional: al incrustar versos como «blanca es y colorada, — hermosa como una estrella» [28] o elementos descriptivos de la belleza femenina, que pertenecen al mundo popular de las *mayas*.[29] Y, al añadir estos elementos de otra tradicionalidad, se estaba caminando por las mismas veredas que el autor del poema originario —sea o no artístico— que ha usado de los procedimientos populares: fórmulas épicas (*de los sus ojos llorando*), relajamiento en el uso de los tiempos (*dijera* por *dijo* o *decía*), cambio de una ciudad por otra (ecos del romance de *Abenámar*), etc.[30] Y una vez más la vitalidad del romancero, reviviendo en cada singladura de nuestra poesía, pero conservando de las gestas el espíritu que de ellas recibió: su carácter noticiero, su verismo para poder informar a las obras históricas, la continuidad de su estilo.

26. Vid. M. ALVAR, *Cinco romances de asunto novelesco recogidos en Tetuán*. «Estudis Romànics», III, 1951-1952, pp. 57-87.
27. Vid. adelante, pp. 275-280.
28. Cfr. mi artículo de las «Romanische Forschungen», LXIII, 1951, páginas 300-301 y p. 116 de este libro.
29. *cabellos* = oro, *cejas* = arcos, *ojos* = saetas. Cfr. M. ALVAR, *El ideal de belleza femenina en las canciones de boda sefardíes* («Folia Humanistica», II, 1964, pp. 651-653), tema que amplío mucho en mis *Cantos de boda judeo-españoles*, de aparición inmediata.
30. Versos como «Mirando estaba la vega; / miraba los sus moricos / cómo corrían la tierra...» recuerdan otros del *Romance del rey don Rodrigo cómo perdió a España* («Dende allí mira a su gente / cómo iba de vencida», etc.), del *Romance del rey moro que perdió a Valencia* («Mirando estaba a Valencia, / cómo está tan bien cercada»), del *Romance del rey de Aragón* («Miraba la mar de España / cómo menguaba y crecía»), etc.

Tradicionalidad es —para el romancero nuevo— palabra bivalente. No es sólo el espíritu del romancero viejo el que pervive en estos poemas, sino —también— el del viejo cancionero. Los poemas que nos ocupan pasan a las *Flores* desde los libros de música, poesía lírica en su más puro sentido. Ha sido José F. Montesinos quien ha señalado cómo el bachiller Pedro de Moncayo cumplió una noble misión: devolver a los romances su carácter de textos literarios, indignamente corrompidos por los autores de las tonadas. Una teoría de nombres —Moncayo, Sebastián Vélez de Guevara, Pedro Flores— elevarán sus voces contra esos músicos que piensan que los romances se han escrito para su propia conveniencia, «siendo por la mayor parte ellos quien menos lo saben entender», aunque —acaso— los poetas no estuvieran tan reñidos con los músicos como los editores nos podrían hacer creer.[31] Precisamente en estos rasgos de poesía escrita para ser cantada es donde Montesinos ve el carácter distintivo de los romances moriscos de Lope o Liñán de los romances moriscos anteriores (de Padilla o Lucas Rodríguez). Permítaseme copiar unas breves líneas de nuestro gran crítico: «Los estribillos, tan variados, venían a definir un tipo de composición que nada tenía ya que ver con otras desviaciones del romance... Los estribillos acentuaban en el romance el carácter lírico, y reclamaban el canto... El romance nuevo no se cantaba ni podía cantarse según las melodías tradicionales; se atenía ahora a los modos de una nueva música cortesana».[32]

31. Para todo esto, vid. J. F. Montesinos, *Algunos problemas del romancero nuevo,* apud *Ensayos y estudios de literatura española,* México, 1959, pp. 78-80, y *Notas a la primera parte de «Flor de romances»* («Bulletin Hispanique», LIV, 1952, pp. 386-404), A. Rodríguez-Moñino, *Nota editorial* a la *Flor* de 1589, al final del volumen, s.p., J. Fradejas, *El romancero morisco,* pp. 10-12, y D. Saunal, *Une pseudo-source du Romancero Général: le Ramillete de Flores* («Mélanges offerts à Marcel Bataillon», Bordeaux, 1962, pp. 648-649).

32. *Algunos problemas,* ya cit. p. 81. Vid., también, Knoke, *op. cit.,* pp. 220-223.

3. Romances cíclicos

La publicación de las *Guerras civiles de Granada* (1595) tuvo la virtud —entre otras muchas— de ordenar los romances dispersos por las *Flores* en grupos homogéneos: el nombre del protagonista le sirvió para urdir las distintas tramas de su narración. Alguna vez denunció claramente los hechos: cuando descubre la historia amorosa de Lindaraja, apostilla: «desta dama se hizo mención en otras partes, y más en una recopilación del bachiller Pedro de Moncayo».[33] Ha habido, pues, intención de agrupar la historia en torno a los nombres que las pueden ordenar, pero no siempre la ordenación podía hacerse con un criterio tan puramente externo y en ocasiones se encontraba con la existencia de más de un héroe con el mismo nombre: tal es el caso de la Galiana almeriense, tan remota en todo de la toledana. Entonces, sin demasiados escrúpulos, Ginés Pérez de Hita escribe: «Este romance lo dicen de otra manera, diciendo que Galiana estaba en Toledo. Y es falso, porque la Galiana de Toledo fue grandes tiempos antes que los Abencerrajes viniesen al mundo».[34]

El mismo artificio de las *Guerras* fue usado por Durán: pretendiendo sistematizar su romancero, recurrió al nombre de los protagonistas para hacer grupos coherentes. Así están los romances de *Azarque el granadino,* los de *Abenumeya,* los de *Tarfe,* los de *Abindarráez el Tío,* etc. La agrupación de los poemas dispersos crea pequeñas historias sentimentales, cuyos trazos más salientes convierten a los protagonistas en arquetipos literarios: los celos de Zaide, el valor de Muza, la melancolía de Celín Audalla o la crueldad de Boabdil. José F. Montesinos [35] ha dicho de estas colecciones que en ellas «vida y literatura confluyen, se intenta siempre dar a la vida un ademán noble, que no puede ser otro que el ademán más pasional. Lo que importa son las actitudes que se diputan poéticas, y la poesía se reduce a dar cuenta de un momento dogmáticamente vivido».

33. Ed. Blanchard-Demouge, véase el cap. XI de la Parte I. Vid. nota 18.
34. Ed. cit., pp. 36-37.
35. *Algunos problemas,* p. 88.

Doña María Goyri estudió el ciclo de Gazul [36] y no dudó en dar como de Lope los principales romances del grupo,[37] «pues sabemos que se había alzado con el cetro del Romancero antes de alzarse con la monarquía cómica» (p. 405). Es importante la aportación que se hace en este trabajo por cuanto sirve para fijar algunas fechas que modifican el saber tradicional sobre la vida del Fénix. Por los años que estudia en Alcalá (ca. 1580), Lope se enamoró de Marfisa, que está a punto de casarse cuando el poeta vuelve de la expedición de las Terceras (1583). Casada con un viejo rico y por imposición familiar, Marfisa no tarda en enviudar y acaso piensa reanudar el viejo amor, pero Lope ha encontrado consuelo en los brazos de Elena Osorio. La historia ha pasado a los romances moriscos: Sidonia es Lope; Zaida de Jerez, Marfisa; Celinda de Sanlúcar, Elena; Albenzaide, el marido de Marfisa. Los romances que pueden ser del Fénix se elevan a trece [38] y entre ellos destaca el de *Sale la estrella de Venus,* que gozó de excepcional fortuna.[39] Teniendo en cuenta estos hechos creo que se ilustran ciertos datos que aparecían como poco claros en la biografía del poeta.[40]

Cuando Menéndez Pidal publicó en 1935 *El arte nuevo y la nueva biografía* [41] sentaba una fecunda base para interpretar a Lope. Allí se veía cómo el poeta «se formó entre los romancis-

36. *NRFH*, VII, 1953, pp. 403-416.
37. Carece de valor la nota que pone Durán a estos textos (*Romancero*, I, p. 13 *a*).
38. *Si tan bien arrojas lanzas, Cuando de los enemigos, Límpiame la jacerina, Sale la estrella de Venus, La bella Zaida Cegrí, Del perezoso Morfeo, Por la plaza de Sanlúcar, Cual bravo toro vencido, A media legua de Gelves, En el tiempo que Celinda, De los trofeos de amor, Después que el fuerte Gazul* y *Estando toda la corte.*
39. M.ª Goyri, *art. cit.*, pp. 414-416.
40. Tomo en consideración los datos de la Sra. Goyri de Menéndez Pidal para actualizar mi estudio *Romances de Lope de Vega vivos en la tradición oral marroquí* («Romanische Forschungen», LXIII, 1951, pp. 282-305). La existencia de dos mujeres distintas para resolver las complicaciones cronológicas a que me voy a referir fue sospechada con toda certeza por J. de Entrambasaguas (*Vivir y crear de Lope de Vega*, p. 31) que piensa —con exactitud— en dos mujeres diferentes, confundidas en «la famosa Elena Osorio, por haberlo querido así el propio Lope —mezclando ambos amores en las mismas alusiones— aunque la cronología verdadera lo rechaza».
41. *RFE*, XXI, pp. 337-398. Reproducido en *De Cervantes y Lope de Vega*, «Col. Austral», núm. 120, pp. 73-151. Cito por la *RFE*.

tas, pues en romances comenzó él a vivir poéticamente las aventuras de sus veintiún años»;[42] se veía también su inclusión en el núcleo que vitalizaba las viejas historias con la savia viva de la inquietud personal.[43] Nada extraño hay en ello. El propio Lope en un libro de madurez, pero con las «aventuras de sus veintiún años» nos lo viene a decir: «amar y hacer versos es todo uno».[44] Lo tenemos, pues, —años de las *Flores*— contándonos en romance sus peripecias sentimentales.[45] Nada tan divulgado como su disfraz morisco y sus disgustos con la comedianta Elena Osorio. Amores que se mofaron de cuidadosos encubrimientos porque el poeta los convertía en «fábula de la Corte».[46] Y, como si Dorotea adivinara en la lejanía del tiempo, hoy, a los tres siglos y medio, voces callejeras cuentan, aún, amores que fueron fábula.[47]

La historia es conocida: Lope enamorado de Elena Osorio; aparece un rival poderoso, don Francisco Perrenot[48] que desplaza al poeta. El despecho se traduce en libelos contra Elena Osorio, contra su padre Jerónimo Velázquez, contra la madre de la comedianta, contra el hermano, contra sus parientes. La fábula antigua da resonancia al proceso que se sigue contra Lope. Al final, la sentencia: «de aquí adelante no haga sátiras ni ver-

42. Ibidem, p. 340.
43. Vid. todo el párrafo *Virtud y nobleza, arte y naturaleza.*
44. *La Dorotea*, acto IV, p. 186. Citaré por la ed. de Américo Castro, «Renacimiento», 1913. Cfr.: «Amor me enseñó a escribir, / y harta veces a llorar» (*La inocente Laura*, apud Cossío, *Lope, personaje de sus comedias*, Madrid, 1948, p. 65).
45. «En morisco o en pastoril, a las nueve partes de la *Flor* fue a parar, como poesía anónima de la colectividad, toda la biografía sentimental de Lope de Vega» (Menéndez Pidal, *El romancero nuevo*, Madrid, 1949, p. 15). Sabido es también que el Fénix usó del teatro para encubrirse, vid. también, el discurso de ingreso en la Academia de J. M. de Cossío, citado en la nota 10.
46. *La Dorotea*, IV, p. 192. En *Los locos de Valencia* hay estos versos significativos:

> Belardo fue su nombre;
> escribe versos, y es del mundo fábula
> con los varios sucesos de su vida.
> (Apud Cossío, *op. cit.*, p. 53.)

La difusión de las peripecias amorosas de Lope se han referido más arriba, vid. pp. 90-93. Y a ellas habremos de volver en el § 4 de este trabajo.
47. Vid. el texto 1 en la p. 319.
48. Para la identificación del personaje, vid. Rennert y Castro, *Vida de Lope de Vega*, pp. 48-51, y Millé, *Estudios de Literatura española*, La Plata, 1928, pp. 116-118.

sos contra ninguna persona de los contenidos en los dichos versos y sátiras y romances, ni pase por la calle [de Lavapiés] donde viven las dichas mujeres».[49] Pero antes de la ruptura, la fidelidad de Elena, las razones *persuasivas* de la madre y el gesto presuntuoso de Lope. Ésta es la historia. Gracias a ella se ha podido asegurar la paternidad lopesca de alguno de estos romances.[50] Para algún otro, la paternidad se documenta desde dentro.[51] Basta recurrir a *La Dorotea.* Pasajes de la *acción en prosa* no hacen otra cosa que comentar los versos primerizos,[52] cum-

49. A. Tomillo y C. Pérez Pastor, *Proceso de Lope de Vega por libelos contra unos cómicos*, Madrid, 1901, p. 60.

50. Vid. Tomillo y Pérez Pastor, *op. cit.*, p. 90 (*En competencia del día*, romance), 91 (*Gallardo pasea Zaide*), 95 (*El mayor Almoralife*, ib.), 103 (*Mira, Zaide, que te aviso*, ib.), 106 (*¿De cuándo acá tantos fieros?*, ib.), (*Este traidor instrumento*, ib.), 110 (*Después que te rompiste ingrata*, ib.), 112 (*¿Apartaste, ingrata, Filis?*, ib.), 113 (*Al pie de un roble escarchado*, ib.), 116 (*De una recia calentura*, ib.), 119 (*Después que acabó Belardo*, ib.), 122 (*Hería el sol a las cumbres*, codicilo), 177 (*Filis, las desdichas mías*, redondillas), 183 (*Mirando está las cenizas, romance*), 190 (*Háganme vuestras mercedes*, ib.), y 219 (*Pues ya desprecias el Tajo*, ib.).

51. Menéndez Pidal, *El nuevo romancero*, p. 11, estudia el *Mira, Zaide*, «que quizás es obra del mismo Lope».

52. Compárense este par de referencias:

I)
Y que si nacieras mudo
fuera posible adorarte;
y por este inconveniente
determino de dejarte,
que eres pródigo de lengua
y amargan tus libertades.
(vv. 9-14, p. 45, ed. Montesinos)

«Fer. Díxome vn día con resolución que se acabaua nuestra amistad, porque su madre y deudos la afrentáuan, y que los dos éramos ya fábula de la corte, teniendo yo no poca culpa, que con mis versos publicaua lo que sin ellos no lo fuera tanto» (*Dorotea*, IV, p. 192).

«Ger. ... Y ella muy desvanecida de que se canten por el lugar a bueltas de sus gracias, sus flaquezas» (I, p. 7).

II)
A un morito mal nacido
me dicen que le enseñaste
la trenza de los cabellos
que te puse en el turbante.
No quiero que me la vuelvas,
ni quiero que me la guardes,
mas quiero que entiendas, moro,
que en mi desgracia la traes.
(vv. 51-58, p. 46)

«Teo. ... Si te doy vna buelta de cabellos, que no has de hauer menester rizos; y díle a don Fernando que haga versos a este sugeto...» (I, p. 11). [En la misma escena Teodora ase a Dorotea del cabello y la maltrae.]

pliendo, también en esto, el carácter autobiográfico[53] señalado para la novela.[54]

El proceso contra el poeta comenzó muy a finales de 1587 (Lope fue detenido la tarde del 29 de diciembre de 1587 y prestó declaración el 9 de enero de 1588),[55] pero los amores empezaron antes (acaso en 1583 a los 21 años del poeta): «ha cinco años que este moço la tiene perdida» (*La Dorotea,* I, pp. 6-7); «¿echizos llamas cinco años de trato?» (I, p. 38); «con esto duró nuestra amistad cinco años» (IV, p. 191). Con esta opinión podrían concordar algunas afirmaciones referidas a don Fernando: «Cuyo primero boço nació en mi aliento» (I, pp. 12-13): «hombres, hombres, y no rapaces que con la saliua de las mugeres les sale el boço» (I, p. 8); «esta color que tu dezías que deseauas tener en la barba antes que te apuntase el boço» (I, p. 25); «deues de imaginar que al amor de Fernando le han crecido los vigotes con el tiempo» (II, p. 68); «este Lope de Vega que comiença agora» (IV, p. 207).

Esta duración de los amores es la misma que dio Lope en su proceso[56] y la misma de su amistad con Velázquez.[57] En cuanto a la cronología, parece aclarada con la interpretación de doña María Goyri. Basta situar en 1579-80, cuando el poeta contaba 17 años, sus amores con la desconocida Marfisa, a cuyas peripe-

«DOR. Essa tirana... Oy me ha reñido, oy me ha infamado... Respondíle: pagáronlo mis cabellos ...Estos, en fin, mi Fernando, lo pagaron: aquí te traigo los que me quitó, que los que quedan ya no serán tuyos» (I, p. 25).

«DOR. ... que si pensaras que tenías amor, que te dexara libre para elegir más el remedio de la desdicha que el rigor de la vengança, antes boluiera a dar a mi madre los cabellos que me quedauan, que ir a lleuarte los que me había quitado» (III, p. 157).

53. Teodora recrimina que su hija Dorotea «pierda la ignorante la flor de su juventud en esas boberías; que quando más medrada salga, quedará celebrada en vn libro de pastores, o la cantarán en algun romance, si de christianos, Amarilis, si de moros, Xarifa; y el galán, Zulema» (I, p. 10).

La descripción de las *partes* de Zaide, vv. 13-24 del romance, se corresponde, libremente, con la del acto I, p. 12.

54. FAURIEL inició la valoración autobiográfica de *La Dorotea* (*Revue de deux mondes* 1839, pp. 593-623); se apoyaba en impresiones personales sobre la contextura de la obra. DAMAS HINARD negó este sentido (*Chefs d'oeuvres du théâtre espagnol.* París, 1842, I, XLIX). Replicó FAURIEL en *Les amours de Lope de Vega. La Dorotée* (*Rev. deux mondes*, 1843, pp. 880-924). Y su criterio se viene admitiendo generalmente.

55. *Op. cit.*, de TOMILLO y PÉREZ PASTOR, p. 73.

56. *Proceso*, p. 47.

57. *Proceso*, pp. 143 y 162.

cias dedicó los romances del ciclo de Gazul. Cuatro años después tendría lugar el comienzo de sus relaciones con Elena Osorio. Hay, pues, que separar las dos historias amorosas con lo que se ilumina toda la maraña que es la vida de Lope por estas fechas: hubo unos amores adolescentes con Marfisa, acabados en 1583 cuando la muchacha se casa; y otros con Elena Osorio, a partir de 1583, que desde 1576 estaba casada con el comediante Calderón.[58] El propio Lope tuvo cuidado de fundir esta doble cronología, aclarada ahora al estudiar el romancero morisco, pues en *La Dorotea* hace una alusión a sus relaciones con Marfisa[59] que referida a Elena Osorio por los eruditos, sólo había servido para dificultar la comprensión del carácter autobiográfico de la *acción en prosa*. Gracias al conocimiento de Marfisa y las historias narradas por Gazul son válidos sin mayores dificultades los «diversos y concordes testimonios» que fijan el inicio de los amores con Elena Osorio en 1583, al regresar Lope de Salamanca (donde estudió de 1580 a 1582, según las investigaciones del P. Hornedo) y de la expedición de las Azores (1583), con lo que resultaría veraz la referencia tan traída y tan llevada de *La Dorotea*: «Nos sé qué estrella tan propicia reinaua entonces, que apenas nos vimos y hablamos cuando quedamos rendidos vno al otro».[60]

De este modo, también, se aclara el testimonio de *El galán escarmentado,* que había hecho pensar en un inicio de los amores con Elena en 1579, una crisis en 1583 y una ruptura en 1588.[61] La verdad —bien simple y clara— nos evita el lío de personajes que Millé tuvo que trazar, sin podernos convencer, por más que su intuición fuera cierta, sólo que referida a dos mujeres diferentes.[62]

He aquí, pues, cómo la historia literaria ha mostrado su faz en la complejidad de una colección de romances. Si para los poe-

58. *Proceso,* pp. 206-207.
59. «De diez y siete llegué a tus ojos, y Julio y yo dexamos los estudios, más olvidados de Alcalá que lo estuvieron de Grecia los soldados de Ulises» (Acto I, escena V, p. 23).
60. Acto IV, escena I, p. 183.
61. Vid. MILLÉ, *op. cit.,* pp. 119-122.
62. *Op. cit.,* en la nota 48, pp. 50-51.

mas derivados de las gestas hay una ordenación cíclica que da sentido coherente a narraciones aisladas, no menos cierto es que las dos series de romances tenidas en cuenta en estas páginas (la de Gazul y la de Zaide) dan coherencia a unas hazañas bien de otro tipo que las heroicas. Y no deja de ser significativo que uno y otro ciclo estén referidos a Lope: él dio vida al romancero morisco dejando en la literatura pedazos de su propia existencia; él creó —también— los arquetipos literarios del género y supo escribir los más hermosos romances de la nueva moda. Justo es, pues, que en torno al gran poeta se hayan debatido las cuestiones más importantes del romancero morisco y, por su fortuna en la difusión, unos textos de Lope nos van a servir para aclarar en las páginas siguientes el proceso de tradicionalización de un romance morisco: aspecto —otro más— que va a servir para establecer el parangón entre el romancero viejo y este nuevo que se oculta tras exóticos ropajes. Pero conviene no olvidar otro hecho: el paralelismo entre el romancero nuevo y la comedia nueva; uno y otra se asemejan «en mil cosas». «Comedia y Romancero son la expresión de aquella sociedad española, su idealización, su caricatura; gesto solemne y ademán irónico. Lo absorben todo, lo transforman todo, y todo cuanto acogen se conforma en moldes previstos».[63] Y como creador genial del romancero morisco y creador genial de la comedia, Lope de Vega, el gran poeta al que tenemos que referir los mil problemas que plantean los romances de finales del siglo XVI.

4. Tradicionalización del romancero morisco

El carácter tradicional que puede descubrirse en el romancero morisco y la ordenación cíclica de los poemas, que acabamos de considerar, nos lleva de la mano al estudio de la conversión en poesía tradicional de alguno de estos romances. Rodríguez-Moñino y Fradejas han hablado de la difusión del *Mira, Zaide,*

63. J. F. Montesinos, *Algunos problemas*, p. 77.

que te aviso,[64] pero —lo que interesa más ahora— Durán señaló que, en su tiempo, estaba vivo en la tradición oral andaluza.[65] Las cosas han cambiado, pues no tengo versiones recogidas en las encuestas modernas que conozco.[66] Sin embargo, en mis rebuscas del romancero marroquí lo encontré en Tetuán, unido al de *Gallardo pasea Zaide* [67] y aún hay otras variantes, a las que me referiré en su momento.[68]

La difusión de estos romances comenzó con el propio Lope; él mismo cuidó de ella al comentar los poemas en su réplica *Di, Zaida, ¿de qué me avisas?* [69] con lo que este romancero

64. Véase bibliografía en este último autor, *El romancero morisco,* ya citado, p. 53. Para la boga del *Sale la estrella de Venus,* vid. MONTESINOS, *Algunos problemas,* pp. 90-91.

65. *Romancero,* I, p. 136 *b.* No se ha vuelto a recoger (falta en los romances de la serranía de Cádiz, de Pérez Clotet).

66. Vid. J. MARTÍNEZ RUIZ, *El romancero de Güejar Sierra (Granada),* en *RDTP,* XII, 1956. La Srta. PASTOR SEDANO recogió un riquísimo material de la provincia de Málaga, pero no el romance que nos ocupa, desconocido también en otras muchas encuestas hechas por alumnos de mi Cátedra.

67. Vid. *Romances de Lope de Vega,* ya citados. En las páginas que siguen, reelaboro mi trabajo de 1951, incorporando los frutos de otras investigaciones mías y discuto las aportaciones posteriores a mi estudio.

68. Cfr. P. BÉNICHOU, *Romances judeo-españoles de Marruecos* (*RFH,* VI, 1944, pp. 332-334); A. DE LARREA, *Romances de Tetuán,* t. I, Madrid, 1952, pp. 76-85. J. MARTÍNEZ RUIZ no lo encontró en Alcazarquivir (*Poesía sefardí de carácter tradicional,* «Archivum», XIII, 1963).

69. RENNERT-CASTRO, *op. cit.,* p. 66, núm. 2, lo atribuyeron a Lope; puede leerse en MONTESINOS, *Poesías líricas,* de Lope de Vega, «Clás. Cast.», núm. 68, I, p. 47; antes había defendido su filiación en *RFE,* XIX, p. 76. En el *Romancero General* hay una *Respuesta,* sin antecedente, cosa que extrañó al moderno editor, pero replica al *Mira, Zaide,* palabra por palabra. Como la difusión del *Mira, Zaide,* fue asombrosa, a nadie le extrañaba entonces tal linaje de respuestas (núm. 478, p. 312 *b* de la ed. de GONZÁLEZ PALENCIA). El romance núm. 479 es un comentario —¡otro más!— de Zaida a ligerezas del moro; del mismo modo que en el 481 vuelve a aparecer la soltura de lengua de Zaide. Para la fortuna del romance, vid. RENNERT-CASTRO, *op. cit.,* p. 66, n. 2.

El Sr. MILLÉ GIMÉNEZ (*Sobre la génesis del Quijote,* p. 128) rechazó la paternidad lopesca del romance. Su objeción es de una gran agudeza, pero no la creo suficientemente probatoria. Desde el punto de vista de Lope, también podría haberse escrito el poema: contra Lope no hay otra cosa que unos cuantos incidentes amorosos que él mismo divulgó en otras ocasiones (contiene el romance demasiados elogios para estar escrito por un enemigo del poeta). Se justificará la paternidad lopesca del *Mira, Zaide,* pensando en la glosa y correlación del *Di, Zaida, ¿de qué me avisas?* Gracias al primero, pudo existir el segundo romance. Por otra parte parece poco creíble que Lope, en *La Dorotea,* prosificara «conceptos» que no fueran originalmente suyos, o con los que le pretendieran zaherir sus enemigos. Y una última cuestión: el que en el romance se diga que Zaide es «blanco, rubio por extremo» tampoco me parece demasiada burla. ¿Es que el poeta por más autobiografía que haga no tiene licencia para disfrazarse? Sería demasiado cómodo para el investigador moderno poderle obligar a decir, rigurosísimamen-

n u e v o se convertía en «poesía noticiera de sucesos, actuales, ruidosos, señalados, como durante la edad heroica lo fue la epopeya en tiempo de los infantes de Lara o los romances en tiempo de Abenámar y de Sayavedra».[70] Y así como hoy se oyen historias del Cid o de Bernardo, Zaide —transparencia y celosía— sufre mal de amores por las calles del *mellah* tetuaní.[71] Zaide olvidado de su nombre y confundido con el *Sidi* de las historias caballerescas.

El romance de *Mira, Zaide* se publicó en el siglo XVI, aunque no en la *Flor de varios romances* de Pedro de Marcuello (Huesca, 1589)[72] ni en el *Romancero General,* por más que en la gran compilación romancesca hay varios poemas relacionados con

te, todos los pelos y señales de su persona. ¡Si cada escritor dijera de sí mismo tantas cosas y tan claras como las dijo Lope! Pero es que nos olvidamos del propio Lope; él mismo, en las *Rimas de Burguillos* escribió:

A Filis también, siendo morena,
ángel Lope llamó de nieve pura.
(Soneto *Bien puedo yo cantar una hermosura*)

El romance *Mira, Zaide, que te aviso* es conocido en la literatura tradicional por su variante *Por la calle de su dama,* título bajo el que le citaré a lo largo de estas páginas. Los Sres. RENNERT y CASTRO lo atribuyeron a Lope (p. 65) siguiendo la opinión de TOMILLO y PÉREZ PASTOR (*Pioceso,* p. 91); atribución aceptada por MONTESINOS (incluye el poema en la p. 41 de sus *Poesías líricas de Lope,* t. I) y por ENTRAMBASAGUAS, que lo empleó en su biografía del Fénix (pp. 70-71).

70. MENÉNDEZ PIDAL, *El romancero nuevo,* p. 13, y *Rom. hisp.,* II, p. 130, según señalo en mi p. 94, nota 23.

71. Lope supo algo de su peregrinar entre lenguas:

Ya, pues, que todo el mundo mis pasiones
de mis versos presume,
culpa de mis hipérboles cansada...

72. Tal dice PAULA BLANCHARD-DEMOUGE en su edición de *Las Guerras civiles de Granada,* Madrid, 1913, t. I, p. LVIII. En mi trabajo de «Romanische Forschungen», nota 17, señalé que el ejemplar de las *Flores* que consulté en la Biblioteca Nacional de Madrid, no incluía el romance. Ahora, en la cómoda reimpresión de las *Flores* que debemos a RODRÍGUEZ-MOÑINO (*Las fuentes del romancero general,* Madrid, 1957) podemos comprobar que Blanchard-Demouge no tenía razón. En el mismo siglo XVI se hicieron otras ediciones: *Segundo quaderno de varios romances los más modernos que hasta hoy se han cantado... Impresso en Valencia, en casa de los herederos de Iohan Nauarro, junto al molino de la Rouella,* año 1593. Hay un pliego suelto sin fecha que contiene el poema, recogido, como se sabe, por Pérez de Hita en su novela, año 1595 (vid. MONTESINOS, *Poesías líricas,* I, p. 194, donde se da el *Cuaderno* como edición más antigua). PAUL BÉNICHOU ha señalado la existencia de un pliego del siglo XVI de muy diferente final que el de las *Guerras* (vid. *BHi,* LXIII, 1961, p. 248 *post-scriptum,* donde se refiere a CHRISTIAN FASS, *Spanische Romanzen auf fliegenden Blättern aus dem Ende des 16. Jahrhunderts.* «Beitrage zum Jahresbericht» 1910-11. Halberstadt).

éste. Son los que comienzan *Mira, Muça, que te aviso,*[73] *Mira, Zaida, que te digo,*[74] *Di, Zaida, ¿de qué me avisas?* [75] El primero, y acaso el tercero, obra de Lope; el otro, remedo, retazos hilvanados, del *Mira, Zaide.* Los tres romances tienen rima *á-e,* como el que motiva estas páginas, pero, adentrándonos en su contenido, percibimos honda diferencia entre ellos.[76] Contra Muza van las quejas y protestas de la mora enamorada del brioso Azarque. Ignoro si el romance celará un valor autobiográfico. Algo podrían explicar a su sentido las alusiones a Zaida, a cintas labradas para Azarque o a indiscretas palabras. Algo podrían explicar. Pero aun con ellas, el sentido —nada claro— se pierde. Acaso Lope, como en *La Dorotea,* ha superpuesto ahora elementos heterogéneos para convertir en laberínticos, caminos de otra forma fáciles; ha combinado, también, historia con fantasía y nos ha dejado este poema del que no sabemos si es ficción o realidad.

El segundo de los romances que he citado, el *Mira, Zaida, que te digo,* vierte a lo mujeriego bizarrías varoniles del *Mira, Zaide,* y pone en boca del moro las mismas protestas a que nos tiene acostumbrados la hermosa Elena Osorio, sin que falten —no podían faltar— las alusiones a las trenzas y a la garrulería; justificación y defensa de las prendas del enamorado Zaide.

El romance *Di, Zaida, ¿de qué me avisas?* se relaciona con el *Mira, Zaide,* pero es posterior a él. Quiere, el moro, justificarse de calumnias alzadas; recurre a elogios trocados («yo soy

73. Como siempre, hago las referencias al *Romancero General* por la ed. de González Palencia. Este *Mira, Muça,* es el núm. 186 y se encuentra en la p. 127 *b* del t. I.

74. Ib., t. I, p. 418 *a,* núm. 715. Atribuido a Lope por Rennert-Castro, p. 67, n. 1, aunque sin razones demasiado convincentes.

75. Ib., t. I, p. 121 *a,* núm. 176. Poemas que circunstancialmente tratan de Zaide o se relacionan con él son los que se consideran en el capítulo anterior, al tener en cuenta el carácter cíclico de este romancero.

76. Estos romances moriscos mezclados con noticias del Rey Chico y con hechos más o menos imaginarios dieron materia a Ginés Pérez de Hita para urdir el novelesco capítulo VI de la *Historia de los bandos de Zegríes y Abencerrajes.* Cito por la ed. de Paula Blanchard-Demouge, ya que la mía está en prensa por la Editorial Porrúa, de México. Los romances glosados son: *Por la calle de su dama* (pp. 42-43), *Bella Zaida de mis ojos* (44-45), *Mira, Zaide, que te aviso* (49-50), *Di, Zaida, ¿de qué me avisas?* (51-52), *Afuera, afuera, afuera* (61-62) y la canción *Lágrimas que no pudieron* (p. 46). Vid. M. Alvar, *Granada y el romancero,* Granada, 1956, pp. 67-76 y 157-159 de este libro.

quien pierdo en perderte / y gano mucho en ganarte»), a la servidumbre amorosa, a la sed de venganza. Pero todo acaba en esto: en palabras, garbosamente expresadas, pero sólo palabras.[77]

Hasta aquí la situación en los últimos años del siglo XVI y en el XVII. ¿Y hoy? Cuando Menéndez Pidal publicó su *Catálogo del romancero judío-español*,[78] dio los primeros versos de un romance cantado en Tánger y Gibraltar:

> Por la calle de su dama
> se pasea el moro Saide,
> aguardando que sea hora
> que se asome para hablarle...[79]

Unas breves palabras acompañan a los versos: «Popular también en Andalucía. Durán, números 54 y 53». Pero nos quedamos sin saber la continuación del poema. Continuación que interesa fundamentalmente porque sobre ella se incrustan otros versos del Fénix.

Paul Bénichou fue el primero de los modernos tratadistas en publicar una versión marroquí —oranesa— del romance,[80] pero en las notas de su estudio aparece preocupado por cuestiones cronológicas, no genealógicas.[81] Después de él, Larrea [82] dio

77. La cronología del romance la dan, claramente, los últimos versos:

> A ese perro mal nacido
> a quien yo mostré el turbante,
> no fío yo dél secretos,
> que en baxos pechos no caben.
> Yo le he de quitar la vida
> y he de escribir con su sangre
> lo que Zayda replicó:
> «Quien tal hizo que tal pague».

(*Rom. Gen.*, parte III, p. 121 b, y *Guerras civiles*, I, p. 52).

78. En la revista *Cultura española*, nov. 1906, feb. 1907. Reproducido en *El Romancero. Teorías e investigaciones*, Madrid, 1927 (?), y en *Los romances de América*, «Col. Austral», núm. 55. Cito por la ed. de 1927.

79. Es el núm. 19 de su colección.

80. PAUL BÉNICHOU, *Romances judeo-españoles de Marruecos* (*RFH*, VI, 1944, pp. 332-334. Es el núm. 52 de su colección. En su libro *Romancero judeo-español de Marruecos* (Madrid, 1968) lo incluye en las pp. 260-262.

81. Sus puntos de vista se perfilan y aclaran en la p. 234 de las *Nouvelles Explorations du romancero judéo-espagnol marrocain* (*BHi*, LXXXIII, 1961).

82. ARCADIA DE LARREA, *Cancionero judío del norte de Marruecos. Romances de Tetuán*, t. I. Madrid, 1952, pp. 76-85.

a conocer nuevas variantes recogidas de la tradición marroquí y que, como las mías,[83] son de carácter híbrido (*Por la calle de su dama + Mira, Zaide, que te aviso.* La adición puede estar incrementada por algún otro sumando), mientras que la versión andaluza es simple (*Por las puertas de Celinda*), rasgo que habrá de tenerse en cuenta siempre que se traten de estudiar las derivaciones de ambos romances moriscos. Ahora bien, la genealogía de las diversas versiones se podrá establecer con relativa claridad mediante esquemas comparativos. En el cuadro I, intento determinar con ayuda de un paradigma los rasgos coincidentes y dispares de las variantes que analizo. Tomando como base el texto de las *Guerras de Granada,* reproducido en el siglo pasado por Durán,[84] observamos inmediatamente la coincidencia de dos narraciones: la antigua y la andaluza; ambas desconocen el contagio y se aproximan extraordinariamente.[85] Otro grupo lo forman las variantes marroquíes recogidas por Bénichou en Orán y por mí en Tetuán.

La tradición oral de la narración andaluza se descubre en algunos rasgos: desplazamiento del elemento H (siempre del cuadro I), que forma un bloque con las preguntas de Zaide (D). El desplazamiento es fácilmente explicable: la conversación se reduce a un monólogo que degenera en una serie de bravatas, bastante alejadas ya del carácter entre dolido y desengañado que tiene el final de la versión-fuente. Al lado de este desplazamiento, deben ir la plebeyez del gesto («el galán soberbecido / pisotea su turbante») y la fanfarronería de las palabras. Aparte esto,

83. Los textos que recogí en Tetuán y que publiqué en la revista «Romanische Forschungen» vieron la luz en 1951. Ahora los he reimpreso en una obra de conjunto: *Poesía tradicional de los judíos españoles* (México, 1966, pp. 17-18).

84. *BAAEE*, X, pp. 25 *b* - 26 *a*. Allí mismo, p. 26 *a* - *b*, se puede leer la versión andaluza.

85. No me parece exacto decir que en la versión andaluza de DURÁN hay una elaboración análoga a la marroquí cuando falta —precisamente— la unión de los dos romances. Hay que prescindir entonces del carácter sincrético de las versiones marroquíes y del principio de tradicionalidad que ha presidido su formación y que lleva —en algún caso— a fundir estos romances con el de *Las almenas de Toro.*

las dos interpolaciones que reconozco (F' e I) son de carácter libresco o erudito, según descubren el léxico y la mitología.[86]

Bénichou nos ofrece un poema que tiene algunos rasgos de la antigua versión escrita, desconocidos por el resto de la tradición (son los B y G),[87] una extraordinaria fidelidad a un probable texto escrito [88] y un desacuerdo total, respecto a las otras variantes marroquíes, en el tratamiento del híbrido *Por la calle de su dama + Mira, Zaide, que te aviso*: en tanto la fusión es perfecta (perfecta, paradójicamente, por estar llenísima de imperfecciones textuales) en las variantes A y B de Tetuán (vid. abajo, pp. 112-113). Efectivamente, el romance compuesto que da Bénichou no es la resultante de dos elementos, sino la yuxtaposición de dos términos que no generan un tercero diferente, sino que perpetúan el estado anterior. Y los dos miembros de esta adición se caracterizan por su fidelidad al texto escrito en pugna con la vitalidad de las variantes, que es ley en la historia romancesca.[89]

Las dos versiones tetuaníes difieren de todas las otras. Frente a la fuente conocida o a la tradición andaluza oral, presentan un romance compuesto *(Por la calle de su dama + Mira, Zaide, que te aviso)* que, en mi variante B está integrado por tres elementos (*Por las almenas de oro + Por la calle... + Mira, Zaide...*). Ya la composición pugna con el respeto a la fuente,[90] pues sabe-

86. Las diferencias dentro del elemento F' las estudio más abajo, p. 111 y nota 92.

87. Mi versión A de Tetuán tiene también lo de «feo y tonto» aplicado al forastero rival, pero en unos versos desplazados y como fundidos con la narración. Los adjetivos tuvieron fortuna: en el *Rom. Gen.* (Parte VI), núm. 485, se lee:

> las leyes de amor traspasa,
> y porque no quiero tope
> hombre que es pobre su casa,
> aquesta noche se casa
> con un m o r o f e o y t o r p e
> (p. 317 b)

88. Creo asiste toda la razón a Bénichou cuando dice que es muy probable que su romance «haya llegado a los judíos en época muy próxima a nosotros, en alguna colección impresa o pliego moderno».

89. El elemento F', que Bénichou no encuentra en los antiguos romances de Zaide, es común a toda la tradición oral.

90. El caso de la variante del señor Bénichou es totalmente distinto: la ceñidísima fidelidad a los textos escritos hace sospechar en una hibridación ya en la fuente (pliego suelto, libro, desde los cuales los romances se habrán

POR LA CALLE DE SU DAMA

a [Romance *Por las almenas de oro*]				Versión tetuaní B	
A Paseos de Zaide	*Guerras Granada*	Versión andaluza [con leves variantes]	Versión tetuaní A	Versión tetuaní B	Bénichou [reducidísimos]
B Desesperación en la espera	*Guerras Granada*				Bénichou
C Prendas de Zaida	*Guerras Granada*	Versión andaluza	Versión tetuaní A	Versión tetuaní B	Bénichou [reducidísimas]
C′ Saludos corteses de Zaide			Versión tetuaní A		
C″ [Romance de *Mira, Zaide*]			Versión teuaní A		
D Preguntas de Zaide	*Guerras Granada*	Versión andaluza	Versión tetuaní A [con alusiones a G]	Versión tetuaní B	Bénichou
E Respuesta de Zaide	*Guerras Granada*	Versión andaluza [es el elemento H de las *Guerras*]		Versión tetuaní B [sólo dos versos]	Bénichou
E′ [Romance de *Mira, Zaide*]				Versión tetuaní B	

F Consuelos a Zaide	*Guerras Granada*			Versión tetuaní B [con variantes plebeyas]	Bénichou
F′ Enojos de la mora		Versión andaluza	Versión tetuaní A	Versión tetuaní B	Bénichou [acaba la versión doble, id. H del cuadro II] ↓
F″ Desmayo de Zaide			Versión tetuaní A	Versión tetuaní B [el desmayo sustituido por lloros]	
G Respuesta de Zaide, con alusión al otro moro	*Guerras Granada*				Bénichou
G′ Despecho del Galán		Versión andaluza			
H Viejas protestas de amor por parte de Zaida	*Guerras Granada*		Versión tetuaní [muy modificada. Pertenece a un tópico del romancero marroquí]	Versión tetuaní B [con rasgos plebeyos]	[Bénichou concluye con el romance de *Mira, Zaide*]
H′ El moro quiere realizar empresas en honor de su dama		Versión andaluza			
I Final		Versión andaluza [literario]	Versión tetuaní A [novelesco]	Versión tetuaní B [novelesco]	

CUADRO N.º I

mos bien que es característica del romancero marroquí cierta inclinación a yuxtaponer elementos.[91] Por otra parte, en la versión que llamo A, los versos del *Mira, Zaide,* se incrustan en el diálogo inicial (vv. 13-22), constituyendo un buen núcleo frente a los 16 versos del *Por la calle* (1-12 y 23-26) [92] y mostrando una fusión total con los otros elementos. Además, los versos 33-36 están dentro de ese gusto que toda literatura popular tiene por lo novelesco. El final en boda puede obedecer, sí, a defecto de memoria y sumisión de todos los finales a un esquema fijo, pero, también, a un gusto porque las cosas acaben «bien».[93] No sólo el final en boda, sino el «mañana por la mañana / se lo diré al rey mi padre», se encuentra también dentro de la tradición romancesca.[94]

Mi variante B es más extensa que la A, aunque bastante próxima a ella. Difiere en su mayor fidelidad a la fuente escrita (respeta los versos 36-37 y mantiene el diálogo, frente a la variante A reducida a un monólogo y conserva los consuelos a Zaide [F]). En todos estos casos de discrepancia entre A y B, B se aproxima a Bénichou. El carácter oral de la variante se reconoce por la inserción del *Mira, Zaide,* dentro del *Por la calle de su dama,* por la plebeyez de algunos giros o voces, por el final novelesco de la narración y por el comienzo característico (con el romance de *Por las almenas de oro*).

---

incorporado a la tradición oral). Hipótesis que se refuerza con la noticia posterior que facilita este investigador: «[la versión de *Zaide* publicada por Fass] témoigne dès le XVIe siècle, d'une tendance à amalgamer dans un récit dramatique les thèmes dispersés çà et là dans le romancero de Zaide» (*Explorations,* ya citadas, p. 248).

91. El que un romance tome versos de otro es hecho frecuentísimo, como recuerda MENÉNDEZ PIDAL, *RFE,* II, p. 106; ciñéndonos a lo marroquí, me remito a BÉNICHOU en *RFH,* VI, p. 359. Entre mis materiales elaborados encuentro otros tres romances geminados (*La bella en misa + Vergicos, Gerineldo + La boda estorbada, El Polo + La infanta deshonrada*), y varios casos de contaminación (*Rosaflorida y Montesinos, Melisenda, Vergicos* y los *Amantes perseguidos*), pero mis materiales elaborados sólo son una sexta parte escasa de la cosecha allegada.

92. Los vv. 27-28 están en las otras variantes andaluza y marroquíes (cuadro I, elemento F'); y los versos 31-36 son característicos de estas variantes A y B tetuaníes, con alguna diferencia que anoto más abajo.

93. Vid. los romances terminados en casamiento que cita Bénichou, p. 358 de su estudio. Yo recogí esos mismos casos y el de *Rosaflorida,* que él desconoce.

94. Recuerdo la narración de *La linda Melisenda,* donde este par de versos son motivo original.

Y pasemos a estudiar ahora el estado, dentro de la tradición oral, del romance de *Mira, Zaide, que te aviso.* Las complicaciones son menores por faltarnos la tradición peninsular.[95] La variante publicada por Bénichou es, como en el *Por la calle de su dama,* de una absoluta fidelidad. Tan sólo ese trueque de los elementos A y E' (vid. cuadro II) y el final con dos versos del elemento I' del cuadro primero. Tampoco las cosas están más enrevesadas en mis variantes A y B. Insisto en la íntima fusión de los dos romances en la variante B, según queda dicho, y en algún fragmento alterado o incompleto (elemento C), de esta misma variante B. Insisto también en cierto carácter libre que se descubre en el verso 15 y en cierta degeneración de todo el poema (me refiero a la versión A). Sin contar la yuxtaposición de dos o tres romances diferentes, las interferencias ajenas en los finales y la chabacanería de varios versos que denuncian claramente la degeneración poemática (variantes A y B).[96]

95. No digo que no pueda existir. MENÉNDEZ PIDAL, *El romancero nuevo,* p. 13, escribe: «[el romance] conservó hasta hoy cierta tradicionalidad en boca del pueblo». ¿Cuál será la localización geográfica? ¿Se refiere al testimonio de Durán?

96. Algunos versos de mis textos pueden explicarse por conocimiento del *Romancero General.* Así, los 27-28 (variante A) y 56-57 (variante B) no extrañan a estos otros:

Esto dixo [Celinda], y al momento
cerró el balcón y las puertas,
sin tener lugar el moro
de poderla dar respuesta.

(*V Parte,* núm. 332, p. 222 b)

La Francesa que esto oyó
sin que más razón aguarde,
cerró la ventana y fuése,
rompiendo a voces los aires.

(*IX Parte,* núm. 716, p. 482 b)

Los 5-9 (variante A) y 25-29 (variante B) se corresponden con estos otros del *Gallardo pasea Zaide*:

Alzó la cabeza y vido
a su Zaida a la ventana,
tan bizarra y tan hermosa
que al sol quita su luz clara.

(MONTESINOS, *Poesías líricas,* I, p. 41)

MIRA, ZAIDE, QUE TE AVISO

a [Romance *Por las almenas de oro*]			Versión tetuaní B	
a′ [Romance *Por la calle de su dama*		Versión tetuaní A [vid. cuadro anterior]	Versión tetuaní B [vid. cuadro anterior]	Bénichou [vid. cuadro I]
A Advertencias a Zaide	*Guerras Granada*	Versión tetuaní A	Versión tetuaní B [Íntimamente fundido con D del cuadro anterior]	Bénichou [pero ocupa el sitio de E′] E′ ↓
B Requiebros a las prendas de Zaide	*Guerras Granada*			
C Alusión a la habladuría de Zaide	*Guerras Granada* [vv. 27-36]		Versión tetuaní B [Incompleto. Va tras E] E′ ↓	
D Zaide mal conservador de amores	*Guerras Granada*			
E Recriminación por mostrar los cabellos de Zaida	*Guerras Granada*	Versión tetuaní A [variante degenerada]	Versión tetuaní B	Bénichou [la más próxima a las *Guerras*]
E′ Alteración en el orden de los elementos			Versión tetuaní B [Incluye en este lugar el elemento C]	Bénichou [Incluye en este lugar el elemento A]

F Desafíos de Zaide	*Guerras Granada*			
G Despedida a Zaide	*Guerras Granada* [Final de este romance independiente]			
H Finales de los romances combinados		Versión tetuaní A [novelesco. Vid. I del cuadro anterior]	Versión tetuaní B [Novelesco. Vid. I del cuadro anterior.]	Bénichou [Van en este lugar dos versos del elemento F' del cuadro anterior]

CUADRO N.º II

Antes de establecer unas conclusiones, fijémonos en el elemento *a* (cuadros I y II), documentado sólo en la variante B de Tetuán y, como romance independiente, nunca, que yo sepa, se ha notado su existencia entre los judíos. Timoneda en su *Rosa Española* y luego Wolf en la *Rosa de Romances*[97] publicaron la fuente escrita: «En las almenas de Toro, / allí estaba una doncella...» Sabido es que Lope usó este romance en su famosa comedia de *Las almenas de Toro.*[98] Bien es verdad que asiste la razón a Menéndez Pelayo cuando dice «no creo que el texto que tuvo a la vista Lope, o que citaba de memoria, fuese el mismo de la *Rosa Española.* Pocos versos concuerdan, y en los añadidos por nuestro poeta hay algunos rasgos que, aunque revestidos de afi-

97. De aquí proceden las copias de DURÁN, núm. 816, y de MENÉNDEZ PELAYO (*Antología líricos*, VIII, p. 105).

98. La fecha de la comedia es de 1618 ó 1619 (MENÉNDEZ PELAYO, *Obras de Lope de Vega*, O.C., XXXI, p. 373). El tema de ver una dama entre las almenas de una muralla aparece en la poesía gallega de Pedro Solaz (MENÉNDEZ PIDAL, *Poesía juglaresca y juglares*, p. 220); en la 6.ª edic. de la obra (*Poesía juglaresca y orígenes de las literaturas románicas*, Madrid, 1957), se hace prevalecer la forma —probablemente correcta del nombre— *Pedro Anssolaz*, vid. pp. 163-164, donde consta el pasaje a que hago referencia en el texto.

ligranada forma artística, parecen más tradicionales que los del romance».[99] Es decir, hemos de pensar en fuentes distintas para los dos textos conocidos. ¿De cuál de ellas procederá el romance tetuaní? ¿De la *Rosa* de Timoneda? ¿De la comedia de Lope? [100] Comparemos los versos comunes a las tres versiones: [101]

ROSA ESPAÑOLA	ALMENAS DE TORO	TETUÁN
En las almenas de Toro (v. 1)	*Por las* almenas de Toro (v. 1)	*Por las* almenas de oro (v. 1)
allí estaba una doncella (v. 2)	*se pasea* una doncella (v. 2)	*se pasea* una doncella (v. 2)
[no existe]	*blanca* es y *colorada* (v. 5)	*blanca,* rubia y colorada (v. 3)
dice: si es hija de rey que se casaría con ella, y si es hija de duque serviría por manceba. (vv. 7-10)	*si es hija de conde o duque* (v. 7) *yo me casaré con ella* (v. 8)	*si es hija de conde o duque* (v. 7) *me he de casar con ella* (v. 8)
[no existen]	[no existen]	vv. 9 y 10
vuestra *hermana* es, señor (v. 13)	que es vuestra *hermana,* señor (v. 49)	vuestra sobrina es, mi señor (v. 11)
vuestra hermana es *aquella* (v. 14)	la que véis en las almenas (v. 50)	*vuestra* sobrina es *aquella* (v. 12)

[El resto del romance sigue en mi versión cauces totalmente distintos.]

99. MENÉNDEZ PELAYO, ib., p. XXIII.

100. El romance marroquí podría ser independiente y derivar de una fuente desconocida. Entonces haría falta que la comedia de Lope derivara, también, de esa fuente desconocida, que Lope no la hubiera modificado y que sin modificación se continuara en la tradición oral. Todavía habría que explicar algo más: si el romance hubiera tenido esa hipotética antigüedad, ¿cómo iba a estar tan poco difundido que faltase en tantos inventarios de poesía tradicional marroquí? Creo seguro lo otro: el romance —relativamente moderno— no llegó a tener la difusión de los viejos. Y acaso gozó una vigencia muy limitada a lo estrictamente tetuaní. Además, la filiación lopesca se asegura por las coincidencias expresivas que, al formar un todo orgánico, permiten formular las afirmaciones que se leen a continuación. Y ¿quién asegura que Lope copiaba un texto? ¿No es más verosímil que adaptara, no que servilmente transcribiera? La escena de la comedia es muy poco apta para la inclusión literal de cualquier romance.

MENÉNDEZ PIDAL (*Romancero Hispánico*, I, p. 238) considera el romance como viejo, siglo XV.

101. El romance de Lope va citado por la reconstrucción de MENÉNDEZ

Considerando el cuadro anterior, hay una serie de coincidencias que interesan para filiar la versión oral. Coinciden la *Rosa Española* y el romance tetuaní en sus versos 4 *(estrella)* y 14 *(vuestra... aquella)*. Y en nada más. Bien es verdad que Lope pudo verse obligado a su verso «que el mismo sol se pasea» para evitar varias rimas consonantes juntas (ha empleado *ella* [v. 18], *doncella* [v. 22], *pasea* [¡no *aquella*!, v. 24], *ellas* [v. 26]),[102] pero mantuvo la metáfora astral. Acaso haya un mismo cuidado (evitar la palabra *hermana,* varias veces repetida) en el v. 14. Es decir, las coincidencias de la *Rosa* con la versión tetuaní no me parecen decisivas, sobre todo si consideramos las necesidades técnicas de Lope, gran versificador y cuidadoso —ya se sabe— de sus rimas. Sin embargo, las relaciones de la comedia con el romance judío me parecen evidentes. Véanse los versos del cuadro anterior; téngase en cuenta el v. 5 de Lope (4 de Tetuán), inexistente en la *Rosa Española*; léanse los versos 7-10 de Timoneda (¡tan lejos de Lope!, ¡tan lejos de Tetuán!) y esos versos 7-8, precisamente los mismos, de la comedia y de la tradición oral que coinciden, palabra por palabra, si sustituimos un *yo me casaré* (Lope) por un *me he de casar* (Tetuán).[103] Creo que todo esto es suficiente para establecer la relación Lope-Tetuán y ais-

PELAYO en sus *Estudios sobre el teatro de Lope de Vega* (O.C., XXXI, pp. 375-376). Considero como verso cada uno de los hemistiquios de ocho sílabas.

102. Pág. 87 *a* de la ed. cit. de *Las almenas de Toro.* La numeración dentro de la columna es mía. Los versos tetuaníes aparecen en el romance de *Aliarda* (*RFH*, VI, 274, vv. 39-40).

103. P. BÉNICHOU (*Nouvelles explorations du romancero judeo-espagnol marrocain,* en *BHi.* LXXXIII, 1961, pp. 235-236), hace reservas a mi filiación, aunque acaba sus comentarios (p. 236) añadiendo otro testimonio de esta posible pervivencia de Lope en la tradición marroquí. Por mi parte, quiero insistir muy brevemente en mi punto de vista. El señor Bénichou, tan amable y minucioso lector de mis trabajos, no valora suficientemente el cotejo de los textos (*Rosa española, Almenas de Toro,* Tetuán) que hago en las pp. 300-301. Incluso sería de tener en cuenta que la deturpación marroquí («Por las almenas de oro») consta en una escena de Lope («aunque le dieses por Toro/ las mismas almenas de oro»), que aduje oportunamente (p. 301, nota 45). En cuanto a la versión de LARREA (*Romances de Tetuán*, II, pp. 144-145) es muy próxima a la mía y para ella valen mis razones; creo, sin embargo, que el texto debe estar arreglado: en el índice del tomo (p. 349, col. *b*) se lee «por las menas del *oro*», mientras que en la 144 se imprime: «Por las almenas del *Toro*». ¿Dónde se habrá motivado el retoque? Creo —con Bénichou— que lo más prudente es pensar en una tradición común a los textos antiguos y modernos, pero esta tradición pudo escindirse en dos ramas: la de Timoneda y la de Lope, y con ésta se relaciona la marroquí.

lar la versión de Timoneda. El pensar, como pensó Menéndez Pelayo, en dos redacciones distintas de un mismo motivo, no es nada ilógico. La difusión del romance haría que las variantes abundaran: dos de ellas son las que sirvieron de base a Timoneda y Lope. Y, se sabe, el propio Fénix dio testimonio de tal difusión:

> Y hasta en la cama se duerme
> el niño con las canciones
> que se han hecho a las almenas
> de Toro...[104]

Dentro del romance tetuaní, algunos de sus versos pertenecen a la tradición oral judeo-española. Así los 5-6 («Preguntó el rey a su alcalde / que quién era esa doncella») se corresponden con los 43-44 del de *Vergicos* («preguntó el rey a su alcalde / que quién era esa mujer»);[105] los 11-12 («vuestra sobrina es, mi señor, / vuestra sobrina es aquélla») con los 45-46 del mismo romance («vuestra sobrina, el buen reye, / vuestra sobrina Isabel»);[106] el 13 («aína, mis caballeros») se repite en el 51 de *Vergicos.*

De todo lo anterior llegamos a una serie de conclusiones. Conocidas acaso, pero nunca, creo, reunidas tan densamente como en los casos actuales, ni con tan brillantes testimonios. Después de lo que he expuesto creo que hay que reducir a sus precisos límites la afirmación de Bénichou de que «parece muy dudoso que este romance de Zaide pueda atestiguar relaciones entre Marruecos y la Península en el tiempo en que se publicó».[107] Habrá

104. Ed. cit., p. 95 *a*.
105. Cito por mi artículo *Los romances de «La bella en misa» y de «Virgilios» en Marruecos* («Archivum», IV, pp. 5-7). Comoquiera que todos los romances judeo-españoles que manejo los recogí en Tetuán (prescindo de mis encuestas en Melilla, Tánger y Larache) prefiero aducir mis propios materiales, aunque inéditos, que otros publicados no sé si siempre con buen criterio. Lo seguro es que en las recitadoras de Tetuán influyeron los romances vivos en Tetuán y no otros. Mis recitadoras fueron: Perla Ennacab, Donna Sefarti y Luna Farache.
106. Y por contagio de romances se explica el absurdo cambio de parentesco.
107. *RFH*, VI, p. 333.

que pensar de otro modo. Sí, la versión oranesa de Bénichou puede ser moderna y proceder de un pliego impreso. Pliego en el que estarían yuxtapuestos ya el *Por la calle de su dama* y el *Mira, Zaide, que te aviso.*[108] Sin embargo, las dos variantes tetuaníes hacen pensar en una tradición oral. Difícil sería creer que esta tradición se haya producido hace unos años. En la guerra hispano-marroquí de 1859-60, la gran comunidad sefardí de Tetuán se dispersó: familias judías se establecieron en Orán y Tlemecén.[109] Por tanto, la tradición recogida en Buenos Aires por Bénichou, procede de Tetuán a través de la estancia oranesa.[110] El *Mira, Zaide,* pudo haber llegado a Tetuán poco antes de 1859, y la tradición que hemos recogido Bénichou y yo procedería de la misma fuente: pero entonces extrañaría la deformación en Tetuán y el fiel conservadurismo de Orán. Imposible creer en una modernidad simultánea y dispar para las dos ciudades: dos tradiciones del mismo tipo, es de presumir, sufren evoluciones del mismo tipo.[111] Por último, una nueva posibilidad: modernidad de la tradición oranesa, antigüedad de la tetuaní. En ella encontraríamos justificación para las dos posturas. Sobre todo la variante B tendría ya una clara interpretación (hablo de B por ser el caso más complicado). Tetuán adquirió el *Mira, Zaide,* cuando se había unido al *Por la calle de su dama.* Ignoramos la fecha de tal unión, pero siendo 1588 el año de los sucesos que narra, justo es creer que la unión tuvo que realizarse, cuando menos, en el siglo XVI, fecha de la que ya hay impresiones con los dos romances soldados. Por otra parte, *Las almenas de Toro*

108. Hipótesis que ahora se confirma por el propio señor BÉNICHOU (*Explorations,* p. 284).

109. Vid. MANUEL L. ORTEGA, *Los hebreos en Marruecos,* Madrid, 1934, p. 101.

110. Vid. las pp. 38-41 de BÉNICHOU en la *RFH,* VI.

111. El señor BÉNICHOU (*Explorations,* p. 323) aísla del contexto una afirmación mía lo que desvirtúa, me parece, el sentido que le doy: es necesario saber que los romances que él recogió en Buenos Aires, proceden de Orán, pero la comunidad de Orán —a su vez— vino de Tetuán, según digo en el texto. Mi pensamiento es éste: 80 años antes de publicarse el trabajo de Bénichou, Tetuán y Orán no eran sino una tradición común. Si, como creo, el romance es antiguo en Marruecos (más antiguo, en mi opinión, que el de *Las almenas de Toro*), la elaboración de la tradición se habría venido haciendo antes de 1859; cuando en ese año se separa un brazo de la comunidad tetuaní no cabe duda que se llevó a Orán la tradición en marcha de su ciudad de origen.

son de 1618 ó 1619, aunque impresas un año más tarde. Si la contaminación ha tenido lugar mediante procesos cumulativos —es lo lógico, no podemos decir que lo seguro— tendríamos que el comienzo *a* (cuadros I y II) de la variante B se incorporó al complejo *Por la calle de su dama* + *Mira, Zaide, que te aviso* en fecha posterior a 1620, fecha en la que ya se había cumplido la fusión de ambos elementos [112] y en este punto volvemos a palabras mías anteriores acerca del carácter tradicional de la literatura tetuaní. Las dos versiones A y B de los romances han de ser antiguas, relativamente antiguas, contemporáneas acaso de la tradición peninsular. O algo posteriores a ella, si tenemos en cuenta la unión, cumplida ya, de los dos romances.

Más difícil es saber cuándo se incorporó esta versión compuesta al romance de *Las almenas de Toro*. No cabe duda que la comedia de Lope sería conocida en la época de su estreno o de su publicación (más tarde las relaciones con la Península decrecieron [113] y sería difícil que llegara un romance no según una versión tradicional, sino, precisamente, según el tratamiento que hizo de él un poeta tan conocido como Lope). Ahora bien, no sabemos si el romance de *Las almenas* y la versión compuesta *Por la calle* + *Zaide* vivieron mucho tiempo independientes o se fundieron muy pronto. Me inclino por lo primero, en razón de que hoy se encuentran las dos variantes A y B, separadas totalmente. Por último, más difícil aún es poder creer que la fusión *Almenas* + romance compuesto (= versión B de Tetuán) se haya producido en una época en que se sintiera la paternidad lopesca para el *Zaide* y para el romance sacado de la comedia. Más tardía es la incorporación de elementos del *Vergicos* a *Las almenas.*

De todo esto puede obtenerse el siguiente cuadro genealógico:

112. Podría haber ocurrido, también, que todos los romances fueran tardíos en la tradición marroquí y que todos, tardía y casualmente, se hubieran reunido e influenciado. Demasiadas casualidades.

113. Vid. *Catálogo*, p. 180, y Bénichou, p. 363.

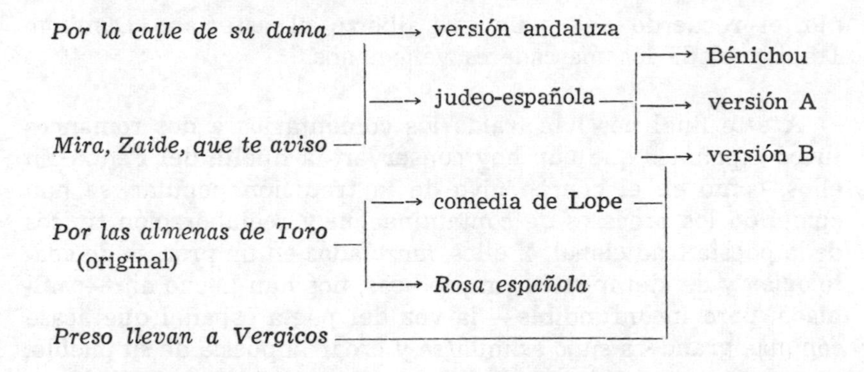

Una última cuestión. Menéndez Pidal demostró con absoluta certeza las comunicaciones de los judíos con la Península después de la expulsión.[114] A la lista de romances tardíos que «sólo se han hallado en Tánger» hay que añadir estas versiones del *Zaide* y la variante de *Las almenas*. Hecho no insólito, ya que el romance de la *Aparición* «tiene en su final recuerdo de cierta comedia de la primera mitad del siglo XVIII» [115] y el de *Las cabezas de los siete infantes de Lara* «se deriva de una comedia compuesta hacia 1614».[116] Si no es desacostumbrado el conocimiento de nuestro teatro del siglo XVII, mucho menos lo era Lope de Vega. El mismo maestro contó [117] que Domingo Toral, capitán asturiano, fue libertado en Alepo, en 1634, gracias a un judío venido de España y conocedor de historias y poesía. Este judío tenía «muchos libros de c o m e d i a s de Lope de Vega». Y nuestro poeta contó en *La desdicha por la honra* que sus comedias compradas en Venecia, llegaban a Constantinopla.[118] Así pudieron llegar a Tetuán *Las almenas de Toro*. Tetuán, cercano, no en Oriente como Alepo o Constantinopla, y en la proximidad de plazas que sintieron la dominación peninsular. Bien valen, como ejem-

114. Vid. *Catálogo*, pp. 110-120, y BÉNICHOU, *RFH*, VI. p. 363.
115. *Catálogo*, p. 120.
116. El romance pertenece a la tradición oriental, *Catálogo*, pp. 119-125.
117. Ib., p. 117.
118. Vid. M. ALVAR, *Un «descubrimiento» del judeo-español* («Studies in honor of. M. J. Bernardete», New York, p. 363 y nota 5).

plo, el recuerdo del judío que libertó al asturiano Domingo Toral y el de los mercaderes venecianos.[119]

A este final nos han traído los comentarios a dos romances judeo-españoles que aún hoy conservan la huella del Fénix. En ellos, como en el cuerpo vivo de la tradición popular, se han cumplido los procesos de contaminación y reelaboración típicos de la poesía tradicional. Y ellos, mezclados en un proceso de «patología» y de «terapéutica» rapsódicas, nos han hecho oír —cambiada, pero inconfundible— la voz del poeta español que acaso con más grandeza supo asimilarse y crear la poesía de su pueblo.

5. Reacción contra el romancero morisco

De 1600 a 1605 se publican las trece partes del *Romancero General*. En ellas vienen, interminablemente, moros y moras a vueltas de sus ropones, sus zambras, sus amores... Todo el mundo que fijó Pérez de Hita proliferado hasta el infinito. En cada verso nos saldrán Granada, sus calles, sus edificios, sus gentes. Es un mundo más falso todavía que el del «vecino de Murcia»: toda la mitología viene en ayuda de los poetas, a las veces excelentes poetas: Venus,[120] Diana,[121] Febo,[122] Cupido,[123] Morfeo,[124] Marte,[125] Amor,[126] Tritón,[127] Dafne,[128] pero ni aun con todos los dioses embutidos anacrónicamente se puede salvar el género, y el propio *Romancero* trae ya la protesta. Nos encontramos con las mismas gentes y sus mismos amores («Quien zegrí dama no

119. No se olviden tampoco los testimonios que, tomados de Besso y Van Dam, aduzco en la p. 253.
120. *Rom. Gen.*, I, p. 13 *a*, núm. 3; I, p. 155 *b*, núm. 322; p. 246 *a*, núm. 366; 316 *a*, núm. 484, etc.
121. I, p. 45 *b*, núm. 56.
122. I, p. 45 *b*, núm. 56; I, p. 214 *b*, núm. 322; p. 257 *a*, núm. 383; p. 316 *a*, núm. 485; etc.
123. I, p. 155 *b*, núm. 322; I, p. 372 *b*, núm. 580.
124. I, p. 218 *b*, núm. 327.
125. I, p. 294 *a*, núm. 450; I, p. 372, *b*, núm. 380.
126. I, p. 294 *b*, núm. 450.
127. I, p. 313 *b*, núm. 480.
128. I, p. 441 *a*, núm. 666.

sirve / no diga que sirve dama),[129] las mismas doncellas que —halcones en alcándara— han quedado disecadas en los muros de la Alhambra viendo marchar a los paladines,[130] los mismos enojos resueltos en zambra siempre[131] y unas marlotas, unos albornoces y unas adargas repetidas hasta el infinito... En un solo ejemplar quiero mostrar la enciclopedia del género:

El encumbrado Albaicín,
junto con el Alcaçaba,
dos horas antes del día
tocaron al alborada.
Vivaconlud le responde
con clarines y dulçainas,
y el noble Vivataubín
con sus pífanas y caxas.
Luego las Torres Bermejas,
Generalife y la Alhambra
solenizando la fiesta
alçaron sus luminarias.
Gomeles y Sarracinos,
Tarfes, Chapices y Maças,
Portalises y Banegas,
Aliatares y Ferraras,
Adalifas y Bordaiques,
Abencerrajes y Audallas
Azarques con Alferneces
madrugaron a la zambra.[132]

No es extraño que tanto moro cansara. Y contra ellos empiezan los ataques:

Tanta Zaida y Adalifa,
tanta Draguta y Daraxa,
tanto Azarque y tanto Adulce,
tanto Gazul y Abenámar,
tanto alquicer y marlota

129. I, p. 46 *a*, núm. 58.
130. I, p. 47 *a*, núm. 58.
131. I, p. 49 *a*, núm. 61.
132. I, p. 247 *a*, núm. 367.

tanto almaizar y almalafa,
tantas empresas y plumas,
tantas cifras y medallas
tanta ropería mora,
y en banderillas y adargas
tanto noble y tantas noblas
muera yo si no me cansan.[133]

La reacción se va fijando en la falsía externa, crítica basada en un realismo demasiado próximo y concreto para que pudiera ser eficaz:

Y el Zegrí que con dos asnos
de echar agua no se cansa,
el otro diciplinante
píntale rompiendo lanças.
Hace Muça sus buñuelos,
dice el otro: Aparta, aparta,
que entra el valeroso Muça
cuadrillero de unas cañas.[134]

Todo esto abunda en liviandad. Mayor eficacia tienen las censuras basadas en consideraciones históricas: con ellas —amorosamente— estaban los recuerdos poetizados de una época histórica; a ellos —a los recuerdos— hubo que volver cuando la Armada se quedó sin regreso, y con esta nueva interpretación venía a coincidir el tradicionalismo que prefería Fernando el Católico a Carlos V y Santiago a Santa Teresa. Por eso tras unas triviales palabras de censura:

Oídme, también Poetas
Romancistas de Granada,
inventores desta seta,
que si no es hereje, es falsa.[135]

133. I, p. 87 *b*, núm. 120 y el mismo romance en las pp. 220-221.
134. I, p. 220 *a*, núm. 329.
135. I, p. 85 *b*, núm. 117.

hay un mundo que se intenta salvar

> Renegaron de su ley
> los Romancistas de España
> y ofrecieron a Mahoma
> las primicias de sus gracias;
> ....
> Los Ordoños, los Bermudos,
> los Rasuras y Mudarras,
> los Alfonsos, los Henricos,
> los Sanchos y los de Lara,
> ¿qués dellos y qués del Cid?
> ¿Tanto olvido en glorias tantas...? [136]

Poco importa que la defensa se intente («Si es español don Rodrigo, / español el fuerte Audalla...»;[137] en el fondo hay, junto a una estética que postula un realismo que pudiéramos llamar histórico, una vuelta hacia el mundo poético tomado como bueno —sin pellicos y sin marlotas— y en él, panacea para una España en crisis, el valor ejemplar de un heroísmo a ultranza:

> Aficiónense los niños
> a cantar proezas altas,
> los mancebos a hazellas,
> los viejos a aconsejallas.

Y como breviario de esfuerzo, el romancero tradicional:

> «Buen conde Fernán González»,
> «Por el val de las estacas»,
> «Nuñovero, Nuñovero»,
> viejos, son, pero no cansan.[138]

Con esto se nos va Granada de la literatura romancesca. Contra las gentes de la ciudad gritarán los defensores de la tradición:

136. I, p. 87 *b*, núm. 120.
137. I, p. 221 *b*, núm. 331.
138. I, p. 88 *a*, núm. 120.

Celebren chusmas moriscas
vuestros cantos de cigarra,
hechos pobres mendicantes
del Albaicín a la Alhambra.[139]

Y, luego, expulsados los últimos moriscos, ya no quedaban «chusmas moriscas» que formaran el coro a los poetas. Y es que el género —eruptivamente surgido— se extinguía, sin fuerzas ya, después de la primera eclosión violenta. Ni moriscos, ni quien hiciera de morisco. Buena verdad la de que «a más moros, más ganancia».

Julio Caro Baroja en una obra importante[140] ha tenido en cuenta la información que el *Romancero General* da sobre los moriscos; lo ha convertido así en una fuente valiosa que debe ser unida a las otras fuentes literarias de la época, usadas por él de modo casi exhaustivo: se ve, entonces, cómo las actividades ridiculizadas por los «antimoriscos», algunas de las cuales han sido citadas en líneas anteriores, o el criptoislamismo con el que se moteja a los seguidores de la escuela, reflejan una verdad auténtica de la que difícilmente pudo liberar el entusiasmo de la poetización. Los testimonios aducidos por Caro Baroja muestran cómo los moriscos sometidos, y muchas veces forzados a la conversión, hubieron de simular con frecuencia su afección a ritos y creencias que no compartían. Celosamente cuidaron de la organización agnática, la estructura social musulmana, usos y costumbres de sus viejas instituciones, etc., aunque la fiscalización cristiana empobreciera la «calidad y dignidad» de todos estos hechos. El fingimiento estaba obligado, además, por la ilusión que los moriscos tenían en profecías y venturas que auguraban el restablecimiento de su religión. Algo más de cien años duró para ellos tal estado de cosas; en este tiempo frecuentaban prácticas externas de mahometismo (ayunos, abstinencia de vino y cerdo, interdicción de algunas hortalizas) y aún mantenían

139. I, p. 220 *a*, núm. 329.
140. *Los moriscos del reino de Granada. (Ensayo de historia social)*, Madrid, 1957. En el texto comentaré el cap. IV del libro.

cierta unidad nacional gracias a la tolerancia cristiana para su lengua y vestidos. Sin embargo, la caída de Granada como estado independiente hizo que el prestigio de los moros se arruinara y los que quedaron fueran juzgados como gente inferior. He aquí, pues, una vez más, siquiera haya sido ahora como espejo negativo, que el romancero ha servido para caracterizar unos hechos a los que la historia ha venido a comprobar. Y, en estos hechos negativos denunciados en los versos envenenados del *Romancero General,* habrá que encontrar algunas de las causas de la extinción de los romances moriscos.

6. Ruina del género literario

Menéndez Pidal ha explicado la extinción de la moda morisca. Después de la Novena Parte de la *Flor* (1597), es significativa la desaparición de los romances de este tipo: «tras cuatro años de interrupción, al reanudarse la serie de las cuatro series posteriores Décima a Trecena (entre 1601 y 1604), ya no se encuentran en ellas sino un romance morisco... en la Oncena Parte, y una sátira... en la Trecena. Así acabó en el descrédito el género a que tanto brillo habían dado Lope de Vega, Salinas y Liñán. Las principales causas del cambio de gusto no eran todas literarias, sino también políticas y religiosas. Se fraguaba ya la expulsión de los moriscos de toda España, decretada al fin en los años 1609 y 1610».[141] Las palabras recién transcritas de Menéndez Pidal son justas y acertadas, pero hasta la situación que el maestro describe —y que tan decisiva importancia tuvo para la literatura que nos ocupa— hubo una serie de motivaciones históricas que en sus líneas generales pueden resumirse así: [142] la vida de los moriscos granadinos y la de los cristianos viejos transcurrió en tensión de 1500 a 1560. Fray Antonio de Guevara

141. *Romancero Hispánico,* II, p. 160. Montesinos piensa en el cambio de los gustos musicales, que influyó —también— en la suerte del romancero (*Algunos problemas,* p. 90).

142. Cfr. mi reseña del libro de Caro Baroja citado en la nota 140 («Revista de Dialectología y Tradiciones Populares», XIII, 1957, pp. 532-533, especialmente).

(en 1531) se daba cuenta de las dificultades que tenía el regir almas tan diversas y poco claras: «la gente de esta tierra no es como la gente de la vuestra [escribe al obispo de Tuy, nuevo presidente de la Audiencia granadina], porque acá son agudos, astutos, resabidos, disimulados y versutos». La situación para los moriscos se complicó por causas extrañas a ellos. Don Íñigo López de Mendoza, segundo de este nombre (1511-1580), se enfrentó a la Chancillería por cuestiones de jurisdicción; surgieron entonces diferencias y ofensas que culminaron en tiempos de don Luis Hurtado de Mendoza, quinto conde de Tendilla. Bien por una cuestión personal entre Tendilla y la Audiencia, bien por una cuestión legal entre ambos, los moriscos se vieron mezclados en las rencillas de las jerarquías; en definitiva, el que los moriscos estuvieran bajo una u otra jurisdicción llegó a dignificar el auge del brazo militar o el del civil y, por consecuencia, el desprestigio del partido contrario. Planteadas las cosas de este modo, la cuerda vino a romperse por el sitio más flojo: se pretendió una revisión del estatuto morisco y, llevando más adelante las cuestiones, se vio con claridad que se trataba de acabar con toda una organización social y una cultura insertas en otras que les eran hostiles. Esto no hubiera sido posible si Granada no hubiera experimentado alteraciones muy sensibles en su estructura; en efecto, su cristianización era muy intensa, pero la pragmática de 1567 [143] fue prematura: los moriscos, abundantes y fieles a sus tradiciones, supieron reaccionar y organizarse, mientras entre los cristianos no hubo sino dudas y desacuerdos. La rebelión comenzó en la Alpujarra, y, casi al mismo tiempo, en el valle de Lecrín, tierra de Almuñécar, Guadix, Marquesado del Cenete y río de Almería; más tarde, en Ronda, Bentomiz, Málaga, Baeza, Huéscar, río Almanzora y sierra de Filabres. Muy pronto se perfiló la índole de la sublevación: su carácter religioso y su pretensión de restaurar los valores de la cultura

143. Trataba de asimilar totalmente a los moriscos. Entre otras cosas, les exigía aprender castellano en tres años y no usar el arábigo en adelante; emplear el castellano como único instrumento legal; presentar para su revisión en la Audiencia Real de Granada todos los libros árabes, vestir a la cristiana en un plazo de dos años; suprimir ritos y fiestas moras en las bodas; no emplear nombres árabes ni usar baños artificiales.

musulmana.[144] La barbarie de que hicieron gala los moriscos ha sido narrada al pormenor por todos los autores antiguos; frente a esta feroz intransigencia, los frailes cristianos se mostraban especialmente violentos y escandalosos; además, como apoyaban decididamente a la magistratura, no lograban aunar las aspiraciones cristianas, escindidas en dos bandos. Sin embargo, la sublevación estuvo pronto amenazada por la escasez (de cabezas directoras, de municiones, de provisiones) y a este terrible espectro hubo que añadir la «brutalidad en el comportamiento y poca táctica» de que dieron muestra los jefes sublevados; hechos éstos que bien a las claras hacían prever el desenlace de tan arriesgada empresa. Bien lejos, por cierto, del brillo y grandilocuencia de la *Canción IV* de Herrera.

La sublevación contra la pragmática de Felipe II debía haber estallado el Jueves Santo de 1568, pero, descubierta su organización, se trasladó el levantamiento hasta enero de 1569. No deja de ser curioso que el nacimiento del romancero morisco se haya fijado precisamente a partir de 1575, poco después de sofocada la rebelión por el propio don Juan de Austria. Pienso si el resurgir de la moda literaria —la nueva guerra de Granada evocaría necesariamente la conquista de los Reyes Católicos— no estaría vinculado al prestigio guerrero que los rebeldes habían adquirido. Los moriscos de la Alpujarra sirvieron como chispa inductora, aunque la corriente derivada de ella siguió unos derroteros puramente literarios. Sólo así acierto a comprender que la rebeldía de los moriscos —con todo lo que implicaba la postura religiosa, desmembradora, etc.— no impidiera el desarrollo de la moda literaria, antes bien, pareció favorecerla. Pienso que si Granada volvió sobre el tablero por causa de Farax ben Farax y de Aben Humeya, la rebelión tuvo muy otros resultados: reavivó el sentido nacional, hizo despertar los recuerdos heroicos y poetizó, una vez más, al enemigo. Entonces la nueva guerra de Granada actuó de tornavoz de las últimas batallas de la Reconquista, y el romancero fronterizo se actualizó y pesó sobre las maneras literarias que se estaban gestando. Si las luchas de frontera habían trascendido a la poesía romancesca con su halo

144. Caro Baroja, *op. cit.*, p. 175.

de poetización para el vencido, con su visión de las cosas desde el campo árabe, con su espíritu caballeresco generosamente ofrecido por moros y cristianos, no es menos cierto que ahora se poetizan las mismas circunstancias y aun se desarrollan en ciclos romances aislados (por ejemplo los de Galván, Abenámar, Azarque, Abenumeya, Tarfe, etc.). Pero al mismo tiempo, si la guerra de Granada fue una empresa de unidad nacional, esta nueva campaña se pensaba también de integración definitiva: probablemente, no creyó de otro modo el beato Juan de Ribera cuando trató de atraerse a los moriscos. Sin embargo, las cosas no resultaron tan a medida de los deseos: ni con los Reyes Católicos, ni con Felipe II hubo sinceridad en los sometidos y acaso la más amarga prueba de fracaso sea la renuncia de Juan de Ribera a sus fervores apostólicos.

Granada se había convertido —de nuevo— en criatura poética. A finales del siglo XV, lo fue por las últimas hazañas de la Reconquista; en el tercio del siglo XVI que nos ocupa, por la rebelión alpujarreña, que vino a hacer reaflorar las historias de antaño y a darles sentido en el quehacer actual. De cualquier modo, se volvía a pensar en la unidad de España y en la incorporación de gentes que se habían mantenido separadas. Había una esperanza de unión bajo la misma fe: por eso los bautismos de Muza, de Albayaldos o de la sultana en el *Romancero General* y por eso tanta conversión —como final obligado de cada episodio en las *Guerras Civiles* de Granada.[145] Lo que no logró la generosidad de los Reyes Católicos podría conseguirlo el rigor de Felipe II. Pero el fracaso llegó de nuevo. La moda literaria tardó en enterarse: los poetas cortesanos cultivaron un género desligado totalmente de la realidad histórica; se interesaron tan sólo de lo que era el espejo de su propia alma, sin tener en cuenta que otros muchos paisajes podían proyectarse sobre él, y no tan ingenuos como el de los inocentes disfraces. Si los poetas no se dieron cuenta de los muchos hilos enmarañados que formaron el ovillo de la moda morisca en su nacimiento, no cabe duda que comprendieron las causas de su muerte: llama la aten-

145. Trato de ello en mi *Introducción* a las *Guerras de Granada*, que publicará la Edit. Porrúa, de Méjico.

ción que el ocaso del género fijado en 1601-1604 viniera a coincidir con ese año de 1602 en que se pide la expulsión de los moriscos, decretada con carácter definitivo en 1609-1610. Lo mismo ocurrió en la novela de Pérez de Hita: el brillo de la primera parte se convierte en severidad en la segunda; lo que fue pirotecnia y color en la corte de Boabdil ha pasado a ser realismo —y no divertido— en el cerco de Galera; la alegría de un mundo falso, pero encariñadamente levantado, ha dejado paso a la crónica que tiene el opaco color de la *Historia* de Mármol. Y es que las cosas se habían entenebrecido sin esperanzas de luz: Henríquez de Jorquera cuenta en sus *Anales* de Granada [146] que entre 1606 y 1609 más de 210 personas fueron procesadas de mahometismo, y alguna quemada viva sin abjurar de su fe. El juego literario podía tener implicaciones comprometedoras: más valía meter los trebejos en la bolsa y doblar el tablero.

7. La faz negativa de los romances moriscos: los de cautivos

Si Granada había sido retratada en su imagen más superficial, otros romanceristas comprendieron la amargura soterrada bajo tanta frivolidad. Había cristianos, no airosamente triunfales ni caballerescamente acogidos, que yacían en mazmorras enemigas y remaban aherrojados a galeras contrarias. Surgió así una literatura que ponía sus ojos en las costas de África o en el temor —que volvería nuestras ciudades de espaldas al mar— de los piratas: «tales romances, siendo antítesis de los romances moriscos, desechan la brillantez y colorido de éstos para tomar el tono realista y sobrio que les convenía».[147] No acabarían estas historias de cautivos y piratas, como las de moriscos, perdidas en unos ecos poco a poco amortiguados: bien a finales del siglo XVIII, a comienzos del XIX, la literatura de cordel conservaba vivos los temas con relatos que tenían harto poco de poéticos, pero que estaban arrancados de la vida cotidiana: [148] Y es

146. Ed. Marín Ocete, Granada, 1934. La referencia se encontrará en el t. II, pp. 550-563.
147. Vid. *Romancero hispánico,* II. p. 135.
148. Véanse los textos que incluyo en mi *Romancero morisco,* que se publica por la Editorial Romermar, de Santa Cruz de Tenerife. Una y otra vez, la obsesión del cautiverio.

que la historia no admitía poetizaciones: Felipe II ordenó fortificar las costas del reino granadino y aun hoy, más o menos airosas, las torres de finales del siglo XVI se recortan entre el azul del cielo y los añiles de la mar.[149] Mucho más tarde, Carlos III estableció relaciones con el emperador de Marruecos (1765) y pedía la libertad de los españoles cautivos, y, en la misión que Jorge Juan llevó al sultán, figuraba la pretensión de que las naves españolas no fuesen hostilizadas por las argelinas, tunecinas y tripolitanas.[150]

También estos romances se vinculan a los fronterizos. Las historias que podían contar (depredaciones piratescas, cautividad de los cristianos) eran las mismas que se oían en el romancero viejo: razzias para destruir riqueza o aprensión de los enemigos. Cierto que no es necesario pensar en antecedentes inmediatos, sino en la transmisión de una misma situación espiritual ante los moros granadinos o ante los piratas berberiscos. Una y otra vez —más de un siglo de historia por medio— se venían a repetir idénticas penalidades. Si Málaga, Almería o Alicante temían la irrupción de los bajeles argelinos, no era otro el miedo que había descrito un viejo texto:

Derrocaban los molinos, derramaban la cibera,
prendían los molineros cuantos hay en la ribera.[151]

149. Vid. A. GÁMIR, *Organización de la defensa de la costa del reino de Granada desde su reconquista hasta finales del siglo XVI*. Granada, 1943, y, del mismo autor, *Las fortificaciones costeras del reino de Granada al occidente de la ciudad de Málaga, hasta el campo de Gibraltar* (apud «Miscelánea de Estudios Árabes y Hebraicos», IX, 1960, 135-156). Para Canarias, que en el siglo XVIII levantó contra los berberiscos castillos en San José, Puerto de Naos, San Pedro y Guanapay (todos en Lanzarote), se puede ver A. ESPINOSA, *Romancero canario*, Santa Cruz de Tenerife, s. a., p. 8.

150. M. DÁNVILA Y COLLADO, *Reinado de Carlos III*, t. IV, apud A. CÁNOVAS DEL CASTILLO, *Historia General de España*, Madrid, s. a., pp. 162 y 166. También existieron los motivos inversos: cautivos africanos en España. Recuérdese que en la embajada de buena voluntad que envía Carlos III a Sidi Mohamed ben Abd Allah restituye más de doscientos esclavos (ib., p. 168). Las piraterías nordafricanas contra España o territorios españoles habían hecho célebre el valor del almirante Barceló. El cautiverio entre España y Marruecos desapareció con el tratado de 1767, pero en 1774 quedaron nulas todas estas buenas disposiciones con la declaración de guerra entre ambos países, y, al año siguiente, con la paz, se volvieron a restablecer. Para las relaciones con Argel, vid. las pp. 221-261 de la obra a que me he referido varias veces en esta nota.

151. Versos del romance que empieza «Caballeros de Moclín, / peones de Colomera».

Si hasta los pliegos de cordel llegaban historias lacrimosas como las de *Don Alonso y Juan de Gracia, Doña Rosa la cautiva y don Gaspar de León, La princesa cautiva,* etc., otras historias lacrimosas semejantes eran las de la cautividad del obispo don Gonzalo o la persistencia de Sayavedra en su fe. Como la doble faz de una hoja, el romancero fronterizo había descrito las historias brillantes y triunfales de los cristianos vencedores, pero había recogido —también— muertes gloriosas y sacrificios oscuros. No de otro modo el nuevo romancero: a la faz de las historias caballerescas y poéticas de las descripciones moriscas, venía a unirse el envés de la triste realidad de los cautivos.

Para alguno de estos romances no sería difícil encontrar su antecedente en los propios textos fronterizos. *El cautivo de Mahamí* lo está no tanto del moro, cuanto de su propio enamoramiento; cuando Arnaute sabe el destierro de su cautivo por culpa de sus amores y la falta de correspondencia, dice con un discurso de cortesía:

Quiero darte libertad, podrá ser que cuando vuelvas
viéndote como cautivo de tu mal se compadezca.
....
Y después que la hayas dado infinitas encomiendas,
le dirás de parte mía, que te liberté por ella.
....
Y abrazándole le dice: En España te pusiera,
mas bien que seis bajeles van en corso a Cartagena;
no por hacerte a ti bien, quieras que a mí mal me venga.

Están aquí elementos de la *Historia de Abindarráez y la hermosa Jarifa*: el prisionero que denuncia su amor y el enemigo que generosamente le da libertad; faltan —por supuesto— otros, pero creo que no se puede separar el romance de la *Historia.* Como es sabido, el *Abindarráez* fue puesto en romances por Lucas Rodríguez, Juan de Timoneda y Lope de Vega [152] y aun adquirió nueva vida confiándola a un famoso castellano: don Manuel Ponce de León. A nombre de Pedro de Padilla y de Lucas

152. Durán, núms. 1089-1094.

Rodríguez corren unos romances del desafío del Alcaide de Ronda y don Manuel de León, que no son otra cosa que la versión en metro corto de la narración del *Inventario* de Antonio de Villegas.[153] Pero conviene no mezclar la cronología: el *Tesoro de varias poesías,* de Pedro de Padilla, es de 1580; el *Romancero historiado,* de Lucas Rodríguez, de 1579 ó 1581 y el *Romancero* del mismo autor, de 1585; poco pudieron influir estas obras en la formación del romancero morisco. Padilla y Rodríguez son nombres que añadir a la nómina de cultivadores del género y ellos, como el autor de *El cautivo de Mahamí,* son deudores de la bellísima novelita de *Abencerraje.*

Si el esplendor de los romances granadinos se debe al talento y prestigio de Lope de Vega, no menos cierto es que los romances de cautivos deben su difusión al talento y prestigio de Góngora. Tendríamos, pues, que los dos linajes romancescos habían nacido como producto de los distintos humores de los dos grandes poetas, si no como resultado —otro más— de la guerra poética que Lope y Góngora libraron. He señalado cómo en la primera *Flor* de Pedro de Moncayo (Huesca, 1589) hay gran cantidad de romances moriscos, entre ellos uno famosísimo *(Sale la estrella de Venus)* de Lope de Vega, pero en ella se incluyen también romances de cautivos como otro no menos famoso de Góngora *(Amarrado a un duro banco).*[154]

Cierto que el género de los romances de cautivos había comenzado antes del éxito que denuncian las producciones de Góngora, pero no menos cierto que escasamente podría aducirse como antecedente el de «Preguntando está Florida», incluido en la *Rosa de amores* de Timoneda.[155] Aunque los romances de cautivos nos han llegado en buena parte anónimos, de Góngora son los que comienzan «Según vuelan por el agua», «Amarrado al duro banco», «La desgracia del forzado» y «Levantando blanca espuma» y de Salinas (Sevilla, 1559-1645) el de «Llegó en el mar al extremo». Que la moda se vinculaba a un nombre —de autor, de tema— se comprueba por la ordenación de todos los poemas

153. DURÁN, núms. 1132-1136.
154. Se repite en la segunda *Flor* (Barcelona, 1591, p. 32).
155. Vid. DURÁN, núm. 258.

en unos grupos muy coherentes y limitados. Durán pudo establecer una colección de *El forzado de Dragut* (números 268-275), que ha debido surgir por el prestigio de los romances de Góngora, otra de *Los cautivos de Ochalí* (números 276-280) y, finalmente, una de sólo dos poemas de *El cautivo de Arnaute Mahamí* (281-282).

Verdad es que la propia creación literaria no facilita la identificación de situaciones y personajes. Sin embargo, también ahora podemos descubrir esa hebra que enhila toda la tradición poética de nuestra poesía narrativa: desde las gestas hasta los pliegos de cordel. Se trata de una poesía noticiera que usa de nombres y hechos para dar eficacia a sus propios argumentos. Y si en la Granada de Boabdil podemos puntear las historias madrileñas de Lope de Vega, tras los cautivos de Ochalí se vislumbra algún eco de verismo. Ochalí mandó en Lepanto los bajeles argelinos y el romancero especifica informes comprobados por la historia:

Agora cuitado llora su fortuna y malandanza
por ver que de la Naval, a do tuvo su esperanza,
el Ochalí se escapó, que iba en la retaguardia.

En verdad que los hechos ocurrieron así. Uluch Alí, con Mahomet Bey y Sain Bey —hijos de Alí Bajá— mandaban las setenta galeras del ala derecha que los turcos opusieron a las de Barbarigo. Un portillo de casi una milla que había dejado sin cubrir Andrea Doria, permitió la huida de Uluch Alí con una treintena de sus naves, tras haber combatido con naves venecianas, maltesas y españolas. Contra él lucharon Doria y don Álvaro de Bazán después de destruida casi toda la escuadra turca.[156]

Después de la Edad de Oro, los romances de cautivos continuaron —fiel reflejo de desastradas historias— en los pliegos de

156. Sin recurrir a las monografías sobre la «más grande ocasión que vieran los siglos», se pueden encontrar datos suficientes para nuestro objeto en el t. XIX de la *Historia de España*, dirigida por R. MENÉNDEZ PIDAL, L. FERNÁNDEZ, *España en tiempo de Felipe II*, t. II (Madrid, 1958, pp. 99-122).

cordel de los siglos XVIII y XIX. Escaso o nulo es su contenido poético, pero sirven, otra vez literatura noticiera, para cantar y contar muchas tragedias vividas. Todavía duran sus ecos hoy en regiones, como Canarias, donde la paz estaba marcada por la zozobra del cautiverio.[157]

8. Suerte del romancero morisco

En un estudio luminoso, José F. Montesinos ha señalado el despertar del interés hacia el romancero nuevo y, concretamente, ha podido hablar del prestigio de los poemas que ahora nos ocupan: «los románticos, quizá porque no se dieron exacta cuenta de que aquellos romances eran *nuevos*, los admiraron sin tasa; los moriscos figuraron, sin restricciones, entre sus poemas predilectos y, fuera de España, mantuvieron el prestigio del Romancero castellano junto a los más vetustos y más acendradamente tradicionales. Al hablar de aquellas dos Ilíadas, «una gótica y otra árabe», que debíamos a la Edad Media española, Victor Hugo recordaba sin duda, junto a Cides, Fernán González y Mudarras, a los Muzas, Zulemas y Gazules que no habían nacido a la vida del arte sino a fines del siglo XVI».[158] Y no era sólo Victor Hugo. Cuando Bodmer[159] ha estudiado la difusión europea de los «cuatro grandes» romances granadinos, junto a los tradicionales y fronterizos de *Paseábase el rey moro* y *Abenámar, Abenámar,* podía incluir el histórico, pero tardío, de *Río Verde, río Verde* y el morisco *Por la calle de su dama.* Así, pues, un episodio del romancero nuevo alcanzaba —gracias a su tradicionalización en las *Guerras de Granada*— la misma consideración que otras joyas del romancero español. Si, como hemos visto, un texto de finales del siglo XVI se convierte en materia tradicional, se transmite oralmente y vive en sus variantes, no menos cierto

157. Vid. A. Espinosa, *Romancero canario,* Santa Cruz de Tenerife, s. a., pp. 7-11.
158. *Algunos problemas del Romancero nuevo,* apud *Ensayos y estudios de literatura española,* México, 1959, p. 75.
159. *Die granadinische Romanzen in der europäischen Literatur. Unterschuchung und Texte.* Zürich, 1955.

es que su prestigio vive parejo al de las mejores piezas del romancero fronterizo.

La andadura comenzada en los libros de música de por 1580 no ha terminado todavía. En la época neoclásica, don Vicente García de la Huerta imita los romances moriscos de Góngora y don Nicolás Fernández de Moratín trasvasa a sus quintillas las mejores esencias del género. Antes de ellos, gracias a la creación genial de Pérez de Hita, romances fronterizos y romances moriscos —juntos— habían accedido a todas las literaturas de Europa: en 1608 se tradujeron al francés las *Guerras,* y las preciosas de Rambouillet se deleitaban con los románticos amores de los moros granadinos;[160] en Inglaterra, aunque la impresión de la novela es tardía (1803), la obra era conocida desde mucho antes (acaso desde 1670) y, en Alemania, Herder tradujo veinte romances de las *Guerras* en sus *Volkslieder* (1778) y Goethe estudió español para aprender el espíritu árabe que necesitaba inculcar a alguna de sus exóticas baladas. Entre nosotros, Arolas, Zorrilla o Romero Larrañaga son testimonio de la duración del género. Puntualmente, María de la Soledad Carrasco[161] ha seguido los pasos de este tipo literario que es el moro de Granada: mezcla de historia y literatura, autenticidad y ropavejería, poesía y música. Todo ello unido en un extraño sincretismo en el que los romances fronterizos se hermanaron a los moriscos, unos y otros se prosificaron en la novela y unos y otros —sin discriminación ya— tuvieron vida literaria hasta que la erudición intentó aclarar las cosas.

Sin embargo, conviene no olvidar que la vuelta al romancero se debió en buena parte a ese prestigio ininterrumpido de los romances moriscos. Los trabajos romanceriles de don Agustín Durán comenzaron en 1828 con cinco tomitos, de los cuales el primero es un *Romancero de romances moriscos;* allí, entresacados del *Romancero General,* se reunían por vez primera desde el

160. Hubo una edición parisina de las *Guerras* (1606) con traducción marginal de las palabras difíciles.
161. *El moro de Granada en la literatura,* Madrid, 1956. Vid. también L. Seco de Lucena, *Orígenes del orientalismo literario,* Santander, 1963.

siglo XVII los poemitas del género granadino y es que en ellos veía la crítica del siglo XVIII las mejores esencias de nuestra poesía.[162] Y, a imitación del de Durán, la Biblioteca Universal imprimía en 1873 un *Romancero morisco* en dos pequeños volúmenes. Después, Montesinos lo ha visto con agudeza, durante decenios, los investigadores olvidaron esos romances nuevos que en nuestros días son «objeto de atención creciente. Atención merecida; sólo cabe maravillarse de lo tarde que llega».[163] Ahora, por estos años, se está valorando el conjunto de todas estas series cíclicas no por el caudal de noticias que —más o menos veladamente— encierran sino por lo que el romancero morisco, como el pastoril, significan para la historia social y literaria de España en aquellos años decisivos —para la historia y para la literatura— en que acababa el siglo XVI.

162. Vid. MENÉNDEZ PIDAL, *Romancero Hispánico*, I, pp. 276-277.
163. *Algunos problemas*, p. 75.

GRANADA Y EL ROMANCERO

1. ¿QUÉ CASTILLOS SON AQUÉLLOS?

Con Ibn Zamrak se extinguía la poesía hispanomusulmana; pero los ojos del último gran poeta arabigoandaluz pudieron cerrarse con la imagen, perfecta ya, de la Alhambra:

> La Sabika es una corona sobre la frente de Granada
> en la que querrían incrustarse los astros.
> Y la Alhambra (¡Dios vele por ella!)
> es un rubí en lo alto de esa corona.[1]

Con esta misma visión se abrieron unos años más tarde los ojos de Juan II y, a través de las deslumbradas pupilas del rey castellano, Granada empezaba su peregrinación hacia los pueblos de Occidente. Por fortuna, el mismo Dios que tan celosamente veló por la Alhambra, ha guardado, también, su nacimiento en la literatura castellana. El 27 de junio de 1431, el real de Juan II se sentaba en Sierra Elvira; la tienda del rey «descollaba en el ángulo meridional, en un suave recuesto sombreado por las espesas hojas de una encina bravía»;[2] el príncipe Yúçuf Abenalmao, el futuro Yúçuf IV, esperaba del rey castellano ayudas que le alzaran hasta el trono de la Alhambra. Su esperanza no fue defraudada: el año 1432 empezó con el entronizamiento del nuevo rey.[3] Pues bien, este príncipe enemigo de Mohamed el Izquierdo,

1. Vid. E. García Gómez, *Ibn Zamrak, el poeta de la Alhambra (siglo XV)*, apud *Cinco poetas musulmanes. (Biografías y estudios)*, «Col. Austral», número 513, pp. 171-271. Los versos copiados en el texto aparecen en la p. 246.
2. M. Lafuente Alcántara, *Historia de Granada*, III, 1845, p. 230.
3. La historicidad del romance de Abenámar ha sido demostrada por Menéndez Pidal que o deshizo errores (de Foulché-Delbosc), o disipó alguna

es el Abenámar del romancero. También sabemos la presencia del rey cristiano: el 27 de junio de 1431 precedía con sólo cuatro días a la batalla de Higueruela, en la que Juan II y don Álvaro de Luna cortaron los laureles de su único triunfo contra la morisma. En aquella ocasión el rey no faltó a los suyos, y los versos marmóreos de Juan de Mena lo inmortalizaron en su correría por tierras granadinas:

> Con dos cuarentenas e más de millares
> le vimos de gentes armadas a punto,
> sin otro más pueblo inerme allí junto,
> entrar por la vega talando olivares,
> tomando castillos, ganando lugares,
> faciendo por miedo de tanta mesnada
> con toda su tierra temblar a Granada,
> temblar las arenas, fondón de los mares.
>
> (Copla 148.)
>
> E vimos la sombra de aquella figuera
> donde a desora se vido criado
> de muertos e pieças un nuevo collado,
> temblar las arenas, fondón de los mares.
>
> (Copla 151.)

Pero antes que la matanza formara collados con sus muertos, como el simún con las arenas del Sáhara, Juan II y Abenalmao vieron un paisaje en el que nuestros ojos se prendieron cada día y que, con los Alixares, se puede contemplar en la sala escurialense de las batallas:

> —¿Qué castillos son aquéllos? —¡Altos son y relucían!
> —El Alhambra era, señor, y la otra la Mezquita;
> los otros los Alixares labrados a maravilla.
> El moro que los labraba cien doblas ganaba al día,
> y el día que no los labra otras tantas se perdía;

duda (de Menéndez Pelayo), o confirmó las noticias de historiadores anteriores (Conde). Véanse *La epopeya castellana a través de la literatura española*, Madrid, 1945, pp. 160-161, y, sobre todo, *Los orígenes del romancero* en *Los romances de América y otros estudios*, «Col. Austral», núm. 55, 3.ª ed., pp. 100-108. E. Buceta insistió en la historicidad, *RFE*, VI, 1919, pp. 57-59. Vid. las pp. 60-63 de este tomo.

desque los tuvo labrados el rey le quitó la vida
porque no labre otros tales al rey del Andalucía;
el otro Torres Bermejas, castillo de gran valía;
el otro el Generalife, huerta que par no tenía.[4]

A duras penas volveremos a encontrar la minuciosidad en los romances fronterizos del siglo XV. Granada ha definido en un día de sol y triunfo sus perfiles concretos. En adelante, importarán los hombres y la generosidad de su esfuerzo. De cuando en cuando, la pincelada ambientadora —el edificio, la vega, las calles y nada más—: cuando está en juego la misma razón de ser de las cosas lo que importa no es el matiz, sino la esencia. Por eso la guerra de Granada dará a la literatura la dignidad del hombre, su dimensión en altura y en profundidad, e ignorará todo aquello que no sea capaz de crear modelos de ejemplaridad para los oyentes. No olvidemos que «los romances empiezan a ser oídos en los palacios desde 1445, que sepamos, en la corte de Alfonso V de Aragón, y desde 1462 en la de Enrique IV de Castilla, y luego en la de los Reyes Católicos; en Aragón servían de modelo a la poesía trovadoresca; en Castilla eran principalmente estimados en su aspecto de poesía política, destinada a mantener el público interés despierto hacia la guerra de Granada.»[5]

2. Porque Alhama era perdida

La guerra de Granada empieza —para la poesía— con el asalto de Alhama. Mal pensarían Juan de Ortega y Martín Galindo que con sus escalas ascendía un mundo de vibraciones líricas.

4. Cito por Menéndez Pidal, *Flor nueva de romances viejos* (2.ª ed.), Madrid, 1933, pp. 271-272.
Como es sabido, el romance considera la ciudad como una novia, comparación de carácter oriental, según probó Schack (*Poesía y arte de los árabes en España y Sicilia*, traduc. de J. Valera, pp. 309-311, de la ed. de México, 1944). El tema ha sido estudiado por R. Basset en la «Revue Africaine», L, pp. 22-36. Para la literatura española hay redactadas unas notas por M. García Blanco en la revista estudiantil «Trabajos y días» (Salamanca, 1949); desgraciadamente ya no tendremos su estudio del cancionero de Baena, que hubiera iluminado muchos problemas de nuestra literatura del siglo XV. Blanchard-Demouge, en el prólogo a su edición de las *Guerras* (vid. nota 10), habló ligeramente sobre esta cuestión, pp. LV-LVI.
5. Menéndez Pidal, *Flor nueva*, p. 39.

Pero así fue. Y Alimuley Abenhazen de Granada sentiría comezón, y no escasa, por las treguas rotas en Zahara y por aquello de «perro que a lobo mata, le mata el lobo». Comezón que no disimulan los romances que lo siguen por las callejas granadinas y nos lo muestran abrumado por la derrota y codicioso del desquite:

> Paseábase el rey moro por la ciudad de Granada
> desde la puerta de Elvira, hasta la de Vivarrambla.
> Cartas le fueron venidas cómo Alhama era ganada.
> *¡Ay de mi Alhama!*
> Las cartas echó en el fuego y al mensajero matara;
> echó mano a sus cabellos y las sus barbas mesaba.
> Apeóse de la mula y en un caballo cabalga;
> por el Zacatín arriba subido había a la Alhambra.[6]

Ginés Pérez de Hita fantaseó a propósito de nuestro romance, y en la treta de su invención cayó el benemérito Schack.[7] Más cautos, Menéndez Pelayo[8] y Menéndez Pidal,[9] negaron verdad a las palabras del autor de *Las guerras de Granada* («Este romance se hizo en arávigo en aquella ocasión de la pérdida de Alhama, el qual era en quella lengua mūy doloroso y triste, tanto, que vino a vedarse en Granada que no se cantasse, porque cada vez que lo cantaban en cualquier parte, provocaba a llanto y dolor»),[10] aunque don Marcelino, meditando en el espíritu de la composición —lamentación del vencido, y no canto triunfal del vencedor— y en algún otro motivo, se inclinaba a pensar en una posible influencia arábiga. Las crónicas castellanas no abundan en interpretaciones desde el campo moro; se limitan a la enumeración de los hechos dentro del real cristiano: es ésta una clara diferenciación a establecer entre las narraciones en prosa y las poéticas; aquéllas sumisas al espíritu de los conquistadores, éstas, bajo la forma de «romances moriscos», inclinadas a la narra-

6. Cito por Menéndez Pidal, *Flor nueva*, pp. 275-276. Otras versiones del romance en *Antología de líricos*, O.C., XXIV, pp. 200-204.
7. *Poesía y arte de los árabes en España y Sicilia*, México, 1944, pp. 322-323.
8. *Antología*, O.C., XXIII, pp. 124-126.
9. *Flor nueva*, p. 277.
10. G. Pérez de Hita, *Las guerras civiles de Granada. (Primera parte)*, ed. de Paula Blanchard-Demouge, Madrid, 1913, p. 254.

ción dentro del campo árabe; sin embargo, en la crónica de Hernando del Pulgar hay una visión de dolor y derrota tomada en el campo moro, y que convendría poner en parangón con las elegías poéticas a la pérdida de alguna ciudad. Me refiero al llanto por la ruina de Málaga: «Los moros e moras que desampararon sus casas, esperando la muerte o el captiverio en las agenas, andando por las calles, torcían sus manos, e alzando sus ojos al cielo decían:

«¡Oh Málaga, cibdad nombrada e muy fermosa, cómo te desamparan tus naturales. ¿Púdolos tu tierra criar en la vida, e no los pudo cobijar en la muerte? ¿Do está la fermosura de tus torres? No pudo la grandeza de tus muros defender sus moradores, porque tienen ayrado su criador. ¿Qué farán tus viejos e tus matronas? ¿Qué farán las doncellas criadas en señorío delicado, cuando se vieren en dura servidumbre? ¿Podrán por ventura los christianos tus enemigos arrancar los niños de los brazos de sus madres, apartar los fijos de sus padres, los maridos de sus mujeres, sin que derramen lágrimas?»

»Estas palabras e otras semejantes decían con el dolor que sentían con ver cómo perdían su tierra e su libertad.» [11]

La narración de la pérdida de Alhama quedaría incompleta sin aducir los romances de la prisión del alcaide de la ciudad. El cancionero de romances de 1550 nos ha conservado sobre ella un poema muy breve, pero que en su concisión nada olvida para crear un clima emocionado: ni la ira del rey, ni la justificación del alcaide, ni su humano dolor:

Moro alcaide, moro alcaide, el de la barba vellida,
el rey os manda prender porque Alhama era perdida.
—Si el rey me manda prender porque es Alhama perdida,
el rey lo puede hacer, más yo nada le debía
porque yo era ido a Ronda a bodas de una mi prima,
yo dejé cobro en Alhama, el mejor que yo podía.
Si el rey perdió su ciudad, yo perdí cuanto tenía:
perdí mi mujer y hijos, ¡la cosa que más quería! [12]

11. *Crónica de los Reyes Católicos*, Bib. Aut. Esp., t. LXX, p. 471 *b*.
12. Texto de la *Antología de líricos*, O.C., XXIV, p. 217.

Alguna vez se ha señalado la relación de éstos con otros versos del romancero tradicional;[13] sin embargo, nunca que yo sepa se ha establecido la íntima dependencia que hay entre el romance y la *Crónica* de Pulgar. Creo que el cotejo es ilustrador: «Los asaltantes de Alhama entraron la barrera e subieron en el muro e mataron al moro que lo guardaba, e a los otros moros que fallaron en la guardia del castillo, e prendieron a la mujer del Alcayde, e a otras mujeres que estaban con ella, porque el Alcayde no estaba allí que era ido a unas bodas a Vélez Málaga».[14] Las minucias anteriores son desconocidas de los otros cronistas del suceso, lo que me hace pensar en las relaciones del romance y la Crónica. El carácter sentimental y novelesco del motivo (prisión de la mujer del alcalde, el pretexto de las bodas), aunque pudiera ser real, haría pensar a los demás historiadores en un aditamento meramente literario. Se ve esto con claridad si cotejamos la crónica de Pulgar con la de Bernáldez y observamos que, a pesar de su proximidad, en la narración del cura de los Palacios cabe el degüello de los centinelas, pero no se admiten ninguna de las otras cuestiones.[15] Razones que me llevan a pensar en la prosificación del romance, dentro de la narración histórica.

13. MENÉNDEZ PELAYO, *Antología*, O.C., XXIII, pp. 125-126.
14. *Ed. cit.*, p. 366 *a*.
15. «Echaron las escalas por la fortaleza por donde mandó el escalador, e plugo a nuestro Señor que no fueron sentidos, e el primer hombre que subió en pos del escalador fue Martín Galindo, e el segundo Juan de Toledo su criado... los quales montaron, e mataron las velas, e tomaron la fortaleza» (BERNÁLDEZ, *Historia de los Reyes Católicos*, Biblioteca Autores Españoles, t. LXX, p. 605 *b*). Extraña mucho más el silencio de Bernáldez cuando es minucioso en describir los combates dentro de la ciudad y el fruto del botín: «E desque entraron pelearon dentro en la villa con los moros por las calles, que se les tenían muy fuertemente, e ficieron en ellos muy grande estrago metiendo a espada todos los varones, e tomaron la villa e todas las personas que ende había hombres e mujeres, chicos e grandes que no escapó ninguno... Avieron en ella [en la ocupación de Alhama] el Marqués, e todos los que con el fueron infinitas riqueças de oro y plata y aljófar e sedas e ropas de seda de Zarzaham e tafetán, e alhajas de muchas maneras, e caballos e acémilas, e infinito trigo e cebada, e aceite e miel, e almendras, e muchas ropas de finos paños, e de arreos de casas» (*Ib.*, p. 606 *a*). De otra parte, el romance que me ocupa fue inserto en la obra de Ginés Pérez de Hita. Me parece exacta la hipótesis de Menéndez Pelayo al considerar el texto de las *Guerras* como paráfrasis del que inserta el *Cancionero de romances* de 1550.

3. Un caballero pasea

La guerra y la mar, para los hombres es hecha. Y como en el viejo refrán, ríos de hombres caminaban hacia la guerra de Granada, mar en el que acabaron muchas vidas. Donceles que como ríos, ya no pudieron remontar su curso. Aquí aquel don Juan de Padilla, a quien la Reina Católica llamaba cariñosamente «el mi loco»; aquí quedó —su caballo enfangado— Martín Vázquez de Arce, doncel —hoy todavía— en la catedral de Sigüenza; aquí don Gutierre de Sotomayor, conde de Belalcázar o, por su gallardía, el «Conde lozano», y aquí don Rodrigo Girón, el maestre de los romances.[16] Todos esforzados en pugna de esforzados. Por eso la vida les resultó ligera y pudieron acabar sin granazón.

Ante las puertas de Granada se idealiza el tipo de guerrero en dechado de caballerosidad y gentileza. A don Rodrigo Téllez Girón le sobraban dotes personales para convertirse en arquetipo. Por si aún fuera poco, los hados jugaron a coronarle con cierto nimbo sentimental. Fue su padre don Pedro Girón, turbulento y ambicioso maestre de Calatrava, conquistador de Archidona y pretendiente de la Reina Católica. De sus amores ilícitos con doña Isabel Casasús le nacieron dos hijos mellizos, don Rodrigo y don Juan: el primero llegó a ser maestre de Calatrava a los doce años, y el segundo conde de Ureña.[17] Cuenta Antonio de Torquemada en su *Jardín de flores curiosas* que, cuando niños, los dos hermanos tuvieron tal maravillosa simpatía que, al despertar después de largo sueño en la cuna, tenían sus cutis adheridos y las dueñas que los cuidaban debían separarlos con bálsa-

16. La identificación del héroe que cantan los romances con la persona de don Rodrigo Téllez Girón parece obra de Ginés Pérez de Hita, y así se ha venido repitiendo. Sin embargo, G. Cirot probó que el maestre del romance «¡Ay Dios qué buen caballero / el Maestre de Calatrava!» es don García López de Padilla, sucesor de don Rodrigo Téllez Girón (pp. 20 y ss. del artículo que cito en la nota 20).

17. Habían nacido en 1456. El conde de Ureña murió en Osuna en 1528. Cuando tenía setenta años lo vio Navagero y lo encontró «muy viejo, pero muy gentil y cortesano», y de él nos cuenta alguna ironía (vid. *Viajes de extranjeros por España y Portugal*, I, Madrid, 1952, p. 853 *a*).

mo suave.[18] Pongamos en cuarentena la simpatía y acordémonos de Cervantes: «el autor de ese libro [*Don Olivante de Laura*] —dijo el cura— fue el mismo que compuso a *Jardín de flores*: y en verdad que no sepa determinar cuál de los dos libros es más verdadero, o, por mejor decir, menos mentiroso; sólo sé decir que éste irá al corral, por disparatado y arrogante».[19] Ya era bastante que en torno a los hermanos se pudiera urdir la leyenda. Y, para que nada faltase al bueno de don Rodrigo, una muerte a los veintitantos años que servía para honrar toda una vida y de asfódelo para las banderías de mancebo en el partido de la Beltraneja.[20]

La historicidad de los romances referidos al Maestre de Calatrava parece cierta unas veces; otras, es pura fantasía. Lo notable es que en torno a don Rodrigo Téllez Girón se urdan unas cuantas verdades —no suyas, sino de su sucesor don García López de Padilla—, con otras fabulosas invenciones. Si, como parece, el culpable de todo ello es Ginés Pérez de Hita, habrá que cargar en la cuenta del vecino de Mula las falsedades cronológicas que denunció Cirot,[21] y el haber fundido en un solo Maestre las personalidades —tan distantes— de los dos últimos que tuvo la Orden de Calatrava.[22] Aunque históricamente haya una verdad que atañe a López Padilla, poéticamente los versos evocan —siempre— a la figura bizarra de Téllez Girón.

El romancero nos ha retratado con cariño al maestre: gallardo, cortés, esforzado, valiente hasta la temeridad. La Vega supo de sus andanzas y fue palenque de sus victorias. Hasta la Al-

18. La leyenda está recogida por LAFUENTE ALCÁNTARA en su *Historia de Granada*, III, pp. 375-376.
19. *Quijote*, I, VI.
20. MENÉNDEZ PELAYO, *Antología*, O.C., XXIII, p. 130. A propósito de la personalidad del maestre en los poemas que voy a considerar, puede verse el estudio de G. CIROT, *Sur les romances «del maestre de Calatrava»*, apud *BHi*, XXXIV, 1932, pp. 1-26.
21. *Art. cit.*, pp. 11 y ss.
22. Don Rodrigo Téllez Girón posiblemente nunca avistó Granada; sí don García López de Padilla, su sucesor. Sin embargo, la literatura romancesca, enamorada de la juventud y gallardía de don Rodrigo, vio en él el arquetipo de toda clase de buenandanzas y fundió en un maestre ideal la bizarría de don Rodrigo y la fortuna de don García. No hay que olvidar que el primero, al morir en 1482, tenía veintisiete años, y el segundo, en 1489, era de edad avanzada según el testimonio de Palencia, citado por Cirot, p. 23.

hambra subía el brillo de su presencia, y hasta el infierno bajó el alma de algún moro que se atravesó en su camino:

Por la vega de Granada un caballero pasea
en un caballo morcillo ensillado a la gineta
....
Los relinchos del caballo dentro en la Alhambra suenan;
oídolo habían las damas que están vistiendo a la reina:
Salen de presto a mirar por allí a ver quién pasea;
vieron que en su lado izquierdo traía una cruz bermeja
....
La reina, cuando lo supo, vistiérase muy de priesa;
acompañada de damas asomóse a una azotea.
El Maestre la conoce, bajado le ha, la cabeza;
la reina le hace mesura, y las demás reverencia...[23]

Ni la misma puerta de Elvira está libre del esfuerzo de don Rodrigo Girón:

¡Ay Dios, qué buen caballero el Maestre de Calatrava!
¡Oh, cuán bien corre los moros por la vega de Granada
con trescientos caballeros, todos con cruz colorada,
desde la Puerta del Pino hasta la Sierra Nevada!
Por esa Puerta de Elvira arrojara la su lanza:
las puertas eran de hierro de banda a banda las pasa...[24]

Un romance nos puede servir de resumen de otras correrías del Maestre: sus desafíos, sus combates, su buenandanza... Fragmentariamente es como sigue:

De Granada parte el moro que Alatar se llamaba,
primo hermano de Bayaldos, el que el maestre matara,
caballero en un caballo que de diez años pasaba.
....

23. Texto en la *Antología de líricos*, O.C., XXIV, pp. 222-223.
24. Texto en la misma *Antología*, ib., p. 223. Los romances del Maestre llevan en ella los núms. 87, 88, 88 *a*, 88 *b*, 89, 90. Sobre el comienzo de este romance, vid. R. Menéndez Pidal, *La leyenda de los Infantes de Lara*, Madrid, 1934, p. 88. Algunos de los versos copiados hacían pensar a Cirot (p. 22) en un hecho real de la vida del «Comendador mayor de Calatrava», don Diego de Castrillo. Por supuesto, Pérez de Hita hace protagonista a don Rodrigo Téllez Girón, p. 14.

Antes que llegue a Antequera   vido una seña cristiana:
....
Sáleselo a recibir   el Maestre de Calatrava,
arremete el uno al otro,   el moro gran grito daba:
¡Por Alá, perro cristiano,   te prenderé por la barba!
Y el Maestre entre sí mesmo   a Jesús se encomendaba.
Ya andaba cansado el moro,   su caballo ya cansaba;
el Maestre, que es valiente,   muy gran esfuerzo tomara.
Acometió recio al moro,   la cabeza le cortara,
el caballo que era bueno,   al rey se lo presentara,
la cabeza en el arzón   porque supiese la causa.[25]

Estos romances fronterizos, con su carácter de gaceta y noticiario de hechos memorables,[26] suministraron unos datos heterogéneos referidos a don García López de Padilla, a don Diego de Castrillo, y sólo por algún detalle aislado, o por el eco sonoro de su recuerdo, a don Rodrigo Téllez Girón. Con esos materiales se zurció una historia mucho más novelesca que vino a pervivir en *Las guerras de Granada* y, por último, irrumpió en la palestra con los nuevos romancistas. Ginés Pérez de Hita, nos hace luchar al Maestre con el moro Muza:[27] lo lleva a Granada a vencer en unas justas[28] y, yendo más lejos que el romancero, no sólo derrota a Albayaldos, sino que le administra las aguas bautismales.[29] Cuando en 1600 se publica el *Romancero General, Las*

25. *Antología*, O.C., XXIV, pp. 229-230. El romance de la muerte de Albayaldos, en las pp. 227-228. Sobre la historicidad de este romance, vid. *Antología de líricos*, O.C., XXIII, pp. 132-133; y Cirot, *art. cit.*, pp. 18-20.
26. MENÉNDEZ PIDAL, *Un nuevo romance fronterizo*, apud. *Los romances de América*, «Col. Austral», núm. 55, p. 119. De este mismo carácter limitado a la biografía del poeta, participa también el «romancero nuevo», vid. el estudio que con este título publicó el mismo maestro (Madrid, 1949, p. 15). Cfr. las pp. 90 y 94, entre otras, de este libro.
27. Vid. el capítulo IV de su novela. En la p. 34 de la ed. de BLANCHARD-DEMOUGE figura el comienzo del romance *¡Ay Dios qué buen caballero!*
28. Pág. 111.
29. «Albayaldos abrió los ojos, y con boz muy débil y flaca, como hombre que se acabava la vida, dixo que quería ser christiano... y allí el Maestre le hechó el aua sobre la cabeça, en nombre de la Sanctíssima Trinidad, Padre, Hijo, Espíritusanto, le llamó don Juan» (p. 122). Allí mismo, p. 124, se inserta el romance *De tres mortales heridas*, en el que se glosan los hechos anteriores; como el poema no figura en ningún cancionero, acaso sea del propio Pérez de Hita. En el *Romancero General* se conserva, ampliada, una versión del bautismo de Albayaldos (II, p. 168 *b*, núm. 1064). El *Romancero General* irá citado, como hasta ahora, por la ed. de GONZÁLEZ PALENCIA (Madrid, 1947, dos tomos).

guerras de Granada llevan ya cinco años de andadura afortunada. Ella suministran materiales o evocaciones a las nuevas generaciones de romancistas, y ellas aprovecharon también, como veremos más adelante, los frutos de aquellos mozos —Lope, Liñán—, que por entonces comenzaban. Se hace tópica la entrada del Maestre en Granada para asistir a un torneo;[30] se reitera el motivo del rapto de Sarracina, secundando los planes de Muza;[31] se insiste en las prendas del Maestre como piedra de toque con la que probar el valor de los moros:

> El que al Maestre no ha dado entre las bermejas cruces
> bote de lanza o flechazo con valientes no se junte[32]

hasta que al fin, este mismo Romancero hace morir a don Rodrigo Girón entre un tumulto de nombres y motivos en los que no cabe descubrir ni un leve asomo de verdad:

> Mira el cuerpo casi frío que está despidiendo el alma
> del malogrado mancebo Maestre de Calatrava,
> el valiente moro Muza, que era hermano de Abenámar,
> Rey de Granada y su Reino y señor del Alpujarra.[33]

Por desgracia, la historia no goza de tan buena memoria, y conserva menos cosas y no tan amables del Maestre. Sabemos —¡cuán pronto lo olvidó la poesía!— que, en sus primeras andanzas, cuando todavía no era fiel vasallo de los Reyes Católicos,

30. La referencia actual figura en las págs. 167 *b* - 168 *a* del t. II, romance núm. 1063 de la colección.
31. Ib., I, p. 372 *a*, núm. 579.
32. *Rom. Gen.*, I, 44 *a*, núm. 55. Los Zegríes preguntan:

> ¿Cuándo vencistes alguno
> de los de la cruz de grana?
> (I, 159 *b*, núm. 241)

y los Abencerrajes dicen:

> También soy Abencerraje
> de los buenos de Granada,
> y también me vi en la Vega
> con el de la cruz de grana.
> Tan presto acudo a sus reales
> como algunos a las zambras...
> (Ib., I. 272 *b*, núm. 338)

33. I, p. 273 *a*, núm. 413.

asaltó Ciudad Real: allí degolló a todos los defensores y arrancó la lengua a la gente plebeya; recuerda la historia que don Rodrigo nunca estuvo en Santa Fe,[34] ni venció al moro Aliatar; antes bien, Aliatar, sí, se llamaba el caudillo de Loja el día que el Maestre se perdió para siempre; no hubo poéticas conversiones en su muerte, ni los moros le acompañaron en el tránsito: un escudero de Ávila —Pedro Gasca— recogió el cuerpo moribundo de don Rodrigo Girón:

> «En aquella pelea —son palabras de Hernando Pulgar— murió el Maestre de Calatrava de dos saetadas que le dieron. Fue la una por baxo del brazo, por la escotadura de las corazas, tan mortal que incontinente fue a caer del caballo, como cayera, si no porque Pedro Gasca, caballero de Ávila, que iba a su lado, se abrazó con él, e le tomó, e llevó ansi fasta su aposento, donde murió dende poco. Desta su muerte pesó mucho al Rey e a la Reina, e comúnmente a todos que le conoscian, porque era mozo, e de poca edad, e buen caballero, e de buenos deseos.» [35]

Aquel 3 de julio de 1482 el Maestre de Calatrava tenía veintisiete años.[36]

Todavía el romancero tradicional aporta nombres y gestas a su contemporánea la historia. El valor de don Manuel Ponce de León y su temeraria osadía merecieron mejor suerte de la que les cupo. Después de la rendición de Granada, se pierde en los libros de historia el airón desafiante de su gesto. De vez en cuando su fugaz aparición en un romance tardío. Para sí diría lo del otro: ¿leoncitos a mí?, y corregiría el refranero: entre leones no

34. *Rom. Gen.*, I, 46 *b* - 47 *a*, núm. 58.
35. *Crónica*, ed., cit. p. 372 *b*. Mosén Diego de Valera, en su *Crónica de los Reyes Católicos* refiere el suceso con palabras muy próximas a las anteriores: «Estos cavalleros supieron cómo el maestre de Calatrava era muerto de dos feridas de saetas que le avian dado, la una por el pescuezo, e la otra por la escotadura de las coraças, por la parte izquierda, que no avía durado un quarto de ora; de que el rey ovo muy grand sentimiento, e no menos todos los grandes que allí estavan» (Ed. JUAN DE MATA CARRIAZO, Madrid, 1927, p. 153).
36. *Antología*, O.C., XXIII, p. 130. La fecha de la muerte de don Rodrigo Girón no se sabe con seguridad, ya que las noticias son contradictorias. Vid. CIROT, *art. cit.*, pp. 15-18.

se muerden.[37] Quedan, todavía, las hazañas verdaderas de Pulgar y las fingidas de Garcilaso, pero esto tomó el camino del teatro y el primer Lope repitió por dos veces la misma historia en las tablas. Y quedarían aquellos granos —Loja, Baza, Guadix—, que iban cayendo de la granada. Pero hoy, para mi objeto, sólo interesan las narraciones que adelgazadas hemos de ir encontrando en una andadura de casi doscientos años. Me fijo, sólo, en lo ejemplar: Abenámar o la primera luz —llena de esperanzas— de Granada, Alhama o el sesgo quebrado ya de un destino, don Rodrigo Girón —cara o cruz de una fortuna— con su buenandanza literaria. Caminos todos abiertos hacia el futuro. Todas las empresas recogidas y ampliadas en la literatura posterior: Ginés Pérez de Hita, el *Romancero General*. Y, a cada nueva singladura por los mares de la poesía, la luz suave de fondo, de una Granada —aún hoy— inasible.

4. Añafiles de plata

El último día de mayo de 1526, Andrés Navagero escribe desde Granada la carta que lleva el número V. Hay en ella muchas cosas que interesan —desde esta lejanía de cuatrocientos años— a la historia de la ciudad. Allí se escribe:

> «A más de estos estímulos [el heroísmo de los combates singulares], la Reina con su corte lo fue grandísimo; no había caballero que no estuviese enamorado de alguna dama de la corte, y como estaban presentes y eran testigos de cuanto se hacía, dando con su propia mano las armas a los que iban a combatir, y con ellas algún favor, o diciéndoles palabras que ponían esfuerzo en sus corazones, y rogándoles que demostrasen con sus hazañas cuánto les amaban, ¿qué hombre, por vil que fuese y por cobarde y débil, no había de vencer tras esto al más poderoso y valiente enemigo, y no había de desear perder mil veces la vida antes que volver con vergüenza ante su señora? Por esto se puede decir que en esta guerra venció principalmente el amor.» [38]

37. El cap. VIII de las *Guerras de Granada* trata de su esfuerzo en un fabuloso combate en la Vega.

38. Cito por P. Blanchard-Demouge, ed. de las *Guerras de Granada*, p. 336, la trascripción procede del *Viaje en España y Francia*, Venecia, 1563, f. 27 *v*.

En tiempos de Navagero estaba terminado el retablo de la capilla real[39] y, al contemplar el sotabanco del lado del Evangelio, pudo ver el embajador veneciano los relieves de la entrega de Granada. En el campo moro, guerreros vencidos; en el cristiano, junto a soldados y clérigos, una teoría de cabezas femeniles. Demasiadas mujeres en cosas de hombres. Acaso aquellas que consiguieron vencer en batallas de amor.

Si de las filas cristianas, sólo tal o cual retazo de los cronistas abona la hipótesis de Navagero, su apunte se vio cumplidamente desarrollado para la vida granadina en la novela de Ginés Pérez de Hita. Los últimos días del reino nazarí no fueron otra cosa, según ellos, que una abigarrada mezcla de combates singulares y brillantes fiestas de amor. Y por amor llegó la ruina de una dinastía que inmolaba con ojos ciegos a sus mejores soldados. Si en el bando de Boabdil no venció el amor, le dio, al menos, la brillante pirotecnia con que acompañó su despedida.

Creo que no se han valorado cumplidamente los elementos que forman la famosa novela. Se ha dicho de su falta de rigor histórico, y todavía quedan por anotar muchas cosas; se ha hablado —superficialmente— del mundo romancesco incorporado a la narración y se ha comentado la idealización poética de estas *Guerras de Granada*. Creo, sin embargo, que las cosas sólo han sido entrevistas. Algo del proceso de su creación y algo de su técnica novelesca me va a ocupar ahora.

Todo aquel mundo brillante que pasa ante nuestros ojos en una fantástica cabalgada estaba presupuesto, ya, en las crónicas y en los romances fronterizos. No creo —con Blanchard-Demouge— que, por la vida pacífica en común, «los españoles se familiarizaron con las costumbres y tradiciones moriscas, mejor que lo habían hecho en ocho siglos de lucha»;[40] la historia de nuestra cultura en esos siglos de lucha estuvo transida por las formas de vida árabe. Lo que pasó fue otra cosa: cuando la ficción poética vino a dar capacidad de anonimato a los poetas, éstos buscaron ropajes bajo los que encubrir su cotidiana personalidad,

39. Lo realizó Bigarny entre 1520 y 1522. Vid. Gallego Burín. *La capilla real de Granada*, Madrid, 1952, p. 60.
40. Prólogo a su edición de las *Guerras civiles de Granada*, p. LII.

y se ocultaron bajo los pastoriles pellicos, de intención clasicista, o bajo los moriscos albornoces, más próximos a nosotros y más dentro de una tradición literaria hispánica. No se puede olvidar el entronque del «nuevo romancero» con los romances fronterizos del siglo XV, y no se puede olvidar tampoco el eco emocionado que para las gentes españolas dejó el reinado de los Reyes Católicos.[41]

En torno a Granada se tejió la urdimbre de todos estos amores y de todos los brillos de estos oropeles: las mismas palabras que Dozy dedicó a Al-Motamid podrían ser referidas a la ciudad: «Por esto fue objeto de una especie de predilección, como el más joven, como el último de los reyes poetas que reinaron en Andalucía. Se le lamentaba y se le echaba de menos más que a otro alguno, casi excluyendo a los otros, como la última rosa de la primavera, los últimos hermosos días del otoño y los últimos rayos del sol que se hunde en el ocaso».[42] Del mismo modo, Granada, baluarte último en un paisaje incomparable:

> Entre las tierras del mundo
> Granada no tiene igual.
> ¿Qué valen, junto a Granada,
> Egipto, Siria e Irac? [43]

Cuando Ginés Pérez de Hita publica la primera parte de su novela (1595), Pedro de Moncayo había impreso ya su *Romancero* (1589), en el que *Las Guerras de Granada* adquirieron documentación novelesca.[44] Muy poco antes, de 1575 a 1585, había

41. Son justas, como suyas, las explicaciones de MENÉNDEZ PELAYO. *Antología*, O.C., XXIII, p. 99, y MENÉNDEZ PIDAL, *Flor nueva*, pp. 37-38.
42. Cit. por SCHACK, *Poesía y arte de los árabes*, México, 1944, p. 200.
43. Ib., p. 309. Entre los autores árabes se hizo tópica la comparación de Granada con Damasco; ABULEFDA dice: «En Granada hay varios sitios de recreo, y se parece a Damasco sobrepujando a ésta en que Granada se asienta sobre una eminencia que domina su fértil valle y se halla descubierta por la parte septentrional» (TAKAIN-AL-BOLDAM. Apud *Viajes de extranjeros por España y Portugal*, 1. Madrid, 1952, p. 218 *b*); ABD-AL-BASIT comenta: «Vi en ella [Granada] muchas clases de artificios, y se parece a Damasco de Siria... Su circuito tiene las dimensiones del de Damasco, pero es mucho más densa su población...» (*El reino de Granada en 1465-66*, ib., p. 255 *a*); un poco más adelante, el mismo autor insiste: «Granada, con su Alhambra, está entre las más grandiosas y bellas ciudades del Islam» (ib., p. 256 *b*). Vid. lo que dice en la p. 57 *b* de este libro J. GARCÍA MERCADAL.
44. BLANCHARD-DEMOUGE, *Prólogo* a la edición de las *Guerras*, p. LXV.

nacido el linaje de los romances moriscos,[45] nueva poesía que para el último cuarto del siglo XVI viene a valer tanto cómo para la edad heroica la epopeya de los siete Infantes de Lara o los romances fronterizos en los días del asedio de Granada.[46] Ginés Pérez de Hita no inventó el género; él, sin embargo, acertó a darle difusión. Este material poético y algo de la historia que suministraban los cronistas formaron la trama de su memorable novela.[47] Después la andanza fue fácil: el libro obtuvo un halagüeño éxito y los romances moriscos de tema granadino proliferaron como amapolas en trigal; los autores de comedias recurrieron al anecdotario de estas *Guerras* y todavía hace unos años —en el siglo XIX— eran para nuestros novelistas manadero de erudición.

Creo que el grande acierto de Pérez de Hita estuvo en la variedad de los motivos que vinculó a su narración, sin pensar para nada ni en anacronismos ni en históricas verdades. Por eso su novela no puede ser llamada histórica en sentido estricto; para serlo le falta unidad —en los motivos y en el tiempo—, pero la materia del libro ha sido historiable en un sentido amplio —auténtico acaecer de hechos, ficción literaria—; nos encontramos ante retazos de materia histórica —real o fingida—, y el antiguo soldado les dio una categoría superior: la de su arte de diestro narrador, que bien valía el mundo que no creó. Pienso en lo que hoy llamaríamos sentido comercial, y recuerdo alguna película en la que Pedro el Ermitaño y Ricardo Corazón de León van juntos en una misma cruzada. Esto es lo que hizo Pérez de Hita: tomó romances fronterizos [48] y los unió a otros muy recientes,[49] o a alguno de su propia minerva;[50] recordó la historia

45. Ib. p. LIII: «Si se observa que las colecciones de romances de Valencia (1573) y Barcelona (1578) no contienen ningún romance morisco, se puede fijar el origen y difusión de esta moda de la que Madrid y Castilla fueron la cuna, entre 1575 y 1585». Vid. las pp. 90-91 de este libro.

46. MENÉNDEZ PIDAL, *El romancero nuevo*, Madrid, 1949, p. 15.

47. MENÉNDEZ PELAYO, *Antología*, XII, p. 256.

48. *Guerras de Granada*, I, pp. 17, 252, 256, 310 y 312.

49. Prescindiendo de los que tienen autor conocido, se podrían citar los del siglo XVI (*Guerras*, p. 308) y los que proceden de Pedro de Moncayo (BLANCHARD, pp. LVII y ss.).

50. En opinión de BLANCHARD-DEMOUGE, los que figuran en las pp. 165, 168, 178, 181, 205. etc.

de Galiana,[51] las desdichas de los Abencerrajes[52] y alguna victoria ruidosa como la toma de Alhama[53] o la batalla de los Alporchones;[54] leyó un poco de historia auténtica, escuchó alguna narración y observó el terreno en su campaña de soldado. Cuando tuvo agrupados hechos tan dispares, dioles unidad bajo el marco poético de la Granada de Boabdil. Creo que sólo así se iluminará el proceso elaborador de las *Guerras Civiles*; cada episodio tiene su «verdad», que puede o no coincidir con la histórica, vinculada a la exigencia narrativa del momento.

Menéndez Pelayo, el primero en tantas cosas, señaló con certeza la originalidad del libro de Pérez de Hita al narrar la conquista de Granada desde el campo musulmán.[55] El romance de la pérdida de Alhama es un buen antecedente para este tipo de narración —como en otro sentido podía serlo el capítulo en que Hernando del Pulgar cuenta la ruina de Málaga—; vemos la ciudad mora, sus gentes, sus lamentaciones, el desasosiego del rey que

Mandó tocar sus trompetas, sus añafiles de plata,
porque lo oyesen los moros, que andaban por el arada.
¡Ay de mi Alhama![56]
Cuatro a cuatro, cinco a cinco, juntado se ha gran compaña.
Allí habló un viejo Alfaquí, la barba vellida y cana:
¿Para qué nos llamas, rey a qué fue vuestra llamada?
—Para que sepáis, amigos, la gran pérdida de Alhama.
¡Ay de mi Alhama!
Bien se te emplea, buen rey, buen rey, bien se te empleara;
mataste los Bencerrajes, que eran la flor de Granada;
cogiste los tornadizos de Córdoba la nombrada.
Por eso mereces, rey, una pena muy doblada,
que te pierdas tú y el reino y que se acabe Granada.
¡Ay de mi Alhama!

51. Cap. VII de las *Guerras*.
52. *Guerras*, cap. XIII.
53. Ib., pp. 252-257.
54. Ib., pp. 13-16.
55. *Antología*, O.C., XXIII, p. 171. Las mismas palabras en los *Orígenes de la novela*, I, Madrid, 1925, p. CCCLXII.
56. El texto continúa el de la *Flor nueva*, comenzado anteriormente, 2, nota 6, p. 142.

Pues bien, este romance sugiere no sólo los reflejos —suaves, remotos— de unos cantos elegiacos, sino que, en su visión de la ciudad antes de la conquista, encierra, implícitamente, unos senderos que van a ser lugar común de toda la literatura morisca durante siglos, y en primer lugar de las *Guerras civiles* de Ginés Pérez de Hita. Calle de Elvira arriba, calle de Elvira abajo, veremos pasar Zegríes y Abencerrajes, Mazas y Gomeles; desde Bibarrambla por el Zacatín, camino de la Alhambra, las calzadas se poblarán de verdes libreas, marlotas de tafetanes y morados capellares. Vestidos moriscos que en su primera aparición van a deslumbrar la España de finales del siglo XVI, pero que en una u otra forma habían tomado ya parte en nuestra literatura.[57] Un estudio de las crónicas castellanas nos informaría de aspectos comunes a los que conocemos para el mundo granadino. El cura de los Palacios nos ha legado alguna descripción que nada tiene que envidiar a las más brillantes de Ginés Pérez de Hita o del *Romancero general*:

> «Venía la Reyna en una mula castaña en una silla andas guarnecidas de plata dorada; traía un paño de carmesí, de pelo, y las falsas riendas y cabezadas de la mula eran rasas, labradas de seda, de letras de oro entretalladas, y las orladuras bordadas de oro; y traía un brial de terciopelo, y debajo unas faldetas de brocado y un capuz de grana; vestido guarnecido morisco, e un sombrero negro guarnecido de brocado al derredor de la capa y ruedo... El rey tenía vestido un jubón de demesín, de pelo, e un quisote de seda rasa amarillo y encima un sayo de brocado, y unas corazas de brocado, vestidas, e una espada morisca ceñida muy rica, e una toca, e un sombrero, y en cuerpo en un caballo castaño muy jaezado...» [58]

El romancero, por su parte, atestigua el paso de versiones narrativas a otras meramente descriptivas, como en la deliciosa

57. PAULA BLANCHARD-DEMOUGE, ed. *Guerras*, pp. LXXI-LXXII, ha señalado antecedentes y consecuentes de estas minuciosas descripciones de trajes moriscos [*Paso honroso, Relación del recibimiento que hizo Burgos a doña Ana de Austria* (1570), *Fiestas de Toledo a Felipe III* (1605)]. Vid. pp. 73-75 de este libro.

58. *Crónica*, ed. cit. p. 623 *a-b*. Otra abigarrada descripción del tocado de la reina se debe a Roger de Machado, caballero, que servía a Enrique VII de Inglaterra (Vid. *Viajes de extranjeros por España y Portugal*, I, pp. 5€ b-57 *a*).

Misa de amor, miniatura del atuendo de una dama, sin cabida para ninguna otra circunstancia.[59]

Cuando la conquista de Granada está ya muy lejos, el *Romancero General* recrea a su placer y modo una ciudad nazarí, irisada por los reflejos de las telas preciosas, de la pedrería deslumbrante y de los metales refulgentes:

En dos yeguas muy ligeras
de blanco color de Cisne,
se pasean en Granada
Tarfe y el rey de Belchite;
con bandas verdes y azules
los gallardos cuerpos ciñen,
cubiertas de naranjado
que el verde no se divise;
marlotas y capellares
moradas y carmesíes
bordadas de plata y oro
y esmeraldas y rubíes;
los almayzares leonados,
color congoxosa y triste,
plumas negras y amarillas,
porque sus penas publiquen...[60]

5. MIRA ZAYDE

El uso de los romances por Ginés Pérez de Hita no se reduce a ornar con ellos los apretados renglones de su prosa, sino que le sirve de fuente y justificación para sus narraciones.[61] Fijémonos en una: en el capítulo VI de la novela, se cuentan los amores del valeroso Zaide con la hermosa Zaida. Toda Granada se hace lenguas del amartelamiento, la familia intenta apartar a la doncella de estos devaneos y la promete en casa-

59. Vid. el precioso estudio de MARÍA ROSA LIDA, *El romance de la misa de amor*. *RFH*, III, 1941, pp. 24-42.
60. *Romancero General*, ed. GONZÁLEZ-PALENCIA, I, p. 98 *b*, núm. 137.
61. Vid. BLANCHARD-DEMOUGE, pp. LXV-LXVI.

miento a un moro rico de Ronda; Zaide para conocer la inclinación de su amada, se dedica a pasearle la calle con pretensiones de hablarle. La incertidumbre llenaba de pena a este valiente Zaide. Abencerraje de linaje, que «unas veces vestía negro sólo; otras veces negro y pardo; otras de morado y blanco, por mostrar su fe; lo pardo y negro por mostrar su trabajo. Otras veces vestía azul, mostrando divisa de rabiosos celos; otras, de verde, por significar esperanza; otras veces de amarillo, por mostrar desconfianza, y el día que se hablaba con su Zaida se ponía de encarnado y blanco, señal de alegría y contento». Aparece el moro Tarfe, desleal a las confidencias de Zaide y sembrador de cizaña entre los amantes. Una vez descubierta la ligereza, Tarfe muere en el acero de Zaide. Todo esto —lo dice Ginés Pérez de Hita— sirvió de argumento a varios romances que por Granada se cantaron.

Lo más notable del caso es que ni Menéndez Pelayo, ni Blanchard-Demouge, que se ocuparon de la novela, se dieran cuenta de que todas estas peripecias son un fragmento, no demasiado edificante, de la vida de Lope de Vega. La historia se contó, a vuelta de otras andanzas, en *La Dorotea*; romances, acción en prosa y documentos de leguleyos han permitido reconstruir unos años de aquella vida turbulenta. Durante casi un lustro, Lope de Vega había mantenido relaciones con la comedianta Elena Osorio, casada, no mujer, del representante Calderón; apareció un pretendiente poderoso, don Francisco Perrenot, y el poeta sin bienes fue desplazado; no sin que antes Elena le hubiera dado pruebas de fidelidad y el futuro Fénix se hubiera avenido a ser copartícipe de las gracias de Filis. La ruptura llenó de despecho al poeta: libelos contra el padre, la madre, la tía, el hermano de la comedianta y contra la Osorio misma. Sátiras en latín macarrónico y romances en jugoso romance. Al fin, detención del poeta, proceso por injurias, reincidencia en la difamación y sentencia condenatoria. Entre tanto, los últimos fuegos de aquel amor en una colección de romances moriscos, «Por la calle de su dama», «Bella Zaide de mis ojos», «Mira Zayde, que te aviso», «Di, Zaida, de qué me avisas», que sirvieron a Pérez de Hita para urdir un capítulo de su novela. ¡Lástima que toda esta historia ocurriera en la calle de Lavapiés, en tiempos de Felipe II, y no en la Granada de Boabdil! Sin embargo, no le faltaba olfato: bien se podían llevar a Granada los frutos, si del árbol que los daba pudieron decir:

> pues que de la secta mora
> las cerimonias enseña
> disfrazadas en romance,
> señal que deciende de ellas.
> ....
> y para mi yo lo creo
> porque su rostro demuestra
> haber nacido en Granada
> y criádose en la sierra.[62]

No contento Pérez de Hita con el fruto que sacaba a los amores de nuestro Lope, intentó algo más: con lenguaje de silogismos, diríamos que le negó la mayor. Lo que nos faltaba: el autor de estos y otros romances no conocía verdad de los amores; ¡y era Lope! Y así, al transcribir el romance de *Sale la estrella de Venus,* dice sin ningún empacho: «El que lo hizo no entendió la historia».[63] Todo esto son pecados menores que se explican desde dentro de la novela. Si en una ocasión se localizan en Almería los romances de Galiana, nuestro Pérez de Hita se cura en salud: «Este romance lo dizen de otra manera, diziendo que Galiana estava en Toledo. Y es falso, porque la Galiana de Toledo fue grandes tiempos antes que los Abenamares viniessen al mundo».[64] La razón del anacronismo o de su indiferencia ante él me parece explicada en algo que he señalado hace bien poco: lo importante es la unidad intencional del poeta y de su estilo. ¿Qué más dan los años de Galiana y su afincamiento? Salgamos del paso: hubo dos Galianas: y, si se nos pone en trance, la de Toledo es la falsa, pero sus romances se incorporan a la narración granadina.

62. *Romancero General,* I, p. 376 *a.* núm. 584. GONZÁLEZ PALENCIA lo da como de Lope (?).
63. Vid. para todo esto la *Tradicionalización del romancero morisco* (pp. 103-122 de este libro).
64. pp. 36-37.

6. Final

Anteriormente he señalado cómo en las trece partes del *Romancero General* (1600-1605) vive una teoría interminable de moros, ropones moriscos y zambras. Contra toda esta tramoya reacciona un tradicionalismo histórico que, en el Romancero Viejo, procura la salvación del espíritu nacional.[65] Con la reacción, desaparece Granada de la literatura romancesca. Y, como en los fuegos artificiales, la pirotecnia acabó en una explosión violenta: los moriscos fueron expulsados.[66] Con la traca final, callaron los cantos granadinos.

Cuando se pierde la voz del nuevo romancero, Granada continúa la guarda cuidadosa de sus secretos para desvelarlos a la luz de una época romántica. Hemos asistido al destino singular de una ciudad en doscientos años de literatura. En torno a ella se formó un mundo caballeresco que hizo interpretar caballerescamente la vida cotidiana: cuando el espíritu bélico cumple su misión, Granada queda como airón ejemplar de una edad heroica; más tarde, contra el pastoreo a la italiana, se alza la voz nacional: valen más los botes de lanza que los pastoriles cayados y menos el pellico que el broquel. Se ha cumplido —son muchos esos casi doscientos años— una larga misión. Después, el descenso, y, para siempre ya, el eco fulgurante de una ciudad que el romancero nos dejó esculpida casi sin palabras:

¡Ay mi ciudad de Granada,
sola en el mundo, sin par!

65. Cf.: *Reacción contra el romancero morisco* en las pp. 122-127 de este volumen.
66. Para todo esto, léase el capítulo *Ruina del género literario*, que dedico en las pp. 127-131.

3. SOBRE TRADICIONALIDAD Y GEOGRAFÍA FOLKLÓRICA

EL ROMANCE DE AMNÓN Y TAMAR

UNA HISTORIA ERUDITA EN LA TRADICIÓN ORAL

Pocos temas como éste para ver la reelaboración de un motivo erudito. Nacido en las fraguas más cultas, ha trascendido a la literatura áurea, se ha aclimatado en la tradición oral y ha sido reacuñado por el más famoso de nuestros poetas modernos. Transmisión afortunada de una historia turbulenta que, entre vaharadas de negra pasión, se va haciendo sangre y carne de nuestras andaduras literarias. Voy a detenerme en tres momentos: desde ellos veremos luces distintas, cambiantes a cada giro, como si los rayos incidieran sobre las aristas de un prisma.

A. LA TRADICIÓN PENINSULAR

1. LA FUENTE

En el libro segundo de *Samuel* (XIII, 1-34) se recoge la violenta historia de los hijos de David. He aquí la narración que ofrece un venerable testimonio, la *Biblia* del Rabí Mosé Arragel de Guadalfajara:[1]

vv. 1-2. Abssalon, fiio de David, auia vna hermana, a la qual por nonbre Thamar llamauan, e bien queriala Amon, fiio de Da-

1. *Biblia (Antiguo Testamento), traducida del hebreo al castellano por Rabí Mosé Arragel de Guadalfajara (1422-1433?)*, publicada por el duque de Berwick y de Alba. Tomo I, 1920; II, 1922. Ed. de A. PAZ Y MÉLIA.

vid, e amauala; e en tribulaçion Amnon fue fasta doliente por amor de Thamar, su hermana.

v. 6. e echose Amnon, e doliente se fizo, e como el rey lo vino veer.

vv. 6-8. dixo Amnon al rey: ¡o, señor! sy viniese Thamar, mi hermana, e fagame a mi oio dos escalphaduras, e comere de su mano.

Enbio el rey a Thamar a su casa a le dezir: ve a casa de Amnon, tu hermano, e guisale de comer.

E fue Thamar a casa de Amnon, su hermano, e fallolo echado, e tomo la massa, e enmassso e fizo las escalphaduras.

v. 9. ...E tomo la caçuela e vaziola antel, e non quiso comer; e dixo Amnon: salgan de aqui quantos aqui estan, e salleron todos de ally.

vv. 11-14. ...trauo della e dixole: hermana, ven e duerme comigo.

E ella dixole: ¡o mi hermano! non me afligias, que bien sabes que en Israhel lo tal non se costunbra fazer en Israhel, e non fagas esta vileza.

¿E yo donde auia de llevar la mi verguença e desonrra?

E non la quiso escuchar lo que dizia, e asio della e afligiola e durmio con ella.

v. 19. ...E tomo Thamar çeniza sobre su cabeça, e la tunica de seda que sobre sy tenia rompiola, e puso sus manos en su cabeza e fuese alaridos dando.

v. 20. ...Dixole Absalon, su hermano: non enbargante que Amnon, tu hermano, contigo algo ouo, tu calla, que tu hermano es; non pongas a tu coraçon aqueste fecho...

vv. 22-34. ...E non fablo Absolom con Amnon en este fecho bueno nin malo, nin menos en otro, por quanto afligio a Thamar, su hermana... Dixo Absolom, e mando a sus donzeles diziendo: tened agora bien mientes como vierdes que el coraçon de Amnon gozoso e alegre esta con el vino, e vos yo dixere yo: matad a Amnon, matadlo, e temor non ayades, que yo vos lo mando...

...non digas, señor, tal razon, nin entiendas que todos los infantes fiios del rey son muertos, que syn dubda Amnon sola mente es el que murió, que por boca de Absolon asy propuesto estaua desde el dia que afligio a Tamar, su hermana.[2]

2. Ib., pp. 710 *a* - 711 *b*.

He escogido este texto, entre tantas versiones españolas como hubiera podido, por su antigüedad (el prólogo está fechado en Maqueda, el catorce de abril de 1422), muy en consonancia con la tradición romancesca que luego estudiaré; por la jugosidad de su lengua, barbecho blanco en nuestra filología; por el *Prólogo* que a su versión puso Rabí Mosé, ya que en estas páginas, como él nos dice del pueblo elegido, cuatro veces vamos a escuchar la misma historia, «de tal guisa que... al acabar nuestro trabajo, hayamos oydo la leyçion texto e glosa quatro vezes».[3]

2. Una antigua versión

En el Homenaje a Alfonso Reyes,[4] Paciencia Ontañón publicó la única versión antigua que conozco de este romance. Por más que tiene aire muy popular *(la qual se dize, dio parte a vn amigo)*, carece de cualquiera de las precisiones del texto religioso después de cumplido el incesto y de todos los elementos que la tradición oral ha ido incrustando en el relato (conversación de David y Amnón o de la madre y el hijo, precisión del manjar que come el enfermo fingido, conversación de los dos hermanos, modo de cumplirse la violación, etc.). No puede considerarse esta versión, copiada entre 1560 y 1568, como antecedente de los relatos tradicionales porque tiene rima *-á...o* y no *-á...a*. Cierto que en algunas versiones del mapa 15 (tipo I) se encuentra la rima *-á...o*, a partir de la visita que Tamar hace a su hermano fingidamente enfermo, pero ninguna interpolación parece que tenga nada que ver con el viejo romance, pues son motivos de carácter completamente heterogéneo. Tampoco me parece que se pueda relacionar «vn manjar que en su presencia / fuese por Tamar guisado» (texto del siglo xvi) con el *guisado* de Lober (punto 47) o el *guiso* de Almogía (157): son coincidencias puramente fortuitas y ocasionadas por la petición de Amnón de que Tamar, sólo ella, le prepare la comida.

3. Ib., p. 13.
4. Paciencia Ontañón de Lope, *Veintisiete romances del siglo XVI* (*NRFH*, XV, 1961, pp. 180-192). El que nos interesa lleva el número 16 y se imprime a doble columna en la p. 187.

Así, pues, el último romance antiguo de nuestro tema, aparece desligado de la actual tradición oral, que ha de proceder de un texto distinto del que hoy custodia la Hispanic Society.[5] Nos encontramos, pues, con un caso más que añadir a los ya conocidos en que un texto viejo denuncia pluralidad de versiones en época antigua. No hace mucho Giuseppe Di Stefano lo probó a propósito del romance *Helo, helo*: a comienzos del siglo XVI, circularon versiones distintas del romance del Cid y Búcar.[6] Si nos atenemos a la tradición actual y al texto publicado por Paciencia Ontañón tendremos que reafirmarlo.[7]

3. Versiones tradicionales

Mucho se ha hablado de los escasos motivos de origen bíblico que hay en nuestro romancero:[8] como única excepción de cuenta, se aduce la adversa fortuna de Amnón y Tamar. Ciertamente es poco una golondrina para hacer verano, pero raya tantas veces el azul del cielo que bien vale por muchas.

Los materiales tradicionales que voy a elaborar proceden de diversas fuentes de información: unos han sido impresos, y consigno dónde; otros, los recogí directamente, y —los más— me fueron facilitados por don Ramón Menéndez Pidal. En 1959, cuando yo estaba trabajando con los datos que poseía, don Ramón me ofreció cuantos materiales tenía allegados; entonces redacté la mayor parte de los comentarios que siguen, con ánimo de ofrecérselos al maestro. Con él pude comentar la totalidad de estos mapas en una de las asiduas visitas que le hacíamos Antonio Badía, Luis Cintra y yo. Conste mi deuda y mi ininte-

5. Conozco algún poema antiguo dedicado a nuestro tema, pero que nada tiene que ver con nuestro interés de ahora.

6. *Sincronia e diacronia nel Romanzero*, Pisa, 1967, p. 119.

7. El romance que Durán incluyó en el *Romancero General*, I (BAAEE, X, p. 299 b) es culto y nada tiene que ver con la tradición. Los comentarios del editor no se pueden tener en cuenta.

8. M. Menéndez Pelayo, *Antología de líricos castellanos*, O.C., t. XXV de la Edición Nacional, p. 304, nota; R. Menéndez Pidal, *Catálogo del romancero judío-español*, apud *El romancero. Teorías e investigaciones*, Madrid, s. a. [1927], pp. 123-124; P. Bénichou, *Romancero judeo-español de Marruecos*, en la *RFH*, VI, 1944, p. 354.

rrumpida devoción. Las versiones que proceden de la colección de Menéndez Pidal van marcadas con un asterisco pospuesto.*

En la lista que sigue enumero las localidades según van a ser citadas a lo largo del trabajo:

GALICIA [9]

LUGO

1. Foz *
2. Castañosín (Fonsagrada) *
3. Idem.*
4. Vilalle de Castroverde *
5. Baralla *

ORENSE

6. Orense
7. Palleirós (Puebla de Trives) *
8. Espiño (La Vega) *

ASTURIAS

9. Cabanín (Luarca) *
10. Pola de Somiedo *
11. Quirós *
12. Idem.*
13. Trubia *
14. Corredoira *
15. Oviedo
16. Idem.
17. Mieres del Camino (Oviedo)
18. Meres (Siero) *
19. Tolibia (Casielles) *

LEÓN

20. Vega de los Viejos (Murias) *
21. Rodiezmo *
22. Láncara *
23. Huergas de Gordón *
24. Llombera (Gordón) *
25. Peredilla (Gordón) *
26. La Robla *
27. La Seca de Alba (Cuadros)*
28. León *
29. Nocedo de Gordón *
30. Boñar (La Vecilla) *
31. Casares (La Vecilla) *
32. Pío (Sajambre) *
33. Ribota (Sajambre) *
34. Oseja *

PALENCIA

35. Astudillo [10]
36. Palencia *
37. Idem.*
38. Idem.*
39. Idem.[11]
40. Villamartín de Campos *

ZAMORA

41. Puebla de Sanabria *
42. Hermisende *
43. Figueruela de Arriba *
44. Nuez *
45. Flores *
46. Trabazos *

9. Sin otra precisión se publicó un romance sobre nuestro tema, y al que aludo alguna vez (cfr. A. COTARELO, *Un romance galego,* apud *Nós,* VI, núm. 21, 1925, pp. 2 y ss.

10. Procede de NARCISO ALONSO CORTÉS, *Romances populares de Castilla,* Valladolid, 1906, p. 111.

11. Idem, p. 109.

47. Lober *
48. Ferreros de Arriba *
49. Riofrío de Tábara *
50. Ferreruela de Tábara *
51. Losacio de Alba *
52. Videmala (Alcañices) *
53. Zamora *
54. Fresno de Sayago *
55. Corrales del Vino
56. Villalpando *

VALLADOLID

57. Bamba *
58. Valladolid *
59. Santovemia de Pisuerga *
60. Tudela del Duero *
61. Castrillo de Duero *

SALAMANCA

62. Aldeadávila *
63. Villarino de los Aires *
64. Corporario *
65. Ciudad Rodrigo *
66. El Payo *
67. Béjar *
68. Cespedosa de Tormes *
69. Peñaranda de Bracamonte
70. Macotera (Peñaranda)

CÁCERES

71. Santiago del Carbajo
72. Aliseda *
73. Alcuéscar
74. Idem.[12]
75. Madroñera *

BADAJOZ

76. Almendral [13]
77. Fuente del Maestre
78. Llerena *
79. Herrera del Duque [14]

SANTANDER

80. Roiz (Valdáguila) [15]
81. Aradillos (Campóo de Enmedio)
82. Los Corrales de Buelna
83. Torrelavega *
84. Santander [16]
85. Lloreda
86. Gajano (Marina de Cudeyo) *

BURGOS

87. Villamedinilla [17]
88. Burgos *
89. Idem.*
90. Santa Inés de los Montes Politanos (Lerma) *
91. Roa *
92. Belorado de Duero *

12. Recogido por BONIFACIO GIL GARCÍA, *Cancionero popular de Extremadura*, I. Valls, 1931, pp. 59-60.
13. *Op. cit.* en la nota anterior, p. 8.
14. Ibidem, II. Badajoz, 1956, pp. 16-17.
15. Los textos 80, 81, 82 y 85 proceden de la obra de JOSÉ MARÍA DE COSSÍO y TOMÁS MAZA, *Romancero Popular de la Montaña*, I, Santander, 1933, pp. 27-28.
16. Unos versos de nuestro romance aparecen en el *Chiriví*, publicado por S. CÓRDOVA, *Cancionero popular de la provincia de Santander*, I, p. 42, núm. 26. En el t. IV, p. 356, núm. 271, hay un fragmento procedente de Polientes.
17. De la obra de ALONSO CORTÉS, ya citada, p. 110.

LOGROÑO

93. Haro

SORIA

94. San Esteban de Gormaz *

SEGOVIA

95. Nava de la Asunción *
96. Carbonero el Mayor *
97. Valverde del Majano *
98. Madrona *
99. Cantalejo *

ÁVILA

100. Peguerinos *
101. Fresnedilla *
102. Aliseda de Tormes *

MADRID

103. Somosierra [18]
104. Fresnedilla de la Oliva
105. Madrid *
106. Alcorcón

GUADALAJARA

107. Sigüenza *

TOLEDO

108. Real de San Vicente *
109. Navahermosa *
110. Mora *
111. Yébenes *

CUENCA

112. Villaconejos *

CIUDAD REAL

113. Navas de Estena *
114. Piedrabuena *
115. Alcázar de San Juan *
116. Almagro *
117. Idem.*
118. Manzanares *
119. Valdepeñas *
120. Idem.*
121. Infantes *
122. Villanueva de la Fuente *

NAVARRA

123. Yesa *

ZARAGOZA

124. Zaragoza
125. Uncastillo [19]
126. Inogés [20]

LÉRIDA

127. Benés *
128. Vilanova de Meyá *

BARCELONA

129. Polinyá *

ALICANTE

130. Elche *

18. Este romance se recoge en el *Cancionero popular de la provincia de Madrid*, de M. GARCÍA MATOS, ed. crítica de M. SCHNEIDER y J. ROMEU FIGUERAS (t. I. Barcelona-Madrid, 1951, p. 46). Los textos de Alcorcón y Fresnedilla de Oliva aparecen anotando al de Somosierra.
19. Dado a conocer por Pedro Marín, *Contribución al romancero español. (2. Versiones aragonesas)*, en *AFA*, V, 1953, pp. 136-137.
20. Ibidem, *AFA*, III, 1950, pp. 270-271.

ALBACETE

131. Villarrobledo *
132. La Roda *
133. Idem.*
134. Munera *
135. El Bonillo *
136. Alcaraz *

MURCIA

137. Jumilla

HUELVA

138. Aroche *
139. Moguer *
140. Palma del Condado *
141. Almadén de la Plata *

SEVILLA

142. Sevilla *
143. Idem.*
144. Idem.*
145. Lora del Río *
146. Montellano *
147. Osuna [21]

CÁDIZ

148. Algeciras *
149. La Línea

CÓRDOBA

150. Córdoba *
151. Idem.*
152. Cabra *

MÁLAGA

153. Algarrobo
154. Idem.
155. Teba
156. Málaga
157. Venta de las Palomas (Almogía)
158. Yunquera

JAÉN

159. Linares *

GRANADA

160. Granada
161. Idem.
162. Idem.
163. Güéjar Sierra [22]
164. Albuñuelas
165. Albuñol
166. Cúllar-Baza
167. Huéscar
168. Galera

ALMERÍA

169. Tabernas *
170. Alhama de Almería
171. Almería *
172. Idem.

CANARIAS

173. Las Palmas de Gran Canaria

PORTUGAL

174. Lousa (Tras-os-Montes) [23]

21. Publicado por FRANCISCO RODRÍGUEZ MARÍN, *Taquino* [sic] *y Altamare*, en el *Boletín Folk. Español*, I, núm. 7, pp. 52 *a* - 53 *a*.
22. Publicado por JUAN MARTÍNEZ RUIZ, *Romancero de Güéjar Sierra (Granada)*, en la *RDTP*, XII, 1956, pp. 364-365.
23. Publicado por J. A. TAVARES, *Romanceiro trasmontano (da tradição popular)*, en la «Revista Lusitana», VIII, 1903-1905, p. 72. Vid. *Adición*, p. 219.

El análisis de todas estas versiones lo haré estudiando aisladamente cada uno de los motivos que las integran. Los mapas que he podido elaborar servirán en todo momento de apoyo a mis comentarios.

4. VERSIONES CON INTRODUCCIÓN

Una serie de los textos recogidos presentan un preámbulo, surgido del mismo texto sagrado, que falta en la mayoría de las versiones. Sirvan como punto de referencia los versos de una variante de Zaragoza:

Por los pasillos del rey   iba la linda Altamara,
derechita como un pino,[24]   relumbra como una espada.

Se trata de los versículos 8-9 del libro II de Samuel, capítulo XIII, cuya versión transcrita por Mosé Arragel es: «E fue Thamar a casa de Amnón, su hermano, e fallolo echado, e tomo la massa, e amasso e fizo las escalphaduras».

La distribución de las variantes con preámbulo muestran una gran concordancia. Las diferencias son ocasionales (ni una sola se repite dos veces), y afectan a los elementos de la comparación, acercándolos a una esfera más trivial: el *pino* es sustituido por un *junco* o por un *huso*,[25] y en un solo caso (59) faltan las comparaciones, pero se conservan los otros dos versos más anodinos.

A la vista de la geografía de las variantes, hay que considerar este rasgo como innovación central (asturiano-castellana) con irradiaciones hacia Aragón y la Mancha.

La introducción señalada en el mapa n.º 2 termina en ocasiones con unos versos alusivos a los pretendientes de Tamar. En el gráfico 3, recojo el motivo. Cotejando los dos mapas vemos

24. *Alto como un pino* en el folklore se estudia por J. PÉREZ VIDAL, *Poesía tradicional canaria*, Las Palmas, 1968, pp. 151-152.

25. Cfr. *ser más derecho que un huso* «fr. fig. y fam. con que se pondera que una persona o cosa es muy derecha o recta» (*DRAE*, s. v. *huso*). En las *mayas* no encuentro este tipo de comparaciones, cfr. *Cantos de boda judeo-españoles*, Madrid, 1970, pp. 151-164.

que —aun coincidiendo en líneas generales— el segundo tiene menor difusión que el anterior.

Observamos, también, que hay algunas alteraciones dentro de los dos versos (sin coincidencia con las que documento en el mapa 2) y que las innovaciones tienen geografía muy limitada.

Desde un punto de vista lógico, «el rey de Granada» es más verosímil que «el marqués...», pero su escasez numérica y discontinuidad geográfica me hace dar preferencia a la última de las variantes. (No se me oculta que la aparición de *marqués* o *rey* en el segundo hemistiquio depende del rango jerárquico enunciado en el primero.)

5. Comienzo bíblico. El nombre de Tamar

La narración sagrada («Abssalon, fiio de David, auia vna hermana, a la qual por nombre Thamar llamauan, e bien queriala Amon, fiio de David, e amauala», vv. 1-2) de forma bastante próxima se perpetúa en buena parte de la tradición.

Un rey moro tenía un hijo   que Tranquilo se llamaba,
se enamoró de Tamare   siendo su querida hermana.

(Linares, 159) (I)

En el mapa n.º 4, consigno la difusión de este fragmento.[26] Coincidiendo con los versos anteriores, hay una larga teoría de variantes. Creo que todas ellas están condicionadas por el nombre que se da a la protagonista. En efecto, *Altamar* es forma muy difundida y con ella se relaciona *Altamara* (numéricamente la más abundante) e, insistiendo en la etimología popular, *Altos mares* (en el grupo de variantes que considero ahora) y *Alta(s)mares*. De esta pretendida analogía marinera surgen versiones en las que el nombre propio se convierte en apelativo común:

Un moro tenía un hijo   que Tarquino se llamaba
y un día por altas mares   se enamoró de su hermana

(I *a*)

26. Las formas de los nombres propios se estudian en los §§ 6 y 7.

Claro que en este punto es muy fácil —ya— dar contenido lógico a esos dos versos últimos:

navegando por altas mares se enamoró de su hermana
(I *b*)

Las variantes que señalo con *a* y *b* no parecen tener —entre mis materiales al menos— una gran difusión; sin embargo, presentan cierta densidad en la región manchega.

La consideración de los rasgos precedentes nos lleva a comprender una familia de —al parecer— disparatadas versiones. En efecto, en la Mancha y en el Sudeste peninsular están muy difundidos los siguientes versos:

El rey moro tenía un hijo que Pepito se llamaba,
y al bajar del automóvil se enamoró de su hermana
(I c) [27]

En todo este grupo sud-oriental no ha habido más que una sustitución «trabajando en alta(s) mar(es)» por «al bajar del automóvil» (o cosa parecida). La geografía del hecho parece indicar que el neologismo procede de la Mancha y desde allí ha irradiado. De ser exacta mi hipótesis, se explicaría muy bien el trueque: *alta mare* (sin *-s* final) dice muy poco en estas tierras del interior; entonces, la relativa proximidad fonética (palabras del mismo número de sílabas, alguna vocal coincidente, dos consonantes idénticas) hizo asociar el término «no marcado» a otro de significación concreta. Nació entonces una familia rapsódica que, aislada, nos llenaba de extrañeza. Al cabo de cientos y cientos de años, vemos cómo se ha cumplido la sustitución de un elemento extraño *(barco)* por otro habitual *(automóvil)*, más o menos lo que Homero contó en otros dominios y, por supuesto,

27. En Mallorca (Pòrtol) se ha recogido una versión castellana, que no tengo en cuenta, pues ha de ser de importación recentísima (apenas si en el texto hay algún catalanismo esporádico). Pienso que procede de una superposición de variantes manchegas, pues el enamoramiento se cumple en *automóvil*, y otras extremeñas, §§ 12, V; 18, 4 (J. Massot, *El romancero tradicional español en Mallorca*, en *RDTP*, XVII, 1961, p. 163).

con otras palabras: Tiresias ordena a Ulises que haga sacrificios a Neptuno en un lugar lejano del mar; para ello le dice

> toma un remo bien formado y sigue adelante hasta que llegues donde haya hombres que nada saben del mar y que ninguna comida sazonan con sal y que, ciertamente, nada saben de barcos. Te lo voy a decir con claridad y así no te equivocarás: cuando al encontrarte con otro caminante te diga que llevas sobre tu ancha espalda una pala de aventar trigo, es que habrás llegado a tu destino (*Odisea*, XI, 122-129).

En otras ocasiones, el comienzo del enamoramiento es una comida o cena (III); en otras, un paseo (III *a*).

Volviendo al núcleo primitivo, del que nos han separado el nombre de Tamar y las derivaciones de él surgidas, he de señalar un grupo bastante compacto de variantes, en las que Amnón queda convertido en príncipe de España (I *c*).[28]

Un grupo muy numeroso de versiones es el que sustituye ese tercer verso —inestable siempre, según he señalado— por otro de corte muy popular: «a la edad de quince años». Ahora bien sobre esta nueva versión (IV)

> El rey moro tenía un hijo que Tranquilo se llamaba;
> a la edad de quince años, se enamoró de su hermana.
> (Haro 93)[29]

debió incidir el romance archipopular de *La infanticida*,[30] prestándole —posiblemente— un verso que hizo que la cuarteta tuviera esta forma (IV *a*):

> El rey moro tenía un hijo más hermoso que la plata;
> a la edad de quince años se enamoró de su hermana
> (Peñaranda 69).[31]

28. «Un gran rey tenía un hijo — que era príncipe de España; / se enamoró de Altamar, etc.» La difusión de la variante queda limitada a Castilla la Vieja, sin llegar al Duero.
29. Con éstas va agrupada una variante ocasional (IV *b*).
30. Núm. 84 del *Catálogo* de Menéndez Pidal.
31. La variante de Corrales (punto 55) es muy próxima a ésta: la belleza se compara a la Alhambra y la edad es de trece años.

En estrecha relación con el texto bíblico (y con la variante que señalo con I) están también las versiones que agrupo en el apartado I *d* (del mismo mapa 4), mezcla de I y aditamentos probablemente salidos del IV:

El rey tenía dos hijos que los quería en el alma;
uno se llama Altomor, otro la linda Altamara
El pícaro de Altomor se enamoró de su hermana
(Oviedo 15).

Son versiones poco difundidas geográfica (Asturias, Sanabria, irradiación a Ciudad Rodrigo) y numéricamente.

6. EL EPÍTETO DE TAMAR O DE OTROS PERSONAJES DE LA INTRODUCCIÓN

La traducción de Arragel de Guadalajara falta de un epíteto que el texto sagrado confiere a Tamar: *muy bella*. Sin embargo, aparece, como era de esperar, en las modernas traducciones: «Sucedió que teniendo Absalón una hermana que era muy bella...» (Nácar-Colunga, II *Samuel*, XIII, 1.) De acuerdo con la *Biblia*, aunque no sé si directamente, hay una serie de versiones (mapa 5) de las que elijo como más explícitas las de Casares (31) y Rodiezmo (21), ambos en la provincia de León:

Un rey tenía una hija que se llamaba Tamara,
era blanca como leche y encarnada como grana,
hasta un hermano que tiene de ella se enamoraba [32]

Es casi exclusivamente sanabresa la variante que señalo con el número 3, ya que fuera de Zamora la encuentro una sola vez

32. En la tradición oral de las *mayas* que describen la belleza de una muchacha faltan comparaciones como éstas (en una de Burgos se dice que las mejillas son *azucenas* y *rosas*), triviales en la poesía culta o inspirada en ella. Tal origen habrá que reconocer a los versos transcritos.

en El Payo 66 (Salamanca) y otra en la gallega, sin localizar, de Cotarelo. La variante dice:

Tres hijos tenía el rey todos tres como una grana,
el más chiquitito de ellos se enamoró de su hermana.

Muy próxima a ésta es la versión de Nuez 44 (Zamora), que si no va emparejada con ella es por haber sido contaminada por la número 2.[33] También parece relacionada con ella el texto recogido en Orense 6.[34]

Los tres hijos del grupo 3 son sustituidos —Machado diría: «como en los cuentos»— por tres hijas.[35] Del trueque salen un pequeño conjunto de versiones muy escasas y dispersas (apartado 4 del mapa) lo que me induce a pensar que sean subsidiarias de las incluidas en ese número 3.

Quedan, por último, algunas versiones aisladas y originales (la de Videmala 52, la de Montellano 146 y Sevilla 143, estas dos vinculadas mutuamente) o muy abreviadas (la de Castañosín 2). Causas, éstas, que impiden su ordenación dentro del conjunto.

Una ojeada sobre el mapa n.º 5 nos hace ver la gran difusión de la introducción del tipo 1 (mapa 4) y cómo León (tipo 2) y Sanabria (tipo 3) manifiestan un claro sentido de independencia, frente a la generalización de una familia de variantes. Hecho nada extraño si tenemos en cuenta el arcaísmo característico de estas regiones.

Ahora bien, si consideramos todos los esquemas que originariamente se reducían al tipo 1 (mapa 3), observaremos varios hechos:

1.º En Andalucía exclusivamente (salvo las referencias a los puntos 143 y 146), subsiste la forma más antigua de la versión.

2.º Dentro de esta gran área, Castilla la Vieja presenta cierta personalidad (variantes I c).

33. «Tres hijos tenía el rey, todos tres como una plata,
el más pequeño de ellos Pedrofino se llamaba.
Pedrofino fue traidor, se enamoró de su hermana...»

34. «Cuatro hijos tenía el rey y una hija muy lozana.»

35. En otros romances, *la niña* también se convierte en *tres hermanas*, cfr. J. Pérez Vidal, *Santa Irene*, apud, *Poesía trad. can.*, ya citada, pp. 94-95.

3.º El Centro-Occidente español coincide en un mismo tratamiento (variantes del tipo IV).

4.º La Mancha produce la innovación más reciente (tipo II).

5.º Considero innovaciones las variantes III y III *a*, por apartarse del texto bíblico. Su geografía no ayuda a mayores concreciones (se trata de puntos bastante alejados unos de otros).

7. Los nombres de Amnón

Las formas de ascendencia bíblica están en notoria inferioridad numérica frente a las innovaciones que luego estudiaremos. En efecto, *Amor* aparece una sola vez (Polinyá 129), otra *Anor* (Vilanova de Meyá 128) y, fuera de Cataluña, parecen mantener resonancias fonéticas del nombre antiguo, contaminado ahora con el de *Tamar* o *Altamar*: *Timón* (Láncara 22), *Altamón* (Vega de los Viejos 20), *Altomoro* (Trubia 13), *Altomor* (Oviedo 15) y *Ramón* (Puebla de Sanabria 41). Por tanto, habrá que pensar en una supervivencia del arcaísmo en dos regiones muy conservadoras: Cataluña y Asturias-León.

El nombre del protagonista ha sido sustituido por otro, tomado de una nueva historia de violaciones: la de Tarquino y Lucrecia. Como es sabido, este romance de motivo romano goza de ancha difusión entre los judíos (Salónica, Orán, Marruecos)[36] y acaso sea conocido en la Península,[37] puesto que el nombre de Amnón está sustituido por el del violador de la esposa de Colatino.[38]

Indudablemente, la forma más antigua del nombre es la de *Tarquino*. Llama la atención que la fidelidad se haya conservado únicamente en Andalucía (y en un punto, Aliseda 72, de Extremadura); lo normal es que, por etimología popular, *Tranquilo*

36. Menéndez Pidal, *Catálogo*, núm. 45.

37. Recuérdese el que empieza: *Aquel rey de los romanos*, publicado en el *Cancionero de romances* sin año, y que tiene el núm. 519 en la compilación de Durán; f. 212 en la reimpresión de Menéndez Pidal, Madrid, 1945.

38. Sobre Tarquino y Lucrecia en el romancero oral, vid. P. Bénichou, *Romances judeo-españoles de Marruecos* (*RFH*, VI, 1944, p. 352) y ahora en su libro *Romancero judeo-español de Marruecos*, Madrid, 1968, pp. 95-98.

se haya impuesto —de una u otra forma— por todo el país. Las muchas versiones con el neologismo *Tranquilo* se extienden desde los Pirineos a Canarias,[39] pero la gran mancha deja de ser homogénea: en relación con *Tarquino* está *Paquino* (114, 145, 164) —iguales las vocales, la terminación y una consonante— que se asoció inmediatamente al familiar *Paquito*. En trance ya, actúan las analogías más absurdas: *Pepito* (71, 112, 115), *Luisito* (160), *Periquito* (137) y, sin el asidero del sufijo, se llega a los hallazgos que menos se esperan: *Audente* (113), *Camilo* (140), *don Juan* (99), *don Carlos* (73), *Avelino* (152)... todos sin demasiada fortuna. Únicamente vemos repetido *don Alonso* en tierras de León o aledañas.[40] Este *don Alonso*[41] —como el *don Flores* de Aradillos 81— son los únicos nombres con resonancia en la poesía tradicional.

Según todo esto, el nombre de Amnón permite deducir algunos resultados:

1.º Cataluña y Asturias presentan el máximo arcaísmo.

2.º Andalucía es la única región donde *Tarquino* se encuentra sin contaminaciones. Acaso podamos pensar que el neologismo salió del mediodía de España y desde allí irradió hacia el norte y Canarias.

3.º León presenta una innovación basada en un nombre de carácter arcaizante.

4.º La Mancha, como otras veces, da formas nuevas, con un claro sentido neologista.

8. Los nombres de Tamar

Su variedad es menor que la de los de Amnón. La forma *Tamar* (mapa 7), originaria, es rarísima. Sin embargo, *Alta-*

39. Hago caso omiso de numerosas variantes del nombre documentadas una sola vez. Los mismos trueques se dan en otros romances, cfr. Daniel Devoto, *El mal cazador* (*Studia Philologica. Homenaje ofrecido a Dámaso Alonso*, t. I. Madrid, 1960, p. 482).

40. Sólo hay un punto al Sur del Duero: Nava de la Asunción 95 (Segovia).

41. Con él habrá que relacionar el *Miguel Alonso* de Los Corrales de Buelna 82.

mar [42] abunda mucho más y con una geografía bastante precisa: Castilla la Vieja. Más tardía —terminación analógica con los nombres femeninos— ha de ser la forma *Altamara* circunscrita a una amplia —y densa— región castellano-leonesa. Desde aquí parece haber irradiado hacia el valle del Ebro y, luego, a Cataluña.

La etimología popular —a la que me he referido comentando el mapa n.º 4— ha hecho cambiar *Altamar* por *Alta(s)- / Altos Mares, Ultramarina* ha podido salir directamente de *Altamara* (hay en 82 y 107 *Ultramara*) o de una forma *Altamarina* (< * *alta* + *Marina,* nombre de mujer). Sin embargo, no coinciden *Altos mares,* etc., nombre común con el homófono propio.

Formas disparatadas, como las que he señalado a propósito de Amnón, no se documentan (sólo una *Eugenia* en Alcázar de San Juan 115, provincia de Ciudad Real).[43]

9. Amnón se finge enfermo

El texto bíblico, fuente del romance, dice: «e en tribulaçión Amnon fue fasta doliente por amor de Thamar, su hermana... e echose Amnon, e doliente se fizo» (vv. 2 y 6).[44]

En el mapa n.º 8, figuran las versiones más próximas a esta narración. Son las que tienen los versos

> **desque gozarla no pudo se fingió malito en cama**
> **(20, 22, 33, 65)**
>
> **por gozar de su hermosura se hizo el malo en la cama**
> **(9, 29, 44)**

o la sustitución de *fingió* por *afligió*:

> **por gozar de su hermosura se afligió enfermo en la cama**
> **(10, 13, 14).**

42. Vid. mi *Amnón y Tamar en el romancero marroquí* (*VRo,* XVI, 1957, p. 257) y ahora en las pp. 221 y ss. de este libro.
43. El *Bizarra* de Alcuéscar 73, es el adjetivo —no infrecuente en el romance— sustantivado.
44. La tradición suprime los versículos intermedios, que narran la intervención y consejo de Jonadab. El texto transcrito según he hecho, tiene sentido cabal. Lo mismo ocurre con la reelaboración romancesca.

Dentro de estos versos, y antes de pasar a otras cuestiones, quisiera señalar el área del hemistiquio: «por gozar de su hermosura» (mapa 9), que parece irradiado, eruptivamente, desde Asturias.

En los versos que han dado lugar al mapa 7, la sustitución del intencional *fingirse/hacerse,* por el casual *caer,* determina la creación de un tipo muy difundido: *cayó malito en la cama.*[45]

También pueden estar directamente inspiradas en el texto bíblico las variantes que hablan de la dolencia amorosa de Amnón. Por ejemplo:

> tanto le venció el amor que cayó enfermo en la cama
> [II en el mapa 10].

Con éstas, deben vincularse otras variantes tales como

> su hermano la pretendió, de ella no consiguió nada;
> de celos que le tenía cayó malito en la cama.
> (46, 51, 69) [II *a* en el mapa 10]

> de amores que le tenía cayó malito en la cama
> (27) [id.]

Por último, con ellas también se relacionan aquellas versiones en las que el nuevo deseo hace enfermar a Amnón:

> y para gozar de ella cayó malito en la cama.
> [II *b* del mapa 10].

En el mapa 10, señalo la presencia del verso con el hemistiquio «viendo que no podía ser». Variante, sin duda, la de mayor difusión. Ahora, bien, uno u otro tipo de introducción hará o no necesarios unos versos justificativos. Esto es, cuando el comien-

45. La variante de Somosierra (103) pertenece a este grupo, por más que presente una abreviación del motivo.

zo del romance proceda de los versículos bíblicos con que encabezo este apartado, un verso dará entrada a los que ahora tengo en cuenta (de este modo: «Y un hermanito que tiene — ha tratado de gozarla; / Y viendo que no podía ser, — cayó malito en la cama») [I del mapa 10]; si, por el contrario, el comienzo es del tipo que señalo en el mapa 2 se narrará directamente («viendo que no podía ser — cayó malito en la cama») [I *a* del mapa 10].

Como puede verse en la página 335, algunas variantes de los versos cartografiados en el mapa 8, participan de este tipo [I *b*, del mapa 10].

El tipo I *a* se continúa, en ocasiones, con especificación de la dolencia padecida. Una variante domina; es la que sigue [III en el mapa 10]:

con dolores de cabeza   y una calenturita mala

Otras veces, el dolor es de *corazón* (46, 69) o de cualquier dolencia (en tales casos la geografía es muy limitada) [III *a* en el mapa 10].

Algunas versiones exigen determinación cronológica de los hechos, habitualmente porque explica ulteriores circunstancias. Son numéricamente escasas: «sábado por la mañana — cayó malito en la cama» (164), «y el domingo por la mañana...» (112), «el domingo por la tarde...» (100) [IV del mapa 10]. A veces es una cronología totalmente vaga: «Un día...» (8), «Al otro día siguiente...» (4, 12, 19, 32, 150) [tipo IV *a* del mapa 10].

Por último, hay variantes ocasionales, documentadas una sola vez [«Porque a sua hirman ven bañare — en ela se enamorara» (6), «el hermano pa enamorarla — se quedó un día en la cama» (30)] o que respondan a distintos planteamientos de la cuestión [«esta tal tiene un hermano — que está...» (35), «el hijo se pone enfermo — el hijo se pone en cama» (126), «estaba el hijo del rey — estaba malo...» (64)].

Geográficamente hay que señalar:

1.º El mapa 8 muestra una de las probables regiones arcaizantes del motivo (Asturias y León; irradiaciones eruptivas a Zamora y Salamanca).

2.º El motivo representado en el mapa 9 tiene una difusión aproximada a la del precedente, aunque su irradiación esporádica es mayor.

3.º De acuerdo con el mapa 10, las versiones I del mapa 9 se localizan en las dos Castillas y León, mientras que las I *a* ocupan la mitad sur de España.

4.º Otra probable zona de arcaísmo es la señalada con II en el mismo mapa 9 (podríamos llamarla del noroeste; sus irradiaciones son abundantes y de largo alcance).

5.º El centro de la Península parece ser región innovadora (adiciones al tema principal).

10. Visitas a Amnón

El versículo 8 («e como el rey lo vino a veer») está respetado íntegramente por la tradición. Del general consenso tan sólo se apartan unas cuantas variantes en las que la madre —no el rey— visita a Amnón enfermo (vid. mapa 11). La distribución geográfica de los textos adulterados no ayuda a aclarar las cosas.[46]

Mucho más expresiva es la difusión de versiones en las que se ha adicionado alguna precisión temporal. La más generalizada es la del «domingo por la mañana» que se convierte en «un lunes...» [47] o en «un domingo por la tarde». La consideración de estas interpolaciones es de una gran claridad: la epéntesis es de indudable signo andaluz y, desde el mediodía ha migrado

46. En una ocasión (Cabanín, Luarca, 9) es el matrimonio quien hace la visita:

«Ya lo fuera a ver su madre muy triste y amargurada;
ya lo fuera a ver su padre, embozadito en su capa.»

Otros motivos (visitas de nobles, señores, etc.) todavía son menos ilustrativos.

47. El *lunes* como día nefasto para los enamorados es señalado en mis *Cantos de boda judeo-españoles*, Madrid, 1970, p. 245. Del valor simbólico de otras precisiones trata Daniel Devoto en su estudio *Entre las siete y las ocho* («Filología», V, 1959, pp. 65-80). Vid. también Peréz Vidal. *Poesía trad. can.*, ya cit., p. 100.

hacia la Mancha y el Centro peninsular. Otras irradiaciones parecen tener carácter eruptivo.[48]

11. Coloquio de David y Amnón

En el relato bíblico, la conversación de David y Amnón (vv. 6-7) carece de las especiosidades que reflejo en el mapa 12. Por tanto, con respecto a la fuente, son más fieles las versiones que carecen de este motivo (las indico con un trapecio); las demás deben ser innovadoras.

David pregunta a su hijo por la dolencia que sufre. La respuesta más extendida es:

> Tengo unas calenturitas   que me atraviesan el alma
> (tipo I).

Con este grupo incluyo algunas variantes que apenas difieren:[49] «Tengo una calenturilla — que arrebata con mi alma» (73), «Tengo unas calenturas — que me traspasan el alma» (124, 164), «con unas calenturitas — que me traspasan el alma» (100, 146, 161, 165), «que me ha dado calentura — y me ha traspasado el alma» (67, 112, 147, 153), «tengo unas calenturillas — que la vida me traspasan» (135), «...que la cabeza me esplaña» (29), «...que otro mal en mí no se halla» (20, 22), «...que me arrancan las entrañas» (23, 25), «...que me han dado esta mañana» (12, 32), «...que no se curan con nada» (115, 119, 159), «...que me tiene hoy en la cama» (69), «con una calenturita — que a Dios le entrega su alma» (160).

La variante más difundida de las que —en mi opinión— se relacionan con el tipo I es la siguiente:

> Tengo una calenturita,   que el corazón me traspasa
> (tipo I *b*).

48. En Lousa (Tras-os-Montes, Portugal), la localización cronológica, si es que tiene la misma motivación que en los textos españoles, aparece anticipada a la visita de la madre: «Deitou se sabbado á noite — até domingo de tarde», con lo que la rima queda estropeada.

49. Todas ellas van agrupadas en el tipo I *a*.

Tras ella va, numéricamente, la variante

Tengo una calenturita que me la pegó mi hermana
(tipo I *c*).[50]

Señalo con un rectángulo dos grupos de versiones:
a) Unas en que las calenturas van específicas, pero no acompañadas por otra dolencia (tipo II):

Tengo calentura lenta que me está arrancando el alma
(59, 82, 85)

una calentura doble que me parte las entrañas
(62)

su hermano cae en la cama con calenturas malas
(98).

b) Otras en las que, además de la especificación de la fiebre, hay, también, otra enfermedad:

tengo dolor de cabeza[51] y una calentura mala (o falsa)
(tipo II *a*).

El grupo III lo he constituido por las versiones en las que aparece el vocativo *padre* (o *padre mío*). He aquí su ordenación:

III. Variante de mayor área (y otras muy próximas a ella):

Padre, calentura lenta que me roe[52] las entrañas

III *a*. En vez del sustantivo *entrañas* aparece *alma*:

Calenturas, padre mío, que me devoran el alma.

III *b*. Tipos con vocativo, pero que o carecen del segundo versillo («Eu, meu pai, no teño nada», 1 y 6) o responden a la

50. En I *d* incluyo dos versiones ocasionales e independientes entre sí (2, 134) que carecen de vocativo (vid. para esto el grupo III que estudio a continuación).

51. El dolor puede ser de *costado* (57), de *cabeza* (102, 128, 129), de *corazón* (5).

52. *Roba* (99), *come* (107).

situación propia del mapa 11 («calentura, madre mía, — calentura que me alzara», 10) o carecen de precisiones agrupadoras («...calentura que no arranca», gallega sin localizar, 7, 8; «...calenturas que me matan», 65).

Una ojeada sobre la distribución geográfica de los tipos, nos permite observar:

1. La ausencia del motivo se da sobre todo en las versiones zamoranas y con menor intensidad en puntos que, bastante aislados, se documentan por toda España. Aplicando conceptos de la geografía lingüística,[53] tal vez podamos pensar que este tipo (el IV) debió ser general en lo antiguo.

2. Los tipos II y III aparecen estrechamente unidos a partir de las comarcas próximas al Duero, mientras que en las zonas cantábricas parecen estar limitadas el tipo II, a la montaña santanderina y el III, a Asturias-León. Acaso sean éstos los primitivos focos de irradiación.

3. Andalucía está cubierta totalmente por el tipo I (nótese la enorme resistencia que opone a cualquier perturbación) justamente en ella se recogen 20 de las 26 variantes del tipo I sin alterar. Esto me hace pensar en su carácter autóctono dentro de la región y su migración hacia zonas a veces muy distantes.

Antes de pasar adelante, es necesario cotejar este mapa 12 con el n.º 10. Como he dicho, el motivo III del mapa 10 representaba adiciones con respecto al esquema general. La adición que entonces he tomado como base era la siguiente:

con dolores de cabeza y una calenturita mala.[54]

Comparemos los materiales allegados en ambos mapas y veremos que en el 10 (motivo III) el testimonio anterior se localiza en los puntos 54, 68, 70, 73, 76, 102, 105, 108, 109, 110 y 111; mientras que en el mapa 12 (motivo II *a*) está en las localidades 5, 36, 39, 57, 70, 86, 87, 102, 105, 108, 110, 111, 128 y 129. La coin-

53. Véase, por ejemplo, A. DAUZAT, *La géographie linguistique*. París [1944], p. 42.

54. Prescindo de otras dolencias, porque en el mapa 10 están paupérrimamente representadas.

cidencia escasamente es un 30 %, y es lógico. Se trata de una interpolación ajena al relato bíblico. En ocasiones es considerada como especificación de los motivos que obligan a Amnón a guardar cama; otras veces, es un pretexto, lógico también, de conversación entre padre e hijo. Por eso la interpolación se hace unas veces antes (mapa 10) y otras después (mapa 12) y sólo se reitera, innecesariamente, en los puntos 70, 102, 105, 110 y 111. Señalando en el mapa 12 los datos que interesan del 10 [55] (figuran sin número y con una simple aspa en el mapa 12), veríamos cómo se adensaba la difusión central de la interpolación y se podía seguir su progreso hacia el sur.

12. Derivaciones de la conversación de David y Amnón

El coloquio de David y Amnón —muy breve en el texto original— da lugar a muy variadas derivaciones. Para establecer cierto orden, las agrupo en los siguientes paradigmas:

1)

—De los manjares del mundo, ¿cuál es el que más te agrada?
—De los manjares del mundo, padre, una pollita asada.
Que Altamara me la guise, que Altamara me la traiga; *
Altamara venga sola, que no venga acompañada; **
con el ruido de la gente, me pongo peor que estaba.
(La Seca de Alba 27).

Con esta versión coinciden las que señalo con un rectángulo en el mapa n.º 13. Aunque no siempre haya una cerrada uniformidad puesto que los *manjares* son sustituidos, a veces, por *las cosas* (I *a*); [56] en ocasiones, disponemos de versiones abreviadas (II *a*) que se detienen en el primer asterisco del texto (21, 23, 26, 33), en los dos (82) o están limitadas a una escueta referencia, en la que van comprendidos todos los motivos anteriores (en el mapa, III *a*):

55. Motivos II *a* y II *b*.
56. Una variante más próxima es lo *mejor* (61).

—De las cosas de este mundo, ¿qué comerás que te traiga?
—Una pollita nueva, que me la guise Altamara
(18, 23, 24, 25).

2)

—¿Comieras una pollita si te la guisa Altamara?
—Si Altamara me la guisa, venga sola en sin compaña.
que la bulla de la gente mucha pena me causaba.
(Oseja 34).

Con un círculo superpuesto a una cruz señalo la forma abreviada. Hago caso omiso de variantes que no alteran el contenido.

3)

—¿Qué comieras, el mi hijo? ¿qué comieras que te traiga?
—Yo me comiera, mi padre, la pechuga de una pava.
Que Tamara me la guise, que Tamara me la traiga,
que Tamara venga sola venga sola y sin compaña;
con el ruido de la gente la calentura me carga.
(Flores 45).

En Lober (47) la *pava* es sustituida por un *guisado*. En los puntos 20 y 22, la primera cuarteta continúa en el siguiente sesgo: «los padres tanto le quieren, — le conceden la palabra». Y los 10, 13, 14 y 15 forman un grupo homogéneo al tener el verso común «que la guise quien la guise, — que me la suba...»

4)

—¿Haría que te curase el ala de un palomino,
la pechuga de una pava?
—Altamar que me lo guise, Altamar que me lo traiga;
Altamar que suba sola, que no suba acompañada.
(Haro 93).[57]

Este texto aparece abreviado en Gajano 86 y, con alargamiento, en Navas de Estena 113 (IV *a*), alargamiento que es una contaminación de las versiones señaladas en el grupo III.

57. Hay pequeñas diferencias, que no afectan a la naturaleza del texto: «el corazón de gallina — la pechuga...» (48), «...los menudos de la pava» (52), «dicen que para los reyes — no hay cosa más regalada / que el alón de un palomino...» (87).

5)

—¿Quieres que te mate un ave de esas que vuelan por casa?
—Mátamela, padre mío, que me la suba mi hermana;*
que me la suba ella sola, que no suba acompañada;**
porque si compañía trae, mis penas serán dobladas.

En esencia, esta variante ocupa todo el sur de España; con ella pueden hacerse tres grupos: *a*) texto completo (V); *b*) hasta los dos asteriscos (V *a*); *c*) hasta el primer asterisco (V *b*).[58] Ahora bien, el texto ha sufrido una alteración que afecta al centro peninsular: en vez del sumiso «Mátemela, padre mío», aparece un impertinente «Máteme aunque sea ciento», tanto en versiones breves (V *c*), como en versiones largas (V *d*). Otros pormenores que ahora desatiendo, serán considerados en el mapa 15.[59]

Una última derivación de este motivo es la que aparece con la epéntesis «quiero una taza de caldo». También ahora hay una redacción larga y otras abreviadas:

—¿Quieres que te traiga un ave de las mejores que haya?
—No quiero ave ninguna, ni tampoco quiero nada;
quiero una taza de caldo que me la traiga mi hermana.*
Si viene, que venga sola que no suba acompañada.**
que si acompañada sube soy capaz de devorarla.

La versión completa aparece señalada con un círculo ennegrecido en su parte inferior;[60] la menos abreviada (hasta los dos asteriscos) con un círculo cuya sombra está en el lado izquierdo;[61] la más resumida (hasta el primer asterisco), con otro emborronado en su parte derecha.

58. En Almogía (157) *ave* es sustituida por *guiso* y en Yunquera (158) es la *madre* quien mata.
59. Los puntos 105, 108, 110 y 111 presentan una variante común: «...no quiero ave ninguno — tampoco paloma(s) blanca(s)».
60. En Fresno de Sayago la taza es de *agua*, en vez de *caldo*; en Valladolid 58, de *té*.
61. En Herrera del Duque (79) se habla del *caldo*, solamente, pero unos versos después aparece *taza de caldo*.

6)

Un grupo lo constituyen los textos gallegos de Palleirós (7), Espiño (8) y el no localizado de Cotarelo; con ellos coincide bien el de Zamora (53). Dada su poca extensión geográfica no me demoro en ellos.[62]

7)

Las versiones catalanas forman un grupo aparte. Presumo que son las más arcaicas, pues conservan —de acuerdo con la *Biblia*— el coloquio de David con Tamar, ausente en el resto de la tradición.

8)

Por último, la versión de Lousa (174), muy incompleta en este motivo, presenta un coloquio de los dos hermanos.

13. MANJARES COMIDOS POR AMNÓN

En el mapa n.º 14 considero otro elemento del diálogo: el manjar que Amnón desea comer. Las versiones antiguas de la *Biblia* hablan de *escalphaduras* (Alba) o de *fojaldres* (Llamas) y las modernas de *hojuelas* (Nácar-Colunga). Nada semejante en la tradición.[63] El motivo primitivo ha sido cambiado por otro ciertamente trivial; el caldo de ave se recomienda para recuperar las fuerzas perdidas en una enfermedad. Ruperto de Nola da algunas recetas «para enfermos, caldo destilado, y para debilitados, muy singular» en las que el *solsido* se hace con gallinas o capones y se obtiene un caldo que «tornaría un hombre casi muerto vivo, por ser tan singular y de tanta sustancia».[64]

62. Otras versiones recogidas una sola vez, constan en el mapa con la indicación de localidad, pero sin calificaciones. No trato de ellas en el texto por su aislamiento.

63. En el versículo 5 se habla de *vianda* o *manjar*, que acaso haya podido pasar a alguna versión oral (las que agrupo en I del mapa 13).

64. *Libro de guisados*, ed. DIONISIO PÉREZ, Madrid, 1929, pp. 99-101.

De acuerdo con estas prescripciones, el pueblo interpretó los *hojaldres* a su manera y los convirtió en *polla, pollita* o *pechuga de una pava*. Desde cualquiera de estas suculencias se pasaba fácilmente a la *taza de caldo,* extraída de ellas.[65]

La forma más antigua acaso sea la que atestigua *polla, pollita* (señalada con un círculo de trazo grueso en el mapa 14). Aparece en comarcas muy distantes: Asturias-Montaña-León; Valle del Duero, Extremadura, Cataluña, Murcia. Alguna de estas regiones (tierras altas, Cataluña) suelen ser de gran arcaísmo y no será extraño que el término goce en España de una relativa antigüedad, sobre todo, si pensamos en las sustituciones a que hago referencia más adelante.[66]

La *pechuga de una pava* suscita una doble cuestión: su aparente antigüedad, justificada por la presencia del sintagma entre los sefardíes de Marruecos,[67] y su innovación, ¿acaso eufemística?, frente a *polla,* hipotéticamente generalizado por toda España. La antinomia tal vez pueda resolverse. El romance es moderno, según sabemos;[68] por tanto, a Marruecos ha podido pasar con la sustitución cumplida ya.[69] Su carácter de innovación parece descubrirse en que se da con geografía muy restringida: centro de Asturias, Zamora y brotes escasos en Castilla y, uno, en Extremadura.

Por una vez vamos a considerar innovadora a una comarca (Sanabria) de acentuado arcaísmo, pero la vida del romance en estas viejas tierras no se limita a vegetar, sino que se desarrolla con total vigor.[70] Por eso pienso que el motivo sea más reciente,

65. En la tradición culinaria, las *pechugas de polla* tuvieron prestigio para hacer comidas de enfermos (Nola, *op. cit.*, p. 102).

66. Como en la geografía lingüística, una serie de puntos distribuidos por áreas dispersas, denuncian la primitiva unidad de todas ellas, cfr. antes, pág. 184, nota 53.

67. Cfr. pp. 230 y 236.

68. MENÉNDEZ PIDAL (*Romancero Hispánico,* t. II, Madrid, 1953, p. 337) piensa que son de la primera mitad del siglo XVI los romances marroquíes de asunto bíblico.

69. No sería el único caso de un neologismo reciente en Marruecos. Recuérdese, MENÉNDEZ PIDAL, *Romancero Hispánico,* II, pp. 338-340, y M. ALVAR, *El romancero judeo-español de Marruecos,* Las Palmas, 1966, pp. 19-26, *passim,* y 256-265 de este libro.

70. En el romancero, el área alguna vez manifiesta cierta tilde de modernidad.

ya que su localización está muy precisada y nunca penetra en Andalucía, región de máximo neologismo, ni en la llamada área romancesca del sudeste (al menos con los datos que manejo).

Un rasgo al parecer emparentado con el anterior («el ala de un palomino, — la pechuga de una pava») se circunscribe casi exclusivamente a Castilla la Vieja, pero entremezclado con las formas más arcaizantes. Uniendo este motivo con el precedente (doble círculo o círculo de trazo discontinuo en mi mapa), el área aumentaría naturalmente, pero sus límites avanzados hacia el este, no perturbarían las consideraciones generales que acabo de hacer.

Nos queda por estudiar una última zona: la meridional. En ella, la sustitución ha sido hecha por el genérico *ave(s)* (masculino o femenino).[71] La penetración del sur se abre paso al parecer sin gran dificultad hasta la línea Ebro-Duero;[72] y con rareza llega al Cantábrico. Es decir: 1) la zona más arcaizante opone mayor resistencia a la innovación; 2) la comarca creadora de un neologismo, defiende su criterio modernizante frente a cualquier otra tendencia, aunque sea del mismo sentido.

Ocupémonos de la causa de las innovaciones. Se trata, sin duda, de una interdicción lingüística. *Polla* ha adquirido un sentido obsceno que ha hecho necesaria la sustitución del término. Entonces la voz se ha barrido totalmente de algunas regiones. Justamente aquellas en las cuales está más arraigado el valor vitando. Me consta, al menos, para Andalucía; aunque hará falta comprobar su grado de vitalidad en el resto de España.[73] Sí puedo aducir el testimonio inverso: en el español de Cataluña y Valencia *polla* se emplea, no sólo para nombrar a la cría de la gallina, sino como término habitual para designar a las muchachas.[74] El mapa 14 señala cómo en Cataluña la sustitución no

71. Otras innovaciones señaladas en el mapa tienen alcance muy limitado.

72. Menéndez Pidal (*RFE*, III, 1916, p. 313) ya señaló la penetración andaluza en el romancero aragonés.

73. El «Boletín Oficial del Estado» publicó en 1948 una resolución autorizando a cambiar de apellido a un ciudadano que venía padeciendo las bromas que motivaba la palabra, por muy onomástica que fuera.

74. En un curso de extranjeros en Heidelberg (1951) coincidieron «estudiantas» catalanas y valencianas con estudiantes granadinos. Un mes duró la vaya a propósito del término, sin que las muchachas conocieran el valor obsceno de la voz que usaban habitualmente.

se ha cumplido, de acuerdo con el sentido inocuo que allí tiene la palabra.[75]

En conclusión, *polla, pollita,* de acuerdo con la medicina popular, aparecieron en el romance como terapéutica para curar al enfermo; con ellas se relaciona la *taza de caldo* que (fundida al motivo o independiente) se atestigua alguna vez. Ahora bien, la voz tiene sentido obsceno en muchas partes de España, lo que obligó a su sustitución, sobre todo, en las regiones donde el término tiene carácter vitando. Encuentro dos focos fundamentales de innovación: uno, bastante limitado y sin una enérgica vitalidad (círculo de trazo discontinuo); otro, nacido en el mediodía, dotado de poderosa fuerza expansiva y, en su origen, sin posibles coexistencias. Este último gana terreno a costa de las otras versiones, siendo su avance más lento allí donde el arcaísmo es mayor o donde se localiza el foco de otras innovaciones.

14. El final del coloquio

Ante David, Amnón justifica su petición (mapa n.º 15). Tamar debe venir sola a visitarle por cualquiera de las causas que expone.[76] Las versiones que tienen el «final del coloquio» son 60 en total; nos encontramos ante una innovación, si ampliamente difundida, no de forma muy densa. E incluso, dentro del motivo, hay variantes notorias, según vamos a ver.

El pretexto más difundido reza así:

que si acompañada sube   mis penas serán dobladas.
(mapa 15, motivo I)

o, con una breve modificación de las últimas palabras, «...mis penas son *aumentadas*» (I *a*).

Emparentados con I (al menos coinciden con él en el primer octosílabo) hay unos cuantos temas que van desde la singulari-

75. Sobre estas interdicciones lingüísticas, vid. K. Jaberg, *La geografía lingüística* (traduc. de A. Llorente y M. Alvar), Granada, 1959, pp. 39-42.
76. En el texto sagrado no existe este final de la conversación.

dad absurda («...de un rayo será estrozada», Roiz 80), hasta la no menos absurda difusión. Procedamos con orden; en ocho puntos aparece el versillo: «soy capaz de rechazarla» (II), que en una ocasión se manifiesta como «...de arrebatarla» (Bamba 57). Ahora bien, en otras siete ocasiones se llega a una nueva, pintoresca, degeneración: «soy capaz de devorarla» (II *a*).

Un grupo independiente de los anteriores está constituido por las versiones de la forma siguiente:

con el ruido de la gente la calentura me carga (III)

que está muy cercanamente emparentado con las variantes «...la cabeza se me arranca» (72, 73, 75), «...el mi mal se redoblara» (44), «...me pongo peor que estaba» (27). (Todas incluidas en III *a*.)

A este conjunto de versiones hay que añadir las que alteran *ruido* por *bulla* o *mucha* y el segundo hemistiquio suele presentarse como «...a veces también enfada». Entonces obtendríamos los puntos marcados con un rectángulo en el mapa 15 (IV). A ellos incorporo (IV *a*) dos variantes esporádicas («...mucho mal (pena) me cansaba», 13, 34; «...honda tristeza me causa», 18, 29, 95).

Queda, por último, el verso

que a veces las compañías suelen ser muy molestadas (59, 60, 67)

con la variante del segundo hemistiquio, «...la compañía es muy mala» (91), que, como otras formas ocasionales documentadas una sola vez (135), no aparece cartografiada.

Contemplando el mapa n.º 15, notamos que las variantes I (círculo) y II (triángulo), que supongo ligadas, dan al motivo una relativa unidad, al tiempo que aparecen aislados los temas III (rombo) y IV (rectángulo), que es de presumir tengan alguna dependencia.

Acaso se pueda concluir que al norte del Guadiana existió cierta uniformidad, establecida por la lógica del pretexto («con el ruido de la gente — la calentura me carga»); este criterio, lucha con el meridional, ¿acaso innovador?, que en su progreso hacia el norte adopta algunas formas degeneradas. Estas adulteraciones son, sin embargo, bastante abundantes y se muestran dotadas de cierta conexión.

15. El verano y el atuendo de Tamar

Tirso de Molina incluye una precisión en el relato bíblico:

> ¿Viste jamás tal calor?
> ....
> ...a mi amor junto al bochorno
> que hace...
>
> (I, 4)

Esta determinación pasa al romancero tradicional y, desde él, a García Lorca.[77] Claro que creando el ambiente propicio para el desarrollo de la tragedia, Tamar va hacia su hermano con atuendo ligero.

En las versiones orales la forma más difundida es normalmente:

> como era tiempo i verano subió con la enagua blanca.

Alguna vez se oye «...en el verano» (76), «como estamos en...» (12, 142, 143, 144) o «como era en el veranito...» (101, 109, 115, 135, 158, 162), mapa 16, tipo I.[78]

Las *enagua(s) blanca(s)* no son fácilmente comprensibles (de aclararlo me ocupo luego) y son sustituidas por *ropa* (12), *falda* (94), *saya* (98, 100), *sayas blancas* (71), *enagüilla* (119) o, eliminando el adjetivo enojoso, «la niña sube en *enagua*» (32, 57, 118, 122, 125).

77. Vid. M. Alvar, *García Lorca en la encrucijada*, en *AO*, IX, 1959, pp. 231-232 y ahora las pp. 239-245 de este libro.

78. Al cartografiar, intencionadamente uno este motivo con los que estudio en el § 15 porque ambos proceden de Tirso de Molina y sirven para mostrar la autonomía de cada uno de ellos y su carácter complementario.

Este tipo de sólo dos versos, aparece incrementado a veces por otros dos que pueden emparentarse con el motivo descrito en el § 12 o ser interpolación directa:

....
con una taza de caldo   que a un muerto resucitaba.

con las *enaguas* (mapa 16, I *a*) o con las *faldas* y *sayas* (16, I *b*). Otras alteraciones, poco significativas y totalmente aisladas, son incorporadas a las variantes-base (168).

Lo más notorio dentro del tipo I es el cambio de rima experimentado por algunas versiones (16, I *c*):

Ya sube por la escalera   con un traje de verano,
y el muerto que muerto estaba   ya había resucitado
(85; con variantes en 58)
....
con la tacita de caldo (de leche)   para dársela a su hermano
(54, 69, 70, 102)

y más remotamente:

Ya pone su blusa blanca   y su mandil colorado
y sube escalera arriba   con un tazón en la mano
(63).

En el tipo I *d* señalo variantes ocasionales.

16. Los útiles que lleva Tamar en su visita

Otro préstamo que el romancero tradicional ha tomado del teatro es el camino de Tamar hacia las habitaciones de su hermano (vid. § 15). Quiero recoger, aquí también, la acotación de Tirso (II, 13): «sale Tamar con una toalla al hombro y una escudilla de plata entre dos platos de lo mismo».[79] Esta sencilla nota ha pasado al romancero bajo diversas formas. Ocupémonos primero de las más próximas a ella (tipo II):

79. En Ruperto de Nola se habla de los *dos platos de plata* usados para exprimir verduras (*op. cit.*, p. 107), aunque la referencia parece una interpolación castellana (ib., nota 214).

1)
Por la sala de Altamar iba la linda Altamara
con una polla entre dos platos y en la otra una toalla
y en la su mano derecha, lleva una jarra con agua
(35) [tipo II].

2)
Por las salas de Altomoro iba la linda Tamara
con dos platos en la mano y en la derecha una jarra
y encima de su hombro derecho llevaba una toalla
(89, 09, 91).

versión muy próxima a otra más difundida:

3)
Por las salas de Altamar[80] iba la linda Altamara,
con su pollita en un plato y en un hombro una toalla,
y en su manita derecha lleva una jarra de agua.
(18, 28, 33, 34, 41, 55, 61, 97, 99, 133).[81]

En íntima dependencia con ésta aparece otra variante en la que se repiten los versos iniciales de la introducción (vid. páginas 173-174 y mapa 7):

Iba la niña Ultramara por la sala ultramarina
derechita como un pino relumbra como una espada,
lleva la polla en la mano y en el hombro la toalla, etc.
(40, 82, 95, 107, 132).

Las «salas de Altamor» se convierten en «escaleras de amor» (17,[82] 51, 52, 66), en «escalera arriba» (2, 47),[83] en «escalerita dorada» (36) o en los «campos de Aragón» (26). Las más bellas de estas variantes coinciden en dos pueblos muy distantes: Fi-

80. El área de esta forma por *Amnón* está señalada en el mapa 6, p. 178.
81. En 18 y 41 falta el motivo de la *jarra*. En 33 y 41 son *las salitas de amor*.
82. Versión atrofiada.
83. He aquí las dos redacciones:

«Por la' scaleras arriba sube la rica Tamara
c'un plato de oro en la mano cubierto c'una toalla»
(Castañosín 2)

«Iba la escalera arriba la linda prenda que amaba,
con la cazuela en sus manos y una servilleta branca»
(Lober 47)

gueruela de Arriba 43 (Zamora) y Carbonero el Mayor 96 (Segovia). Dicen así:

Por la escalera de amor — sube la linda Altamara,
n'una mano lleva el prato — y en otra mano la jarra;
lleva en el hombro derecho — un branco paño de Holanda
(agrupo todas estas variantes en II *a*).

Antes de considerar versiones en las cuales se altera el comienzo de este fragmento, quiero indicar un grupo que prescinde del ajuar de la doncella para demorarse en su atuendo (mapa 16, II *b*):

Por la sala de Altamor — sube la linda Altamara
con el pelo bien peinado [84] — y la pava bien guisada
(10, 14, 15).[85]

Un nuevo grupo de versiones presenta el primer verso sustituido por un enunciado lógico: «Por los palacios del rey...» Teniendo en cuenta unas cuantas subdivisiones necesarias, hemos de considerar:

1) Variantes que comienzan «Por los palacios del rey...» y prosiguen según el mencionado tipo II (23, 25, 53,[86] 81 y, con error, *manto* por *plato*, 9), mapa 16, II *c*.

2) Variantes en las que aparece alguna peculiaridad: Tamar lleva *plato* y *cuchar(a)* (24, 33), lleva «una jarra de buen vino —por ver si le antojaba» (42, 44, 50, 51, 52), mapa 16, II *d*.

3) Variantes ocasionales, pero que pertenecen a este tipo por figurar *plato* y *toalla* (59, 60), *caldito* y *toalla* (46), *plato, pan* y *jarra* (22), *dos platos* (21, 27, 31), *plato* (102, 134) o versiones incompletas cuya vinculación es clara con los motivos de que disponemos: figuran *dos platitos de oro* (83, 86), *una tacita de oro* (65), *el platito* (113).

Un grupo independiente de los tipos anteriores está formado

84. En Pola de Somiedo 10 (Asturias), *bien tejido*, esto es 'trenzado'.

85. En Tabernas 166 (Almería) hay una fórmula híbrida (mezcla de los tipos I y II *b*): «Como era veranito, — ha subido en naguas blancas, / bien peinada, bien lavada, — con los polvos en la cara»

86. Falta el motivo de la *toalla*, pero están presentes *guiso* y *jarra*.

por unas cuantas versiones que, de un modo general, se pueden reducir a la siguiente (tipo III):

> Por aquella sala de oro la linda Tamar entraba,
> vestida de seda verde desde los pies a la cara.[87]

Dentro de esta versión, algunas variantes (20, 39, 88 y, acaso, 93) están contaminadas por las del tipo II. Esto vendría a indicarnos que si tales formaciones son arcaicas (por carecer de interpolaciones teatrales) están modificadas ya por el tipo septentrional.

La inclusión de estos elementos creo que procede del teatro, porque, frente al texto bíblico, Calderón (y Tirso también) y el romancero de ambas orillas hacen que Tamar guise fuera de las habitaciones de su medio hermano y así se explica la acotación —platos, toalla, jarra— que he aducido para indicar una posible referencia. Únicamente de esta manera pueden aclararse algunos rasgos de la tradición oral, silenciados en el relato bíblico. Creo que estos pasajes han salido del teatro porque tal como se cumple el desarrollo de las obras, era más fácil que Tamar cocinara fuera de la escena y para los espectadores resultaba un halago seguir su paso hacia las habitaciones de Amnón con un vistoso cortejo de servidores y un vibrante acompañamiento de cantos. Poco podían importar las dificultades técnicas o el espectáculo al romancero; sin embargo, aceptó algunos de estos rasgos que quedaron definitivamente incorporados a la narración.[88]

El mapa 16 es de una excepcional claridad. Hay dos áreas perfectamente establecidas: una, al norte; al sur, otra. Como ocurre casi siempre, el tipo meridional avanza hacia el norte. El carácter andaluz de la segunda de estas áreas está asegurado por las *(e)nagua(s) blanca(s)* puesto que en el dialecto de la región se oponen las *enaguas blancas* 'enaguas' a las simples *(e)nagua(s)* 'falda'. De ahí que en muchos sitios se haya sentido la necesidad de traducir el concepto (por *saya,* por *falda*). En

87. Hay variantes en cuanto al color: *azul* (87).

88. La influencia del teatro sobre el romancero se ha señalado otras veces: *Catálogo,* núm. 2, y *Rom. hisp.*, II, pp. 216-217.

el mapa 17, señalo el área léxica de *enaguas* 'faldas' y *enaguas blancas* 'enaguas' en el Mediodía español.[89]

Lo que más llama la atención es que, si ambos motivos proceden del teatro, se haya producido tan perfecta discriminación. Habrá que pensar en dos hechos simultáneos e independientes o en una casual coincidencia de la innovación meridional y el teatro áureo. La aclaración de estas cuestiones queda pendiente del estudio del mapa 17. Dentro de las dos posibilidades que se cartografían las variantes se presentan con poca homogeneidad. No obstante en el Mediodía podemos señalar la cohesión de Extremadura y de la Mancha y, en el norte, la muy relativa de Zamora.

El tipo III, más arcaizante, parece ser peculiar (dentro de la escasez de mis datos) de Castilla la Vieja y Cataluña.

17. El diálogo de Amnón y Tamar

El análisis del mapa 18 es en todo paralelo al del 16. Salvo contadas excepciones coinciden las dos áreas estudiadas. En efecto, la aparición de la doncella con el manjar, platos, jarra y toalla, determina un breve coloquio con Amnón; mientras que el liviano atuendo veraniego precipita tumultuosamente en el incesto. Así, pues, en correspondencia con la zona de rectángulos del mapa 16, está el diálogo que voy a considerar. En todo el mediodía, falta la conversación; de acuerdo, en esto, con la carencia del motivo teatral.

Dentro de la unidad norteña, se pueden señalar algunas subzonas. La más dilatada presenta un texto semejante a éste:

—¿Qué tienes, hermano mío?; ¿qué tienes que guardas cama?
—Del mal que yo tengo, hermana, tus ojos tienen la causa
—Si es verdad eso que dices, no te muevas de esa cama.
(Variante *a*).[90]

89. Vid. *ALEA*, V (en prensa). La irradiación del término sobre otros textos tradicionales es considerada en mis *Cantos de boda judeo-españoles*, Madrid, 1969, p. 245.

90. En Cantalejo 99 (Segovia) y El Bonillo 135 (Albacete) sólo aparecen los cuatro primeros versos; en La Roda 132 (Albacete) y Munera 134 (id.) hay alguna variación de escaso valor.

Muy próxima a ésta, es la variante que modifica ligeramente los últimos versos:

....
entre los tus ojos anda. Si anda entre los mis ojos, etc.

Una variante poco difundida (punto 17), pero que se cruza en dos ocasiones (puntos 30 y 59) con la *b* y una (91) con la *d* aparece «cristianizada»:

....
—Del mal que yo tengo, hermana, tus ojos tienen la causa.
—No lo quiera Dios del cielo ni la Virgen soberana,
mis ojos no son tan bellos para que tú guardes cama.
(Variante *c*).

En oposición al último verso («no te muevas de esa cama»), un nutrido grupo de variantes concluye por «ojalá te levantaras» (variante *d*).

Mayor diferencia señalan los textos que llevan estos versos (hay discrepancias léxicas):

....
—De las penas que yo tengo, tu amor tiene la causa
—Los mis amores, hermano, para ti no valen nada
(Variante *e*).

Estos versos finales, vuelven a aparecer en la variante que llamo *g*.

(—¿Qué tal te va, mi hermano, qué tal va nesa cama?
—¿Cómo quieres, la mi hermana, cómo quieres que me vaiga?
Si este mal que yo tenía, en tus brazos se quitaba.
—Los mis brazos para ti hermano, no valen nada.) [91]

cruce, al parecer, de *e* y una redacción *f*, emparentada con:

—¿Qué tal te va, mi hermano, qué tal te va nesa cama?
—A mi bien me vay, mi hermana, y aun mejor con tu llegada
(45, 53).

91. En Ferreros 48 (Zamora) y Losacio 51 (id.) se añaden al final otros versos, distintos en cada uno de estos pueblos.

Quedan por considerar unas cuantas variantes difíciles de clasificar. Unas (como las de Castañosín 2 y Orense 5) están mutiladas, aunque creo que la de Castañosín se relaciona con las que en el mapa señalo con un triángulo [92] y otras carecen de algún elemento distintivo.[93]

Queda por considerar la variante de Vilanova 128 (Lérida). Hay en ella un cambio de rima que la aparta de todos los grupos, pero figura el coloquio, sin que luego se cumpla el incesto. La redacción de que dispongo hace imposible cualquier conato de clasificación.

La distribución geográfica de las variantes señala muy claramente dos zonas: 1) zamorana, con irradiaciones hacia Salamanca y Galicia y brotes esporádicos hacia el este; 2) asturiano-castellana, que ha penetrado como una saeta en la provincia de Albacete.

18. Violación de Tamar

El texto sagrado narra así la violación de Tamar: «trauo della e dixole: hemana, ven e duerme comigo. E ella dixole: ¡o mi hermano! non me afligias, que bien sabes que en Israhel lo tal no se costunbra fazer en Israhel, e non fagas esta vileza. ¿E yo donde auía de lleuar la mi verguença e desonrra?... E non la quiso escuchar lo que dizia, e asio della e afligiola e durmio con ella» (11-14).

En el romancero tradicional estos versículos han sido interpretados de muy diversas maneras, siempre distanciadas del relato bíblico. Y es que en esta lamentable escena la plebeyez y la delectación en el crimen aportan sus infinitas interpretaciones: unas prosperan, otras se agostan rápidamente. Sólo así se explica la gran cantidad de variantes recogidas (mapa n.º 19).

1) El diálogo de Amnón y Tamar —su remota referencia— aparece en la siguiente forma:

92. —¿De qué tas malo, mi hermano, de qué tas malito en la cama?
—Deste mal, tú picarona, tú fúcheme a causanta.

93. Sólo con indecisión me permito clasificar las variantes de 5, 89 y 90. ...—Tu hermosura, hermana mía, — tu hermosura me la causa). Con todas estas variantes inseguras, hago el grupo *n*.

La agarró por la cintura, la tendió sobre la cama.
—Déjame hermano Tarquino, mírame, que soy tu hermana.[94]
—Si eres mi hermana que seas, no haber nacido tan guapa
(I *a*).

Las diez variantes de este tipo son bastante uniformes; tan sólo en la de Madrona 98 (Segovia) el último verso se ofrece como «Tiés que ser mi enamorada» y en la de Real de San Vicente 108 (Toledo) «a nadie le importa nada». Una versión, la de Alcaraz 136 (Albacete), conserva los cuatro versos del diálogo, incrustados en un texto que pertenece al tipo II.

Formas híbridas se encuentran en 74, 75, 76, 135, 138, 139, 142 y 150 (I *a* × IV), 105 y 150 (I *a* × III *a*).

2) Muchas de las variantes recogidas pertenecen, en este motivo, a los romances de ciego. De ellos, sin duda, proceden algunos versos, que ahora vamos a considerar. En una latísima geografía encuentro repetido el «hizo de ella lo que quiso — hasta escupirle en la cara». La aparición más simple tiene esta forma:

La cogió por la cintura, la tiró sobre la cama;
Hizo de ella, etc.
(II *a*)

pero a veces, los cuatro versos se continúan con otros dos:

hasta tratarla de lumia, hija de mujer mundana
(II *b*).

Como ese *lumia*[95] no es fácilmente comprensible, está sometido a ciertas modificaciones: *gumia* (10), *alumia* (15 y 65), *bruja* (23), *mujer traidora* (32).

94. En la variante portuguesa de Lousa sólo aparece este verso («não vês que sou tua mana!»), que no ayuda a la clasificación.

95. 'Ramera' (M. Valladares, *Diccionario gallego-castellano*. Santiago, 1884, s. v.).

En el punto 65 (Ciudad Rodrigo), la versión recogida es mixta de II *b* y IV y las de 116, 119, 152 de II *a* y III *a*.

Puestos en trance de avulgaramiento, la *cintura* es sustituida por los *cabellos* [96] y, como en los folletones, por ellos se arrastra a la víctima (89, 90, 91):

> La cogió por los cabellos, la arrastró por la sala.[97]

Los versos que nos han servido de partida («hizo lo que quiso...», etc.) [98] aparecen en versiones independientes de las anteriores. Su forma más difundida es:

> El hermano que esto oyó, se tirara de la cama,
> hizo, etc.
>
> (II *c*).

En La Roda 132, hay una variante mixta de II *a* y III *a*.

3) El comportamiento de Amnón en el momento del incesto permite estudiar un nuevo estrato del motivo:

> se levantó enfurecido como león cuando brama;
> hizo de ella lo que quiso hasta escupirle en la cara [99]
>
> (III *a*).

Los híbridos de éste con otros tipos quedan consignados en los lugares pertinentes del texto y en la leyenda del mapa 19.

4) Otro de estos motivos de ajuglaramiento actual, son ciertas morosas detenciones en la forma de consumarse el crimen. No hay demasiada imaginación en ellas.

96. Los cuatro versos son iguales a II *a*: tan sólo mudan *cintura* por *cabellos* en 35, 43, 45, 46, 48, 50, 51, 52, 54, 64, 96, 112. No hago discriminaciones cartográficas entre estas dos variantes.

97. En 92, 94, 110, 114, 122, estos versos quedan reducidos a «la agarró por la cintura, — y se la echaba en la cama», y, en 72, 124, 126, 168: «la ha agarrado de la mano — y la ha subido a la cama». Con ambas formas hago el tipo II.

98. Dado su origen, esta modificación —escasa por lo demás— me parece poco agrupadora. De tales variantes vuelvo a ocuparme al tratar de los motivos fundamentales entre los que se incrusta el de la recitación avulgarada.

99. En 82, 97 y 107, *león* es sustituido por *toro*. En 36, 40, 42 y 47, el último verso dice «hasta besarle la cara» (III *b*).

Desde el punto de vista de la poesía tradicional, debo considerar que no se dan nunca aisladas, sino en dependencia de alguno de los motivos ya considerados.

a) Relacionado con I *a*:

—Déjame, hermano Tranquilo, mira que soy tu hermana.
con un pañuelo de seda la boquita le tapaba.
(135, 138, 139, 140, 142) [IV *a*] [100]

b) En conexión con II *a*:

la cogió por la cintura, la echó sobre la cama
con un pañuelo de seda, los ojitos le vendaba.
(79,[101] 81, 86, 102, 121, 145, 148, 149,
159, 161, 162, 164, 165, 167, 169) [IV *b*] [102]

la cogió por el cabello, la tiró sobre la cama;
con una cintilla verde, la boquita le tapaba
(144, 146, 160) [103] [IV c]

c) Otras variantes presentan complejidad mayor: tienen motivos de este grupo IV junto a otros de II *a* y de III *a*:

Al oírla por la escalera como un león se levanta;
la coge de la cintura, la echa sobre la cama;
con un pañuelito blanco, la boquita le tapaba
(Alcázar 115).[104]

100. La recitadora de Fuente del Maestre 77 daba una versión más desarrollada:

con un pañolito blanco, la carita le tapaba;
con un pañolito rosa, los ojitos le limpiaba.

101. La variante de 78 *a* es híbrida: tiene el motivo 6 *a* (dar la taza por la ventana) de este mismo apartado y, además, el tema IV *a* ligeramente modificado.

102. En 149 y 167, «con una cinta *pajiza*». En 102, hay contaminación de este motivo, pero sin demasiada fidelidad a presuntos modelos. En 81 y 86, se da un desarrollo mayor del tema:

«la ha puesto un puñal al pecho para que no resollara
y una pelota en la boca para que no hablara nada.
Hizo de ella, etc.»

103. En 130, aparecen los dos temas: el *pañuelo* y la *cintita verde*, como antes (vid. § *a*) en el 135. En 154, la *cintita verde* es para vendar los ojos; en el 161, le venda los ojos con una *cinta encarnada* (vid. nota anterior).

104. Creo que a este tipo pertenece la versión de Santiago de Carbajo 71 por más que el motivo aparezca difuso debido a lo incierto de su transmisión.

5) Un grupo de cierta importancia, a pesar de su diversidad, está constituido por las recitaciones en las que Amnón arroja el presente ofrecido por Tamar. El tema está en conexión con los tratados en II *a* (22, 73, 88, 109, 113) y, tal vez, con los que considero en IV (39 y 87) [tipo V]. En 78 parece darse el motivo aislado.

6) Quedan por considerar unas cuantas versiones aisladas:

a) Tamar ofrece el guisado a través de una ventana (78, 79, 143, 153, 155, 163; las tres últimas, en relación con el tipo IV, figuran, en el mapa como IV *d*).

b) Amnón espera alcanzar dispensa de un tío que tiene en Roma (gallega sin localizar, 5, 8). Creo que puede relacionarse con II *a* (figuran en ellos los versos de «hizo lo que quiso», etc.).

c) Variante de Orense 6, independiente de todas, pero con los versos citados en II *a*.

d) Variantes caóticas que ordeno con cierta inseguridad: la de La Roda 132 (III *a*), la de Jumilla 137 (II *c*), la de Castañosín 2 (II *a*) y la de Valladolid 58 (II *a*).[105]

El mapa 19 nos permite deducir las siguientes conclusiones, que atañen a la transmisión de este motivo:

1.ª La existencia de una región (tipo I) central —tal vez en apariencia la más antigua— a la que debieron pertenecer Extremadura y Andalucía occidental (hoy contaminadas por innovaciones meridionales).

2.ª Todo el occidente español pertenece a una sola familia. Las variantes actuales parecen ser innovadoras —al menos con respecto al apartado anterior. La consideración del mapa debe hacerse teniendo en cuenta juntamente los motivos II y III, ya que éste parece derivación de aquél. Y uniendo a las grandes manchas de triángulos y círculos toda la Andalucía oriental.

3.ª Las variantes de III —Castillas, Albacete— presentan un motivo innovador sobre la estructura de II.

4.ª Andalucía está escindida en dos áreas muy claras: una

105. Con cambio de rima, en *-ó*.

occidental, que se une al tipo I, y otra oriental, dependiente del II. Ahora bien, ambos tipos están uniformados por una innovación plebeya —romance de ciego—, que, nacida en Andalucía, gana terreno hacia el centro y, con saltos bruscos, hacia el norte.

5.ª Teniendo en cuenta los resultados anteriores, hay que intentar unas conclusiones de conjunto, siempre, dentro del mapa 19.

Parece que los tipos II, III, IV y V tuvieron en algún momento cierta unidad, ya que III es innovación sobre II; IV un motivo vulgar incrustado sobre II o sobre III, y V otra plebeyez en dependencia de II y IV. Entonces, I se presenta como único arcaísmo dentro de una anterior unidad. Pero, en la forma que yo documento, tampoco parece remontar a una época muy antigua. Creo que —ante tanto hecho— es lícito sospechar en la modernidad del motivo I, en apariencia el único que conservaba ciertos ecos del diálogo bíblico. Es posible que las quejas de Tamar sean un neologismo que —casualmente— han coincidido —en verdad que sin gran precisión— con el espíritu del libro sagrado.

Esta hipótesis creo que está reforzada por la geografía folklórica, paralela a la lingüística: el área central es más innovadora que las laterales. Y tal era el estado del romance en los temas estudiados hasta ahora. Así, pues, la estratigrafía del motivo se podrá reconstruir de este modo:

1) El cumplimiento del incesto se desarrolla en la poesía tradicional con independencia del texto sagrado (donde falta).

2) Rasgos típicamente plebeyos caracterizan la narración en este punto.

3) Una primera escisión de la unidad, está señalada en el tipo III.

4) Otro momento de ruptura va consignado con los triángulos que surgen, sobre todo, en la zona central entre Duero y Tajo.

5) Andalucía aporta un nuevo neologismo, que unifica todo el sur de España, pero que permite reconocer (persistencia de I y III) la estructura anterior.

6) El mismo carácter (plebeyez, incorporación a temas anteriores) tiene el motivo V.

19. Repudio de Tamar

Según la fuente inspiradora del romance, Amnón, tras el incesto, repudió a su hermana.[106] Unos cuantos textos conservan este motivo (mapa n.º 20):

—Ahora márchate de aquí que de mí vas deshonrada;
ya no doy por tu hermosura ni el valor de una avellana
(I *a*)

que, en ocasiones, se amplía con elementos que pertenecen al motivo II:

—Por la escalera de amor, baja la linda Altamara,
retuerce sus blancas manos, anillos de oro quebraba
(I *b*).

Sin embargo, abundan más las variantes (II *a*) en las que aparece únicamente la desesperación de Tamar:[107]

1)

Por aquella sala de oro, vuelve la rica Altamara
tirándose del cabello y arañándose la cara
(2, 39, 43, 45, 49, 88, 93).[108]

2)

Por la sala de Altamar, baja la linda Altamara
con el pelo despeinado (destejido) y la cara abofeteada
(10, 13, 14, 17).

3)

....
toda llena de suspiros, cayendo lágrimas claras
(28, 131, 132).[109]

106. «Aborrecióla luego Amnón... y le dijo: "Levántate y vete"» (18).
107. Cfr. en el texto bíblico: «Tamar... rasgó la amplia túnica que vestía, y puestas sobre la cabeza las manos, se fue gritando» (22).
108. Estos temas hacen alusión directa al tema del *planto*.
109. Hay variantes plebeyas, pero idénticas a las que cito en el texto (24, 29).

4)

....
con los cabellos tendidos y la color ya mudada
(21, 31).[110]

Variantes de II *a* son aquellos romances en los que Tamar pide justicia (II *b*):

Por la sala de Altamar, iba la linda Altamara;
pegando voces y gritos, al cielo pide venganza.[111]
(23, 25, 35, 41, 64, 73, 83, 146, 167).[112]

O un grupo poco numeroso (II *c*):

Por la escalera de amores, vuelve la linda Altamara,
maldiciendo su fortuna, hablando estas palabras:
—«Si los míos me maldicen, ¿de quién he de ser honrada?»
(52, 53, 62).

La maldición de Tamar agrupa unos cuantos textos, dando lugar a versiones bastante grotescas. Su forma más austera es (III):

malos demonios te lleven antes de acabar con nada,
que unos acaban con el cuerpo y otros acaban con el alma
(43, 46, 69).[113]

110. El primer verso de todas las variantes («Por la sala...») puede tener alguna modificación, de acuerdo con lo estudiado en el § 18, 2 (mapa 18).

111. Los textos 23 y 25 quedan reducidos a «Iba jurando y votando — y al cielo pide venganza».

112. Las versiones gallegas coinciden con este grupo:

«Se saira cara fora, berrando desconsolada.
—Xusticia veña do ceio, que da terra non ven nada,
pra matar fillo de rey, que a mim me deixa bulrada»
(s. l., 6 y, variante, 1, 5).

En Oseja 34, se interpola un verso:

«...y llamando al rey de España,
que ponga justicia el cielo que en la tierra no haiga».

113. Formas más difusas y ridículas en 20, 22 y 42.

En otras ocasiones, el motivo agrupador son las súplicas de la muchacha (IV):

Hermano, si eres mi hermano, por Dios, hermano del alma,
en una reunión de mozos no digas que estoy manchada.
(71, 75, 105, 110, 111).[114]

El resto de los textos recogidos no ofrece ningún criterio agrupador; su localización queda simplemente consignada.

Como puede verse, la distribución geográfica de las variantes es relativamente uniforme, aunque el número sea siempre escaso. El motivo II —el más difundido— es propio de una región situada al norte del Duero; como otras veces, algún punto de Albacete coincide con estas lejanas tierras.

El motivo IV es del centro y, por su carácter de consideración moral, habrá que interpretarlo como reciente.

De los materiales allegados, ninguna nueva conclusión se obtiene, como no sea una *ex silentio*. El motivo falta en Andalucía y en todas las regiones con Andalucía vinculadas; incluso es desconocido por las versiones aragonesas que tanta relación tienen con las meridionales.

20. Los finales del romance

El final del romance aparta totalmente a la tradición oral del texto sagrado. De acuerdo con la psicología popular se buscan unas cuantas soluciones, que van desde el puro disparate hasta la contaminación romancesca (vid. mapa 21).

1) En conexión con las cuestiones estudiadas en el mapa 20 (III) está el final de Losacio de Alba 51 (Zamora); la petición de justicia al cielo (119, 146, 152, 159, 163, 169) recuerda los motivos II *b* del mismo mapa.

114. Hay numerosas variantes de este motivo, pero todas de filiación inconfundible: 58, 79, 102, 103, 146, 161.

2) No son escasas las versiones en que el rey salva la honra familiar enclaustrando a la hija (o a los dos vástagos) [II *a*]:

Su padre de que la vio le decía estas palabras
—¿Qué tienes, Altamarina, ¿qué tienes tú mi Altamara?
—Contárselo quiero padre, más vergüenza me causara,
que hasta un hermano que tengo me ha quitado mi honra y [fama.
—Cállalo tú, Altamarina, cállalo tú, Altamara,
que te meteré yo monja en un convento de Claras.
(*23, *25, 28, *33, *34, 131, 132, 134, 136) [115]

Versiones abreviadas de este motivo aparecen en 17, 18 y 42.

Otro grupo está constituido por —nuevo recurso familiar— los desposorios de los dos hermanos,[116] aunque para arbitrar la situación se recurre a cínicas justificaciones (2, 81) [II *b*] o, ante la protesta de Tamar, a una interpolación del tema conventual (II *c*):

¿Qué tienes, hija Altamita? ¿qué tienes, hija Altamada?
[Tamar cuenta su violación según los versos estudiados en el mapa 19.]
—No llores, hija Altamita, no llores, hija Altamada,
que, antes de salir el sol, con él estarás casada.
—No lo quiera Dios del cielo, ni la Virgen soberana,
que, por ser hijos de reyes, casen hermano y hermana;
primero me meto monja del convento Santa Clara.
(10, 13, 14, 16, 24, 29, 65, 90) [117]

Otro miembro de este conjunto lo forman las variantes en las que Tamar, ante el riesgo de ir al convento, se suicida:

115. Las versiones señaladas con asterisco, añaden unos versos en los que se hace profesar, también, a Amnón.

116. El final novelesco en boda se repite —una y otra vez— en los romances, vid. *El romancero judeo-español de Marruecos*, ya cit., p. 36, y p. 280 de este libro.

117. Los dos últimos versos faltan en 10 y 65. La versión de 90 es abreviada.

Su padre lo estaba viendo desde la sala onde estaba.[118]
—No llores, hija querida, no llores, hija del alma,
que te meteremos monja de la religión de Clara.
—¡Ay, qué palabras de padre! ¡ay, qué palabras tan falsas!
Ella ha cogido un puñal y ella sola se mataba.
—Más quiero morir así que no vivir afrentada;
y hasta los niños de pecho me llaman mujer mundana.
(59, 61, 91, 97, 126) [II *d*].

El tema del suicidio con puñal aparece en 35 y 55 (sin alusión al convento), pero contaminado con el rasgo II *a* de este mismo mapa.

La versión de Gajano 86 (Santander) ofrece con bastante claridad un nuevo tipo de interpolaciones sobre II:

—Cállatelo tú, hija mía, calla y que no se sepa nada,
que si pares un hijito será príncipe de España
y si pares una hijita será monja de Santa Clara[119]
(38, 83, 86, 88, 89) [II *e*].

3) Aparte hay que considerar los casos en los que Tamar se encuentra con la madre, preocupada por la salud del enfermo. Unas veces (III *a*) desea u ordena la muerte de su hijo (20, 22, 52);[120] otras desdeña la suerte de su hijastra (43, 50, 66, 96) o se muestra indiferente (44, 45), aunque, en uno y otro caso, el motivo está contaminado por el tema III *b* del mapa 20.

Íntimamente relacionado con este encuentro el conjunto de localidades en las que el rey es quien toma la iniciativa de la venganza, ya sea decapitando (9, 27, 30, 41), ya sea mandando descuartizar (73, 113) o mezclando novelescamente el motivo con otros (21, 26, 31) [todos figuran en III *c*].

118. «...de las altas torres onde estaba» (Puebla de Sanabria, 41). Estos versos traen un eco de romance de *Gerineldo*: «mirándolo está la infanta — desde su alto castillo» (cfr. *RFE*, VII, p. 240).

119. Las *monjas de Santa Clara* se repiten en las versiones tradicionales del romance conocido por *Las señas del esposo*.

120. En 22 hay contaminación del tema de Santa Clara.

4) Un grupo numerosísimo está constituido por unas versiones en las que el desenlace depende —según veremos— de una consulta de doctores:

Un día estando en la mesa su padre la remiraba
—¿De qué me mira V., padre, de qué me mira la cara.
—Te se levanta la ropa como si fueras casada
(IV *a*).

Variantes de esta introducción son la que empieza «Un día que iban a misa...», la que reducida a dos versos («A eso de los nueve meses — la niña cae en la cama», 150, IV *b*;[121] o las que ofrecen cierta modificación («y del susto que pilló — cayó malita en la cama», 150, IV *b*; «a eso de los nueve meses, — ha nasido una medalla / y de nombre le pusieron — hija de hermano y hermana», 77, IV *b*).

5) Diversos finales (la niña muere del susto, 63, 166; moralizante, 72; o versiones no agrupables) quedan anotados sin darles ningún signo en el mapa; simplemente, transcribiendo el número.[122]

La geografía de estas versiones autoriza a dividir España en dos regiones (norte y sur). En cada una de ellas, sendas subzonas. En las áreas septentrionales —como otras veces—, Sanabria y el norte de León, coinciden, estableciendo cierta discontinuidad en una gran zona que —con diversos matices— aparece caracterizada con círculos. También, como en algunos casos ya considerados, pueblos albaceteños vienen a coincidir con motivos septentrionales.

Al sur de España, hay una compacta unidad, rota por algunos puntos no conexos (tipo I). La mancha procedente de Andalucía —según viene ocurriendo— gana terreno hacia el norte, donde aparecen numerosas salpicaduras meridionales.

121. En los puntos 57 y 112 se encuentran estos versos pero no los de la consulta.

122. La más extraña —gusanos que Dios envía contra el pecador, peregrinación a Roma, etc.— es de la de Lousa 174.

21. Interferencias en los finales del romance

La reunión de médicos se tomó del romance de *La muerte del príncipe don Juan.*[123] La procedencia de los galenos (mapa 22)[124] da lugar a una clara ordenación de los materiales: al norte del Tajo, los hacen venir de la Habana; al sur, son, casi exclusivamente, de origen granadino; quedan, por último, unos cuantos casos en los que, genéricamente, son «de España».

El diagnóstico médico (mapa 23) es, siempre, el de embarazo; sin embargo, el eufemismo desplaza a veces al término demasiado brutal *(preñada, embarazada)* y entonces aparecen los esporádicos *manchada* (155), *chiflada* (98), *muy mala* (101), *mala* (151) y, el muy extendido, de *opilada.* Esta última forma da lugar a ciertos pormenores del parto, basándose en la proximidad *opilada, pila de agua* 'bolsa en la que está encerrado el feto'.

Obsérvese la coincidencia de las áreas de cada uno de los dos temas cartografiados en el mapa: *Habana / embarazada (preñada)* y *Granada / opilada.*

Por último, el romance de Jumilla 137 (Murcia) está contaminado por el de Virgilio.[125]

22. Las áreas geográficas

Si inventariamos los resultados que hemos obtenido a lo largo de los comentarios anteriores, podremos inferir una serie de hechos por más que los límites geográficos deban considerarse en un sentido lato y no con la rigurosa precisión de los amojonamientos administrativos.

123. Vid. R. Menéndez Pidal, *Romancero Hispánico,* I, p. 156, y II, 291-292, *passim.* Doña María Goyri dedicó una monografía al tema en el *BHi,* VI, 1904, pp. 29-37, y otra J. Pérez Vidal en la *RHL,* 1951, pp. 314-317.

124. El texto 162 (Granada) presenta desplazada la reunión de los médicos, que se realiza —bastante al comienzo del romance— para dictaminar la enfermedad de Amnón.

125. Vid. mi artículo *Los romances de «La bella en misa» y de «Virgilios» en Marruecos,* apud «Archivum», IV, 1954, pp. 264-276.

1.º Más de una vez nos encontramos con una división geográfica en dos grandes áreas: la septentrional y la meridional.[126] Andalucía, tierra fértil siempre para las proliferaciones romancescas, presenta una clara uniformidad y coherencia frente al norte (mapas 11, 12, 13, 14, 18, 19, 21); en muchos casos la fuerte tradición meridional proyecta hacia el Ebro y más allá del Duero sus procesos caracterizadores, sean de carácter innovador (mapas 5, 11, 12, 13, 15) o tengan carácter vulgar (mapa 19). En algún caso, la oposición sur contra norte se encuentra y neutraliza sus fuerzas expansivas entre los ríos Tajo y Duero (mapas 16, 21), desde esta línea se pueden irradiar los procesos hacia Aragón (mapa 20) o, incluso, hacia el norte cantábrico (mapa número 4). El equilibrio que señalo en la línea entre Duero y Tajo puede forcejear consiguiendo mutuas penetraciones más allá de esa esquemática simplificación (mapas 21-23), por más que quede muy claramente señalado el proceso que comento. Incluso *ex silentio,* Andalucía innova (falta de motivo en el mapa 20).[127]

2.º Otra región de una gran personalidad es Asturias.[128] Acaso la única que se puede contraponer con energía a la mancha que se va extendiendo desde Andalucía. Unas veces, Asturias innova con éxito, y sus logros van hacia Aragón (mapas 2, 7), Cataluña (mapa 7) y la Mancha (mapas 2 y 3) y otras, las más, es arcaizante en rasgos que habitualmente afectan a otras regiones leonesas de carácter también arcaizante (mapas 8, 9, 19, 20, 21), desde donde se proyectan sus peculiaridades hacia Extremadura (mapas 19, 21) y otras regiones (mapa 10). Rasgos que afectan a todo el dominio tienen su peculiaridad en esta región cántabro-leonesa (mapa 14).

3.º Cataluña es arcaizante, vaya de acuerdo con Asturias

126. A esta situación se ha llegado también en otros romances, cfr. los datos de D. CATALÁN y A. GALMÉS en *Cómo vive un romance,* Madrid, 1954, p. 271.

127. La posición de Andalucía en otros romances se puede ver en el mapa II *b* del trabajo de A. GALMÉS y D. CATALÁN, *El tema de la boda estorbada. Proceso de tradicionalización de un romance juglaresco* (*VRo,* XIII, 1953, p. 82); su irradiación hacia el norte y hacia el mundo sefardí en el mapa II *b* (p. 83) del mismo estudio.

128. Véanse los mapas a los que me refiero en la nota anterior.

(mapas 6, 7), con Castilla la Vieja (mapa 16) o sea independiente (mapa 13).

4.º La región leonesa (norte de León, Sanabria) tiene una fuerte personalidad. Presenta rasgos tradicionales tales como algunas precisiones de gusto popular, que —por su popularismo— se difunden muy extensamente (mapa 4), se caracterizan por su relativa modernidad (mapas 13, 15) o, lo que es más habitual, por su manifiesta personalidad (mapas 6, 12, 18). En relación con el mundo leonés está la versión —deturpada y original— de Lousa 174.

5.º Castilla la Vieja, acaso sólo en el mapa 19, ofrezca una personalidad capaz de ser proyectada más allá de sus fronteras.

6.º El centro es una región de transición. En ocasiones va con el norte (mapas 15, 18) y puede irradiar hacia Albacete; otras es innovador (mapas 10, 20) o en ese medio geográfico se interfieren una y otra corriente (mapa 19). Lugar aparte merece la Mancha que presenta personalidad innovadora en rasgos extraordinariamente nuevos (mapa 4).

Los resultados obtenidos en estos comentarios son bastante elocuentes. España se divide en dos zonas horizontales (norte-sur) cuyo límite está entre Duero y Tajo; pero —al mismo tiempo— podemos señalar otras subregiones de fisonomía bien caracterizada. Y, como en lingüística, la uniformidad meridional se convierte en abigarramiento en el norte. Andalucía —también igual que en su dialecto— es fuertemente innovadora y fuertemente extrovertida. Frente a ella, otra región, la leonesa, presenta un carácter reacio a cualquier tipo de claudicaciones; sin embargo, la personalidad del dominio cántabro-leonés se encuentra comprometida por los ataques venidos del sur. Dentro de este complejo —otra vez la identidad con la lingüística— Asturias y Sanabria tienen su propia e inconfundible personalidad y, como ocurre con el cancionero tradicional, la cornisa cantábrica puede proyectar su carácter más allá de sus propios valles.

Si el centro suele ser tierra de luchas, y de su carácter participan la Mancha y la provincia de Albacete (manchega o no), la vinculación con la lingüística tampoco sería inútil en este momento. Mientras que Cataluña se aferra a su arcaísmo y Aragón tiene una indecisa personalidad, que —en dialectología también— le llevó a renunciar a su propio vehículo expresivo para aceptar la lengua de Castilla.[129]

Proyectados estos hechos sobre un mapa los resultados obtenidos son de evidente claridad, por más que los trazos caracterizadores no tengan, como decía al principio, otro sentido que el de su aproximación. Conviene no olvidar que mis versiones, por muchas que parezcan, son pocas para establecer unos hitos que impidan la vacilación, carecen de la absoluta homogeneidad que hubiera querido para su distribución y presentan grandes lagunas de ignorancia. Así y todo, el mapa de la recapitulación tiene un positivo valor (gráfico número 24).

23. Transmisión de un romance en la tradición oral

La transmisión de un romance en cientos de versiones plantea unas conclusiones metodológicas que merece la pena considerar desde cerca. Como en otros casos, creo que la lingüística podrá venir en nuestra ayuda y servir de contrapunto a los resultados que vayamos obteniendo.

Cada variante de un romance no es un bloque compacto que se transmite en su integridad. Se van produciendo modificaciones en su estructura cuando pasa de un labio que habla a un oído que escucha. Esas modificaciones afectan a un elemento del romance, no a la totalidad de él. Pero la innovación que se produce puede ser de muy variado carácter: unas veces es la introducción que, como un preámbulo ambientador, llama a la atención del auditorio (mapa 2). Pero esa misma adición pasa a ser elemento vivo en la tradición: una vez adoptada, se modifica, y llama a los estímulos de la fantasía (la muchacha es un pino, un junco, una espada). Dentro de la lógica coherente del narrador, el motivo prolifera por su propia vitalidad —como el gusa-

129. En el romance de *Gerineldo + La boda estorbada* coincide con Andalucía (vid. Catalán-Galmés, *Cómo vive un romance*, p. 271).

no de seda va tejiendo su capullo pasando y repasando finísimos hilos—: la doncella es > hermosa > por tanto, debe ser pretendida > por condes y duques o por un señor o un marqués o un rey (mapa 3). El preámbulo ha quedado ya perfecto y ha nacido una nueva versión, que tiene su vida propia.

El núcleo del romance comienza ahora con la escueta desnudez del texto originario. He aquí que la etimología popular intenta situar en un ambiente comprensible lo que es puro erotismo. *Amnón* y *Tamar* no dicen nada; si una comunidad —como el mundo sefardí— mantiene los nombres, la etimología popular no actúa. No es ése el caso peninsular. Sobre el nombre del forzador converge otra historia de violaciones: la de Tarquino y Lucrecia; allí está todo el mundo de las nuevas posibilidades. Unas veces, *Tarquino* se conserva; otras, la forma se desliza hacia un próximo esquema melódico, *Tranquilo,* y —ya— la precipitación como las aguas de una cascada. Pero el nombre no sale de su propio espacio habitable. No así *Tamar*: ¿quién sabe las *támaras* 'dátiles' en algunos dialectos españoles? Y el exotismo actúa: *Al-Tamar,* pero se impone el sonsonete: *alta-mar* > *altos mares.* El pueblo la ha visto: doncella, hermosa y pretendida. La pasión ha nacido ya, y, para no perdonar nada, es aún —trece, quince años— una niña. El enamoramiento es en *alta mar* y, de ahí, en un barco o, si es tierra adentro, en un *automóvil.* El disparate, la negación poética, queda bajo la luz. Las variantes, repetidas en su marco geográfico, ya no dejan dudar de la lógica del proceso. Todo va siendo tratado con implacable rigor. Y van naciendo nuevas y necesarias exégesis para aclarar tanto hilo que se suelta, pero que no debe deshacer el ovillo. La etimología popular ha obligado a la reestructuración poemática: en otra ocasión he hablado de patología y terapéutica rapsódicas.[130] Paralelismo entre lingüística y poesía tradicional.

El romance se difunde. Aparecen elementos nuevos que se sobreponen y otros viejos que desaparecen o se encastillan, ternes, en regiones arcaizantes. Cada una de las cuartetas del romance tiene su propia vida. Es una isoglosa propia, como en lingüística.

130. *Patología y terapéutica rapsódicas. Cómo una canción se convierte en romance* (*RFE*, XLII, 1958-59). Incluido en las pp. 296 y ss. de este volumen.

Llama a la atención de los narradores o languidece sin relieve. Otra vez más, como en los hechos descritos al comienzo de este párrafo, cada recitador o cada oyente siente que su fantasía vibra y entonces enriquece el relato; o nota que el motivo no interesa, y lo deja perder. Pero no todas las psicologías se pronuncian en el mismo sentido, unas se estimulan, otras no reaccionan y unas terceras sienten el doble valor de lo viejo y de lo nuevo. Son los tres caminos que ahora se ponen en marcha.[131]

Entonces, cada fragmento del romance tiene su vida propia: cada cuarteta, cada verso (mapas 9 y 10), cada palabra de un verso (mapas 8 y 16).[132] Y cada una de esas mínimas partecillas condiciona el todo. Según coma Amnón pavo, pechuga, pichón, habrá que reordenar el sistema entero al que pertenece ese elemento (mapa 13); según sea la voz terruñera, Tamar se cubrirá con *enaguas(s) blanca(s)*, con *falda* o con *sayas* (mapa 16). Nada es insolidario; ni un solo palo de ciego. Lo que es, lo que aquí figura es la voz inalienable de la tierra y, gracias a ella, el conjunto tiene una forma y no otra.[133] Van siendo, como en lingüística, los elementos suprapersonales que todos —el recitador también— usamos, que no podemos modificarlos caprichosamente porque están más allá de nosotros y por encima de nosotros: la trasmisión oral es un hecho de *lengua* y no de *habla,* por más que la *lengua* (el romance) se realice en cada una de las infinitas posibilidades del hecho individual del *habla* (el elemento aislado del poema).

Pero un día los elementos externos (en nuestro caso, la visión de una pieza teatral, páginas 193, 195-198) se proyectan sobre la vida del romance y se reflejan en él. Quede claro: los hechos externos no son el romance, sino la vida marginal que se proyecta

131. Aquí se plantea la cuestión de la prioridad del creador individual o de la creación tradicional; HORRENT, como Devoto, defiende al primero contra una valoración, que puede ser excesiva, del tradicionalismo (*Comment vit un romance,* en «Lettres Romanes», XI, 1957, p. 392).

132. Vid. R. MENÉNDEZ PIDAL, *RFE,* VII, 1920, p. 327.

133. Cfr.: «cuando una variante se mantiene dentro de un relato tradicional es porque su sentido coincide con el sentido total del relato, aunque nos parezca a primera vista injustificada, o aun descabellada» (DANIEL DEVOTO, *El mal cazador,* en *Studia Philologica. Homenaje ofrecido a Dámaso Alonso,* t. I. Madrid, 1960, p. 481). Pensemos, por ejemplo, en el enamoramiento de Amnón yendo en automóvil.

sobre el poema. Puede ocurrir que ese factor externo se incruste sobre la carne viva de la tradición. No es la fuerza que hace vivir a la tradición; es un estímulo parcial que actúa sobre ella. Aún queda fuera de la propia dinámica interna de la transmisión. Sólo cuando el romance la acepta, la asimila, la convierte en materia suya, sólo entonces, vive dentro de la poesía tradicional. Como en lingüística, lo fundamental son los factores internos, los que poseen capacidad para que la vida fluya; los factores externos (las fuentes de plata, la jarra, la toalla, en nuestro caso) han sido estimulantes, pero sólo se han convertido en factores internos cuando la tradición los ha asimilado y los ha convertido en materia indiscernible ya. Como en lingüística.

Gilliéron devolvió la dignidad a la palabra. He aquí el problema. Pero no negó la historia lingüística. Cada palabra tiene su propia historia. Pero una lengua no son unas isoglosas aisladas, ni miles de isoglosas aisladas, son eso y otras muchas cosas más. Aunque las isoglosas ayudan a trazar y delimitar una lengua. En el romancero, cada poema, cada cuarteta, cada verso, cada palabra tiene su propia historia, pero cada elemento aislado no es sino una piececilla dentro de una taracea infinitamente complicada. Existe el hueso o la madera con que se hace la tira coloreada; pero existe la greca, por más que sus elementos se combinen de tantas maneras como quiera el capricho del artesano. Y, además, existe también la obra de arte en que se han combinado colores y tracerías. El romance presenta mil formas cambiantes, pero podemos identificar sus líneas maestras. Por más que en la narración se hayan entremezclado, combinado, desarrollado en infinitas variantes. Cada una de ellas es como una isoglosa, que permite llegar a conocer la lengua en su integridad, o, en nuestro ámbito, al poema.[134]

134. Ni en lingüística ni en poesía tradicional creo que se pueda pensar resolver todos los problemas con un estrecho criterio dogmático. Los métodos no deben imponerse a la interpretación de los hechos, pues son —únicamente— caminos para buscar la verdad. Véase la polémica entre Daniel Devoto (*Sobre el estudio folklórico del romancero español. Proposiciones para un método de estudio de la transmisión tradicional. BHi*, LVII, 1955, pp. 233-291) y Diego Catalán (*El «motivo» y la variación en la transmisión tradicional del romancero, ib.*, LXI, 1959, pp. 151-182) y la réplica del investigador argentino en *Un no aprendido canto. Sobre el estudio del romancero tradicio-*

Adición. En el *Romanceiro português,* de J. Leite de Vasconcellos, t. II (Coimbra, 1960), pp. 89-90 y 519, hay tres versiones del romance procedentes de Bragança (2) y Vimioso. La primera de ellas (Bragança, n.º 515, *D. Basílio*) tiene elementos agrupables con los que figuran en los mapas 5 (§ 3), 15 (§ III), 16 (§ II), 18 (*e*), 19 (§ II *a*), 20 (§§ I *a* y IV). Todos estos rasgos, salvo el 19 (§ II *a*), se localizan en Sanabria y Galicia.

En cuanto a las otras variantes —bastante afines— de Bragança (n.º 516) y Vimioso (n.º 1014), tienen elementos de 5 (§ 3), 13 (§ III), 15 (§ I), 16 (§ II), 18 (*h*), 19 (§ II *a*) y 20 (§ II *a*). Salvo 15 (§ I), que es meridional, el resto pertenece al NO ibérico de manera casi exclusiva.

Estos materiales confirman lo dicho para Portugal y permiten señalar cómo al final del romance —falta de memoria, desenlace tópico— es cuando los poemas portugueses manifiestan más originalidad e independencia entre sí. (Los nombres de los protagonistas, *D. Basílio, Tomásia,* no se repiten en la tradición española.)

En la p. 318, copio el texto n.º 515 de Leite de Vasconcellos.

---

nal y el llamado «método geográfico» («Abaco», I, 1969, pp. 11-64). Sobre el valor de método geográfico ha escrito atinados conceptos G. Di Stefano, *Sincronia e diacronia,* ya citada, pp. 119-122, y *Marginalia sul romancero* («Miscellanea di Studi Ispanici», 1968, p. 145).

B. *LAS VERSIONES MARROQUÍES*

24. EL TEMA EN MARRUECOS

En oposición a la literatura tradicional de la Península, tan parca en canciones de carácter bíblico,[1] la sefardí tiene un número no escaso de poemas cuya inspiración procede de los libros sagrados; sin embargo, la cronología de casi todos esos cantares habrá que fijarla con posterioridad a la expulsión de los judíos. Su métrica —a veces— poco popular, el bilingüismo de alguna composición, el carácter culto de los motivos, la difusión limitada de los textos, me hacen pensar en la llamada literatura ladina más que en la tradición hispánica. Una de las excepciones posibles a tal estado de cosas es, justamente, el poema que ahora me ocupa; el único romance popular sobre asuntos del Testamento Viejo, en opinión de Menéndez Pelayo.[2] Creo que a este juicio de don Marcelino se refieren unas palabras de Benolíel recogidas por Menéndez Pidal,[3] y en las que se contradice «la afirmación de un crítico sobre la escasez de asuntos bíblicos en el romancero». A la vista de los textos, hemos de dar la razón a Menéndez Pelayo si consideramos la totalidad del dominio hispánico,[4] aunque —y ya lo he señalado— los sefarditas conocen otras canciones —no siempre romances— basadas en historias bíblicas. Al margen de este inciso, tiene interés la noticia que Benolíel suministra a propósito del romance de Tamar: «es tan

1. MENÉNDEZ PIDAL, *Romancero hispánico,* II, Madrid, 1953, p. 337, cita otro tema, aparte el de Tamar, vivo en la tradición peninsular. Cree el maestro que los romances bíblicos marroquíes son tardíos, de la primera mitad del siglo XVI, y el nuestro llevado a Marruecos desde España.
2. Vid. nota 8 en la p. 227.
3. *Catálogo,* pp. 123-124.
4. Este mismo criterio sostiene P. BÉNICHOU en *Romancero judeo-español de Marruecos, RFH,* VI, 1944, p. 354.

conocido en Marruecos que hasta las moritas lo cantan». Hoy, muchos años después, la difusión de este impuro apasionamiento goza de la misma buena andanza.

25. Textos

1. Versión A de Tetuán

Tomo como base de mi trabajo esta versión de Tetuán, una de las mejores que se han recogido. El texto va transcrito con ortografía corriente, y si lo imprimo en versos cortos es para facilitar el cotejo que hago seguidamente y la comprobación del cuadro que imprimo en las páginas 228 y 229.

Un hijo tiene re Dávi,
que por nombre Ablón se yama,
namoróse de Tamar,
aunque era su propia hermana.
5 Fuertes fueron los amores,
malo cayó, echado en cama;
un día por la mañana,
su padre averle entrara:
—«¿Qué tienes tú, Ablón,
10 hijo mío y de mi alma?»
—«Malo estó, el re mi padre,
malo estó y echado en cama.»
—«Si comieras tú, Ablón
pechuguita de una pava...»
15 —«Yo la comeré, mi padre,
si Tamar me la guisara.»
—«Yo se lo diré a Tamar,
que te la guise y la traiga».
—«Si fue cosa que viniere,
20 venga sola y sin compaña.»
Eyos en esas palabras,
Tamar por la puerta entrara:
—«¿Qué tienes tú, Ablón,
hermano mío y de mi alma?»

25 —«De tus amores, Tamar,
me trajeron a esta cama.»
—«Si de mi amor estás malo,
no te levantes de esa cama.
Tendióla la mano al pecho
30 y a la cama la arronjara.
Triste saliera Tamar,
triste saliera y mal airada;
en mitad de aquel camino,
con Absalón se encontrara:
35 —¿Qué tienes tú, Tamar,
que te veo malairada?»
—«Ablón mi hermano
quitóme mi honra y fama.»
—«No estés de nada, Tamar,
40 no estés de nada, mi alma,
mañana antes de que raye el sol
tú serás la bien juzgada.»

2. *Versión B de Tetuán*

Esta segunda versión tetuaní coincide, en esencia, con la tomada como base; anoto, solamente, las siguientes variantes:

v. 1:... el rey...
v. 6:... y echado...
vv. 11-12: malo estó yo mi padre,
malo estó y no como nada
faltan los vv. 19-20.
v. 26:... trujeron...
vv. 29-30: tirárala la mano al pecho,
la mano al pecho la echara
v. 35: ...di tú, Tamar,
vv. 37-42: —«Abló mi hermano me quiso
quitar la honra y la fama.»
—«No se te dé nada, Tamar,
mañana por la mañana,
tú serás la bien juzgada.»
Otro día en la mañana
con Absalón se casara.

3. *Versión de Larache*

Igual que en el caso de la versión B tetuaní, registro las discrepancias con respecto a la tomada como base:

v. 1: ...rey...
v. 2: ...Ablón...
v. 3: namoróse...
v. 8: ...fuera
v. 11: malo estoy yo rey...
v. 12: malo estoy y no como nada
v. 14: pechugüitas...
faltan los vv. 19-20.
v. 26: ...trajieron...
v. 28: no sé...
v. 29: tiró
v. 30: y a su camá la tirara

Tras el v. 30, en Larache se interpolaron estos otros:

de gritos que diera Tamar
siete sielo alborotara.
v. 33: en medio...
vv. 35-42: «¿qué tienes hija, Tamar,
que te veo muy disgustada?»
—«Con el quitade de Amón,
me quitó la horra y la fama.»
—«No tengas pena, Tamar,
serás una de las bien casadas
y antes que saliera el sol,
su sangre era regada.»

v. 14: *pechugüitas,* forma judeo-española.
v. 30: las traslaciones acentuales son muy frecuentes en la recitación.
v. 37: *quitade* «cuitado (?)»
v. 38: *horra* «honra»

4. *Versión de Alcazarquivir*

Con respecto a la versión A de Tetuán señalo las siguientes variantes:

v. 1: ...tiene David
v. 4: y era su...
v. 6: ...y echado...
v. 8: a verle su padre entraba
v. 9: ...y tú, Ablón,
vv. 11-12: malo estoy yo, el mi padre,
malo estoy, no como nada
v. 13: Sí, comerás...
v. 14: pechugüita...
faltan los versos 19-20
v. 21: Otro día a la mañana,
v. 23: ¿qué te pasa...
v. 25: Los tus...
v. 26: me truxeron...
faltan los vv. 27-28.
v. 29: La cogió de la sintura

Tras el v. 30, en Alcazarquivir se oyen éstos:

Gritos diera Tamar,
siete cielos aburacara
faltan los vv. 31-32.
vv. 33-34: Encontróse con Absalón,
con Absalón se encontrara
v. 35: ...y Tamar
v. 36: ...y mal airada
v. 37: que el malogrado Ablón
v. 38: la horra y la fama

vv. 39-42: No te se importe, Tamar,
que serás tú bien casada
y antes que se ponga el sol
verás su sangre enrojada.

26. Interpretación de las versiones

En los cuadros que siguen trato de hacer la colación de los textos marroquíes. La procedencia de cada una de las versiones es:

Tetuán A: encuestas personales de M. Alvar (1949).

Tetuán B: id. (con ésta coincide casi totalmente la de Ortega, *Los hebreos en Marruecos,* pp. 218-219) (1950).[5]

Larache: id. (1951).

Alcázar: J. Martínez Ruiz, *Poesía sefardí de carácter tradicional (Alcazarquivir),* apud «Archivum», XIII, 1963, pp. 137-138.

Orán: *Romances judeo-españoles de Marruecos,* RFH, VI, 1944, p. 354.

Con un guión (-) corto indico que la voz falta en la versión correspondiente; con uno largo (—) señalo la carencia de uno o dos versos.

Considerando el cuadro de las págs. 228 y 229, en el que sólo figuran las disparidades, podemos ver que los textos de Tetuán, A y B, coinciden en un 46 % de las variedades consideradas (vv. 9, 14, 25, interpolación, 36, 42); con Tetuán (versiones A o B) se agrupa Larache (un 61,5 % de casos), mientras que con Alcázar y Orán sólo coincide un 30 % de veces. Tetuán va concorde con Alcázar en otro 30 % de las variantes consideradas y con Orán sólo en un 23 %, mientras que Alcázar y Orán coinciden en un 53,8 % de ocasiones. De estos datos se puede inferir:

1.º: que el estado actual del romance atestigua una relación de Larache con Tetuán, superior sin duda a la que pueda existir entre Larache y Alcazarquivir. Hecho que se refuerza con la conclusión segunda;

5. A. de Larrea recogió otra variante tetuaní que coincide con la mía A, aunque su verso 12 es el mismo que el de la B y los vv. 39-40 de A quedan desarrollados en cuatro de carácter repetitivo. El v. 37 (siempre de A) aparece encabezado por *Umá* «uno u otro». *Cancionero judío del norte de Marruecos, Romances de Tetuán,* I, Madrid, 1952, pp. 130-131.

2.º: que son numéricamente iguales las coincidencias de Tetuán y Larache con Alcazarquivir.

3.º: que la comunidad de Orán, establecida en esta ciudad en el siglo XIX con gentes venidas de Tetuán,[6] se ha separado de su tradición originaria, según supuse en otro sitio.[7]

4.º: que Alcázar y Orán forman unidad, como en el caso de Gerineldo.[8]

5.º: que Tetuán y Alcázar son los únicos sitios donde se dan interpolaciones o sustituciones que sólo a ellos atañen, lo que hace pensar que esas localidades sean focos de mayor importancia en la reelaboración de la poesía tradicional.

6.º: que Orán representa la redacción más pobre de las conocidas.

27. Arcaísmos modernizados. Reconstrucción del texto

La tradición marroquí es más arcaizante que la peninsular. Esta afirmación, tópica ya, es verdadera en sus líneas generales. Sin embargo no hay que creer en el total anquilosamiento de la tradición sefardí: no, más lentamente, y ahora como a remolque de la peninsular, va evolucionando. Una clara muestra de ello nos la da la sistemática pérdida que experimentan los arcaísmos. Me fijaré en casos ilustrados por los romances de hoy.

La más flagrante de las sustituciones es sin duda la del sintagma «artículo + posesivo». En el v. 11, sólo Alcázar y Orán mantienen *el mi*, totalmente reemplazado en Tetuán B y Larache, mientras que, en Tetuán A, el *re mi padre* parece ser fórmula de compromiso entre *el mi padre* (Alcázar, Orán) y el sintagma romancesco *el re tu padre*; obsérvese que sólo Tetuán A conserva *re*. Una sustitución del mismo tipo es la que se da en el v. 25, *los tus* (Alcázar, Orán), reemplazado por *de tus* (Tetuán A y B, Larache), con lo que el verso pierde su sentido.

6. Cf. M. L. Ortega, *Los hebreos en Marruecos* (4.ª edic.), p. 101.
7. *Cinco romances de asunto novelesco recogidos en Tetuán*, «Estudis Romànics», III, 1951-52, p. 78.
8. *El romance de Gerineldo entre los sefarditas marroquíes*, «Boletín Universidad de Granada», núm. 91 (1951), p. 16 de la tirada aparte.

	Tetuán A	*Tetuán B*	*Larache*	*Alcázar*	*Orán*
v. 1	re	el rey	rey	—	el rey
v. 4	aunque	aunque	aunque	y era	aunque
v. 6	echado	y echado	echado	y echado	y echado
v. 8	entrara	entrara	fuera	entraba	entrara
v. 9	tú	tú	tú	y tú	y tú
v. 11	el re mi	yo mi	yo rey	el mi	el mi
v. 12	echado	no como	no como	no como	no como
v. 13	si comieras	si comieras	qué comerás	sí comerás	sí comerás
v. 14	pechuguita	pechuguita	pechugüita	pechugüita	pechugüita
vv. 19-20		—	—	—	—
v. 25	de tus	de tus	de tus	los tus	los tus
v. 26	trajeron	trajeron	trajieron	trujeron	trujeron
vv. 27-28				—	—
v. 29	tendióla	tirárala	tiró	(distinto)	—

v. 30	a la cama la arronjara	la mano, etc.	a su cama la tirara	a la cama la arronjara	—
interpolación	—	—	de gritos, etc.	gritos, etc.	—
v. 33	en mitad	en mitad	en medio	(adulterado)	—
v. 35	tú, T.	di tú, T.	hija, T.	y T.	—
v. 36	mal airada	mal airada	muy disgustada	mal airada	—
v. 37	—	—	quítade	malogrado	—
v. 38	quitóme	(adulterado)	me quitó	quitóme	—
v. 39	no estés de...	no se te dé...	no tengas	no te se importe	—
v. 40		—	—	—	—
v. 41	antes que raye el sol	(adulterado)	...saliera...	...ponga...	—
v. 42	juzgada	juzgada	casadas	casada	—
Finales diversos del de Tetuán A.		T. casa con Absalón	Ab. anuncia venganza contra A.	Ab. anuncia venganza contra A.	

El futuro de indicativo, tras una afirmación imperativa (v. 13), se conserva en Alcázar y Orán (con ellos iba la antigua tradición de Tetuán, según atestigua la versión de Ortega), mientras que la fórmula es sustituida por formas carentes de significado en Tetuán A y B y, en Larache, queda mantenida tan sólo parcialmente. El imperfecto de subjuntivo es modernizado en sus usos o mal interpretado (v. 8).

También el léxico ha experimentado el mismo tipo de sustituciones: el tradicional sefardí *pechugüita* es trocado por el moderno *pechuguita* (v. 14), *trujeron* por *traj(i)eron* (v. 26), *arronjara* (*arrollare* en Ortega) por *tirara* (v. 30), *aburacara* (interpolación tras el v. 30) por *alborotara* (en Larache), *mal airada* por *disgustada* (v. 36).

Sólo dos versiones (las de Larache y Alcázar) dan cabida (v. 37) a una voz sin correspondencia en las otras. En Larache, *quitade* carece de sentido; en Alcázar, *malogrado* lo tiene, pero no en este verso. De ambas voces se puede reconstruir la originaria: *cuitado*.

A la vista de las consideraciones que hago en los §§ III y IV creo que se puede restituir el texto a su forma originaria: [9]

Un hijo tiene re Dávi que por nombre Ablón se llama,
namoróse de Tamar, aunque era su propia hermana.
5-6 Fuertes fueron los amores, malo cayó y echado en cama;
un día por la mañana, su padre a verle entrara:
9-10 —«¿Qué tienes tú, Ablón, hijo mío y de mi alma?»
—«Malo estó yo, el mi padre, malo estó y no como nada.»
—«Sí comerás tú, Ablón, pechugüita de una pava.»
15-16 —«Yo la comeré, mi padre, si Tamar me la guisara.»
—«Yo se lo diré a Tamar, que te la guise y la traiga.»
19-20 <—«Si fue cosa que viniere, venga sola y sin compaña.»>
El rey salió por allí, Tamar por la puerta entrara.
—«¿Qué tienes tú, Ablón, hermano mío y de mi alma?»
25-26 —«Los tus amores, Tamar, me trujeron a esta cama.»
—«Si de mi amor estás malo, no te levantes de esa cama.»
29-30 Tendióla la mano al pecho, y a la cama la arronjara.

9. Para el valor de las «versiones-tipo», vid. Menéndez Pidal, *Romancero Hispánico*, II, p. 447, y Di Stefano, *Sincronia e diacronia*, ya citada, pp. 122-123.

Gritos que diera Tamar los cielos aburacaran.
Triste saliera Tamar, triste saliera y airada;
35-36 en mitad de aquel camino, con Absalón se encontrara:
—«¿Qué tienes tú, Tamar, que te veo tan airada?»
39-40 —«Que el cuitado de Ablón quitóme la honra y la fama.»
—«No tengas pena, Tamar, no tengas pena, mi alma,
antes que { arraye / se ponga } el sol tú serás la bien vengada
45-46 y antes que saliera el sol, verás su sangre enrojada.»

El v. 6 se transcribe según la mayoría de las versiones (incluyendo la de Ortega, que no ha entrado en la tabla comparativa).

Para el v. 11 véase lo dicho anteriormente.

Los vv. 19-20 figuran entre < > porque acaso sean interpolaciones de Tetuán A (véase, sin embargo, la p. 164, vv. 6-8).

La variante de Ortega (vv. 21-22) es, para el sentido, la más lógica.

En el v. 29 se podría transcribir, también, como hacen en Alcázar: «La cogió de la sintura.»

Tanto en Larache como en Alcázar (v. 32) dicen «siete sielo...»; la sílaba que entonces sobra está compensada por la pérdida de la -*s* final en *sielo(s)*: «siete sielo‿aburacara». Cómputos de este tipo no son extraños en la poesía tradicional, cf. mis *Cinco romances*, p. 81.

En el v. 34 suprimo *mal,* aunque debe ser interpolación antigua (figura en Ortega, Tetuán A y B y Alcázar): en Larache ha sido sustituida por *muy disgustada*, que alarga, también, el verso. Cuatro líneas antes, Larache atestigua *mal airada.*

El v. 35 es tópico en los romances sefardíes, cf. mi estudio ya cit., de *Gerineldo,* p. 17; *Cinco romances,* p. 83, *romance de Belisera,* etc.

El v. 38 está copiado según Ortega; no se me oculta que acaso aquí se deba leer *mal airada* y que este semantema ha irradiado en forma de unidad indivisible sobre el v. 34.

Cuitado (v. 39) ha sido transcrito según la observación de la página 230.

La versión de Larache (v. 41) me ha parecido la preferible. En casi todos los demás, este verso se presenta claramente adulterado. Aunque la versión de Tetuán B está más cerca del texto (II *Samuel*, XIII, 20), a pesar de ser defectuosa desde el punto de vista métrico.

Son igualmente válidos en el v. 43 *arraye* o *se ponga*, ya que el texto bíblico no ayuda a resolver la duda (vid. II *Samuel*, XIII, 22-23).

Multiplicidad de soluciones hay en los vv. 43 y siguientes: final en boda, tópico en el romancero marroquí; venganza cumplida, absolución de una «mala fama» y, también, casamiento con Absalón. Este desenlace, tan opuesto al texto bíblico, aunque por él sepamos que «Tamar se quedó desconsolada en la casa de Absalón su hermano» (XII, 20), es paralelo a un pasaje de Petrarca no demasiado claro:

> De l'altro, che'n un punto ama e disama,
> Vedi Thamar ch'al suo frate Absalone
> Disdegnosa e dolente si richiama.[10]

El v. 45 es de la versión de Larache y el 46 de la de Alcázar.

28. La transmisión del tema

La fidelidad del romance al texto bíblico es absoluta: literal casi siempre. Tan sólo el último pasaje queda alejado de esta sumisión, aunque el espíritu de la venganza es bien explícito en los versículos aducidos. Fuera del texto bíblico están los vv. 9-14 y 21-28 que no hacen otra cosa que completar, con brevísimos diálogos de carácter tradicional, la estructura dramática que tiene la narración en el libro sagrado. Incluso la interpolación (vv. 19-20) tetuaní se puede relacionar con uno de los versículos de este capítulo XIII. Frente a esta perfectísima exactitud con que entre los sefarditas se ha versificado el texto bíblico,[11] las

10. *Triunfo II*, vv. 46-48. Cf. C. Appel, *Die Triumphe Francesco Petrarcas*, Halle, 1901, pp. 331-332, notas al verso 46.

11. El romance vive, naturalmente, dentro de una tradición oral y ésta —al transmitir el «cantar»— hace que no sea un fósil, sino que como un cuerpo vivo tome del ambiente los medios para subsistir: así se explican los finales «analógicos» con otros textos o los versos vivos en otros romances.

narraciones peninsulares están muy hondamente afectadas por la elaboración tradicional.

El más completo de los textos marroquíes publicados antes de este trabajo es el de Ortega; en tanto el de Bénichou no reproduce sino los versículos 1-14, y con sensibles reducciones. Las distintas aportaciones de cada versión han sido señaladas en el momento oportuno. Ahora quiero llamar la atención —únicamente— sobre la venganza que asoma en alguno de los textos (Larache, Alcázar) y que mostraría, en esa «sangre enronjada», concomitancias con los tratadistas clásicos del tema. Tirso en la venganza de Tamar había escrito:

Absalón: Para ti, hermana, se ha hecho
el convite; aqueste plato,[12]
aunque de manjar ingrato,
nuestro agravio ha satisfecho,
hágate muy buen provecho.
Bebe su sangre, Tamar;
procura en ella lavar
tu fama, hasta aquí manchada.[13]

Por supuesto, creo que nada tienen que ver estas variantes con la comedia del siglo XVII, ni al revés. Su independencia me parece total. Nuestro teatro siguió con fidelidad al texto sagrado, mientras los sefardíes, como anotó Bénichou, olvidaron todo el proceso psicológico seguido por Amnón.

La aparición de Absalón en los romances es también de origen bíblico (cf. II *Samuel*, III, 3 y XIII, 1), así lo sabían nuestros dramaturgos:

Tamar: Hermanos, pedid conmigo
justicia. Bello Absalón,

12. La escena representa un banquete descompuesto; Amnón muerto sobre la mesa y los manteles ensangrentados.

13. Ed. *NBAAEE*, t. IV, p. 432 *b* y 433. Calderón, se sabe, reproduce *ad pedem litterae* este acto tercero de Tirso, como segundo de *Los cabellos de Absalón*. El pasaje que nos interesa puede verse en la edición de la *BAAEE*, t. IX, p. 432.

Los versos siguientes a los que transcribo plantean algún problema textual que no es momento de resolver. En Tirso hay un «caliente está la colada» que repugna por su zafiedad; Calderón lo ha convertido en «caliente está, tu vengada».

un padre nos ha engendrado,
una madre nos parió;
a los demás no les cabe,
de mis deshonra y baldón
sino sólo la mitad;
mis medios hermanos son;
vos lo sois de padre y madre.[14]

Por último una breve nota al nombre de la protagonista. Las alteraciones que sufre —como las de Amnón— llamaron la atención a Menéndez Pelayo (*Antología*, O. C., XXIII, p. 364) y a Bénichou, p. 354. En las versiones peninsulares el hecho de que salga *Tammar* y otras variantes, no creo que permita inferir origen judaico o morisco del romance como quiere el autor de la *Antología*: «Parece indicarlo la anteposición *Al* al nombre de *Tamar*.» Las cuatro versiones judías que tengo mantienen inalterable la forma hebrea del nombre, como vivo todavía entre los sefardíes —una de mis recitadoras lo llevaba—; las designaciones peninsulares están contaminadas por etimología popular, hecho bien frecuente en el Romancero.[15]

29. Conclusiones derivadas de los párrafos anteriores

Después de estos procesos, es lícito intentar extraer algunas conclusiones. El inciso que hemos hecho con el teatro nos era necesario para tener una visión global del tema. Ahora podemos afirmar que:

14. Tirso, *op. cit.*, p. 426 b. Cf:

Tamar: Aunque su muerte sintiera,
me holgara verte en su trono;
que en efecto tú y yo hermanos
de padre y madre somos.

(Calderón, *op. cit.*, p. 422 b)

15. Es muy sabido lo de *Marinero* por *mira Nero*; tengo documentado *conde Sino* por *Montesinos*; *el conde Sol* castellano, no es sino *el conde Alzón* con fonética andaluza (*RFE*, VII, 297). Esta etimología popular sobre nombres exóticos se verifica también en las designaciones geográficas *la Abadía* por *Lombardía* (ib., p. 273), etc. Véase M. Alvar, *Interpretaciones judeoespañolas del árabe «gabba»* (*RPh*, XVII, 1963, p. 324, nota 1). Para los nombres de Amnón y Tamar, vid. las pp. 176-178 de este libro.

1.º La tradición peninsular y la marroquí coinciden a grandes rasgos, consecuencia derivada de haber tenido ambas una misma fuente.

2.º Las concomitancias de Marruecos con el Norte o el Sur de la Península se deben al tipo de su tradición (siempre arcaizante), condicionada por la tradición andaluza (neologista), la más próxima a las modernas.

3.º Las versiones sefardíes son las más cercanas al texto bíblico. Si suponemos, como es lógico, la unidad de la tradición romancesca (asegurada ahora no sólo por el tema, sino también por los motivos internos y por la rima), habrá que aceptar necesariamente la reelaboración del romance de Marruecos con intención de fijar, en lo posible, el relato al texto sagrado.

4.º Consecuencia del párrafo anterior, es el desconocimiento por los sefardíes de las interpolaciones peninsulares, tanto por su modernidad cuanto por ser desviaciones «heterodoxas» del tema.

5.º La relativa modernidad del romance está asegurada porque falta en las comunidades judías de Oriente, lo que le hace ser, a todas luces, tardío, también en la Península.

6.º El teatro de la edad de oro abordó la historia con una gran fidelidad con respecto a la fuente; sin embargo, algunos de sus motivos pasaron al romancero oral.

7.º Acaso tengamos que fijar su llegada a Marruecos en la segunda mitad del siglo XVII, pues *Los cabellos de Absalón* se imprimieron en una edición suelta (¿Madrid, 1650?) y en la *Octava parte* de 1684.

30. Cotejo de la tradición peninsular con la marroquí. Su interés para la transmisión del tema

En primer lugar, saltan a la vista las coincidencias de Marruecos con Andalucía: en cinco elementos las dos tradiciones van emparejadas; en otros dos, acaso tres, los sefardíes se apartan del folklore meridional para ir con el del norte,[16] en tres, los judíos son independientes y, por último, varios motivos peninsulares faltan en el norte de África.

Las relaciones de los sefardíes de Marruecos con Andalucía han sido señaladas en diversas ocasiones por Menéndez Pidal, por Diego Catalán, por Álvaro Galmés y por mí mismo.[17] No extrañan las nuevas coincidencias.

Tampoco han de llamar la atención las concomitancias del Norte de África con el Norte peninsular. En estos planteamientos de geografía folklórica son válidas, también, las leyes que Bartoli descubrió en lingüística. En efecto, las áreas periféricas presentan arcaísmo mayor que las centrales. Estas vinculaciones, en el caso concreto que nos ocupa, no son idénticas a las que he señalado al hablar de romances viejos.[18] Hay ahora un desarrollo común a la tradición de las dos orillas mediterráneas: las coincidencias con el Norte se deben a ciertas condiciones del arcaísmo; las coincidencias con el sur, cuando no son antiguas, proceden de la reelaboración del tema por el mediodía. Así, versos marroquíes como «Sí comerás tú, Ablón, — pechugüita de una pava» son vinculables a la región cántabro-leonesa y sus irradiaciones al centro peninsular (mapa 13). Son característicamente marroquíes el encuentro de Tamar con Absalón, tras haberse cumplido la violación (vv. 35-36) y la venganza urdida por éste (vv. 41-46).[19]

Los dos últimos motivos, responden bastante bien al texto bíblico que los ha inspirado: «Tamar... puestas sobre la cabeza las manos, se fue gritando. Su hermano Absalón le dijo: "¿De modo que tu hermano Amnón ha estado contigo? Pues calla, por ahora, hermana; es tu hermano; no des demasiada importancia a la cosa"; y Tamar se quedó desconsolada... Absalón no dijo

16. Es menos seguro el motivo de subir Tamar acompañada aunque parece unir el Norte y Marruecos. Sin embargo, la coincidencia parece fortuita, pues en África faltan todos los elementos teatrales de la España septentrional.

17. Vid. *RFE*, VII, p. 230; *Cómo vive un romance*, Madrid, 1954, pp. 275 *passim*, y *El tema de la boda estorbada*, ya cit., p. 24, y pp. 267-269 de este libro; *Endechas judeo-españolas*, Madrid, 1969, pp. 13-16; *Sef.*, XVII, 1957, p. 132.

18. Vid. las pp. 213-215 de este libro.

19. Cito los versos según el texto reconstruido en las pp. 230-231.

a Amnón nada..., pero le odió por la violación de Tamar su hermana» (II *Samuel*, XIII, 20-21), «Absalón... había dado orden a sus criados, diciendo: "Estad atentos, y cuando... os diga yo: Herid a Amnón; matadle, y no temáis, que yo os lo mando"» (ib., v. 28).

Por último faltan en Marruecos los motivos en que Tamar va a ver a Amnón llevando los elementos que he juzgado teatrales, el atuendo veraniego, la forma de cometer el crimen o el desarrollo posterior de la acción tras el incesto; de ellos, dos (ida de Tamar y desarrollo secundario de la acción) son interpolaciones geográficamente muy limitadas y que, por tanto, nada dicen a nuestro objeto, pero el atuendo veraniego es universal en la Península y el modo de realizar la violación es propio, sobre todo, de Andalucía. Fijándonos, especialmente, en estos motivos muy difundidos (atuendo y modo de la violación), hemos de aceptar su carácter más moderno, tanto porque faltan en la tradición sefardí cuanto por ser interpolaciones a la narración bíblica. Lo notorio de estos rasgos es su amplia geografía peninsular y su total ausencia entre los sefardíes, lo que hace ver en la tradición marroquí una fidelidad muy notoria al desarrollo de la narración, según el texto bíblico.

C. *GARCÍA LORCA EN LA ENCRUCIJADA*

31. Erudición y popularismo en el romance de Thamar

El viejo romance bíblico de Amnón y Tamar [1] vuelve a contar su historia turbulenta en el *Romancero gitano*.[2] Negras vaharadas de pasión, hechas carne y sangre de nuestra andadura literaria, a las que da nueva vida la voz de García Lorca.

Las dificultades del poema han sido señaladas una y otra vez. Dos críticos recientes de García Lorca han coincidido. Para Díaz-Plaja, «el romance lorquiano de Thamar y Amnón es acaso el más difícil y audaz de los que llenan el libro [el *Romancero gitano*]»;[3] para J. L. Schonberg aquí están «le paroxysme du sujet, et la composition à la fois descriptive, symbolique, synthétique, dialogée... mais d'une poésie ignorée du romance d'autrefois parce qu'elle tient dans l'application d'une technique créationniste, qui par son hermétisme fait planer sur le texte une zone mystérieuse, toute gonflée de sens décalés et d'interpretations».[4]

Creo lícito intentar una nueva explicación del texto. En ella —tal pienso— se aclararán las dificultades y el poema logrará su pleno sentido.

Ante todo es imprescindible acotar el campo. Para ello hay que circunscribir nuestro interés a unas cuantas precisiones. Díaz-Plaja [5] adujo un texto de la *Primavera y flor de romances* en el que nuestra tragedia era tratada de una manera «concep-

1. Vid. las pp. 163-219 de este volumen.
2. Apud *Obras Completas*, ed. Aguilar, p. 390.
3. *Federico García Lorca*. «Col. Austral», núm. 1221, p. 139.
4. *Federico García Lorca. L'homme-L'oeuvre*, París, 1956, p. 201.
5. *Op. cit.*, p. 136.

tuosa y fría». El crítico tiene razón; menos seguro me parece llamar, líneas más abajo, tradicional al romance.[6] Es un poema culto con toda seguridad y sus últimos versos me hacen pensar en el título que Tirso de Molina dio a su tragedia:

> y aunque ella sintió la fuerza,
> el desprecio sintió más.
> Gozada y aborrecida
> a buscar venganza va:
> ¡huye, Amón! ¡mira por ti!
> que es mujer y la ha de hallar.[7]

El ascendiente romancesco del poema de García Lorca debe ser buscado por otras sendas. Hay un hecho histórico que me parece capital en el quehacer del gran poeta: Federico acompañó a Menéndez Pidal por Granada en una rebusca romancesca. Permítaseme copiar las palabras del maestro: «Recuerdo que cuando en 1920 hice un viaje a Granada, un jovencito me acompañó durante unos días, conduciéndome por las calles del Albaicín y por las cuevas del Sacro Monte para hacerme posible el recoger romances orales en aquellos barrios gitanos de la ciudad. Ese muchacho era Federico García Lorca, que se mostró interesadísimo en aquella para él extraña tarea recolectiva de la tradición, llegando a ofrecerme él y enviarme más romances».[8] No quiero insistir: el romance de Amnón y Tamar es uno de los más difundidos en Granada [9] y, ahora sí, de marcado carácter tradicional.[10] Hemos de volver a esta cuestión.

6. Se puede leer en el *Romancero General* de DURÁN (*BAAEE*, I, p. 299 *b*, núm. 452).
7. Cfr. *La venganza de Tamar*, en la *NBAAEE*, IV, 424 *b* - 425 *a*, especialmente.
8. *Romancero Hispánico*. Madrid, 1953, t. II, pp. 438-439. Jorge Guillén ha recordado esta experiencia en su emocionado *Prólogo* a las *Obras Completas* de García Lorca. Madrid, 1954, p. LVIII.
9. SCHONBERG, *op. cit.*, p. 199, núm. 3, dice: «le romance de Tamar était chanté par les Gitans de l'Abaïcin». Sin embargo, el escritor francés parece ignorar las características del poema oral. (Habría que restringir su tributo al exotismo: en Granada, el romance se canta fuera del Albaicín y, en el típico barrio, por moradores no gitanos. Ninguna de mis versiones —y son varias— se han recogido entre los gitanos y, quisiera añadir, véanse esas casi doscientas variantes que he estudiado anteriormente y que proceden de todos los rincones de España, incluso de la menos «folklórica».)
10. Don Ramón Menéndez Pidal que, según he dicho, me permitió usar los riquísimos materiales de su romancero, había perdido las versiones gra-

Díaz-Plaja [11] cree que el tema del incesto procede de la «poesía popular» y recuerda el romance de *La Dama d'Aragó*. No puedo aceptar esta vinculación. El viejo romance que Milá divulgó [12] no puede aducirse como antecedente de la tragedia de Tamar. El débil planteamiento del tema y la total ineficacia del desarrollo quedan muy lejos de los textos bíblicos. El interés del texto catalán es antecedente, sí, del romance, tan ajeno a nuestro propósito, de *La misa de amor*.[13]

No quiero negar verosimilitud a la hipótesis de Díaz-Plaja, según la cual la noche en el poema lorquiano ha venido desde unas escenas de Tirso.[14] Es posible que así haya sido. García Lorca debía de conocer la obra del mercedario, pues en unos versos suyos creo identificar un testimonio del dramaturgo. Al final de la escena XII del acto tercero, Eliacer canta:

> Cuando los pies bellos
> de mi niña hermosa
> pisan juncia y rosa,
> ámbar sale de ellos

versos que nos están recordando los de

> Thamar estaba cantando
> desnuda por la terraza.
> Alrededor de sus pies
> cinco palomas heladas.

A pesar de los esfuerzos de Díaz-Plaja y a pesar del nuevo texto que aduzco, la fuente del poema de Federico no es la obra

---

nadinas del texto. Años antes de mi visita (verano de 1958), Francisco García Lorca se las había pedido, pero entonces ya no existían en la colección.

11. *Op cit.*, p. 139.
12. *Romancerillo catalán*, apud O.C., VI, 1895, n. 37, p. 125.
13. Según ha probado, con su gran sabiduría, María Rosa Lida, *RFH*, III, pp. 438-439. No hace falta decir que la sagaz intuición de la investigadora no se ha detenido a comparar lo heterogéneo.
14. *Op. cit.*, pp. 136-137. Schonberg sigue al investigador catalán (p. 201) y, como siempre, sus afirmaciones quedan sin comprobación: «chez qui [dans la comédie de Tirso] l'épinglait le poète, lors de sa préparation au théâtre et de ses lectures classiques, vers 1927». En la biblioteca granadina de Lorca estaban *Los cabellos de Absalón*, que el poeta había leído (J. Guillén, *loc. cit.*, pp. LVIII-LIX). Pero el conocimiento de la obra clásica no afecta a la «tradicionalidad» que creo descubrir.

de Tirso. Para mí, el elemento tradicional es el venero más importante en la creación del poeta. He aducido un testimonio precioso de Menéndez Pidal; ahora vamos a ver cuán fielmente sigue Lorca una tradición a la que amó y recreó como ningún otro contemporáneo.

En el *Romancero gitano* se lee:

> mientras el verano siembra
> rumores de tigre y llama
> ....
> Su desnudo [de Tamar] en el alero,
> agudo norte de palma
> ....
> Thamar estaba cantando
> desnuda por la terraza [15]

En Tirso, sí, como en el libro II de Samuel, «las brasas del tiempo», no —naturalmente— el cuerpo desnudo de Tamar. Tirso, en la escena tremenda del incesto, hace que Tamar hable,[16] de acuerdo con el texto bíblico,[17] mientras que en el romance tradicional que hoy se canta en Granada se oye escuetamente:

> como era veranito   subía en naguas blancas [18]

Y estas *naguas blancas* son 'la camisa', por muchos pueblos de Andalucía. Y he aquí que de acuerdo con la tradición oral, Lorca —¡que había imaginado desnuda a Tamar!— nos viene a decir: «ya la camisa le rasga». Verso éste, como el que le precede en el *Romancero gitano* («ya la coge del cabello») sin otra «cru-

15. Apud *Obras completas*, ed. Aguilar, p. 390.
16. *NBAAEE*, IV, 424 *b* (Acto III, escena I): «di que se ponga el vestida / que has roto ya, algún criado».
17. «Estaba ella vestida en una amplia túnica, traje que llevaban las hijas del rey vírgenes... Tamar... rasgó la amplia túnica que vestía...» (II *Samuel*, XIII, 18-19).
18. Otras versiones tradicionales dicen «como era tiempo de verano». El tema del verano en los romances tradicionales ocupa el centro y sur de España, con irradiaciones a Santander y al valle del Ebro. Más complejo es el mapa de las *enaguas blancas*. Geográficamente, viene a coincidir con el anterior, pero en ocasiones, el dialectalismo andaluz (vid. lo que aclaro inmediatamente en el texto) es traducido a un léxico más comprensible: enagüillas, sayas, faldas, etc. (Véase el mapa 16).

deza expresiva» que la tradicional, plebeya, de los versos del romance de ciego: «la cogió por el cabello, / la tiró sobre la cama».

La ficción de Amnón enfermo no pertenece exclusivamente a Tirso es, simplemente, bíblica: por eso aparece en el romance tradicional y en la versión, fidelísima, de Lope de Vega, en *Los pastores de Belén.*[19] Sin embargo, pertenecen a la tradición, no al mundo libresco, los versos apasionados de Amnón:

> Thamar, bórrame los ojos
> con tu fija madrugada

que se corresponden con los de alguna versión oral:

> el mal que yo tengo niña, entre los tu ojos anda.

Aún hay más: la réplica de Tamar —¡tampoco en Tirso!—

> Déjame tranquilo, hermano
> Son tus besos en mi espalda, etc.

recuerda otro motivo que encuentro en la versión tradicional de Jumilla (Murcia): «y empezó a besos y abrazos / como si no fuese su hermana». En las versiones granadinas que poseo faltan estos versos.[20] No quiero pasarme de suspicaz. Puede tratarse de una coincidencia casual de Lorca y una rama de la tradición oral; en todo caso no dejaría de ser significativa esa convergencia de dos elaboraciones distintas (la de Lorca, la tradicional). Curioso ver cómo coinciden unas trayectorias que nos parecen muy próximas.

Ante todos estos hechos, ya no es casual que el poema de Lorca acabe, precisamente, con el incesto. Igual que en la ver-

19. Inserta en el libro primero de la novela.
20. No se olvide el carácter del romancero oral: poesía que vive en las variantes. Que los versos falten en mis versiones granadinas no quiere decir que no se conozcan en la ciudad. ¿Quién recitaría el romance a Federico? De otra parte, mi versión de Jumilla ¿qué antecedente tiene? (Debo decir que el texto murciano me fue facilitado en Granada por una alumna universitaria).

sión oral granadina, falta el desenlace bíblico, al que tan de cerca siguió Tirso de Molina.[21] Digo que el poema de Lorca acaba con el crimen consumado, ya que los versos finales nada tienen que ver con el tema, aunque su eficacia lírica —en el romance de Federico— esté plenamente lograda.

Justamente quisiera ahora ocuparme de este fragmento último, ajeno al asunto del poema, pero que, como un coro de tragedia, mantiene y sublima la tensión:

Alrededor de Thamar
gritan vírgenes gitanas
y otras recogen la sangre
de su flor martirizada.
Paños blancos enrojecen
en las alcobas cerradas.

Estos versos no pertenecen al romancero tradicional, pero sí a la tradición oral. Antes de pasar adelante, observemos que el nuevo sesgo que García Lorca da al poema no es raro en su arte. Dentro de una mutua e inalienable independencia, Federico gustaba mezclar lírica y dramática; olvidémonos de su teatro, para ver en la *Escena del Teniente Coronel de la Guardia Civil* y en el *Diálogo del Amargo* dos muestras —aducidas ya— [22] del paso de la lírica a la dramática. El romance de Tamar sublima, hasta límites insospechados, estos mismos procedimientos.

Se ha cumplido el crimen. El coro plañe por la sangre derramada. He aquí que la inclusión del elemento dramático pertenece también a la tradición oral. Estamos ante una *alboreá,* el cante gitano de boda. La virginidad de Tamar —recién casada con la tragedia— está proclamada por ese plano de las «vírgenes

21. DÍAZ-PLAJA, *op. cit.*, p. 138, ha visto cómo la acción queda «cortada en el ápice de su dramatismo». Después de lo que vengo diciendo ya no se puede aceptar que este cumplimiento «sea el único rastro del romance tradicional» (el tradicional del crítico se refiere al romance de la *Primavera y Flor,* que nada tiene de tradicional); lo único cierto para explicar el quehacer de Lorca no es el fin barroco y literario de la versión del siglo XVII, sino la quiebra, el final en suspensión, del relato oral, tal y como se canta en Granada.

22. Vid. A. Soria, *El gitanismo de Federico García Lorca,* «Ínsula», núm. 45, p. 8.

gitanas», que plañen por la doncella. Así, también, en el cante jondo, que avivó una y otra vez el arte de Federico.

En un verde prado
tendí mi pañuelo;
salieron tres rosas
como tres luceros.[23]

32. Recapitulación final

Hemos partido de un tema archiculto: un par de capítulos bíblicos. De esta tremenda historia —estupro, incesto— se apoderó el pueblo y la interpretó a su manera. El romance primitivo ha ido degenerando. Hoy, en la Península, ya no queda otra cosa que polvillo de poesía. Sin embargo, los judíos aceptaron la tradición tardía, la reacuñaron, le dieron precisión y renovada emoción. Y así la oímos hoy —¡mellah de Tetuán, mellah de Larache! ¡Tierras del Oranesado!

Dos altísimos poetas cultos, Tirso, Calderón, aprehendieron todo el dramatismo del tema. Calderón vino a hacer —a pesar de su prestigio magistral— poesía tradicional a costa de Tirso. He aquí otra veta distinta, la del cultismo. Viva, eficaz también, en la creación literaria.

Un día —¿1920?— un joven poeta, acaso nuestro más grande poeta moderno, acompaña al más genial de nuestros investigadores. Como un *fiat lux* el milagro se hace: de aquel polvillo de poesía se levanta una gran llamarada de emoción lírica y de dramatismo desgarrado. Juntos en este momento los dos veneros inagotables: tradición cultural, cultura tradicional. Ésta ha sido la vida de un tema. Su eficacia hoy se mantiene intacta. Gracias a la tradición —relato de viejas, canto de comba— y al mundo de los libros. Todo, carne y sangre en la voz, inacabable voz, de García Lorca.

23. La canción está recogida en la antología del cante flamenco. Hispavox, HH, 1203, cara 5.ª, y en el folleto explicativo, p. 84. Las indicaciones de T. Andrade de Silva (p. 83) coinciden con la función de los últimos versos del *Romance de Thamar*.

4. EL MUNDO SEFARDÍ

EL ROMANCERO JUDEO-ESPAÑOL DE MARRUECOS

1. Presentación

En las páginas que siguen, intento dar una visión de conjunto sobre el romancero sefardí de Marruecos. Se trata de revisar y poner al día una serie de trabajos míos. Naturalmente, la reducción tiene que ser implacable para no rebasar unos límites que impidan abarcar el conjunto. Así, pues, reúno ahora una serie de problemas que a lo largo de los años habían quedado aislados y dispersos en numerosas publicaciones.* En este sentido, mi trabajo no es, hoy, original. Sin embargo, reúno aquellos rasgos que me parecen más caracterizadores del romancero marroquí, sin obligar a la enojosa tarea de buscar cada artículo, suponiendo que alguien tuviera interés en tomarse semejante trabajo, y procuro dar sentido conexo a lo que puede quedar difuso en estudios muy diseminados. Pero mi tarea no ha sido, simplemente, la de resumir lo que ya he dicho; ni la de estructurar investigaciones dispersas (y esto, desde el punto de vista del autor sería bien justificable), sino que he actualizado mis propios criterios,

* He aquí la lista de mis trabajos sobre poesía sefardí: *El romance de Gerineldo entre los sefarditas marroquíes*, «Boletín Universidad de Granada», número 91, 1951; *Cinco romances de asunto novelesco recogidos en Tetuán*, «Estudis Romànics», III, 1951-1952; *Romances de Lope de Vega, vivos en la tradición oral marroquí*, «Romanische Forschungen», LXIII, 1951; *Endechas judeo-españolas*, Colección Filológica, t. III, Universidad de Granada, 1953; 2.ª ed., totalmente rehecha y muy ampliada, Madrid, 1969; *Los romances de «La bella en misa» y de «Virgilios» en Marruecos*, «Archivum», IV, 1954; *Precisiones en torno a las endechas judeo-españolas*, «Sefarad», XVII, 1957; *Amnón y Tamar en el romancero marroquí*, «Vox Romanica», XV, 1956; *Patología y terapéutica rapsódicas. Cómo una canción se convierte en romance*, *RFE*, XLII, 1958-1959; *El paralelismo en los cantos de boda judeo-españoles*, «Anuario de Letras», IV, 1964; *Poesía tradicional de los judíos españoles*. Col. «Sepan cuantos...», t. 43. México, 1966; *Cantos de boda judeo-españoles*, Madrid, 1970; *Contrapunto a unas canciones sefardíes* («Papeles de Son Armadans», CCII, 1973, pp. 29-47).

he discutido observaciones que se me habían hecho y he puesto al día las referencias bibliográficas. Estas páginas no son una reiteración, sino un nuevo paso en mi conocimiento de la literatura sefardí. Ocasión de mostrar mi gratitud a quienes me han estimulado con su aliento o con su honesta crítica, que es una forma muy noble del estímulo.

2. Vinculación y aislamiento

De la poesía judeo-española cabría decir lo que de sí cantaba la hermosa Flérida:

> Voyme a tierras extranjeras,
> pues ventura allá me guía.[1]

Al cabo de los siglos, estos versos de la tragicomedia vicentina los recogemos —cambiados e idénticos— por las callejuelas de Tetuán, de Larache o de Alcázar. Y al cabo de los siglos sabemos —como el poeta lusitano— «que contra la muerte y amor nadie no tiene valía». Contra la muerte de la literatura sefardí están los desvelos que vamos a reunir en estas páginas; no contra, sino con amor, he recogido día a día centenas de romances y canciones en el *mellah* de Tetuán, en el de Larache, en los callejones de Tánger, en las sinagogas de Melilla, o en las mansiones opulentas de Casablanca.

Para apreciar debidamente el valor de la tradición sefardí hay que tener en cuenta la situación de los judíos españoles a partir de la expulsión. Poco importa el mantenimiento de relaciones entre las colonias extrapeninsulares y la patria más o me-

1. Gil Vicente, *Tragicomedia de don Duardos*, editada por Dámaso Alonso, Madrid, 1942, vv. 2007-2008. El investigador I. S. Révah intentó reconstruir un texto crítico del poema en su *Edition critique du «romance» de don Duardos et Flérida*, apud «Bulletin d'Histoire du Théâtre portugais», III, 1952, pp. 107-139. En este trabajo se mejoraban los resultados obtenidos por doña Carolina Michaëlis de Vasconcelos en sus *Romances velhos em Portugal* (2.ª ed., Coimbra, 1934, pp. 115-134). El romance, popularizado, pasó a los judíos, que todavía lo cantan, vid. Menéndez Pidal, *Catálogo del romancero judío-español*, apud *Los romances de América*, «Col. Austral», núm. 55, p. 175, núm. 105 y A. de Larrea, *Romances de Tetuán*, II, Madrid, 1952, pp. 31-32.

nos remota; estas relaciones de Marruecos y Oriente con España tendrían un carácter bastante próximo al que siglos antes ofrecía el intercambio de mozárabes y cristianos del Norte peninsular. La tradición hispánica, en uno y otro caso, quedaba congelada en el medio hostil —o indiferente— que le tocó vivir. Y aunque no se acepte de modo absoluto el enquistamiento cultural del pueblo sometido, hay que admitir por fuerza la degradación y adulteración de sus contenidos lingüísticos o poéticos. Ahora bien, dentro de lo judeo-español, sólo en parte vienen a coincidir la tradición levantina y la marroquí. La comparación que establecía antes entre lo mozárabe y lo sefardí es muy precisa referida a Marruecos, pues si bien no se interrumpen las relaciones peninsulares con el Oriente próximo, nunca fueron tan vigorosas que permitieran el robustecimiento de la tradición hispánica en los Balcanes. A lo más favorecerían el conocimiento —siempre esporádico— de ciertos tipos de literatura —entre ellos el romancesco—, pero en modo alguno podían significar continuidad ininterrumpida.[2] Aparte que esta comunicación debió languidecer con los años; recuérdese que todos los romances posteriores a la expulsión y que gozan de popularidad entre los judíos de Oriente son muy de finales del siglo XV o de la primera mitad del XVI (así los de *La muerte del duque de Gandía* y *La muerte del príncipe don Juan* que no pueden ser anteriores a 1497, y los que proceden del *Cancionero de Romances*, impreso en Amberes algo antes de 1550. Sólo un poema, el de *Las cabezas de los siete infantes de Lara*, es de hacia 1614).[3]

En efecto, en la Edad de Oro abundan las referencias españolas hacia los sefardíes de Oriente, tanto en nuestra literatura (según mostraron Menéndez Pidal, Wagner, Crews y yo mismo)[4] como en la francesa (Pierre Belon, Nicolás de Nicolaz, aducidos por Benardete).[5] Bástenos como botón de muestra lo

2. Vid., también, la p. 121, donde he aducido alguna referencia.
3. *Catálogo*, p. 134.
4. *Catálogo*, pp. 131-134; M. L. WAGNER, *Caracteres generales del judeo-español de Oriente*, anexo XII de la *RFE*, Madrid, 1930, pp. 13-14; C. CREWS, *Recherches sur le judéo-espagnol dans les pays balkaniques*, París, 1935, p. 24; M. ALVAR, *Un «descubrimiento» del judeo-español*, apud «Studies in Honor of M. J. Benardete», New York, 1965, p. 363.
5. *Hispanic Culture and Character of the Sephardic Jews*, New York, 1952, pp. 67-68.

que dice fray Prudencio de Sandoval, cronista del emperador: «Salonic, ciudad rica de trato, toda casi de judíos echados de España, donde dicen que se habla tan bien la lengua castellana como en Valladolid».[6] Pero nada comparable en pintoresquismo y viveza a la descripción que hace el autor del *Viaje de Turquía* del boato de una familia de judíos peninsulares establecidos en Constantinopla:

> *Pedro.* — ¡Pues judíos me decid que se huyen pocos [de España]! No había más que yo no supiere nuevas de toda la cristiandad de muchos que se iban desta manera a ser judíos o moros, entre los cuales fue un día una señora portuguesa que se llamaba doña Beatriz Méndez, muy rica, y entró en Constantinopla con cuarenta caballos y cuatro carros triunfales llenos de damas y criados españoles. No menor cosa llevaba que un duque de España, y podríalo hacer, que es muy rica, y se hacía hacer la salva; destajó con el Gran Turco desde Venecia, que no quería que le diere otra cosa en sus tierras sino que todos sus criados no trajesen tocados como los otros judíos, sino gorras y vestidos a la veneciana...
>
> *Juan.* — ¿No tienen allá todos los judíos gorras?
>
> *Pedro.* — No, sino tocados como los turcos, aunque no tan grandes, azafranados para que sean conocidos... Cuando menos me caté vierais a la señora doña Beatriz mudar el nombre y llamarse doña Gracia de Luna... Desde un año vino un sobrino suyo en Constantinopla, que era año de 1554,... al cual el emperador había hecho caballero y llamábase don Juan Micas; y porque aquella señora no tenía más de una hija, a la cual daba trescientos mill ducados en dote, engañóle el diablo y circuncidóse y desposóse con ella; llamábase agora Iozef Nasi. Los gentiles hombres suyos, uno se ponía don Samuel, otro don Abraham y otro Salomón... Cuando menos me caté supe que ya era hecho miembro del diablo. Preguntado que porqué había hecho aquello, respondió que por más que no estar sujeto a las inquisiciones d'España.[7]

La cita, tan larga, está justificada por su excepcional valor. Es cierto que «estas relaciones fueron aflojándose y cesaron fi-

6. *Historia de Carlos V*, cap. XXI, 2.
7. Ed. SOLALINDE, t. II, p 212. El José Nasi del texto es el célebre duque de Naxos, que tanta tinta ha hecho correr. Véase el reciente estudio de N. ROSENBLAT, *Joseph Nasi, Friend of Spain*, «Studies Benardete», pp. 323-332.

nalmente por completo»,[8] hasta el extremo que, en 1883, los folkloristas españoles «descubrían» el judeo-español, a pesar de que en 1882 se había publicado el estudio de Grünwald (*Über den Jüdensspanischen Dialekt*) y existían no menos de veinte publicaciones periódicas en los Balcanes.[9]

En función de estas relaciones hay que pensar que Oriente u Holanda eran eslabones terminales de una cadena que se deslizaba por toda la superficie de Europa. En el peor de los casos, si faltaban relaciones directas, comunidades intermedias venían a establecer el nexo. En la página 121 he aducido un testimonio, que ahora voy a ampliar ligeramente: Lope de Vega cuenta en *La desdicha por la honra* que cierta sultana, española cautiva, gustaba oír comedias de su patria, «y ellos [los cautivos] deseosos de su favor y amparo las estudiaban, comprándolas en Venecia a algunos mercaderes judíos».[10] Los cautivos serían el camino —uno de los caminos— por el que los judíos de Levante conocían la literatura española coetánea.

Sabemos, también, gracias a Besso [11] y Van Dam [12] que los escritores sefardíes de los Países Bajos no ignoraban la producción dramática coetánea y sabemos que Enríquez Gómez, Cohen de Lara o Leví de Barrios imitaban a Lope, Tirso y Calderón. El caso de Lope es ejemplar: «poeta todopoderoso del cielo y de la tierra» ejerció su universal señorío más allá de esperadas medidas. En Marruecos recogí tres versiones diferentes de los romances *Mira, Zaide, que te aviso* y *Gallardo pasea Zaide*. Al cabo de tres siglos y medio, la voz cálida del amante de Elena Osorio resuena, dolidamente todavía, en el mellah tetuaní.[13] Pero si notable es esta pervivencia, sólo recogida en Ma-

8. WAGNER, *op. cit.*, p. 14.
9. Vid. la lista que preparé en los «Studies Benardete», basada en materiales del MARQUÉS DE HOYOS (*Los judíos españoles en el Imperio Austriaco y en los Balkanes*, Madrid, 1904, y del *Catálogo de la exposición bibliográfica sefardí mundial*, Madrid, 1959).
10. «Studies Bernardete», p. 5.
11. H. V. BESSO, *Dramatic Literature of the Sephardic Jews of Amsterdam in the XVIIth and XVIIIth Centuries*, Nueva York, 1947, vid., principalmente, el cap. V. (También en *BHi*, XL, 1938, y XLI, 1939).
12. C. F. A. VAN DAM, *Las relaciones literarias entre España y Holanda*, Amsterdam, 1923, p. 15, especialmente.
13. Véanse las pp. 98-122 de este libro, donde actualizo el trabajo *Ro-*

rruecos, llama más la atención oír en bocas de cantores sefardíes el romance de *Las almenas de Toro,* procedente de una obra dramática que compuso el Fénix por 1619; y, lo que es más de valorar, las versiones de Tetuán y Larache conservan un precioso valor estético y una honda devoción hacia el Cid, héroe de gestas en nuestros antiguos poemas, suave enamorado en el teatro áureo y en las evocaciones modernas.[14]

Las relaciones de España con Marruecos fueron mayores —naturalmente— que con Oriente: valga el ejemplo de Lope, sírvanos lo que luego diré de *La boda estorbada* o la documentación de romances peninsulares que llegaron a África en los últimos años del siglo XVIII. Pero no hemos de creer que el romancero judeo-español se reduce a repetir bien o mal la tradición peninsular antigua y moderna. No. Poseemos testimonios que demuestran cómo hay cierta elaboración poética propia que no sufre interrupción. Menéndez Pelayo notó la abundancia de romances bíblicos que conocían los sefardíes, frente a la penuria peninsular, donde no encontrábamos otro que el de *Amnón y Tamar.* Efectivamente, en Marruecos y en Oriente abundan los romances de asunto bíblico;[15] en buena lógica los hemos de creer posteriores a la expulsión: de otro modo vivirían en la tradición española. Pero el dato es poco concreto: puede tratarse de romances inmediatos en su fecha a 1492 o pueden ser muy próximos a nosotros. No podemos decidir. Sin embargo, el más viejo carácter del romancero, literatura «noticiera de sucesos actuales, ruidosos, señalados»[16] vale tanto para Levante como para Marruecos. Allí sirve para cantar la muerte de Behar Carmona,[17] aquí para narrar la vida heroica de Sol Hachuel, por más que una y otra composición no tengan el carácter de romance. Detengámonos un momento para comentar este hecho, si-

mances de Lope de Vega, vivos en la tradición oral marroquí, «Romanische Forschungen», LXIII, 1951, 282-305.

14. Vid. antes, pp. 115-120.

15. En mi *Poesía tradicional de los judíos españoles,* México, 1966, reúno trece romances diferentes de asunto bíblico (núms. 31-43). Estudié uno de ellos en «Vox Romanica», XV, pp. 241-258 *(Amnón y Tamar en el romancero marroquí),* que en este libro aparece enmarcado dentro de la amplia tradición hispánica (vid. pp. 221 y ss.).

16. R. Menéndez Pidal, *El romancero nuevo,* Madrid, 1949, p. 13.

17. M. J. Benardete, *Hispanic Culture,* ya citado, pp. 122-123 Behar

guiendo los informes de A. Laredo:[18] en el año de 1830 una hermosa muchacha judía adjuró de su fe engañada por añagazas de los musulmanes. Al conocer el fraude volvió a la religión de sus padres. Muley Abderramen, sultán de Marruecos, prometió a la joven tangerina toda clase de bienes terrenales a cambio de la fe profesada. Sol Hachuel sufrió martirio y en Fez está su tumba, sobre la que las mujeres hebreas piden fecundidad. El suceso conmovió a las comunidades sefardíes. En Gibraltar se estrenó *La heroína hebrea* (1858) de Enrique Sumel;[19] y hoy todavía se pueden encontrar ediciones de la tragedia. Sin embargo, nunca se había hablado de la fortuna de Sol Hachuel en la poesía oral. En mis encuestas en Melilla y Larache, recogí un poema histórico para el que sólo desearíamos los buenos versos a que se hizo acreedora la hermosa figura de Sol la Saddika. La narración es ésta: Tara denuncia a Sol de judaísmo; asistimos a una mezcla de fanatismo religioso y de lujuria desatada por parte del gobernador, a la entereza de Sol, al valor ejemplar de su sacrificio.[20] Literariamente, nada. Los sesenta versos del texto son desdichados; sólo por un momento, al final, vimos la lucecilla de un destello. Nada, para la figura delicada que se quiebra, enteramente, hace más de cien años.

Esta situación del aislamiento, cambió, para Marruecos, en el reinado de Isabel II. La comunicación se hizo efectiva, sobre

---

Carmona fue asesinado por traición de un armenio: al largo poema que se le dedicó, pertenecen estos versos:

> Ajuntemos mis hermanos
> a cantar esta endecha
> porque nos cortó las manos
> el Dió en esta echa.
> Todo el mundo lo lloraron
> porque era muy amado.
> De los ojos me lo quitaron
> sin culpa y sin pecado.
> Lloremos y endechemos
> por el mal que mos vino.
> Si mil años viviremos
> no mos sale del tino.

18. *Memorias de un viejo tangerino*, Madrid, 1935, pp. 343-347.
19. M. L. Ortega, *Los hebreos en Marruecos* (4.ª ed.), Madrid, 1934, p. 137, nota.
20. Hay una versión publicada por J. Martínez Ruiz, *Poesía sefardí de carácter tradicional (Alcazarquivir)*, «Archivum», XIII, 1963, núm. CXVI, pp. 206-207.

todo, con motivo de la presencia española, que vino a mejorar la situación de los judíos marroquíes. A este respecto quisiera recordar la carta que en 1860 dirigió un judío tetuaní al general O'Donell. En ella veremos cómo hay una confianza hacia los nuevos vencedores, que en modo alguno hubiera podido existir con los moros que sometían a los sefardíes a un trato ignominioso. La carta dice así:

> Señor Excelentísimo. Dios sea contigo; y Abraham, Isaac y Jacob me inspiren a hablar bien. Yo Jacob Leví te pido justicia. Y amparo, porque soy desvalido. Y consuelo, porque estoy triste. Y auxilio, porque soy pobre. Y fortaleza, porque soy débil. Dame, pues, Señor, la justicia que te pido, porque haréis bien. Mi padre, muy anciano, vive de mi trabajo. Y dos hijas, que son niñas. Y mi trabajo es mi sustento. Y mis bienes son una tienda. Y me la quieren quitar los que son fuertes. Y tú que eres más fuerte, porque eres más justiciero, puedes más que ellos. Y, por eso, Señor, acudo a ti. Tú tienes la sabiduría y el valor porque ganaste a Tetuán y Tetuán es tuyo. Y tú eres de España. Y España es de tu reina. Y tu reina eres tú aquí. ¡Hazme justicia, Reina de España! *Jacob Leví.*[21]

3. Conservación de textos perdidos en la Península

El aislamiento a que acabo de referirme, junto al tradicional arcaísmo de los judíos, ha permitido que en Marruecos se conserven romances, perdidos ya en España. Tal es el caso de un par de textos que paso a considerar.

Creo acierta Bénichou cuando dice que el romance de *El Polo y la infanta deshonrada* es «un romance conocido únicamente en Marruecos. Parece bastante alterado e incierto».[22] Efectivamente, conozco varias versiones sefardíes del romance y en todas hay graves modificaciones: la tangerina de *Las siete guardas*[23] cuenta la desesperación del héroe, la aparición de «tres tortolitas» y un coloquio amoroso; la de Bénichou coincide en el has-

21. Publicada por M. L. Ortega, *op. cit.*, p. 103.
22. *RFH*, VI, 272. Incluyo una versión tetuaní en las pp. 319-320.
23. *Catálogo*, núm. 128.

tío de Polo, pero, en vez de las tórtolas, llega un paje que es muerto por el protagonista; una variante que recogí personalmente en Tetuán es menos trágica: la aparición del pajecillo es tranquilizadora para el héroe: tiene historias para distraer el tedio y liberar al Polo de sus preocupaciones; sin venir a cuento, el paje le narra la historia cortesana de *La infanta deshonrada.*[24] En Alcazarquivir, se desconoce también el Polo independiente; tras el verso 18 de Tetuán se continúa la narración de Vergicos, «Que se pensaba la reina...» En los elementos comunes de estas cuatro variantes apenas sí hay alteraciones fundamentales: las «graves modificaciones» de que hablaba al principio están en el desenlace o continuación del poema. Hay que señalar la falta de elementos maravillosos en los romances de Tetuán y Alcázar; es decir, en las variantes que se desenvuelven enlazadas con otro romance independiente.

En las colecciones anteriores está documentado también el romance de *La infanta deshonrada.* Las diferencias externas que pudieran establecerse se señalarían, en primer lugar, gracias al empleo diverso de las rimas. El *Catálogo,*[25] en sus dos breves fragmentos, presenta *í-a, á-a.* Allí se dice que «el mismo cambio de asonante se halla en la versión catalana; la versión del siglo XVI cambiaba al fin en *ó,* pero la moderna tomó su *á-a* del romance número 100 de la *Primavera*»; Bénichou da dos variantes, aunque para el objeto presente no ofrezcan motivos de interés: rima en *í-a,* y, luego, desde el verso 34, *á-a*; la variante *B* se continúa en otros cuatro versos que vuelven a la asonancia *í-a.* En Tetuán hay: *í-a, á-a* (sólo un par de rimas), *í-a* (tres rimas), *á-a.* En Alcazarquivir: *í-a, á-a, í-a, á-a.* Las dos últimas de las variantes citadas, a pesar de sus diferencias, son bastante semejantes; en tanto las de Bénichou, alejadas de aquéllas, formarían un grupo coherente. No sé a cuál de tales divisiones pueda pertenecer la versión del *Catálogo*: los dos fragmentos que allí se publican nada resuelven. Ya Bénichou[26] señaló que «en cuanto a nuestro romance no encontramos su equivalente exacto

24. *Catálogo,* núm. 106.
25. Núm. 106.
26. *RFH,* VI, 55.

en las antiguas colecciones y pliegos». Él mismo ha indicado cómo los números 159 y 160 de Menéndez Pelayo[27] son puente de la redacción marroquí que enlaza los dos fragmentos distintos, que ya habían sido soldados por la tradición del XVI.[28] A estas cuestiones y a sus referencias de la página 56 (versiones de Asturias, de Oriente) se puede añadir el de *La mala hierba* recogido por Cossío en Salceda (Polaciones). La forma encontrada en la Montaña recuerda mucho a las asturianas: el descubrimiento del embarazo coincide en todo con las historias, tan próximas entre sí, de *Doña Urgelia* y de *Doña Enxendra,*[29] aunque falta el poder maléfico de la hierba («borraja» en este romance, «azucena» en el de Tristán e Iseo);[30] sin embargo, los primeros versos

Al otro lado del río, al otro lado del agua,
se criaba un arbolito, muy crecido y muy en agua,
y el ama que le cogía doña Eugenia se llamaba.[31]

27. *Antología,* O.C., XXIV, 315-316 y 316-317.
28. *RFH,* VI, 55-56.
29. *Antología,* O.C., XXV, 230-232.
30. *Primavera,* 146. Nuestro romancero abunda en el poder maléfico de las plantas:

«allí nace un arbolado que azucena se llamaba,
cualquier mujer que la come luego se siente preñada»
(*Don Tristán: Antología,* O.C., XXIV, 300).

«el agua que dellos sale una azucena regaba;
toda mujer que la bebe luego se siente preñada»
(Ibid., 301)

«en mi huerto hay una hierba blanca, rubia y colorada;
la dama que pisa en ella, della queda embarazada»
(*Doña Urgelia*: *Antología,* O.C., XXV, 230)

«hay una yerba en el campo que le llaman la borraja;
la mujer que la pisare luego se siente preñada»
(*Doña Enxendra:* ib., 231)

«en la villa de Madrid junto a los caños del agua,
allí se cría una hierba muy viciosa y regalada:
la dama que la pisara se quedara embarazada»
(*La mala hierba:* ib., 232)

En los palacios del rey, hay una hierba muy mala,
que la dama que la pisa ya se queda embarazada.
(*El mal encanto,* recogido por mí en Zaragoza.)

De otro tipo son las referencias del romance de *Gerineldo* (vid. MENÉNDEZ PIDAL, *Sobre geografía folklórica, RFE,* VII, 238), pero del mismo contenido mágico. Confróntense estas alusiones con las que facilita Cossío, 29: «con la fruta de la huerta — me puse descolorida».
31. Pág. 29

hacen pensar en las alusiones de los romances que acabo de citar; al mismo tiempo que la mención del árbol «muy crecido y muy en agua» acaso sirva para pensar que en el romance montañés se unen las influencias vegetales con las del agua (versión de Danón); lo mismo que en las asturianas el caballero es solamente encubridor del fruto y la hija víctima del cruel castigo paterno:

A eso de la media noche los cuchillos se afilaban.
La hizo cuatro cuarterones y las puso a la ventana [32]

La variante tetuaní coincide con la *A* de Bénichou; necesidad de dar solución al romance, necesidad sentida a lo largo de buena parte de todas mis variantes con final en boda de cada una de las historias. Mi poema (como la versión más truncada de Alcazarquivir) carece de la intervención propicia de la hija (Bénichou *B*) o del cuerdo perdón del rey.[33]

En Tetuán recogí una hermosa versión de otro romance desaparecido en España. Don Bueso —en el romance del *Rey envidioso de su sobrino*— es héroe frecuente en nuestro Romancero: lo encontramos en la Montaña, en Marruecos y Canarias, en Cataluña y en Portugal. Menéndez Pidal,[34] con su habitual saber, ha trazado la biografía —o biografías— literaria del personaje. La *Crónica General* refiere fugazmente la muerte de un guerrero francés de este nombre a manos del Bernardo del Carpio; el mismo texto habla de *cantares* en los que nuestro personaje debía participar. El nombre —como otros muchos [35]— rebasó los límites poéticos y lo vemos encarnado en la figura viva de un merino de Saldaña del siglo XII y en otros personajes reales. Aunque el hé-

32. Pág. 30.
33. *La infanta y don Galván* (*Antología*, O.C., XXIV, 313-316). Una amplia difusión del tema se puede ver en la propia *Antología* (O.C., XXV, 233-234). Para completar estos informes, me permito señalar que nuestro *Pensativo estaba Polo* se recogió fragmentariamente en uno de los discos del «Archivo de la Palabra».
34. *Los romances de don Bueso* (*BHi*, L, 1948, 305-312).
35. M. García Blanco (*Sobre los nombres épicos*, *RFE*, XXI, 1934, 279-281) dio tres de estos apelativos extraídos de viejos documentos de la catedral salmantina: *Roldán*, *Artur* y *Mainete*.

roe pueda tener relación con la épica de Bernardo, su vigencia poética no está en ella, sino en las burlas de los poetas cultos de los siglos XV al XVII y en poemas de tipo popular.[36]

Entre los judíos, acaso únicos conservadores de este romance, la figura de don Bueso está impregnada siempre de un hálito de tragedia, como si aquella su primera aparición en nuestra literatura hubiera impreso su huella perdurable en el héroe: muriendo lo encontramos en la *Crónica General* y en trance de muerte se perpetúa entre los sefarditas. Entre estos dos hitos, caben las historias de dolor y reconocimiento que se oyen en Asturias, la Montaña, Cataluña o Canarias.[37]

Bénichou publicó con el título de *Hueso y el Huerco*[38] el romance de *La muerte ocultada,*[39] romance que hace pensar en otro hexasilábico de *Don Pedro*[40] y los asturianos de *Doña Alda.*[41] Hay que insistir en el valor de lo fantástico y sobrenatural en la vida —y en la muerte— de nuestro don Bueso: impresionan los versos en que se narra la lucha, fatal, del héroe contra su demonio:

Firió Uezo al Huerco en el calcañale,
firió el Huerco a Uezo en su voluntade;
firió Uezo al Huerco con su rica espada,
firió el Huerco a Uezo en telas del alma...[42]

36. Al trabajo de Menéndez Pidal pueden añadirse las notas de Menéndez Pelayo en su *Antología* (O.C., XXV, 192-195).

37. También en Marruecos se oye el romance de *Don Bueso y su hermana* (*Catálogo,* núm. 49); tengo una versión de Alcazarquivir más completa que la de Menéndez Pidal. La mía comienza:

«Lunes era lunes de Pascuá Florida,
guerrean los moros en campo d'oliva...»

y termina

«¡Abridme, mi madre, puertas, ventanas d'Andalucía,
aquí os traigo la prenda por que lloráis noche y día.
En vez de traer mujer me traigo una hermana mía.»

Menéndez Pidal dedicó un hermoso estudio al tema en *Supervivencia del poema de Kudrun* (*RFE,* XX, 1933, 1-59).

38. *RFH,* VI, 325. Más reciente es el estudio de S. Armistead y J. Silverman en sus *Diez romances hispánicos en un manuscrito sefardí de la isla de Rodas,* Pisa, 1962, pp. 62-65.

39. *Flor nueva,* 260.

40. *Antología* (O.C., XXV, 288-289).

41. Ibid., 234-239.

42. Menéndez Pidal, *Catálogo,* núm. 75. En algunas versiones peninsulares (extremeñas, por ejemplo) se habla de un puerco.

Los otros romances marroquíes de don Bueso también tienen este halo de adversidad y de «negro mazzale» contra el héroe: en el de *Moriana*, es envenenado por su amiga;[43] en el del *Rey envidioso*, traicionado por su propia madre.[44] Analicemos detalladamente este romance.

La forma que recogí en Tetuán permite reconocer una primitiva redacción en endechas (pareados de doce sílabas), aunque su manifestación actual tiende a la versificación de los romances (rima alterna en asonancia); este procedimiento híbrido se documenta en los versos que transcribe el *Catálogo*[45] y, sobre todo, en las versiones completas del romance: Ortega,[46] Bénichou[47] y la mía de Tetuán. Sin embargo, creo difícil reconstruir el estado primitivo del poema según la documentación actual; al menos una valoración estadística apenas si arroja luz: la variante de Ortega tiene 5 rimas, y la mía tiene 6 para 65 versos. La tirada monorrima más larga es, en cada una de estas variantes, de 22 versos en Ortega, 20 en Bénichou y 15 en mi versión de Tetuán. ¿Podría deducirse de este hecho un arcaísmo mayor para mi romance? Este criterio podría ser el único valedero, habida cuenta de la casi exacta proporción relativa entre el número de versos y la cantidad de rimas. (Texto tetuaní en la p. 321.)

Las distintas versiones que conocemos del poema difieren bastante entre sí. La que recogió Menéndez Pidal en su *Catálogo*[48] participa, como todas, de la codicia del tío; como rasgos peculiares, deben indicarse: la muerte de Bueso por su tío. «El caballo lleva la noticia a la madre. Ésta va a ver al rey y pide besarle, y echando una mirada de desesperación con un beso el alma le arrancó.» Ortega, por su parte, ofrece la versión siguiente: diálogo de tío y sobrino. Convite. Don Bueso pide consejo a su madre. Autorización de la madre. Malos presagios. Don

43. *RFH*, VI, 276-277.
44. Vid. también *Antología* (O.C., XXV, 222-223), romance de *Marbella*; dos páginas antes se copia el de *Doña Arbola*, idéntico al de *Marbella*, pero, en él, *Don Boyso* recibe el nombre de *Don Morcos*.
45. Núm. 123.
46. *Los hebreos en Marruecos*, Madrid, 1934, p. 211.
47. Pág. 329.
48. Núm. 123.

Bueso habla con su caballo y mata a su tío (alguna ligera ambigüedad está obviada por el contexto).

El romance número 50 de Bénichou coincide en todo con el de Ortega. Sólo el fragmento final difiere de aquél. Ya no es la «madre la mala», sino, tal vez, una víctima más de la astucia del hermano. El caballo mata al tío.

La versión tetuaní se diferencia poco de las anteriores. Don Bueso habla con el caballo y luego mata a su tío. Creo que la forma primitiva del romance habría que reconstruirla de este modo: la versión más «racional» del poema es, acaso, la de Menéndez Pidal. De esta forma completa derivó —como tantas otras veces— la versión truncada, en la que se suprimía el episodio final: el propio Don Bueso se convertía en vengador de sí mismo (Ortega, Tetuán). Al suprimirse la intervención vindicativa de la madre, la misión de ésta en la historia quedaba reducida al consejo y a la pasiva en el envío del mensaje. Es decir, menesteres ambos totalmente accesorios y sin transcendencia dentro del poema. Para que el «clima» trágico del romance no decaiga, sino que se cargue más densamente, se trata de aunar los pasajes sin ilación: la madre comete traición a su hijo, y, en esta entrega al enemigo, tendrían nítida explicación los versos:

Caballo, caballo, de silla dorada,
ve y dile a mi madre, a mi madre la mala,
que te quite la silla, te ponga la albarda,
te mande a los campos como bestia mala.

En Bénichou, no; como el verso «a mi madre la mala» es substituido por el de «a mi madre a Granada», los versos 29-30 se reducen a una mera enumeración, carentes de la eficacia lírica de las versiones de Ortega y de Tetuán. De este modo se explican fácilmente los finales de Ortega:

Eso oyó el caballo, palabra leale;
dio vuelta a otro lado, a su tío matare.
Y al otro día él reinó en su lugare.[49]

49. Este final es próximo al de *Desdichada fue Calema*:
«diera vuelta a su caballo. Y a su madre fue a matare»
(Ortega, 224)

y de Tetuán:

Dio vuelta al caballo y a su tío matara.
Otro día en la mañana, en su lugar reinara.

En tanto el de Bénichou, aparte el absurdo lógico, quiebra la estructura del poema:

Como eso oyó el cabayo, al tío matare.

Prescindiendo de un cotejo de todas estas variantes, que incluso permite comprender mejor el contexto, puedo —no obstante— establecer de este modo la genealogía romancesca del Don Bueso *(Rey envidioso de su sobrino)*:

Catálogo — Ortega — Tetuán — Bénichou.

Bien entendido que no trato de derivar unas variantes de otras, sino que con ellas se puede reconstruir la suerte de un romance a cuya descomposición asistimos.

También es tetuaní un poema que recogí en 1949 y que —a pesar de los años transcurridos— continúa siendo el mejor de los textos allegados sobre el tema. Me refiero al romance de *Rosaflorida* (*Catálogo*, n.º 26). Ya Menéndez Pidal (*Flor nueva*, página 118) señaló la vitalidad del romance en Marruecos —cinco versiones se han publicado en los últimos años— y su ausencia en la tradición peninsular, aunque ahora tengamos algún otro informe (tres versiones catalanas, un fragmento palentino, y nada más). Las compilaciones sefardíes de Gil, Ortega y Bénichou no lograron acrecentar los datos del *Catálogo*, pero Larrea, Guastavino y Martínez Ruiz dieron diversas redacciones sobre las que Bénichou (*Romancero*, 1968, 350-351) ha restituido un arquetipo. Para mí ha resultado sorprendente el acierto de este investigador: su reconstrucción es, casi palabra por palabra, el texto que encontré en Tetuán. Mis excelentes recitadoras han conservado con envidiable fidelidad un romance que va camino del olvido o de la deturpación (en Alcazarquivir, por ejemplo). Frente al poema de la *Flor nueva,* el nuestro tiene unos últimos versos ignorados en él y, por lo que respecta a las viejas impresiones (*Cancionero de romances,* s. a., y de 1550), el desenlace es —también— distinto.

Aunque el texto tetuaní ha perdido unos pocos elementos tradicionales —localización exacta del castillo en Rocafrida, algún verso— otras de sus cuestiones pertenecen al acervo común del romancero: la *piedra zafira* (v. 3) hace pensar en el romance de *Bovalías el pagano*:

> encima en el chapitel   está un rubí preciado:
> tanto relumbra de noche   como el sol en día claro
> (*Antología de líricos,* O. C., XXIV, p. 283)

Montesinos, convertido en gloria de Rosaflorida (v. 6), no es sino trasunto de aquel don Pedro amado por doña Alda:

> Y aquí se enterró don Pedro,   la prenda que más querías
> (ib., XXV, p. 235)

La *media noche* desazonadora (v. 9) es un tópico romanceril. Se encuentra en textos de *Don Gaiferos* (*Antología líricos,* o. c., XXIV, p. 385), del *Conde Claros* (ib., p. 435), de *El cautivo* (ib., p. 266), etc.; lo mismo que la *Pascua Florida* (v. 13) es una localización temporal frecuentada por estos cantos: *Doña Alda* (ib., p. 235), *Hermanas reina y cautiva* (versiones marroquíes), *passim.* O recuerda a *Almerique de Narbona* la entrega de Rosaflorida a los brazos de Montesinos (v. 32):

> en brazos del conde Almenique   la condesa van hallar;
> el infante la tomó   y con ella ido se han.
> (*Antología líricos,* O. C., XXIV, p. 462)

No quedan agotadas las posibilidades. Otros entronques tradicionales se pueden encontrar a nuestros vv. 22, 27, 30, 33, pero no pretendo ahora la filiación de una familia romancesca. Mi aspiración es bien otra. Un texto sefardí nos viene a comprobar un principio a la geografía lingüista: las áreas periféricas son más conservadoras que las centrales. Y he aquí cómo Cataluña y Marruecos manifiestan su arcaísmo frente al dominio castellano, y el aislamiento de que hablaba al empezar este capítulo nos ha servido para salvar esa bellísima joya del romance tetuaní. (Lo incluyo en la p. 326.)

4. Romances peninsulares y romances sefardíes

Las consideraciones anteriores en torno al aislamiento nos llevan a otro asunto fundamental en la historia romancesca: el comportamiento del romance judeo-español ante el Peninsular. Después de lo que he dicho, se comprenderá el arcaísmo de la tradición judía; la comunicación de que he hablado, muy escasa e indirecta, no puede alterar un estadio cultural establecido sólidamente. Es difícil creer que la llegada a Marruecos de gentes con un romance peninsular hiciera modificar un estado de tradición mantenida. Es lógico pensar en que habría adquisición de los romances desconocidos pero mantenimiento inalterable de los conocidos desde antiguo. Creo que es útil la comparación con el motivo lingüístico. W. von Wartburg ha llamado la atención sobre un hecho que pasaba inadvertido a los dialectólogos: un dialecto se comporta ante una lengua de cultura reaccionando en sentido contrario al que fonéticamente se le quiere imponer. Se produce lo que el lingüista suizo llama «sobrevaloración de personalidad». Del mismo modo obra un pueblo respecto a la tradición literaria. En el choque con un complejo ajeno, el criterio localista apoyará su propia personalidad en motivos tradicionales, es decir, arcaizantes; la infiltración ocasional servirá tan sólo para afianzar el sentido patrimonial de la literatura que aquellas gentes tuvieran.

Así la unión del *Gerineldo* y *La boda estorbada* nos ofrece un caso típico de adquisición moderna y absoluta.[50] Hay un *Ge-*

50. Véase mi trabajo *El romance de Gerineldo entre los sefarditas marroquíes*, en «Boletín Universidad Granada», núm. 91, 1951 [sobretiro de 21 páginas]. Incluyo una versión de Larache en la p. 322, n.º 4.

rineldo simple que tiene arraigo desde antes de la expulsión de los judíos, pero en Andalucía, durante el siglo XVI, se une este romance viejo al relativamente moderno de *La boda estorbada*[51] pues bien, llegado el momento de aceptar la innovación tardía, los judíos toman el conjunto de *Gerineldo* + *La boda estorbada* y continúa su existencia independiente el antiguo *Gerineldo* simple.

Veamos la cuestión desde cerca. El romance de *Gerineldo* es uno de los más difundidos en la tradición española.[52] Durante siglos y siglos los labios trémulos de nuestras viejas han ido contando a sus nietecillos los impuros amores de la princesa y el servidor del rey.[53] Para que nada faltara al recreo imaginativo, la princesa era Enilde, hija de Carlomagno, y Gerineldo era Eginardo, secretario del emperador.

Entre los judíos de Oriente y de Marruecos, el romance ha gozado de una gran vitalidad, pero, entrados ya los años del XVI, Andalucía, opulenta siempre en narraciones romanceriles, fundió estos violentos amores con un poemita recién creado, con aquel que en nuestra historia literaria se conoce con el nombre de *La boda estorbada*.[54] En el momento de la fusión encontramos a nuestro Gerineldo convertido en Capitán General de unos fabulosos ejércitos. Y en este momento se unen las dos narraciones aisladas. Amores con la hija del emperador, de una parte; abandono de la esposa, de otra.

Veamos las cuestiones que plantea en la literatura sefardí la fusión de ambas piezas.

He dicho, que a partir del siglo XVI Andalucía asocia la vida furtiva de Gerineldo con la brillante fanfarria del conde Sol.

51. Vid. D. CATALÁN y A. GALMÉS. *El tema de la boda estorbada, proceso de tradicionalización de un romance juglaresco*, «Vox Romanica», XIII, 1953, pp. 66-98. Vid. también, M. MENÉNDEZ Y PELAYO, *Antología de poetas líricos castellanos* (O.C., XXV, pp. 176 y ss.), y W. ENTWISTLE, *El conde Sol o la boda estorbada* (*RFE*, XXXIII, 1949, pp. 251-264).

52. Cfr. R. MENÉNDEZ PIDAL, *Sobre geografía folklórica. Ensayo de un método*, «Revista de Filología Española», VII, 1920, pp. 229-338, y *Cómo vive un romance. Dos ensayos sobre tradicionalidad* (Anejo LX de la misma revista, Madrid, 1954), donde se reproduce este trabajo y se reelabora con muchos nuevos materiales por D. CATALÁN y A. GALMÉS.

53. Ulteriores reelaboraciones del tema son consideradas por P. BÉNICHOU, *Nouvelles explorations*, ya citadas, pp. 241-242.

54. MENÉNDEZ PIDAL, *Geografía folklórica*, pp. 299-301 y 310-311.

Nuestros judíos de Marruecos recogen la versión unida y así, junto al poema simple otras recitadoras de Tetuán y de Alcazarquivir continuaron el poema con el de *La boda estorbada*.

La versión que imprimo en las páginas 323-324 fue recogida por mí en Tetuán. Como todas las variantes marroquíes carece del sueño présago del rey. Este sueño sirve, en la Península, para que el monarca intuya la existencia de unos impuros amores entre su hija y el más adicto de sus servidores. Menéndez Pidal, teniendo en cuenta estas y otras razones, dividió a la Península en dos grandes zonas de actividad: la noroeste y la sudeste. Ahora bien, ciñéndonos a nuestro objeto e intentando agrupar dentro de una de estas zonas a la literatura marroquí, nos encontramos con que se aproxima al sudeste por una serie de rasgos capitales, entre los cuales no es el menor la ausencia del sueño présago que acabo de aducir. Es propio, también de la región sudeste, el juramento por la Virgen de la Estrella que se documenta en la continuación del Gerineldo compuesto. Al sudeste pertenece, asimismo, el verso «quién te me diera esta noche / tres horas a mi servicio» y son típicamente meridionales los rasgos lingüísticos de «Se armara una guerra de Francia para Graná(da)» y «con zapatito de seda» que, a mi modo de ver, representa un plural andaluz: ausencia de *-s* final y abertura de la vocal.[55] Más adelante aduciré otros criterios agrupadores. Por ahora baste lo que he dicho.

Por lo que respecta al romance de *La boda estorbada*, son poco frecuentes las versiones aisladas.[56] Y es notable que reali-

55. Bénichou, *art. cit.*, p. 240, núm. 15, no cree que el plural andaluz sea aquí imprescindible, pues —según él— hay formas en las que *zapatito* es singular; cierto —también— que antes se habían recogido otras en que, inequívocamente, los editores habían escrito *zapatitos*. *Graná(da)*, según él, podría ser una «violación de la asonancia», pero no deja de ser curioso que la «violación» permita suponer un rasgo fonético andaluz y, por si fuera poco, quedan esos testimonios que aduje, y el señor Bénichou silencia, de *tito* por «tío», *puñalás* por «puñaladas», *cafre* por «cafres», el final de Pinos Puente (que, he visto más tarde, es una copla que Rodríguez Marín en sus *Cantos populares españoles*, núm. 6270), amén de los rasgos específicamente meridionales que el romance posee. Creo que el texto oral tiene arcaísmos y neologismos, éstos nacidos con el poema o superpuestos tardíamente (tratamientos fonéticos, adiciones ajenas).

56. Cfr. J. Martínez Ruiz, *Poesía sefardí*, ya citada, pp. 159-160. Incluyo el texto en las pp. 322-323, n.º 5.

zando encuestas del mismo tipo en la provincia de Granada comprobé la ausencia del poemita independiente y vivísimo en su combinación con el de *Gerineldo*.

Voy a intentar ahora, como he hecho con el *Gerineldo* simple, situar mi romance dentro del análisis que llevó a cabo Menéndez Pidal. Veremos de este modo hasta qué punto la moderna tradición peninsular ha podido influir sobre la marroquí y veremos, también, como la herencia judeo-española ha sido herida por la acción aniquiladora del tiempo.

La doctrina de Menéndez Pidal fue impugnada por Bénichou según la siguiente teoría: «Los judíos españoles llegaron indudablemente a Marruecos con una tradición ya hecha que traían de las regiones de España de donde eran originarios. Este origen no era forzosamente meridional».[57] Anteriormente Menéndez Pidal había establecido una región folklórica que comprendería Cataluña y el Levante español, región arcaizante que sufre influencias de Andalucía y con la que está íntimamente relacionado el mundo sefardí de Marruecos y de Oriente. Bénichou objeta que «a despecho de la migración judía, parece que Menéndez Pidal considera la tradición marroquí como la de cualquier región española, en relación con la situación geográfica del país».[58] Y más adelante insiste: «para que la tradición de los actuales judíos de Marruecos pueda considerarse como vecina geográficamente de la región mediterránea de la Península, hay que suponer que se ha formado después del destierro; ahora bien, el carácter que más la aproxima a la catalana, en lo que se refiere al romance de *La boda estorbada* es su arcaísmo. Como se ignora la fecha exacta de la aparición del romance no queda excluido el hecho de que haya nacido después del destierro, y de que los judíos, ya instalados en Marruecos, lo hayan recibido de la costa mediterránea en una época en que las relaciones eran frecuentes todavía entre ellos y la Península».[59]

Intentaré resolver esta serie de antinomias a que nos conducen las posturas aducidas. Efectivamente, los judíos llegaron a

57. P. Bénichou, *Romancero judeo-español de Marruecos*, *RFH*, VI, 1944, pp. 59-60.
58. Ibid., p. 60.
59. Ibid., p. 129.

Marruecos (o a los Balcanes) con una tradición elaborada, y elaborada precisamente en sus focos originarios. Así pues, esta tradición perfecta —acabada— sufrió un trasplante geográfico y en las nuevas regiones se vio influida por la tradición, también perfecta y elaborada, de sus nuevos vecinos geográficos. Es decir, hay una tradición primitiva —originada en la región española de donde procedían estos judíos— modificada en Marruecos por la tradición andaluza —cuyo contacto puede admitirse como posterior a 1492—. De este modo cabría explicar los arcaísmos de la tradición marroquí que la unen, en cierto modo, a la catalana y los neologismos que la vinculan a la meridional. Teniendo esto en cuenta, debo insistir en que lo judeo-español ha de ser estudiado del mismo modo que lo peninsular, en función, por tanto, de la geografía que lo caracteriza. Ahora bien, esta localización geográfica manifiesta en mi opinión una diacronía (evolución en el tiempo), según la terminología saussureana de la lingüística, del mismo modo que cualquier otra tradición peninsular, pero en este eje de ordenadas que es la diacronía cabría la consideración de dos cortes sincrónicos (coexistencia de fenómenos en un momento determinado): uno de estos cortes está ante nuestros ojos, es actual, y nos indicará influencias modernas sobre una tradición que debiera ser arcaizante; el otro corte debe hacerse en 1492, en el momento del destierro y nos permitirá conocer el origen peninsular de cada comunidad sefardí y, con él, el origen de su poesía popular.

Teniendo en cuenta esto se puede aceptar ya sin escrúpulos que «en Marruecos tampoco es indígena la tendencia a la fusión de los romances de *Gerineldo* y de *La boda estorbada*, sino que aparece como una importación andaluza».[60]

5. Descristianización del Romancero

Hasta ahora venimos considerando una serie de factores que pueden tener realidad en cualquiera de las regiones del ámbito hispánico; sin embargo, motivos hay que sólo pueden cobrar

60. Menéndez Pidal, *Geografía folklórica*, p. 300. (Cfr. pp. 323-324.)

validez en el mundo sefardí. Me refiero, lógicamente, a la influencia religiosa sobre la literatura. Bénichou observó que «en un solo punto, puramente negativo las creencias judías dejan su sello en el romancero. Es el fenómeno conocido por descristianización».[61] Indudablemente el fenómeno se da, pero nunca con carácter sistemático; lo «único que ha sido eliminado es lo que parecía implicar de parte del recitador una adhesión a las creencias o a las devociones cristianas».[62] Aceptada, como no se puede por menos, la afirmación, queda sin explicar el anverso de la medalla: ¿por qué se mantienen estas creencias o estas devociones cristianas en el romancero judeo-español? Pienso que hay motivos para aceptar un hecho aparte: la cristianización se conserva en aquellos casos cuya importación tardía mantiene al romance con la precisa manifestación peninsular. Y en este momento he de volver sobre anteriores palabras mías. Para la tradición marroquí, la guerra de 1860 significó la vuelta de lo español al norte de África. Con ella migraron, en perpetuo peregrinar, nuestros romances. Y la convivencia relativa, la protección, el viejo tronco común, acaso hayan permitido la persistencia de unos elementos que se habían empezado a borrar en el siglo XV, en el momento mismo de la creación romancesca.

Tal vez ningún otro como el romance de *La misa de amor* sirva de piedra de toque en la cuestión que me ocupa.[63] Bástenos comparar la versión popular en la Península y la sefardí. Para la primera sigo el texto que nos ha transmitido la *Antología*[64] de Menéndez Pelayo (prescindiré de las descripciones del tocado de la dama, ajenas a mi objeto):

61. P. Bénichou, *Romancero*, p. 365. El mismo investigador ha dedicado unas cuantas páginas —muy valiosas— al tema: *Nouvelles explorations*, pp. 227-230, y son imprescindibles -ya- las páginas de S. Armistead y J. Silverman, *Christian Elements and De-christianization in the Sephardic «Romancero»*, apud «Collected Studies in honor of Americo Castro's Eightieth Year». Boars Hill, Oxford, 1965, pp. 1-18.

62. P. Bénichou, *Romancero*, p. 367.

63. Vid. M. Alvar, *Los romances de «La bella en misa» y de «Virgilios» en Marruecos*, «Archivum», IV, 1954, pp. 264-276.

64. Obras completas, t. XXIV de la Edición Nacional, p. 259.

En Sevilla está una ermita cual dicen de San Simón,
adonde todas las damas iban oír misa mayor.
Allá va la mi señora, sobre todas la mejor
....
a la entrada de la ermita toda la gente pasmó
El abad que dice misa no la puede decir, non,
monacillos que le ayudan no aciertan responder, non,
por decir: amén, amén, decían: Amor, amor.

Al lado de esta depurada versión, voy a incluir la que recogí de labios de unas judías tetuaníes. El poema no se había encontrado antes en Marruecos.[65] Por eso la variante que doy a conocer tiene un sabor agreste, de espontánea sencillez. Dice así:

Mañanita era mañana, mañanita de oración,
cuando mozas y galanas iban a la admiración;
entre todas las que iban, Isabel era la mejor
....
A la entrada de la misa, a toda la gente pasmó;
el que asolpla a la candela, la cara se le quemó,
y el que toca la guitarra, muerto al suelo se cayó.

Comparando las dos versiones [66] vemos que el leit-motiv del poema se centra alrededor de la hermosura de la dama. Pero no es la hermosura en sí lo que interesa; vale mucho más el poder que ejerce en el mundo circundante. Los resultados del encanto femenino son hiperbólicos, aunque expresados no con un recurso gramatical, sino con una valoración religiosa que acre-

65. LARREA (*Romances de Tetuán*, II, pp. 122-124) recogió otras dos versiones tetuaníes; no se halló ningún texto de este romance en Alcazarquivir. En Oriente las versiones no son escasas: últimamente, S. ARMISTEAD y J. SILVERMAN han publicado sendos poemas de Rodas (*Diez romances hispánicos en un manuscrito sefardí de la isla de Rodas*, Pisa, 1962) y de Jerusalén (?) (*Judeo-Spanish Ballads in a ms. by Salomon Israel Cherezli*, «Studies Benardete», pp. 371-372), Valgan las notas de estos eruditos investigadores para conocer la bibliografía pertinente.

66. Para la temática del romance, vid. W. J. ENTWISTLE, *La Dama de Aragón*, «Hispanic Review», VI, 1938, pp. 185-192; id., *A note on La Dama de Aragon*, «Hispanic Review», VIII, 1940, pp. 156-159; MARÍA ROSA LIDA, *El romance de la misa de amor*, *RFH*, III, 1941, pp. 24-48; P. BÉNICHOU, *Nouvelles explorations*, pp. 246-248 y S. ARMISTEAD, J. H. SILVERMAN. *«La dama de Aragón»: its Greek and Romance Congeners* (*KRQ*, XIV, 1967, 227-238).

cienta la eficacia expresiva. La intencionada irreverencia, la malicia inocente —¿dónde el doñeador de Juan Ruiz?— es el recurso estilístico que cobra en el poemita condiciones significativas. Esto entre los cristianos. ¿Y los judíos? Tuvieron que ir eliminando uno tras otro los elementos del juego y con ellos se les vaciaba el poema de picardías y de intenciones al faltar, o, mejor, al suprimir, los elementos religiosos en juego.

Al establecer una estrecha comparación entre las dos versiones, sorprende, en primer lugar, que ambas cuentan, aproximadamente, con el mismo número de versos, pero es más chocante todavía, que de ellos, nada menos que ocho, tengan un elemento cristiano por sustituir: la *ermita de San Simón* se convierte en *mañanita de oración,* el *van a oír misa mayor* en *iban a la admiración,* etc. Con ellas la «letra» del romance apenas si sufre alteraciones graves, pero el «espíritu» —el suave, gracioso espíritu de nuestra Edad Media— ha perdido toda su viveza al faltar el jugueteo de los monagos y el azoramiento del —suponemos— severo abad.

Todo esto nos indica cómo los valores cristianos se han ido sustituyendo por uno u otro proceso, pero indica también que la eliminación lleva consigo la acomodación definitiva del romance, conversión en materia poética judeo-española de lo que antes —o en su origen— era sólo peninsular. Por otra parte el aceptar romances como el de *La boda estorbada* con su alusión sin reducir, acaso pueda verse hoy —trato asiduo de elementos de las tres religiones, lejos del desprecio o el aislamiento antiguos— como una manifestación de la vida de los cristianos, sin otros prejuicios, como exposición objetiva de un hecho para el que no son necesarios los alcances moralizadores de los viejos sefardíes. Al pensar esto, nuestro recuerdo va hacia el romance de *La linda Melisenda* y su eficacia como poema religioso, o hacia aquella convivencia de que habla el *Romance de Guarinos* a propósito de las honras del señor San Juan:

Los cristianos echan juncia,
y los moros arrayán;
los judíos echan eneas
por la fiesta más honrar.[67]

6. Versiones a lo divino

Ciertamente, en la literatura española no es excepcional la existencia de motivos profanos trasplantados a climas religiosos. Cada una de nuestras conquistas literarias parece obligada a pagar una pecha de divinización. Así nuestros viejos cantarcillos, así nuestros libros de caballerías, así nuestros grandes poetas. Tampoco el romancero pudo sustraerse a la constante general de nuestra cultura literaria. El romance de Belisera mantiene puramente su carácter profano, pero en alguna de sus manifestaciones, suscitó incertidumbres acerca de su aplicación religiosa.

El origen del romance es todavía incierto. Se entremezclan nombres que han podido tener realidad con rasgos de origen francés. Conde Niño es el título del conde de Buelna, aquel esforzado caballero, luz de historias, cuya vida perpetuó Dias de Games en *El Victorial*. Belisera, por otra parte, es hija de Carlomagno, según cuenta el poema francés de *Amis et Amiles*. Sin embargo, la violenta historia de pasión nada tiene que ver con los dos libros recién aducidos. Creo que hay que pensar en otros casos de nuestro romancero, donde aparece este tipo de mujer dispuesta a lograr sus propósitos; basta recordar los romances de *Gaiferos* o del *conde Dirlos* y, salvando tiempos y distancias, el culto que nuestro teatro áureo rinde a semejantes mujeres. Por otra parte, pienso también en situaciones culminantes muy próximas a la que ahora comento. Recuérdense los casos de *Rico Franco*: una doncella prisionera es requerida de amores; la cautiva solicita de su carcelero el cuchillo para cortar los adornos de su manto, impropios de la triste situación en que se encuen-

67. Núm. 186 de la *Primavera y flor de Romances* de Wolf y Hofmann, apud Menéndez y Pelayo, *Antología de poetas líricos castellanos*, O.C., XXV, p. 418.

tra. Siempre el caballero entrega el arma a la cautiva y siempre es muerto por su propio acero. Más remotamente pienso en circunstancias del *¡Cuán traidor eres, Marquillos!*, más remotamente, pero siempre con más verdad que en *La venganza de honor* o *La hija de la viuda,* aducidas por Menéndez Pelayo con relaciones demasiado livianas, según mi criterio.[68]

Para llegar a la génesis del poemita pienso que, sin exageración, habría que interpretar conjuntamente estos casos que podríamos llamar de viragos espirituales y que unirían las historias del romancero con la serrana de la Vera, con la moza del cántaro, con la monja alférez o con el vergonzoso en palacio.

Pero lo que ha suscitado mis comentarios, es la versión de este poema a lo divino. Efectivamente, gracias al testimonio de un pastor protestante holandés, sabemos que el falso profeta Sabbatai Ceví entonaba en Esmirna (1648) nuestro viejo romance con alusiones místicas al *Cantar de los Cantares* y sabemos, también, que este canto arrebataba a las multitudes.[69] Los versos españoles se conservan, paradójicamente, en holandés y su traducción sería algo así como «subiendo a un monte, / bajando por un valle, / me encontré a Melisenda, / la hija del emperador, / que venía del baño / de lavar sus cabellos. / Su rostro era resplandeciente, / como una espada, / sus pestañas como un arco de acero, / sus labios como corales, / su carne como leche». Estos versos pasaban por ser del romance de Belisera; sin embargo, nada hay que haga coincidir el recitado de Sabbatai Ceví con nuestro texto.[70] Posiblemente acierta Bénichou cuando cree que

68. *Antología de líricos,* O.C., XXIV, 462-464. Antiguas impresiones del romance se publicaron en dos pliegos sueltos: *Romance de la linda Melisenda glosado por Francisco de Lora* y *Glosa nuevamente hecha por Francisco de Lora* (s. l. ni a.). La versión de Lora difiere mucho de las modernas. Otras variantes de la *Antología* de MENÉNDEZ PELAYO (O.C., XXV, p. 126), donde se incluye alguna de Levante (O.C., XXV, pp. 408-409). Cfr. p. 324, n.º 7.

69. Vid. R. MENÉNDEZ PIDAL, *Un viejo romance cantado por Sabbatai Ceví,* «Mediaeval Studies in Honor of J. D. Ford», 1948, pp. 185-190. Recogido en *De primitiva lírica española y antigua épica.* «Col. Austral», núm. 1051, pp. 99-102, y en el *Romancero Hispánico,* II, pp. 222-226. Son de excepcional utilidad las páginas que dedica a nuestro personaje M. J. BENARDETE, *op. cit.,* pp. 106-110.

70. Estos versos pertenecen al llamado romance de *El baño de Belisera,* bastante difundido por los Balcanes (cfr. M. ATTIAS, *Romancero Sefardí. Romanzas y cantos en judeo-español,* 2.ª ed., Jerusalén, 1960, núm. 13).

los versos transcritos proceden del romance del conde Claros, una vez que fue contaminado por el de Belisera.[71]

7. Decadencia del romancero marroquí

Frente a estos motivos que demuestran la vitalidad actual del romance en el Norte de África, hay otros que manifiestan la decadencia de esta tradición. Ya Menéndez Pidal se dio cuenta de cómo «multitud de romances se ofrecen [entre los judíos] en un estado lastimoso de desbarajuste, incongruencia y mutilación».[72] El resultado no es extraño si se tiene en cuenta la situación de este romancero, abandonado a su propia suerte.

Donde más claramente se pone de manifiesto la decadencia del romancero marroquí es en el desenlace.[73] Así en la breve coleccioncilla que publico apenas si hay un solo final que coincida con la tradición peninsular. Es más, tampoco se observa —en mis materiales al menos— la tendencia al fragmentarismo que surge siempre que la memoria falla o cuando se olvidan elementos adyacentes al que se estima como principal.[74] Esta tendencia a lo fragmentario se aprecia mejor, acaso, en los materiales que J. Martínez Ruiz recogió en Alcazarquivir, ciudad más arcaizante, lingüísticamente, al menos, que Tetuán; pero allí mismo se recurre también a sencillos procedimientos de «terapéutica rapsódica» [75] para salvar los restos moribundos de algunos romances.[76]

A lo largo de estas páginas he tenido ocasión de referirme a algún caso de descomposición romancesca en los textos judeoespañoles. Ahora quisiera recordar cómo el poema francés de

71. *Romancero,* ya citado, p. 49.
72. *Catálogo,* descrito en la nota 1, p. 109.
73. Vid. Bénichou, *Romancero,* p. 358.
74. Vid. R. Menéndez Pidal, *Poesía popular y romancero, RFE,* III, 1915, p. 280.
75. Cfr. M. Alvar, *Patología y terapéutica rapsódicas. Cómo una canción se convierte en romance,* «Revista Filología Española», XLII, 1958-59, pp. 19-35; incluido ahora en las pp. 285-304 de este volumen.
76. Vid. mis *Cinco romances de asunto novelesco recogidos en Tetuán.* «Estudis Romànics», III, 1951-1952, pp. 58-62, de donde proceden los comentarios que siguen. Incluyo el texto en la p. 325 de este volumen.

Flores y Blancaflor, con sus 3039 versos, se reduce a un romance de 70 en las versiones que yo he recogido. La sistemática reducción de episodios y la necesidad de dar cohesión al polvo que quedaba de la gesta primitiva, convirtió en romance fronterizo —con su hondo sentido en el vivir hispánico— a lo que era un poema carolingio.

El romance de *Las hermanas reina y cautiva* ha sido recogido por Danon, Galante, Ortega y Bénichou. Es el número 48 del *Catálogo* de Menéndez Pidal, y Menéndez Pelayo editó varias redacciones que serán usadas en su momento.

La versión que ahora comento es intermedia entre las conocidas de Galante y de Bénichou. Carece de la prolijidad de la primera y no llega a la simplificación de la segunda (vid. el texto en la página 325). Un análisis detallado de ella permite reconstruir su forma primitiva. Nuestro romance ofrece los motivos siguientes: deseos de la reina mora; marcha de los moros; muerte del conde Flores y cautiverio de la infanta; satisfacción del deseo; diálogo de la reina y la cautiva; la esclava da a luz un niño; la reina, una niña: trueque de los recién nacidos por las parteras; soliloquio de la infanta; reconocimiento y regreso a Almería.

En general, comparando los romances sefardíes con las versiones peninsulares se echa de ver una falta total de elementos religiosos, si se exceptúan un par de alusiones muy poco significativas: los deseos de la reina mora y el ruego —bien humano— del conde Flores. Gracias a esto, el romance tiene entre los judíos un sentido mucho más íntimo, de mayor interés emocional. Los últimos versos:

se cogieron de la mano y se fueron para Almería.

adquieren de este modo una vibración de valor universal: el anhelo de la patria vedada; paralelismo entre las dos situaciones semejantes: la infanta cautiva y los sefardíes en el destierro. Este interés humano impide que el romance se convierta en verbal alegato religioso, como ocurre en Cataluña,[77] Bejorís[78] y,

77. *Antología,* O.C., XXV, pp. 363-364.
78. Ibid., 218.

sobre todo, en el desatadamente «divinizado» de Belmonte (Cossío, 75-77).[79]

Teniendo en cuenta los elementos constitutivos de mi versión se aprecia la falta de algún nexo: no hay antecedente para el ofrecimiento del presente a la reina:

Tomí, señora, esta esclava, la esclava que vos querías:
que no es mora ni es cristiana, ni es hecha a la malicia,
que es condesa y marquesa, señora de gran valía[80]

Sin embargo, Menéndez Pelayo publicó una variante más completa:

Moro, si vas a la España, traerás una cautiva,
no sea blanca ni fea, ni gente de villanía[81]

En Asturias se recogió esta otra especificación

...le encargó la Mora que le traiga una cautiva
que non sea mujer casada, tampoco mujer pedida;[82]
que fuese una buena moza para hacerle compañía.[83]

Todavía la versión de Cataluña es más explícita:

Moro, si vas a la España, portarás una cautiva;
no sea blanca ni fea, ni gente de villanía,
no sea mujer del Rey, sino del Príncipe de Castilla.

Es notable ver, sin embargo, cómo en la primera de las variantes aducidas falta el ofrecimiento en boca del emisario en tanto la narración languidece en unos detalles impertinentes. Considerando las manifestaciones anteriores, acaso haya posibi-

79. Vid. también BÉNICHOU, *RFH*, VI, 121. Hay expresiones en algunos de los textos publicados —el de Belmonte— que recuerdan el tono agrio y proeaz de las disputas religiosas medievales (cfr. A. CASTRO, *Disputa entre un cristiano y un judío*, *RFE*, I, 173-180).
80. Versos 11-13.
81. *Antología*, XXIV, 286-287, núm. 130. Procede de Milá y Fontanals.
82. ¿Será segura la lectura *pedida*? ¿No cabría pensar en un *perdida*?
83. *Antología*, O.C., XXV, pp. 195-196, núm. 18.

lidad de establecer en su día la forma original del romance; los testimonios judeo-españoles autorizan a suponer una versión con elementos iniciales semejantes a los que se hallan en Cataluña y Asturias. En la versión de Danon —curiosa en extremo— faltan los treinta y tres versos primeros de la mía.[84] Comienza:

> Ya quedaron preñadas,
> todas las dos en un día...

De otra parte, dentro del texto de mi versión, se percibe una clara contradicción entre el verso número 2 y los 8 y 50; ¿acaso sea éste el motivo de que por una vez se altere fonéticamente el nombre de la ciudad andaluza? Luego se olvida la corrección, y en este proceso coincide mi variante con la *A* de Bénichou. La forma original de mi verso 2 debió ser no *Almería,* en contradicción flagrante con lo que viene después, sino *Morería,* como autoriza a creer la variante montañesa de Bejorís.[85] El error surgiría después de la expulsión, cuando los sefarditas vieran el valor remoto de la designación geográfica no en las tierras africanas, que pisaban, sino en la ciudad andaluza inalcanzable. El olvido de la corrección para los versos 8 y 50, 55, y 69 no es único en la historia del romancero.[86]

Bénichou [87] ha estudiado con sagacidad este romance en función de la novela francesa que lo genera remotamente. La historia de los amores de Flores y Blancaflor se desvirtúa en el poemita español cuya brevedad se debe a sistemática eliminación de episodios.[88] Insistiendo en la colección de elementos de que cons-

84. Vid. *Antología,* O.C., XXV, 416-417 y Gil, XXXII, que reproducen este texto. La versión original en *REJ,* XXXII, 1896, pp. 274-275, n.º XXI.

85. *Antología,* O.C., XXV, 195. Coincide con la del *Catálogo* de MENÉNDEZ PIDAL, 145, núm. 48, y con la *B* de BÉNICHOU. El inicio es distinto en las otras ediciones que manejo: bien falta la determinación geográfica, bien se desplaza hacia el norte peninsular. En la variante *A* de Bénichou se percibe la contradicción y el verso 8 reza: «de eyos quedan en Almería»; sin embargo, más tarde (verso 34) se ha olvidado ya la rectificación introducida y la variante coincide con la norma del romancero marroquí: «¿Quién te me diera en mi tierra / y en la tierra de Almería?» Una versión que poseo de Alcazarquivir es muy próxima a la tetuaní, pero en la localización geográfica dice sistemáticamente *Almedina.*

86. Vid. *Estudis Romànics,* III, p. 60, nota 14.

87. *RFH,* VI, 117-121.

88. Los 3039 versos franceses son 69 en el romance español.

ta nuestro romance, no se acierta a ver qué sentido pueda tener el doble parto y el trueque de los recién nacidos: el soliloquio de la infanta cautiva y la anagnórisis final no precisaban de este doble planteamiento, necesario, claro, para la novelita francesa, no para la composición española.[89] Ni tampoco se acierta a ver el sentido de nuestros versos 27-32 dentro del esquema total del poema.[90] Asistimos, pues, al proceso de descomposición del romance; ahora bien, somos incapaces de poder asegurar qué suerte correrá esta simplificación de los materiales, ni si la ininterrumpida elaboración popular se detendrá en los límites lógicos que nosotros buscamos. Cada poema, cada fragmento de romance goza una vida total; cuando ésta manifiesta síntomas de caducidad puede asirse a temas próximos o distantes y salvarse así de la extinción.[91] De momento, quiero llamar la atención hacia algo que decía al principio: hacia el carácter elemental, simple, de la composición entre los sefardíes marroquíes. Gracias a ella —Dios sabe en qué fraguas oscuras se habrá elaborado el sentido poético del pueblo— encontramos en el romance esos versos de la cautiva. Hondo desgarro, próximo también —por su expresión popular— a los romances de un gran poeta bien cercano a nosotros:

89. Las complicaciones a que da lugar este ilógico planteamiento han sido estudiadas por BÉNICHOU, *op. cit.*, 118.

90. Cuenta el texto francés que en una cabalgada de moros por las tierras de la Galia, fue cautivada una hermosa dama que había quedado encinta. El rey moro ofrendó este preciado botín a su propia esposa. Reina y cautiva tuvieron el fruto de sus matrimonios en un claro día de Pascua: Flores se llamará el hijo de los paganos; Blancaflor, la hija cristiana. Después, la historia de los dos niños va unida hasta que el amor se manifiesta. Entonces los reyes moros temen por su hijo y buscan la cura en el olvido. Con la lejanía se aumentan las tristezas. Flores vuelve de su destierro y, en la vida familiar, se intenta fingir la comedia de la muerte de Blancaflor. El príncipe marcha a Babilonia con ánimo de poner fin a sus penas, pero un día, mientras jugaba al ajedrez, Flores tiene noticia de Blancaflor. En Babilonia se encuentran; después de unas complicadas historias, los enamorados se pueden casar. Flores es proclamado rey de Bulgaria y Hungría, y, gracias a Blancaflor, se convierte al cristianismo. Por si algo faltaba, el autor nos pone al corriente de la genealogía de Carlomagno: nuestros dos héroes fueron padres de Berta la de los Grandes Pies y abuelos del Emperador.

91. Me remito a BÉNICHOU, p. 359, a los romances compuestos de mi colección (*La bella en misa + Vergicos, Gerineldo + La boda estorbada, El Polo + La infanta deshonrada, Mira Zaide + Gallardo pasea Zaide, Por las almenas de Toro + Zaide*) y a las contaminaciones (*Rosaflorida y Montesinos, Melisenda, Vergicos, Amantes perseguidos, Zaide, Flérida*, etc.). Vid. también MENÉNDEZ PIDAL, *Poesía popular y romancero*, *RFE*, II, p. 106.

Un día estando la infanta con su niña en la cocina,
con lágrimas de sus ojos, lavó la cara a la niña:
—¡Ay mi niña de mi alma, ay mi niña de mi vida!,
quien te me diera en mis tierras, en mis tierras de Almería,
te nombrara Blancaflor, nombre de una hermana mía,
que la cautivaron moros día de Pascua Florida,
cogiendo rosas y flores en las huertas de Almería.[92]

Por último, debe tenerse muy en cuenta la tendencia de toda literatura decadente hacia lo característicamente novelesco. Cuando la épica pierde eficacia real, degenera en mito y alrededor de éste se teje la urdimbre de lo fabuloso.[93] Así, pues, justificamos plenamente los finales en boda de nuestros romances. Pueden obedecer, sí, a defecto de memoria y sumisión de todos los finales a un esquema fijo, pero, ¿por qué no?, pueden obedecer también a un gusto popular por lo novelesco, porque las cosas acaben siempre «bien», según se ve en la mayoría de las manifestaciones literarias del pueblo. En ocasiones, cuando el romance no tiene un final totalmente satisfactorio, se le busca apoyatura en otro; esta adición aun formando un conjunto independiente, actúa de desenlace del romance anterior e incluso hace olvidar los planteamientos del primero.[94]

92. Compárese esta pura descripción con una de las variantes peninsulares:

Ya pasaron quince días, fue la mora a la cocina.
—¿Qué tal estás mi cristiana, qué tal estás, mi cautiva,
qué tal estás, mi cristiana, cómo tienes a la niña?
—La mi niña buena está, yo como mujer parida.
—Si estuvieras en tu tierra bautizaras a la niña.
—La pusiera Blancaflor y rosa de Alejandría,
que así se llama mi madre y una hermana que tenía,
que la cautivaron moros días de Pascua Florida,
cogiendo rosas y flores para la Virgen María.

(Cossío, 76)

93. Vid. R. Menéndez Pidal, *Poesía popular*, ya citada, pp. 283-284.

94. Otra manifestación de la decadencia de este romancero es la frecuente interferencia de unos poemas sobre otros, la abundantísima contaminación que he reconocido, entre los materiales que he estudiado (vid., por ejemplo, «Romanische Forschungen», LXIII, p. 304; «Estudis Romànics», III, p. 64; *RFE*, XLII, pp. 32-33; *passim*).

8. La guerra hispano-marroquí (1859-1860) y su influencia sobre el romancero

He hablado anteriormente del arcaísmo característico del romancero sefardí, frente al comportamiento del peninsular. He hablado también de las dos sincronías fundamentales para el estudio de lo judeo-español: una, decía, establecida en 1492; otra en el análisis actual. Pero esta fijación de fechas válida para Oriente resulta demasiado simple para Marruecos. Entre ambas se produjo en el norte de África un hecho capital: la guerra hispano-marroquí de 1859-1860. Esta guerra trajo de una parte, la huida de sefardíes de Tetuán a Orán y Tlemecén; de otra, la presencia activa y ya sin interrupción de gentes españolas en Marruecos. De aquí un hecho que surge en cuanto comparamos el romancero de Bénichou —el más cuidado de los publicados— con mis propios materiales: en aquél, recogido en Orán y Buenos Aires de gentes oriundas de Argelia, faltan bastantes elementos modernos y meridionales que yo documento en mis textos. En el estudio del señor Bénichou no hay tratamientos fonéticos tan del sur como la aspiración de las consonantes finales, los plurales internos o algunos rasgos léxicos que se encuentran hoy en Marruecos.[95] Faltan, también, otras manifestaciones de la literatura popular andaluza como la versión compuesta del romance de *Gerineldo* y *La boda estorbada,* y versos como los siguientes del conde Alarcos, cuyo carácter andaluz se denuncia por la fonética y el léxico:

Los guardias como eran cafre, lo cosieron a puñalás,
la niña al sentir eso, a su tito fue a contar.
Tito mío, tito mío...

En este mismo romance hay un final sorprendente. Final que nada tiene que ver con la temática del poema y que sin embargo

95. Véase otro trabajo de P. Bénichou, en el que compara el estado actual de la hakitía marroquí con el que él mismo había atestiguado en Orán. (*Notas sobre el judeo-español de Marruecos en 1950,* apud *NRFH,* XIV, 1960, pp. 307-312. Su trabajo anterior era: *Observaciones sobre el judeo-español de Marruecos,* en la *RFH,* VII, 1945, pp. 209-258.)

es de filiación andaluza, pues lo recogí yo mismo en Pinos Puente, y aparece en alguna colección impresa por Rodríguez Marín:

> Un rosal cría una rosa,
> y un jazmín, y un clavel,
> y un padre cría a una hija
> sin saber para quien es.[96]

Todo esto me ayuda a fechar una serie de interferencias, de cruces de descomposiciones romanceriles que se han cumplido en el norte de África. Según anoto, sabemos que los años 1859-60 trajeron una reanimación del romancero marroquí que junto a los obligados cambios lingüísticos, determinados por el nuevo ideal de lengua, produjo la adquisición de materiales folklóricos diferenciados. Estos dos rasgos se pueden seguir claramente a lo largo de mi colección. Y ambos a la vez, establecen un nuevo hito para estudiar fructíferamente la historia del romancero marroquí.

9. Conclusiones

Hay una época que llega hasta 1492 en que el romancero judeo-español participa de los caracteres de la región en que se origina. Una vez producida la expulsión, los judíos de las diversas regiones se asientan en nuevos territorios en los que se ponen en contacto las peculiaridades regionales traídas independientemente. De esta expulsión y del aislamiento posterior se genera el carácter arcaizante del romancero sefardí. Debe considerarse asimismo que los asentamientos de los judíos en su diáspora determinan una nueva geografía de la literatura tradicional. Por tanto habrá que considerar dos épocas diferentes en el estudio de la literatura sefardí, cada una de ellas tiene su geografía independiente y cada una está influida por tradiciones regionales distintas. En Marruecos, la guerra de 1859-60, determina cambios sensibles en el emplazamiento de las comunidades sefardíes del norte de África; al mismo tiempo se producen acep-

96. Vid. p. 267, nota 55, donde he aducido estos motivos con fines distintos.

taciones masivas de elementos andaluces que adquieren, con los años, un carácter más intenso en virtud de la proximidad geográfica y de las comunicaciones cada vez más rápidas y fáciles; al lado de estas circunstancias de índole militar o de tráfico, un aluvión de gentes andaluzas se establece en el Marruecos español.

Gracias a estos hechos vemos cómo el complejo campo del romancero español rebasa con mucho los estrechos límites de la Península, lo mismo que ocurre en la poesía de carácter lírico. Y, precisamente, podemos ver que la mayor complejidad en los problemas de todo tipo se alcanza de modo inequívoco entre las gentes que abandonaron nuestro suelo hace casi quinientos años y guardan, todavía hoy, como sagrada herencia el patrimonio cultural de sus mayores.

PATOLOGÍA Y TERAPÉUTICA RAPSÓDICAS. CÓMO UNA CANCIÓN SE CONVIERTE EN ROMANCE

1. Lingüística y poesía tradicional

Antes de entrar en el tema de este ensayo, voy a justificar un título que acaso parezca novedoso. Nada más lejos de mi ánimo que la sorpresa o la ingeniosidad verbal. Por eso invoco antecesores egregios o técnicas muy depuradas que, además de serme valedores, justificarán —desde otros campos— los métodos que ahora emprendo por la floresta de la poesía tradicional.[1]

Hace más de medio siglo, un lingüista suizo, Jules Gilliéron, marcó su impronta genial en los estudios dialectales. Entonces produjo sorpresa y extrañeza su manera de trabajar, y sobre todo, el tono polémico con que se presentaban sus estudios. Todo allí era nuevo: el desdén por las fuentes escritas, el desprecio por la tradición fonética, la terminología dramática que usaba. Porque para Gilliéron las palabras eran seres vivos, con la acuciante necesidad de sobrevivir y con la inalienable congoja de mantener intacta —contra todo y contra todos— su propia presencia. Como seres vivos, las palabras tenían padecimientos, enfermedades, y tales estados «patológicos» debían superarse si es que la palabra no quería morir. Entonces, el lenguaje corría solícito en ayuda del miembro enfermo: los procedimientos «terapéuticos» variaban con la dolencia y, como en la vida misma, la medicación podía ser impotente. En tal caso la palabra moría

1. Para otros problemas en relación con los que ahora trato, vid. mi libro *Cantos de boda judeo-españoles*, Madrid, 1970.

por desgaste, por insuficiencia física o porque otros seres la llevaban a la muerte.

Necesitaba esta advertencia inicial para justificarme ante una posible extrañeza. No se olvide la fundamental unidad del espíritu del hombre y que a problemas semejantes tratará de dar soluciones parecidas.

Recuérdese que poco después del nacimiento de la *geografía lingüística* surgió el concepto de *geografía folklórica.* Del mismo modo que el conocimiento geográfico de la lengua permitió conocer su estratigrafía y —gracias a ésta— el origen de una palabra, sus focos de irradiación, su transmisión en ondas; así la geografía folklórica, aplicada por Ohrt y Krohn y por el español Menéndez Pidal, ha permitido conocer el origen de una balada, su prolongación y el grado de su vitalidad.

Del mismo modo que el método geográfico es válido en las dos especulaciones de tipo tradicional, es lícito recurrir a los métodos lingüísticos para alumbrar la senda, hasta ahora en penumbra, del cancionero oral. En efecto, cuando una palabra tiene una débil estructura fonética, esto es, se confunde fácilmente con otros términos dispares (caso del francés *ef, é* 'abeja' o del andaluz *má* 'mal') por carecer de expresividad fónica, la lengua debe aplicar su «terapéutica» para salvar los miembros poco consistentes (francés *abeille, mouche à miel,* andaluz *malamente*).[2] Es decir, una taumatúrgica ortopedia ha dotado de medios naturales a estos miembros mutilados y les permite —tal es el milagro— vida nueva, sin el recuerdo o la cicatriz de la vieja dolencia. Voy a aplicar estos conceptos a la poesía tradicional.

Es un hecho sabido que, igual que el romancero, «los más breves villancicos o coplas populares se elaboran y refunden en variantes tradicionales».[3] Ahora bien, hay una necesaria disyuntiva entre un romance y una cancioncilla, según vamos a ver. Es archisabido que los romances suelen eliminar en su transmi-

2. Cfr. J. Gilliéron, *Thaumaturgie Linguistique,* París, 1923, pp. 12-16, *passim.*

3. R. Menéndez Pidal, *Poesía popular y poesía tradicional,* apud *El Romancero,* Madrid, s. a., p. 52.

sión alguno o algunos de sus elementos. Unas veces, la versión abreviada logra modelos de perenne belleza, como en el caso del *Conde Arnaldos*;[4] otras veces, la versión reducida produce poemas con elementos caóticos a los que hay que reordenar, como en el caso de *Las hermanas reina y cautiva*;[5] acaso, y cito un ejemplo gestado y transmitido desde Cataluña, los elementos inconexos inducen en época tardía a creaciones totalmente alejadas del espíritu primitivo, como en *La misa de amor*.[6]

Estas tres soluciones presentan claros motivos de patología rapsódica. En el primer caso, la memoria falaz no logra vulnerar gravemente el sentido poético del romance, antes bien, lo enriquece a costa de la lógica (*Conde Arnaldos*). Los resultados de la patología no tienen, pues, proyección ulterior.

El segundo caso que aduzco ya plantea otras cuestiones (dejo aparte la sustancia lírica de los poemas): el texto francés de *Flores y Blancaflor* tiene 3039 versos, que en el romance español no suelen ser más de 70: no es necesario que indique cómo nos encontramos ante una sistemática eliminación de episodios, que lleva, fatalmente, a una disolución del argumento. El texto español queda reducido a unos cuantos accidentes inconexos que la transmisión oral trata de ligar lo mejor que puede, y entonces, al dotar de lógica a tanto retazo suelto, surge un poema que nada tiene que ver con la fuente de que procede, aunque ésta, la fuente, brote en unos cuantos ojos de luz, como oculto Guadiana. El resultado de la terapéutica ha sido semejante al fruto que se obtiene en lingüística cuando actúa la llamada etimología popular.

Por último, el desgaste de un romance puede ser tal que apenas quede de él otra cosa que un sutil polvillo, algo así como esas voces que el comercio lingüístico de cada día ha desgastado hasta convertirlas en corpúsculos casi imperceptibles y, desde luego, poco afines con su origen (¡cuán grande no ha sido la ero-

4. Vid. P. Bénichou, *Romances judeo-españoles de Marruecos* (*RFH*, VI, 1944, pp. 116-121), y M. Alvar, *Cinco romances de asunto novelesco* («Estudis Romànics», III, 1951-1952, pp. 58-66 y 78-80).
5. Vid. pp. 276-280 de este libro.
6. Vid. María Rosa Lida, *El romance de la misa de amor* (*RFH*, III, 1941, pp. 24-48).

sión del latín SENIORE para reducirse al español *so!*). Entonces, esas moléculas de lirismo brillante o de deslumbradora claridad son capaces de retener la atención de un poeta ignorado que como cuidadoso batihoja las va aprovechando en nobles menesteres, siquiera sean distintos de aquél para el que fueron creadas. Así ha ocurrido en *La misa de amor,* donde ni los motivos de los afeites de la dama ni el de la misa turbada por los encantos de la bella Isabel son otra cosa que aditamentos de una versión enriquecida. No puedo olvidar los casos de terapéutica lingüística paralelos al hecho folklórico: el LAUDANUM convertido en *l'eau d'anon, piñolou* que nada tiene que ver con el *loup* 'lobo' y mucho menos con *renard* (*peigne de renard,* en algunos puntos de Francia), o el ALBU SPINU hecho nada menos que *épine de la Vierge,* a través de *noblepin.*[7] En los casos aducidos, creaciones de la brillante imaginación popular, cuyo motivo —como en el romance español— no fue otra cosa que una chispita que acertó a producir la inducción.

2. La canción y el romance

Necesitaba establecer este paralelismo, tan evidente, para poder entrar en un campo más complejo. Hemos visto en tres ejemplos muy claros que la transmisión oral de los romances mutila con harta frecuencia la primitiva estructura de los poemas y que es necesario reordenar los elementos supervivientes. No de otro modo ocurre con la cancioncilla lírica. Pero, en ella, la misma emoción de su brevedad, el palpitante balbuceo del cantar o la truncada transmisión de la letra sometida al aire de una melodía impiden, por lo común, reelaborar los temas que sobreviven. Nos queda entonces sólo el temblor emocionado de versos inolvidables, aislados de todo asidero:

7. Estos ejemplos proceden de J. Vendryes, *El lenguaje,* Barcelona, 1943, p. 242, y de K. de Jaberg, *Die Sprachgeographie,* Aarau, 1905, pp. 24-27. La obra (traducida por A. Llorente y M. Alvar) se ha vuelto a publicar en Granada (1959).

Ardé, corazón, ardé que no os puedo yo valer.[8]

Del amor vengo yo presa, presa del amor.[9]

Todas cantan en la boda y la novia llora.[10]

En acordarme quien fui la memoria me lastima.[11]

Tal es la diferencia que antes apuntaba entre el romance y la canción: el primero dotado de estructura más compleja, se reelabora en cada repetición; la segunda se deshace, pierde toda su estructura rigurosa y nos deja finísimas arenas de su oro.

Alguna vez, la canción, como el romance, como cada fragmento de que consta un romance, goza de una vida total y cuando ésta manifiesta síntomas de agotamiento puede asirse a temas próximos o distantes y salvarse así de la extinción. Vamos a ver un ejemplo concreto en el que la sencilla temática de una canción da lugar a un complicado proceso. Pero antes quiero recordar —simple referencia— que algún poema de autor culto fue adaptado por el pueblo a la estructura de sus coplas. El estribillo de una canción de don Antonio de Mendoza dice:

No corras, arroyo ufano,
que no es tu caudal eterno,
que si te lo dio el invierno
te lo quitará el verano.

Pues bien, el estribillo —perdida su estructura de cuarteta— pervive en esta copla:

Arroyo no corras más,
miá que no has de ser eterno,
que t'ha de *quitá er* verano
lo que t'ha *daito* el *ivierno*.[12]

8. Cito según D. Alonso y J. M. Blecua, *Antología de la poesía española. (Poesía de tipo tradicional)*, Madrid, 1956, núm. 86, p. 85.
9. Ib., núm. 184, p. 76.
10. Según Daniel Devoto, *Cancionero llamado flor de la rosa*, Buenos Aires, 1950, núm. 27, p. 43.
11. Ib., núm. 2, p. 18.
12. Menéndez Pidal, *art. cit.* nota 3, p 51.

Me interesa insistir en el hecho, un poemita adaptado por simplificación métrica a la rima romancesca de la copla. Me interesaba el hecho porque nos va a servir de trampolín para saltar a campos muy lejanos.

3. El problema en un epitalamio sefardí

En 1896, Danon [13] copió de un manuscrito judeo-español de Oriente, fechado en 1641, el estribillo *Adobar, adobar, caldero adobar*. Desgraciadamente el texto nos quedó desconocido. Sin embargo, en 1944, Paul Bénichou publicaba cuatro versos de un «canto para bodas que enumera las bellezas de la novia».[14] Tampoco ahora llegamos a conocer otra cosa que cuatro versos. Sin embargo, dos de ellos son, con ligeras variantes, el estribillo descubierto por Danon:

Aí por las arenitas y por el arenar,
Aí por calles del novio me harís andar.
Adobar, adobar y adobar,
Calderita de mi amiga y a mi caldera adobar.

Los informes de Bénichou en este momento nos son especialmente valiosos, por cuanto nos indican que el poema «enumera las bellezas de la novia». En la literatura sefardí son conocidos algunos *piyutim* en los que el novio va narrando las gracias de la joven desposada; recuérdese el oriental *¿Cuálo alabaré en primero?* [15] o el marroquí *¡Qué lindo pelo tienes tú, Rahel!* [16]

13. «Revue d'Études Juives», XXXII, p. 107. El estribillo era conocido en la vieja literatura, pues consta en un manuscrito de Módena (cfr. Charles V. Aubrun, *Chansonniers musicaux espagnols du XVIIe siècle*: II. *Les recueils de Modène, BHi*, LII, 1950, p. 326). M. Frenk Alatorre ha relacionado la canción marroquí con la castellana, cfr. *Supervivencias de la antigua lírica popular. Studia Philologica. Hom. Dámaso Alonso*, I, pp. 70-71 (núm. 52) y *El antiguo cancionero sefardí, NRFH*, XIV, 1960, p. 314 (núm. 1).

14. P. Bénichou, *op. cit.* en la nota 4, p. 355. He tratado de encontrar documentación de este poema en cuantos textos sefardíes he podido consultar. El resultado de mis pesquisas se puede ver en la nota 3 de mi artículo *Interpretaciones judeo-españolas del árabe «gabba»* (*RPh*, XVII, 1963, pp. 323-324).

15. M. Attias, *Romancero sefardí. Romanzas y cantares populares en judeo-español* (2.ª edic.), Jerusalén, 1961, p. 203.

16. Núm. XLV de mi colección de cantos de boda, citada anteriormente.

Quedan, sin embargo, por filiar los poemas que tan parcamente nos han presentado Danon y Bénichou. La clave vamos a encontrarla en Marruecos. Efectivamente, en Alcazarquivir [17] se canta este mismo estribillo con un poema misceláneo cuyo núcleo principal está formado por la descripción de las prendas de la novia. Esto nos pone en camino de una posible identificación. Ahora bien, prescindiendo del estribillo, el resto del poema de Alcázar coincide con otros textos conocidos, sea en su primitiva forma de canción, sea en otra posterior de romance.

Benolíel [18] publicó, por vez primera, una linda narración «en que la nuestra novia», provocando con ingenuas preguntas el encarecimiento de todas sus prendas, va lamentando la próxima pérdida de ellas y, más que todo, «la de su libertad de niña». A sus preguntas, el coro responde y, a cada nueva cuestión repite todas las anteriores respuestas en orden inverso al fin y se reitera siempre el estribillo de *¡Pase la novia con el novio!* Para tener cabal idea de la naturaleza del poema, me voy a permitir reproducir una de sus estrofas, la segunda:

Dice la nuestra novia:
—¿Cómo se llama la cara?
—No es cara que ella se llama,
sino rosa del rosal.
5 —¡Ay, mi rosa del rosal!
¡Ay mi seda de labrar!
¡Ay mis campos espaciosos!
¡Pase la novia con el novio! [19]

17. El texto figura en el trabajo de J. Martínez Ruiz, *Poesía sefardí de carácter tradicional*, «Archivum», XIII, 1963, p. 103; vid. además las páginas 110-111.
18. *BRAE*, XIV, pp. 369-371.
19. En el fragmento anterior, el verso 6, corresponde al elogio de la estrofa precedente; el 7, se repite siempre y el 8, es el estribillo. El poema tiene la estructura que sigue:
el v. 1 se encuentra en todas las estrofas;
el v. 2 aparece a lo largo de las 18 preguntas, variando tan sólo el objeto: cabello, cara, frente, cejas, etc. Su forma universal es la de: *¿Cómo se llama el (la)...?*;
el v. 3, como el v. 2, sólo se modifica en cuanto al objeto preguntado;
el 4, varía en cada estrofa, sustituido por una metáfora distinta;
el v. 5, repite al anterior, con sólo trocar la adversativa *sino* por la exclamación *¡ay!*;

En 1932, Hemsi [20] daba a conocer una bella canción, no localizada, cuyo texto es el que sigue:

> Ansí dize la nuestra novia:
> —¿Cómo se llama la cavesa?
> —Esto no se llama cavesa,
> sino toronja de toronjal.
> *(a coro)* Ah! mi toronja de toronjal!
> Ah! mis campos espaciosos!
> Biva la novia con el novio!

Hemsi imprimió cuatro estrofas del poema: elogios de la cabeza, de los cabellos, de la frente, de las orejas. Muchas menos que en la versión marroquí de Benolíel y con la incógnita —abierta siempre— de la localización geográfica.

Por fortuna, en 1950, Michael Molho nos transmitía una canción de Salónica, casi idéntica a la de Hemsi (lo que ayuda a la localización del texto anterior) y estrechamente emparentada con la tangerina de Benolíel:

> El novio le dize a la novia: ¿Cómo se llama esta cabeza?
> Esto no se llama cabeza, sino una linda pertucal.
>
> A mi linda pertucal,
> A mi campo espacioso,
> A mi lindo namoroso,
> ¡Biva la novia con el novio!
>
> El novio dize a la novia: ¿Cómo se llaman estos cabellos?
> Éstos no se llaman cabellos, sino cirma de lavrar.
>
> A mi cirma de lavrar,
> A mi linda pertucal.[21]

---

el v. 6, es el quinto de la estrofa anterior. Si llamamos *n* al número de la estrofa que se canta, la repetición del quinto verso de cada estrofa se hace siguiendo el siguiente orden: *n*, *n* — 1, *n* — 2, *n* — 3, etc., hasta llegar al verso correspondiente de la estrofa primera;

los vv. 7-8 se repiten en esos lugar y orden a lo largo de todo el diálogo.

20. *Coplas sefardíes.* (*Chansons judéo-espagnoles*). Edition orientale de Musique. Alexandrie, Egypte (son cinco cuadernos de música publicados entre 1932 y 1937; en el primero de ellos, con el número VI, figura el texto que transcribo).

21. *Usos y costumbres de los sefardíes de Salónica*, pp. 40-42. El poema consta de diez estrofas.

Si comparamos estos textos con otros conocidos: el del *Catálogo* de Menéndez Pidal,[22] el *Ya se va la blanca niña* de Ortega [23] o el tetuaní del que luego haré mención, lo primero que sorprende es que el canto de boda se ha convertido en romance y se ha ido aproximando a otros textos estrictamente romancescos. En segundo lugar, llama la atención que en todo este conjunto relativamente numeroso falte siempre el estribillo.

Con estos materiales se puede intentar ya una primera discriminación. El estribillo de 1641 *(Adobar, adobar, caldero adobar)* vive hoy en Orán y Alcazarquivir. Aunque no podemos inferir el contenido del texto de Danon, no aventuraremos mucho si, por los indicios que tenemos, acercamos la canción oranesa a la de Alcazarquivir y, gracias a ésta, penetramos en el bloque compacto de las versiones sin estribillo (tanto marroquíes como salonicenses). Al estudiar el romance de *Gerineldo* en un trabajo impreso años ha,[24] pude escribir que la vinculación de Orán y Alcazarquivir respondía a una tradición muy antigua. Otros trabajos sobre el romancero sefardí han confirmado mis creencias,[25] y fruto de esta vieja unidad que salvando lagunas actuales, constituyen Orán y Alcazarquivir, es la presencia de elementos uniformes en el cantar que estudio.

Si nos adentramos en el portillo que franquea la versión de Alcázar, podemos establecer la conexión de estos poemas que «enumeran las bellezas de la novia» con el bloque compacto de canciones y romances que, inspirados por la misma contemplación, carecen del estribillo de Danon. Sin embargo, es necesario que nos aventuremos en el terreno de la conjetura, pues ese texto de 1641, que nos hubiera resuelto la aporía, ha quedado abierto como un garabato de duda. El hecho de que Orán y Alcázar vayan juntos, como en otras ocasiones, y que frente a esas comunidades se alcen todos los demás testimonios, nos hace pensar que son independientes el estribillo y el canto que pudiéramos denominar *Dice la nuestra novia,* aislado tanto en Oriente

22. Núm. 134.
23. *Los hebreos en Marruecos*, Madrid, 1934, p. 229.
24. «Boletín de la Universidad de Granada», núm. 91, 1951, p. 138.
25. *Amnón y Tamar en el romancero marroquí*, *VRo*, XV, 1956, p. 249, y 226 y 229 de este libro.

como en Marruecos. Después, ambos poemas se unieron y unidos aparecen también. La documentación actual autoriza a reconstruir la siguiente genealogía:

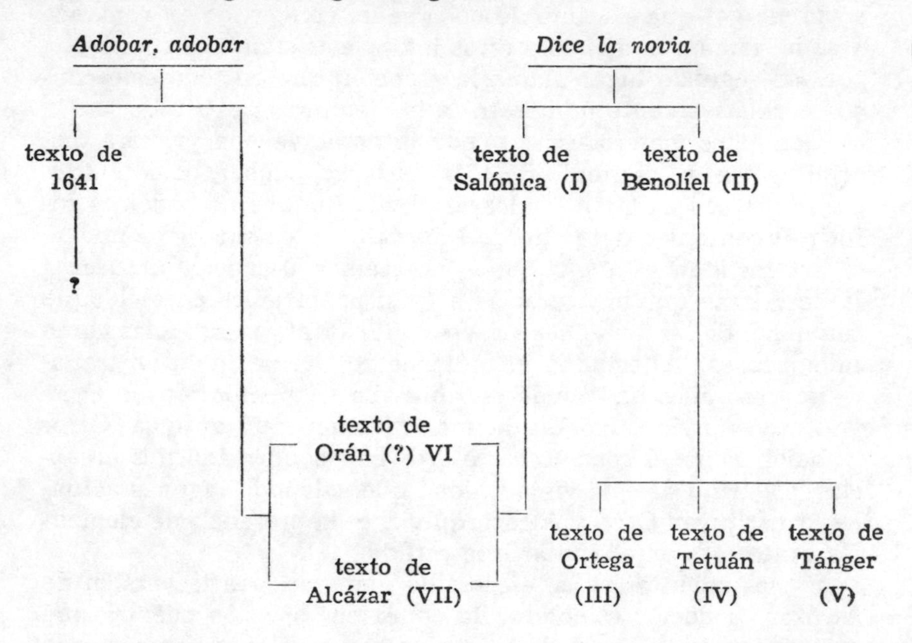

Si mi hipótesis es acertada, tendríamos dos fuentes *(Dice la novia* y *Adobar, adobar)* cuyas aguas han seguido caminos distintos o han podido llegar a encontrarse. Proceso de evolución o de captación como el que se da, pongo por caso, en los romances de *Gerineldo* y *La boda estorbada,*[26] *La bella en misa* y *Virgilios,*[27] o *Por las almenas de Toro* y *Mira, Zaide, que te aviso.*[28] Si ahora nos fijamos en la rama más simple (*Adobar,* etc.) hemos de notar, tan sólo, que conocemos el estribillo de 1641, pero ignoramos en qué texto aparecía e ignoramos si ha tenido genuina evolución: lo único cierto es que al cabo de trescientos años

26. Vid., el trabajo citado en la nota 24.
27. Vid. «Archivum», IV, 1954 (*Homenaje a A. Alonso*), pp. 264-276.
28. Cfr. «Romanische Forschungen», LXIII, 1951, pp. 283-305,y 115-121 de este volumen.

vuelve a aparecer en Orán y Alcázar unida al otro texto objeto de mi estudio. No podemos aclarar más: ni su origen, ni su sincronía, sí su suerte autónoma.

El *Dice la nuestra novia* (o *El novio le dize a la novia*) ya da más luz: los textos de Salónica (I) y de Benolíel (II) [29] están muy próximos, acaso en su origen no fueron sino uno. En su forma actual, hacen pensar que el de Benolíel es un texto fijado por la escritura, pues su perfección dudosamente podría hacer creer en la transmisión oral: la estructura del poema es muy regular, cada una de sus estrofas aparece cuidadosamente construida y los octosílabos no se alteran sino es por la introducción (en definitiva ajena al poema) y por el grito jubiloso repetido una y otra vez de *¡Pase la novia con el novio!* [30]

Por el contrario, la versión de Salónica, aun siendo muy semejante a la del investigador sefardí, difiere de ella por su carácter predominantemente oral y por ofrecer rasgos de valor muy concreto, como la alusión a las manzanas de Escopia (Üsküb), que nada dirían fuera del ámbito oriental.

Dada la identidad de la versión de Ortega con la mía,[31] hay que hacerlas remontar a una fuente común de la que derivan sin grandes diferencias. Teniendo en cuenta esta íntima proximidad que ambas manifiestan, he pensado que nuestra versión pudiera proceder de la impresa por Ortega; he abandonado, sin embargo, esta hipótesis porque el texto de *Los hebreos en Marruecos* ofrece alguna defectuosa interpretación o alguna modernización, como *piedad* por *piadad, trenzar* por *transar, del tilar* por *datilar, Sirena* por *serena, arcos* por *marcos, tantas* por *tantos,*[32] faltan mis versos 33-34 y la lectura del 26, aunque más «literaria» en Ortega, es más «correcta», desde el espíritu del poema, en la versión oral.

29. Basta comparar las estrofas que transcribo en las pp. 291-292.
30. Me parece muy incierta la interpretación de este verso hecha por Benolíel, p. 369. Creo que se trata de una exclamación de alegría. No hay que desdeñar su estructura salonicense: *¡Biva la novia con el novio!* En cuanto a los retoques que Benolíel introducía en sus textos, vid. M. ALVAR, *RPh,* XVII, 327-328.
31. No incluyo en la comparación argelina del *Catálogo,* porque, naturalmente de ella sólo se transcriben los primeros versos.
32. Versos 8, 10, 18, 50-52, 59 y 60, respectivamente.

Los textos de Orán y Alcázar deben ser bastante próximos, aunque no pueda concretar más por no haber sido impresa la versión de Bénichou (VI). En el de Alcázar falta el preámbulo, pero coincide con Salónica en comparar la cabeza de la novia con una naranja *(pertucal, toronja)*, en poner en boca del enamorado el elogio de las prendas de la doncella y en carecer de rima, pues no puede considerarse como tal el estribillo *y sacado del telar*, repetido cada tres versos. Por tanto, habrá que considerar independiente de las tetuaníes esta versión de Alcázar (VII)[33] en la que, además, su final está formado por un heredero de *Adobar, adobar*. En el esquema anterior (p. 294) han quedado resumidos los pasos que —según mi juicio y los datos que manejo— han seguido los dos poemas antes de llegar a su actual situación.

4. El nacimiento de un romance

Antes de pasar adelante, voy a transcribir el poema tetuaní emparentado con las versiones consideradas hasta ahora:

Ya se va la Blanca Niña
a dar paños a lavar,
sola lava y sola tiende
sola estaba en su rosal.
5 Mientras los paños s'enxuga
la niña dise un cantar:
—«Dió del sielo, Dió del sielo,
que es padre de la piadad,
me dates cabeyo rubio
10 para peinar y transar;
me dates cara hermosa
como rosa en el rosal;
me dates ojos hermosos
como antojos de cristal;
15 me dates sejita en arco
como sinta del telar;
me dates nari chiquita
como dátil datilar;
me dates boca chiquita
20 como aniyo de dorar;
me dates labios hermosos
como filos de coral;
me dates dientes menudos
como perlas de enfilar;
25 me dates lengua hermosa
como dulce tragapán;
me dates barba tan linda
como tasa de cristal;
me dites gala hermosa
30 como rosca del sobar;
me dites pechos tan lindos
como limón limonar;
me dites hombros hermosos
como mesas de cristal;

33. Tiene otras interpolaciones que en nada afectan a lo que digo.

35 me dites brasos hermosos
como árbules de la mar;
me dites tripa tan linda
como río de nadar;
me dites pie tan chiquito,
40 sapatito de cordobá;
me dates marido viejo,
viejo era y de antigüedad;
para subirse a la cama
no se puede menear.»
45 Oídolo había el buen reye
desde su rico altar.
—«Ay, válgame Dió del sielo,
ay, que bonito cantar,
¿Si son ángele del sielo
50 o serena en la mar?»
—«Ni son ángele del sielo
ni serena de la mar,
Blanca Niña soy, mi reye,
que a mi Dió viene a loar,
55 que me lo dio todo hermoso
y viejo de antigüedad.»
Como eso oyera el buen reye
la mandara a demandar;
mandóla sien marcos d'oro
60 y otros tantos d'axuar.
Otro día a la mañana
la ricas bodas s'armara.

La simple lectura del poema suscita otra cuestión capital para nuestro objeto de hoy. ¿Cómo ha podido convertirse en romance un canto nupcial? Lo que sabemos del *piyut* según los testimonios de Molho, Benolíel o Hemsi son unas estrofas (diez, dieciocho, cuatro) de tipo paralelístico en las que monótonamente se formulan unas preguntas (*¿Cómo se llama el cabello? ¿Cómo se llama la cara? ¿Cómo se llama la frente?...*) modificadas tan sólo por el objeto de la encuesta y a las que responden una serie de comparaciones, basadas en el cuerpo de la novia, que, frente a las preguntas, tienen rima constante, están precisamente medidas y presentan la única variación estructural que tiene el poema. Basta entonces intercalar entre cada dos de estos versos una de las prendas de la doncella para que surja una estrofa romancesca.

La letra de la canción estaba vulnerada. El octosilabismo del texto había podido motivar su ruina. Se trata de un poema amebeo en el que las preguntas podían variar de rima, mientras que la mantienen regular los segundos miembros de la estrofa; justamente los que se conservan en un escandido fijo. La reiteración en torno a un tema hacía recordar las repeticiones del romancero. Todo esto, con la misma fuerza que la analogía en lingüística, fue inclinando la primitiva estructura del cantar hacia el campo romancesco. El poema perdía, sin duda, su condición musical, pero se aseguraba la supervivencia dentro de un dominio donde la vitalidad se manifiesta llena de vigor. No se olvide que los sefardíes, aun en tiempos modernos, han enriquecido el romancero con frutos de su minerva (bástenos el ejemplo de Sol Hachuel, que es posterior a 1834[34]), y no se olvide que cuando muere Behar Carmona, la endecha con que lo lloraron los judíos de Constantinopla fue un texto con muchos versos octosílabos.[35]

Es indudable que la analogía rapsódica actuó sobre el *piyut* desde caminos bien diversos. Todos ellos llevaban —como un trasunto de la etimología popular— a la comprensión del cantar dentro de un campo familiar y fecundo. Desaparece así la extrañeza ante un brote anómalo, que desde pronto buscaba acomodo en un ambiente distinto de aquél donde había nacido.

Una vez que la terapéutica rapsódica actuó sobre el epitalamio y lo convirtió en romance, se produjo —como en los organismos vivos, como en el vocabulario— un proceso de adaptación del texto, al nuevo medio en el que quedaba definitivamente instalado.

En primer lugar, el nombre de la protagonista, *Blanca Niña,* sea como propio o común, está en los romances de *La Adúltera* (*Catálogo,* núm. 78), del *Rapto* (*id.,* núm. 94) y era conocido por nuestras viejas canciones, según se recoge en *La verdadera poesía castellana* de Cejador (números 27, 824, 1282, 1524).

Después, tengamos en cuenta que todas las comparaciones basadas en el cuerpo de la novia acaban en *-á,* seguida o no de consonante, y forman siempre versos octosilábicos; basta intercalar entre cada dos de ellos una de las prendas de la novia para obtener la estrofa romancesca. Desde este romance en *-á* se pueden explicar bien las otras partes que integran la unidad poemática. Por causa de la rima se asociaron al texto recién nacido

34. La muchacha hebrea fue martirizada en Fez en 1834, según la circonstanciada descripción de Isaac Laredo en sus *Memorias de un viejo tangerino,* Madrid, 1935, p. 343 (véanse las pp. 343-350, dedicadas a la *Heroína hebrea*). Cf. lo que digo en la p. 255 de este volumen.

35. M. J. Benardete, *Hispanic Culture and Character of the Sephardic Jews,* New York, 1952, pp. 122-123, y pp. 254-255 del presente tomo.

otros en *-á*, como el del *Conde Claros y la Princesa acusada,* de donde son los versos:

Ya se sale la prinsesa de su palasio real
(Tetuán)

ya se sale la prinsesa de sus baños de lavar
(Larache) [36]

que se oyen en el romance que estudio. Ahora bien, este comienzo es «un recuerdo del romance de *Guiomar* (*Primavera,* número 178), sugerido por los versos del romance viejo del conde Claros»: [37]

(Ya se sale Guiomar de los baños de bañar
colorada como una rosa su rostro como cristal)

que tan buena andanza tuvieron en la literatura sefardí. Baste recordar que Sabbatai Ceví, el falso Mesías de Esmirna, entonaba, a mediados del siglo XVII, un romance vertido a lo divino en el que la bella Melisenda «venía de los baños — de los baños de lavarse» [38] y en el que —como otras veces en el romance sefardí y una vez más en el texto que estudio— los labios son de coral; las cejas, arcos; los ojos, claro cristal; la frente reluce como un espejo, de acuerdo todo con la poesía contaminada del espíritu árabe.

Pero no sólo hay esto. Es tópico en la literatura romancesca estar en un rosal o comparar con él a la muchacha casadera; citaré los casos de la *Novia abandonada,* de los *Amantes perseguidos* o de *La mujer de Juan Lorenzo*; el «decir un cantar» (v. 7 de mi texto) lo ha inmortalizado el romancero en la misteriosa melodía que entona el conde Olinos. El sintagma *buen reye* (v. 45) es constante en la literatura sefardí (textos tetua-

36. En el *Catálogo* de MENÉNDEZ PIDAL, núm. 24, el romance empieza por «Ya sale la princesa / de en los sus baños bañar».
37. *Catálogo,* núm. 24.
38. Vid. R. MENÉNDEZ PIDAL, *Un viejo romance cantado por Sabbatai Ceví,* apud *De primitiva lírica española y antigua épica,* «Col. Austral», núm. 1051, pp. 97-102. El trabajo se publicó otras veces, cfr. M. ALVAR, *Romancero judeoespañol de Marruecos,* p. 33, nota 41, y p. 274, nota 69 de este libro.

níes recogidos por mí y que llevan los números 3, 47, 95, 119, etc., en el *Catálogo*).[39]

Acerquémonos al final: *me dates marido viejo, / viejo era y de antigüedad*, son unos versos que recuerdan otros del romance de *La mujer del pastor*,[40] con un arrastre *(vieja es y de antigua edad)* del de *La linda Melisenda*.[41] Queda justificada así —desde dentro del romancero— la quiebra absurda del sentido lógico que ha experimentado la canción recién adaptada. Por último, el fragmento con que acaba nuestro texto (vv. 46-60) no es otra cosa que una leve adaptación de los versos finales del romance de *La buena hija* (*Catálogo*, núm. 119), según se oyen en Tetuán:

¡Ay, válgame Dió del sielo, ay, que bonito cantare!
—«¿Si son ángele del sielo o serena de la mare?»
—«No son ángele del sielo ni serena de la mare;
hija soy de buen rey dando consuelo a mi padre.»
—«Padre que tal hija tiene no necesita axuare.»
Mandóla sien marco d'oro y otro tanto de axuare.
Y otro día de mañana la rica boda se armare.[42]

En este punto se puede intentar una última recapitulación. Para ello nos ayudaremos de un esquema (ver pág. siguiente).

Según la genealogía anterior, el *Ya se va la Blanca Niña* tetuaní consta fundamentalmente de tres elementos bien diferenciados:

1) Comienzo del romance del *El conde Claros y la princesa acusada* (con elementos secundarios de diversas procedencias).

39. Vid. BÉNICHOU, *RFH*, VI, 1944, pp. 58, 113, 343, y ALVAR, «Estudis Romànics», III, 1951-1952, p. 84; «Archivum», IV, 1954, p. 267, v. 45; *VRo*, XV, 1956, p. 249, etc.

40. *Catálogo*, núm. 73.

41. BÉNICHOU, p. 48, v. 22. Mi versión de Tetuán coincide con el texto de la canción que estudio.

42. Cito una versión recogida directamente por mí, como siempre que aduzco testimonios de Tetuán o Larache. Los problemas que plantean estos trueques en la transmisión de las manifestaciones poéticas han sido analizados, con valoración del elemento psicológico, por DANIEL DEVOTO, *Sobre el estudio folklórico del romancero español*, *BHi*, LVII, 1955, pp. 271-279. El mismo investigador señaló la incorporación de elementos romancescos a algún poema de origen extranjero, que así se adoptaba completamente y adquiría el aspecto de los textos originarios (*Un ejemplo de la labor tradicional en el romancero viejo*, *NRFH*, VII, 1953, p. 394).

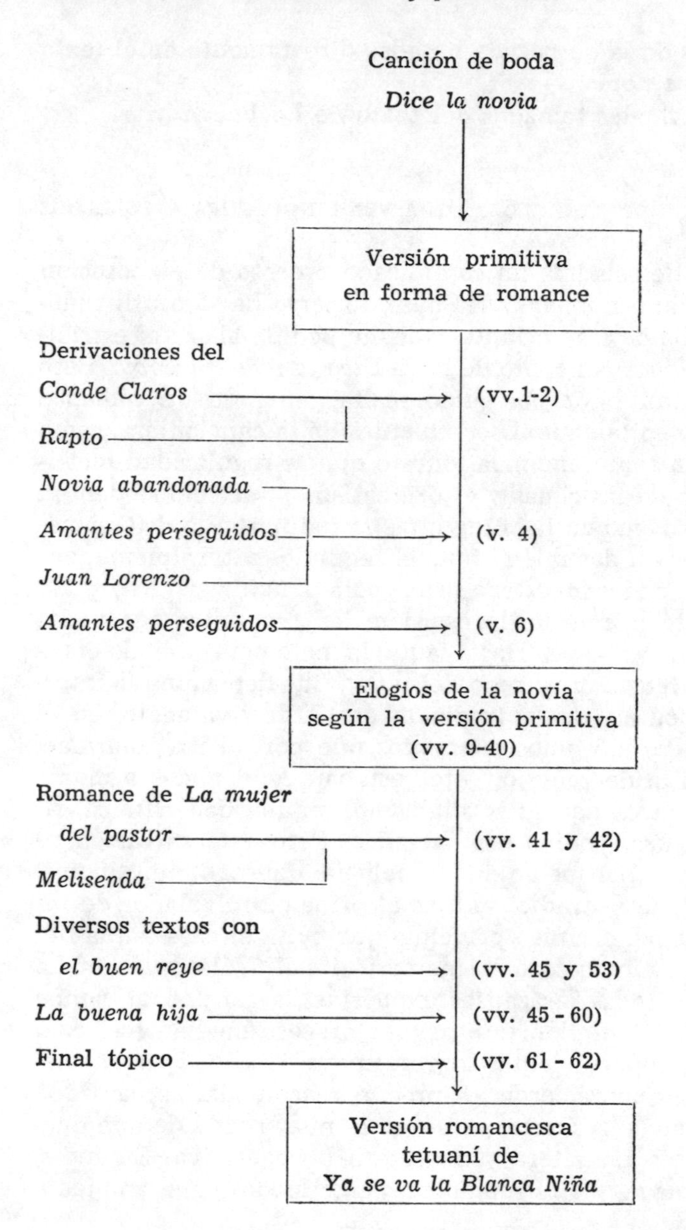
Canción de boda
Dice la novia
Versión primitiva
en forma de romance
Derivaciones del
Conde Claros
(vv.1-2)
Rapto
Novia abandonada
Amantes perseguidos
(v. 4)
Juan Lorenzo
Amantes perseguidos
(v. 6)
Elogios de la novia
según la versión primitiva
(vv. 9-40)
Romance de *La mujer*
del pastor
(vv. 41 y 42)
Melisenda
Diversos textos con
el buen reye
(vv. 45 y 53)
La buena hija
(vv. 45 - 60)
Final tópico
(vv. 61 - 62)
Versión romancesca
tetuaní de
Ya se va la Blanca Niña

2) Elogios de la desposada basados directamente en el texto *Dice la nuestra novia.*

3) Versos finales tomados del texto de *La buena hija.*

5. Otra vez lingüística y folklore

Acabamos de asistir a un complicado proceso de elaboración romancesca. Para ordenar tanto paso disperso ha sido útil conocer la geografía de las variantes: así he podido aislar el estribillo *Adobar, adobar* del canto de boda *Dice la nuestra novia.* Pero es más importante conocer cómo se ha generado un romance sobre un viejo epitalamio. La estructura de la canción era, como texto lírico, un tanto anómala, puesto que la regularidad métrica, la analogía de las rimas y el dramatismo, que sólo se dan en las respuestas (y no en las preguntas), produjeron la diferenciación del cantar en dos miembros; el segundo, naturalmente, era el único que, dada su estructura, podía fructificar. Así, pues, en el momento mismo de la escisión, las preguntas agrupadas constituían un romance. Hasta aquí la patología, esa dolencia rapsódica producida en el seno del *piyut,* que determina la intervención terapéutica de la tradición oral. Efectivamente, en el conjunto herido, hay unos elementos que por su irregularidad, monotonía, falta de cohesión, etc., estaban condenados a morir, mientras que otros por su isosilabismo, regularidad rítmica, rigurosa estructura, podían ser salvados. Pero esta salvación se tenía que operar por medio de la analogía, que, tanto en lingüística como en poesía tradicional, es el principio nivelador de las fallas del sistema, el único principio que evita el caos a que llevan el desgaste fonético o la memoria infiel. Y la analogía ha conducido, por todas las causas expuestas, la canción al campo del romancero. Cumplido este primer proceso mediante el cual los elementos supervivientes logran nueva vitalidad en un medio distinto al que nacieron, es preciso reacomodarlos para que su fisonomía no se resienta, para que la nueva vida de que quedan dotados sea fructífera y no estéril o vegetativa. Entonces, fieles a la llamada, viejos romances bien situados en el ambiente de su tradición aprontan las amarras (un arcaísmo, un sintagma, unos versos, un conato de argumento) que fijan la nueva adquisición e impiden que, desarbolada, vaya dando barquinazos como nave a la deriva. Tal los hechos lingüísticos. Recordaremos el famoso testimonio del *nwar* 'mirlo' en francés. Etimología popular, analogía fonética, imaginación viva, todo dispuesto para salvar a la AUREA MERULA cuando sonó la hora de su muerte, y entonces, AUREA > *oire,* librada de la ruina total de la familia lingüística, gracias a los nuevos motivos que la fijaban a un ambiente bien lejano de aquel en que nació.[43]

E igual que en lingüística, he ido levantando estratos, todas esas contaminaciones orales, para llegar hasta la forma primitiva; pero no se olvide, teniendo en cuenta algo que se aprende en los estudios lingüísticos: el concepto de «familia tradicional».

No hace mucho Malkiel acuñaba el término de *Word Family* para unas fructíferas especulaciones etimológicas. «La ventaja de este nuevo método estriba en su carácter casi exclusivamente lingüístico; antes de buscar la solución en otros campos, es precisamente la lingüística quien debe resolver sus propios problemas.»[44] No otro ha sido nuestro intento de hoy: trazar la genealogía romancesca, conocer la familia rapsódica, de un texto que se nos presentaba en un grado de máxima heterogeneidad, pero buscando los medios de resolver el problema dentro, precisamente, de la poesía tradicional. Aquí, como en lingüística, los «conatos de reconstrucción ofrecen, como es necesario, una posibilidad de error, que se reduce al mínimo si en el estudio de cada forma (diríamos en lingüística) o de cada versión (diríamos en poesía tradicional) se hace constante referencia a su cronología absoluta y relativa»[45] y si se tiene en cuenta el complicado espíritu del hombre que, al enmascarar con

43. Vid. J. GILLIÉRON y M. ROQUES, *Études de géographie linguistique,* París, 1912, pp. 6-9.

44. Véase, especialmente, su tratado *Studies in the Reconstruccion of Hispano-Latin Word Families,* Berkeley-Los Angeles, 1954. Las palabras traducidas están en mis comentarios de esta obra (*NRFH,* X, 1956, p. 203).

45. Vid. la parte III de la obra de Malkiel, citada en la nota anterior.

mucha frecuencia el aspecto de las voces o de los poemas, exige siempre de nuevos métodos para llegar al conocimiento de su verdad más honda, mientras olvida el carácter simplista de las leyes fonéticas o de los estrechos esquemas que desbordan la posibilidad de interpretar la mal llamada poesía popular.

5. TRES CORTES SINCRÓNICOS EN LA TRANSMISIÓN DEL ROMANCERO

TRANSMISIÓN LINGÜÍSTICA EN LOS ROMANCEROS ANTIGUOS

A Margherita Morreale

1. Tradición antigua y tradición moderna

1.0. Los estudios sobre la tradicionalidad del romancero no son ninguna novedad. Sin embargo, creo que puede resultar útil ver cómo se cumplen esos procesos de tradicionalización en los viejos textos que han llegado hasta nosotros en ediciones no siempre muy cuidadas. A través de esas variantes antiguas podemos intentar seguir unos procesos cuyo desarrollo habrá que cotejar con lo que nosotros sabemos de la tradición actual. Tal vez entonces se pueda establecer un parangón que resulte instructivo para aclarar problemas de cada una de estas sincronías. Claro está que al trabajar con textos impresos en lo antiguo no podemos tener certezas como las que documentamos hoy. Una variante actual —asegurada por cien recitaciones, obtenidas en otros tantos puntos de encuesta— nos habla con una elocuencia mucho mayor de lo que lo hace un texto impreso. La oficina de un viejo tipógrafo no da sino la variante que llega hasta el pliego, pero nos resulta difícil saber si procede de la ciudad en que el taller se encuentra o viene de cualquier otro antecedente, muy remoto en el espacio, e incluso en el tiempo. La geografía folklórica de los textos antiguos es de significado tan dudoso como la geografía lingüística de los documentos medievales:[1] tiene un valor relativo, y nada más. Pero si nos enfrentamos con esta poesía, cuyo sentido sólo se alcanza al considerar su trans-

1. Bernard Pottier, *Geografía dialectal antigua*, en «Revista de Filología Española» (XLV, 1962, pp. 241-257).

misión en variantes, resultará que cada impresión suscita —tanto en lo antiguo como en lo moderno— la duda de que aquella copia sea fiel y no esté modificada. Porque, también cabe —en lo antiguo y en lo moderno— que el editor colabore, con su propia minerva, en la complicación de los caminos de la tradicionalización.[2]

1.1. Así y todo, merece la pena que intentemos el estudio de las variantes, porque nos puede resultar instructivo. Y en ello —en el estudio y en las variantes— posiblemente acertemos a encontrar algún fruto para el conocimiento de la tradición actual. Un benemérito impresor antiguo escribió unas líneas que pueden ser útiles como justificación de lo que estoy escribiendo y de lo que luego comentaré. Cuando Martín Nucio imprime en Amberes su *Cancionero de romances* (antes de 1550) dice al frente de la compilación:

> Puede ser que falten aqui algunos (aunque muy pocos) de los romances viejos: los quales yo no puse: o porque no an venido a mi noticia: o porque no los halle tan cumplidos y perfectos como quisiera. Y no niego que en los que aqui van impressos aura alguna falta: pero esta se deue imputar a los exemplares de a donde los saque: que estauan muy corruptos: y a la flaqueza de la memoria de algunos que me los dictaron: que no se podian acordar dellos perfectamente.[3]

He aquí una buena conciencia de editor. Se trata de una poesía transmitida en variantes: unas escritas, otras orales, pero todas condicionadas por la falacia de la deturpación que se produce en unas copias malas o en una memoria infiel. Por eso dirá Nucio —y en ello ya no le sigue Nájera— que

2. Vid. lo que anota Rodríguez-Moñino en la p. 24 de la *Introducción* a la *Silva*, que describo en la nota siguiente. Y otro tanto ocurre en los textos de hoy, incluso con los recogidos de la tradición oral, cfr. *Interpretaciones judeoespañolas del árabe «gabba»* («Romance Philology», XVII, 1963, pp. 327-328).

3. Cf. *Cancionero de romances*, impreso en Amberes sin año. Edición facsímil con una introducción por R. Menéndez Pidal, Madrid, 1945. Las líneas copiadas proceden de la advertencia de *El impressor* (f. 2, s. n.) y pasaron a la *Silva* de romances que Esteban de Nájera publicó en Zaragoza en 1550-1551 (véase para ello la p. 99 de la reimpresión de A. Rodríguez-Moñino, Zaragoza, 1970).

> Yo hize toda diligencia porque vuiesse las menos faltas que fuesse possible y no me ha sido poco trabajo juntarlos y enmendar y añadir algunos que estaban imperfectos.

Sin embargo, lo que sí nos dijo Nájera es el camino que sigue la poesía tradicional: «algunos amigos míos [...] me traxeron muchos romances que tenian». He aquí, pues, cómo estos romanceros, tantas veces copiados de una impresión a otra, están sometidos a la variación de esos «amigos», que recuerdan los textos de manera distinta, o a la arbitrariedad del tipógrafo, o a las enmiendas y añadidos de quien se juzga capaz de ello.

1.2. Las variantes con que Menéndez Pelayo acompañó a los textos de su *Antología de líricos* nos resultan de una gran utilidad.[4] Por más que los viejos repertorios sean hoy fácilmente asequibles, gracias al esfuerzo —sobre todo— de Antonio Rodríguez-Moñino,[5] el tener reunidos muchos materiales, y de manera comprobable sin mayor dificultad, permitirá establecer unas líneas maestras del trabajo, aunque no nos eximan de recurrir a las fuentes originarias.

1.3. Cuando en 1573 Juan de Timoneda imprime su *Rosa de Amores* [6] está pensando en publicar sus propios romances y algunos modernos, pero no satisfecho con estos planteamientos añade:

> Verdad es que por dos causas me huue de allegar a algunos Romances viejos. La vna, por dar perfección a las Hystorias acometidas. La otra, por hazer verdadero aquel Refran que dize. Allegate a buenos, y seras vnos dellos.

No cabe mayor discreción en el elogio. El romancero viejo servía para conferir dignidad literaria a quien se acercaba a él.

4. Citaré por el t. XXIV de la Edición Nacional de las Obras Completas (VIII de la *Antología*) C.S.I.C., 1945. Otras observaciones complementarias se harán al t. IX.
5. Vid., también, su discurso académico *Poesía y cancioneros (siglo XVI)*, Madrid, 1968.
6. Empleo la edición de A. Rodríguez-Moñino y Daniel Devoto (Valencia, 1963).

Entonces comprenderemos mejor aún esa mezcla de reverencia y cuidado con que se le aproximaron quienes podían sentir el decoro de las obras bellas. Porque otros —como en todo tiempo y ocasión— no buscaban sino el medro, importándoles poco la obra bien hecha y nada el sacrificio de los demás. Sin embargo, al documentar variantes distintas —a veces de apariencia insignificante— en los textos que salen de los tórculos, podemos rastrear cuál era la situación de esos impresores ante unas obrecillas que admiraban por su belleza perdurable, pero que se recibían por caminos tan variados. Vamos a intentar sistematizar estos hechos.

2. La transmisión de rasgos fonéticos

2.1. El examen más superficial nos conduce a cierto tipo de sustituciones. Lo más frecuente es que una determinada forma arcaica, o sentida como arcaizante, venga a ser sustituida por lo que se juzga actual o moderno. Pensamos que es el procedimiento de transmisión de tanto texto medieval: bastaría recordar los casos harto significativos de la *Historia troyana en prosa y verso* (c. 1270) o la *Vida de Santa María Egipciaca* (comienzos del siglo XIII) para que acertemos a comprender la diferencia que hay entre la lengua del poeta y la del copista. No de otro modo ocurre en las transmisiones de los romances impresos en el siglo XVI: resulta curioso sobremanera, por no decir abrumador, ver cómo los arcaísmos fonéticos o morfológicos se eliminan en la transmisión. Lo que ya es más difícil es reducir a constante los casos de una u otra forma. Así la *Silva* de 1550 trae *hierro* donde Timoneda *fierro*,[7] pero —al revés— el librero valenciano dirá *hablando* en el mismo sitio que un pliego suelto del XVI, *fablando*;[8] del mismo modo, la *Silva* lee *fallaréislo* donde *hallaréisle* la *Floresta* de Damián López de Tortajada.[9] Sólo hay constancia en unos cuantos romances de Praga

7. *Ant. lír.*, VIII, p. 138.
8. Ibídem, p. 281.
9. Ibídem, p. 359.

con sus *face, fermoso, fallare, fablar* en oposición a los *hace, hermosura, hallo, hablar* del *Cancionero* de Barbieri.[10] Este entreverado mosaico no permite llegar a ningún resultado cierto, por cuanto la *f-* inicial conservada o no sería un rasgo agrupador de los textos aragoneses y valencianos. Como se ve claramente, muy poco cuentan las modalidades lingüísticas regionales; lo que funciona en estos casos es la procedencia de la fuente de donde copian los impresores. Algo que —naturalmente— se nos escapa a la investigación de hoy.

2.2. En testimonios como los que siguen, son muy frecuentes los casos de oposición entre las formas con *-d-* intervocálica conservada y las que la han perdido: *traedes* ∽ *traéis, vengades* ∽ *vengáis, querades* ∽ *queráis,* etc. Las variantes que entran en mi cotejo muestran una clara preferencia por las formas en *-ades, -edes* en el *Cancionero de romances* s. a.,[11] mientras que en la *Silva* de Zaragoza predominan las formas en *-áis, -éis,*[12] lo mismo que en Timoneda alternan.[13] Ahora bien, no puede creerse que esta distinción se mantenga en una manera sistemática y sin vacilaciones: los testimonios que acabo de aducir son los que tienen correspondencia en impresiones distintas de un mismo texto, pero no será raro encontrar alternancia de formas (con o sin *-d-*) en un mismo romance, tal y como ocurre en el *Canc. rom.*, s. a., en cuya p. 56 v. al lado de *calledes, fuessedes, querades,* aparecen *quereys, teneys, vays.* De manera semejante a lo que ocurre en el tratamiento de F- inicial, la persistencia de la *-d-* se presenta con notorias alternancias, pero —a pesar de ellas— ahora cabe señalar un principio de distribución bastante claro: el romancero de Amberes, s. a., se inclina hacia el arcaísmo, en tanto la modernización es muy acusada en la *Silva* de Zaragoza y, con atenuaciones, en Timoneda, independientemente

10. *Ant. lír.*, IX, pp. 50, 52 y 54.

11. *Traedes, vengades, queredes, sabedes, soliades, estuviesedes, llevedesmelo* (*Ant. lír.*, VIII, pp. 246, 255, 256, 355, 400, 460, respectivamente) por un solo *queráis* (ib., XI, p. 55).

12. *Traéis, vengáis, soléis* (*Ant. lír.*, XIII, pp. 246, 255, 355). En un caso emplea una forma verbal que —etimológicamente— no tiene *-d-*: *llevamelo* (ib., p. 460). Por el contrario, *-d-* conservada aparece en *querades* (*Ant. lír.*, VIII, p. 55) y en *vido* (ib., p. 392), frente a un pliego suelto con *vio.*

13. *Sabéis, mandéis, había* (por un *habiades,* pl. s.) todos en *Ant. lír.*, VIII (pp. 256, 280, 296) por un solo *mirades* (ib., p. 314).

de la oposición señalada por Malkiel: hasta Lope de Vega, Cervantes y Quevedo llega la conservación de la *-d-* en los proparoxítonos (tipo *tomávades, tomássedes*), mientras que caía en los paroxítonos (tipo *tomáis, toméis*).[14] Los textos del romancero señalan el cumplimiento de un proceso fonético, pero —por su propia condición— estos poemas transmitidos por la tradición oral llegan a las prensas de la edad de oro conservando en ocasiones un arcaísmo que resultaba ajeno a la evolución que se había cumplido en el sistema.

2.3. Los cambios fonéticos a que da lugar la e n c l i s i s de los p r o n o m b r e s á t o n o s se reducen a dos posibilidades: el grupo *-dl-* metatiza en *-ld-* y el *-rl-* se asimila en *-ll-*. En el primer caso, Timoneda rehúye las formas con el grupo consonántico y así, mientras un códice del siglo XVI lee *ejecutaldo* o la *Silva, pedilda,* él se limita a transcribir *efectuado* y *pidela,*[15] muy lejos de cualquier problema. También en esto habría que pensar en el carácter neologista de la lengua del librero valenciano, toda vez que la metátesis (*besalde, prestalde,* etc.) era un arcaísmo medieval que se documentaba ya en el *Cantar del Cid* y que siguió hasta la época áurea.[16]

2.4. En cuanto al segundo caso (*-rl-* > *-ll-*) es también un fenómeno de gran antigüedad[17] que, en tiempos de Carlos V, debió de ser propio del centro y sur de España, pero no de León y Castilla la Vieja; la imposición de *-rl-* sobre *-ll-* fue el resultado de «una de tantas luchas de formas en la que el lenguaje literario y el oficial deciden el triunfo».[18] El *Canc. rom.,* s. a., vuelve a mostrarse conservador *(mercarles)* en oposición a la *Silva* de 1550 y a la *Floresta* de Damián López de Tortajada;[19] del mismo modo que el *Cancionero* de Barbieri tiene formas con *-rl- (haberlo, -a)* en vez de *ll* (pliego suelto de Praga).[20]

14. *The Contrast* tomáis ~ tomávades, queréis ~ queríades *in Classical Spanish* («Hispanic Review», XVII, 1949, p. 161).
15. *Ant. lír.*, VIII, pp. 291 y 323, respectivamente.
16. Cf. t. I, p. 203, de la edición y estudio de Menéndez Pidal.
17. Ibídem, p. 202.
18. Vid. A. Alonso y R. Lida, *Geografía fonética:* -l *y* -r *implosivas en español* («Revista de Filología Hispánica», VII, 1945, p. 334).
19. *Ant. lír.*, VIII, p. 342.
20. Ib., IX, pp. 50 y 52.

2.5. El grupo secundario -N'R- se manifiesta —también— con dualidad de resultados: la metátesis *-rn-* y la epéntesis de *d (-ndr-)*. Ambas soluciones se atestiguan desde la época más antigua de la literatura española: *avendremos, pondrán, remandrán* y *verná(-s, -n) terné* están documentados en el *Cid*.[21] En cuanto a las variantes de nuestros romanceros, tenemos que *vernán* se transcribe en la *Silva* de 1550 [22] y *deterná, verná* en el *Cancionero de Medina*, frente a Juan de Escobar que tiene *detendrá, vendrá*.[23]

3. Arcaísmo e innovación en morfología

3.1. Los arcaísmos morfológicos se pueden reducir a dos grupos: el del presente y el del futuro. Dos formas se integran en el primero: *vo* (*Silva*, 1550) ∽ *voy* (Timoneda) [24] y *sedes* (códices siglo XVI) ∽ *sois* (Timoneda).[25] Poco significativas ambas por cuanto tienen de escasez, pero harto notorio que las coincidencias con el castellano actual se dan —una vez más— en el librero valenciano.

3.2. Nos interesa señalar en el futuro la fusión del infinitivo con el auxiliar, ya que el sentido de la composición no se perdió «sino muy entrada la Edad Moderna», puesto que hasta el siglo XVII se admitió la interposición de pronombres entre ambos componentes.[26] Así pues, los materiales se pueden ordenar en dos grupos: arcaizantes (sin fundir el infinitivo con *haber*) e innovador (con los verbos soldados). En el primero figuran la *Silva* de 1550,[27] Juan de Escobar,[28] Timoneda,[29] la *Floresta*,[30] mientras que en el segundo encontramos testimonios

21. Tomo I, p. 286, § 99.5.
22. *Ant. lír.*, VIII, p. 363. En este caso, la *Floresta* de López de Tortajada emplea *están*.
23. Ibídem, pp. 157, 158.
24. Ibídem, p. 190.
25. Ibídem, p. 291.
26. R. Menéndez Pidal, *Manual de Gramática Histórica*, § 123.3.
27. *Iros heis* (*Ant. lír.*, VIII, p. 108), *entregarla he* (ib., p. 167).
28. *Vesarme heis* (ib., p. 158).
29. *Besarme has* (ib., p. 160), *entregarla he* (ib., p. 167).
30. *Prenderlo he* (ib., p. 167), *entregarla he* (p. 167).

de Timoneda,[31] del *Cancionero* de Medina (1570)[32] y el *Canc. rom.*, s. a.[33] Como se ve, los resultados —salvo en el último de los repertorios aducidos— se presentan muy entreverados e incluso en una misma página pueden encontrarse las dos soluciones, tal y como ocurre en la XLIV *v.* de la *Rosa Española* de Timoneda, donde *entregarla he* no se opone a *prenderéle.* Nos encontramos, pues, ante un nuevo testimonio de normas múltiples ante las cuales el romancero muestra una gran vacilación, y sólo los textos del *Cancionero,* s. a., se deciden —como ha ocurrido en otras ocasiones— por un resultado y no por otro.[34]

4. Comentario a los rasgos anteriores

4.1. Las variantes fonéticas que pudieran facilitar indicios de discriminación, en la lengua de los colectores o en los condicionamientos geográficos, son difíciles de establecer. O, a lo menos, muy poco claras. Hay rasgos arcaizantes como la conservación de la *-d-* intervocálica en las terminaciones verbales y el grupo *-rl-* sin palatalizar, que son evidentes en el *Canc. rom.*, s. a., mientras que la fusión del infinitivo y el auxiliar, a pesar de su carácter innovador, también se da en la misma compilación. Timoneda parece ir de acuerdo con la lengua más neologista en las formas *-áis, -éis,* sin *-d-,* de las terminaciones verbales; en el rechazo de la metátesis *-ld-* (< *-dl-*); en los rasgos morfológicos *voy, sois*; mientras que vacila en el empleo de las formas de futuro: usando, unas veces, el arcaísmo en el que no se funden sus dos constituyentes y, otras, la forma moderna. La *Silva* de 1550 es innovadora al preferir *-áis, -éis* y *-ll-* como resultado de *-rl-,* pero se muestra arcaizante en sus empleos de *-rn-* (< *-n'r-*) o de las formas del futuro.

4.2. Considerando éstos, que son los rasgos más salientes, puesto que la preferencia *f-* o *h-* no permite ninguna aclaración,

31. *Guiaréis* (ib., p. 108).
32. *Me besaréis* (ib., p. 158).
33. *Me besarás* (ib., p. 160), *prenderelo* (ib., p. 167), *entregaré* (ib., p. 167).
34. Todavía se complican más las cosas si nos atenemos a la posición del pronombre átono. Vid. § 13.3.

y en unos romanceros de singular importancia, hemos de ver que el *Canc. rom.,* s. a., responde a las normas lingüísticas del norte peninsular, puesto que la fusión del tipo *besarás,* a pesar de su carácter innovador (con respecto a las formas no fundidas), no pugna con los otros fenómenos, por cuanto ya se documenta en el *Cantar del Cid*;[35] Timoneda es partidario de las innovaciones centro-meridionales y la *Silva* de Zaragoza ocupa una posición intermedia entre ambas posibilidades.

4.3. Menéndez Pidal, en el estudio preliminar con que acompaña su edición facsímil del *Canc. rom.*, s. a., dice que el tomo primero de la *Silva* de 1550 se imprimió siguiendo fielmente a Nucio, pero

> Corrigiendo los yerros de éste y mejorando evidentemente sus versiones; de modo que casi siempre son preferibles las lecciones de la *Silva* a las del *Canc.* s. a., gracias a la oportuna y concienzuda labor crítica que el editor de Zaragoza empleó en depurar y enriquecer la primera cosecha de su colega de Amberes (p. IV).

Dentro de esa depuración, están las modernizaciones que hemos señalado. Pues el colector del *Canc. rom.,* s. a., usó pliegos sueltos septentrionales,[36] que le dieron su inequívoco arcaísmo, y acaso fueran de la Vieja Castilla aquellas gentes que le «dictaron» otros romances. La relación de Valencia con Castilla la Nueva es harto conocida, de ahí procedería el carácter neologista de Timoneda.

4.3.1. Naturalmente, y a pesar de estos indicios relativamente seguros, hay —en ocasiones— interferencias y alternancias de formas. Nada extraño en ello, por cuanto existió una tradición manuscrita, de la que algo se sabe,[37] y otra oral, sometida a todos los avatares de la recitación: una y otra enmarañaron la transmisión de los textos, enrevesada —todavía más— por los

35. Tomo I, p. 287, §§ 99.14-15 y 100. Otro arcaísmo del *Canc. rom.*, s. a., sería la conservación de la *-e* paragógica (MENÉNDEZ PIDAL en el prólogo a su edición, p. XI).

36. Basta repasar las notas de MENÉNDEZ PIDAL en las pp. X y ss. del prólogo a su edición.

37. Cf. MENÉNDEZ PIDAL, pp. XXIII y XXIV de la obra citada en la nota anterior, y la excelente monografía de G. DI STEFANO. *Sincronia e diacronia nel Romanzero,* Pisa, 1967.

tipógrafos. A través de todo este entramado de dificultades podemos, sin embargo, intentar proyectar algo de luz.

4.3.2. De cualquier modo, las impresiones antiguas de los romances nos dejan ver ese conflicto entre arcaísmo e innovación, que hoy es vida en la tradición oral. Y lo que no deja de ser importante: cualquier impresión —hasta la del pliego suelto más tosco— es un acto cultural. De ahí que las innovaciones puedan surgir siempre (por imitación de normas cortesanas, por cierto ideal lingüístico mejor), pues una imprenta exige —económica y socialmente— un medio instruido; en tanto la recitación que, por supuesto, está abierta a innovaciones, puede quedar mucho más fosilizada en regiones arcaizantes. De ahí que nuestros textos participen de neologismos, incluso en regiones arcaizantes,[38] mientras que la tradición actual —y ese valor no se le puede quitar— conserva fósiles lingüísticos ajenos a la estructura del español hablado. Así, por ejemplo, la lengua de los romances sefardíes es más arcaizante que el judeo-español de Marruecos o el romancero canario ha mantenido esquemas lingüísticos que no pertenecen al dialecto de hoy.[39]

5. La suerte del léxico

La transmisión de vocabulario está condicionada por una serie de hechos: modernización de arcaísmos, sinonimia, falsas interpretaciones. Ahora bien, si la fonética o la morfología daban lugar a fenómenos inmanentes, los cambios léxicos producen repercusiones sobre la estructura del verso. Unas veces, porque se quiebra el paralelismo; otras, porque la rima exige la modificación de la forma; otras, porque la alternancia léxica obliga a ordenación en cadena de una serie de elementos que han sido afectados. Todo ello, por otra parte, tiene unas claras

38. Zaragoza —donde se imprimen las tres partes de la *Silva*— es zona muy ecléctica en la transmisión romancesca; rasgos suyos pertenecen a la tradición andaluza moderna, vid. p. 218. Idéntica información se puede encontrar en otros autores.

39. Vid. *Poesía tradicional y morfología*, en *Estudios canarios*, tomo I, Las Palmas, 1968, pp. 99-101.

correspondencias en la transmisión actual del romancero. Por tanto, trataré de establecer —en cuanto sea posible— la mutua dependencia de los hechos viejos con los nuevos.

5.1. El arcaísmo persiste —como un fósil— en la tradición. Incluso en la tradición de hoy. Pero el fósil, por presente que esté, puede carecer de sentido. Los viejos editores han tratado de adecuar a la situación de su propia sincronía aquellas palabras que se arrastraban como antiguallas. Claro que no siempre, ni de la misma manera, pero nos bastan los ejemplos que voy a ordenar para que entendamos cómo se sintió la necesidad de la modernización.

5.1.1. Así, por ejemplo, el *Canc.*, s. a., y la edición de 1550 hablan de *ballestas de buen echar*[40] que han de ser 'buenas para lanzar cuadrillos'; las ediciones posteriores del *Cancionero* dan *de bien tirar* lo que parece menos claro, y ya en el camino de la incomprensión se llega al *ballestas de par en par* de Timoneda. Sin embargo, *echar* en nuestra propia acepción aparecía ya en el *Cantar del Cid*: «la lança [...] de la otra part una braça gela *echo*».[41]

Del mismo *Canc. rom.*, s. a., son arcaísmos como *amo* sustituido por *ayo* en las ediciones posteriores;[42] *perlado* por *primado* (*Silva* y *Canc.* de 1550),[43] según era harto frecuente en la edad media; *her* por *hacer (Silva)* y *hendo* por *haciendo* (*Silva*, Timoneda);[44] *recaudo* 'mandato' por *mandado* y *querellámos* por *quejámonos* (pliego suelto);[45] *había* por *tenía* (Timoneda), *ha* por *tiene (Floresta)*;[46] *desque* por *después* (ib.);[47] *mochacha*

40. *Ant. lír.*, VIII, p. 83.
41. MENÉNDEZ PIDAL, II. s. v., da la acepción de 'hacer pasar una cosa a través de otra, lanzar'.
42. Ib., p. III. En el *Cantar de Los Infantes de Lara*, Gonzalo Gustioz llama a Muño Salido *amo e padrino* de sus hijos (MENÉNDEZ PIDAL, *La leyenda de los Infantes de Lara*, Madrid, 1934, p. 423).
43. *Ant. lír.*, VIII, p. 135.
44. Ib., pp. 174 y 221.
45. Ibídem, p. 181.
46. Ib., pp. 200, 451. Timoneda usa el verbo otras veces; así en la p. 322, frente a la *Silva* de 1550. (Para la lucha de *tener* contra *haber* vid. EVA SEIFERT en la «Revista de Filología Española», XVII, 1930, p. 384: «desde la segunda mitad del siglo XVI tenemos, más o menos, el estado actual».) *Había* por *tenía* se emplean en otros textos (pliego suelto del XVI, apud *Ant. lír.*, VIII, p. 251).
47. *Ant. lír.*, VIII, p. 256.

por *pequeña (Silva)*;[48] *escuderos* por *caballeros* (*Floresta*, pliego suelto);[49] *sacramento* por *juramento* (ib.);[50] *aguardare* por *guardare (Silva)*;[51] *montaña* por *aspereza*;[52] *era* 'estaba, iba' por *iba (Silva)*;[53] *castigar* 'aconsejar' por *así hablar (Silva)*;[54] *quistión* por *desaguisado (Floresta)*;[55] *zarzahán* por *gorgorán (Floresta)*;[56] *bel* por *lindo* (ib.);[57] *broslar* por *bordar* (ib.);[58] *riguridad* por *de notar* (ib.);[59] *do* por *donde (Silva, Floresta)*.[60] Lista —en verdad— rica y variada, pero cuyo valor se refuerza si tenemos en cuenta el arcaísmo lingüístico que el *Cancionero*, sin año, ha acreditado en las consideraciones gramaticales que hemos hecho con anterioridad. Y todavía esta información podría completarse con otra de carácter más heterogéneo: *apeado* es forma de la compilación que ahora comento frente a *cabalgado (Silva)* y *descabalgado* (pliego suelto);[61] cierto que *apear* no puede considerarse como arcaísmo, pero sí como palabra al margen del carácter más trivial que se descubre en las otras dos. En *acerito*, diminutivo cargado de intención, el texto del

48. Ib., p. 297. Vid. la nota 2 de Ramón Rozzell en la p. 17 de su introducción a *La Niña de Gómez Arias*, de Luis Vélez de Guevara, Granada, 1959.

49. *Ant. lír.*, VIII, p. 329. Cf. R. Menéndez Pidal, *Sobre un arcaísmo léxico en la poesía tradicional*, apud *De primitiva lírica española y antigua épica*, Col. Austral, núm. 1051, pp. 135-139.

50. *Ant. lír.*, VIII, p. 334. Formas antiguas de la voz, en el *DCELC*, de Corominas.

51. *Ant. lír.*, VIII, p. 353.

52. Ibídem, p. 359. Las precisiones del romance («a la bajada de un puerto / y a la entrada de un lugar», «por estar más encubierto», «abadía / que dicen de Flores Valle») nos llevan al valor de 'tierra cubierta de bosque o matorral', tal y como se atestigua en el *Cantar del Cid* (t. II, s. v.).

53. *Ant. lír.*, VIII, p. 377.

54. Ibídem, p. 378.

55. Ibídem, p. 402. El vulgarismo *qüistión* figura en el *Rimado de Palacio* (vid. *DCELC*, s. v. *querer*).

56. *Ant. lír.*, VIII, p. 435. *Gorgorán* 'tela de seda con cordoncillo' (el *DCELC* da como primera documentación el Guzmán de Alfarache) y su modernidad está asegurada por su origen —palabra francesa que nos ha venido a través del inglés—, mientras que *zarzahán* 'especie de tela de seda con listas de colores' es un arabismo atestiguado ya en el *Cancionero de Baena* (*DCELC*, s. v.).

57. *Ant. lír.*, VIII, p. 437.

58. Ib., p. 450. En la p. 202, la *Silva* de 1550 usa el término viejo y Timoneda, el nuevo.

59. *Ant. lír.*, VIII, p. 452. En otra ocasión (p. 437) es el *Canc. rom.*, s. a., quien emplea una voz más nueva (*seguridad*) frente a la vieja (*riguridad* 'rigor') de la *Floresta*.

60. *Ant. lír.*, VIII, p. 459.

61. Ibídem, p. 180.

Canc. rom., s. a., conserva el valor exacto que exige el contexto, pues el moro ha recibido un golpe terrible de Roldán, mientras que *airecito (Silva)* se asocia a *pasar* —también en los versos—, pero su valor escapa al juego humorístico.[62]

5.1.2. La función del arcaísmo en el *Cancionero*, s. a., es la de mantener fidelidad a la tradición que se trata de perpetuar. Esta fidelidad a formas que necesariamente han sido orales obliga a conservar reliquias de carácter coloquial más abundantes que las seleccionadas por otros compiladores. En el romance *Yo me estando en Giromena*, las palabras triviales *hablar, pido, no bastare, honestidad, metelda*, se oponen a las que Timoneda emplea *narrar, demando*,[63] *queréis, puridad, procuralda* que tienen una connotación más cuidada y libresca.[64] Otro tanto cabe decir de *manda* con respecto a *guía* (pliego suelto), *empezó* frente a *comenzó* (*Silva* y *Floresta*), *luego* en oposición a *presto* (*Silva*).[65]

5.2. Si echáramos una ojeada a los otros romanceros, veríamos que la transmisión de los arcaísmos ha sufrido suerte muy heterogénea. Acaso la mayor complejidad se encuentre en Timoneda: hay en él un respeto a los textos que le lleva, frente a Escobar, por ejemplo, a conservar arcaísmos como *desque, posada, ficieron, mesando*[66] o a mantener *despedir* en vez de *se parte* (*Canc. rom.*, s. a., *Silva*),[67] *ha proposado* en vez de *está hablando* (*Canc. rom.*, etc.), *adarve* en vez de *muralla* (pliego suelto).[68] Por otra parte, la lengua del librero valenciano muestra un carácter marcadamente literario —y libresco— si la enfrentamos con el *Cancionero de romances* (1550) o algún códice del siglo XVI. Ello le hace preferir *envía, libré, ponía*,[69] *efectúes*,

62. Ibídem, p. 422.
63. En otra ocasión el *Canc. rom.* emplea *demando* y las ediciones posteriores *pido* (ib., p. 329).
64. Figuran en *Ant. lír.*, VIII, pp. 255-256.
65. Ibídem, pp. 308, 326 y 328.
66. El editor del *Romancero del Cid* pondrá en tales casos *cuando, yace, tuvieron, pelando* (*Ant. lír.*, VIII, p. 145). La oposición *desque - cuando* se recoge también en la p. 129.
67. *Ant. lír.*, VIII, p. 160. Cf. Y. MALKIEL, *Studies in the Reconstruction of Hispano-Latin Word Families*, Berkeley-Los Ángeles, 1954.
68. *Ant. lír.*, VIII, pp. 183, 208 y 278.
69. En otra ocasión es Timoneda quien selecciona *metía* frente al *ponía* de la *Silva* (ib., p. 320).

dilatar a *tira, escapé, metía, cumplas, más tardar.*[70] Frente a los términos viejos o vulgares de Escobar *(fablar, rempujón)* cuidará su léxico *(holgar, bofetón)*,[71] como volverá a hacer con respecto a la *Silva* de 1550 [72] o a algún pliego suelto: *llego* por *allegando*.[73] No hay ningún absurdo en ello. En Timoneda confluyen las dos corrientes: una de admiración hacia los romances viejos; otra, la de su oficio de escritor. Al enfrentarse el respeto a la tradición con la galanura deseada para la propia obra, surgen esas aparentes antinomias, aclaradas desde la especial situación del escritor valenciano.

5.3. Dentro de este conjunto, hemos visto cómo Escobar modernizaba sus textos. Podemos añadir nuevos casos: frente al *Cancionero de Medina* (1570) empleará *levantóse* por *enestose* [74] y *de esta suerte* por *destarte* (='de esta arte'). También la *Silva* de Zaragoza ofrece modernización en sus textos: *quiera* en vez de *plegue a* (pliego suelto), *beneficios* en vez de *mercedes* (ib.), *cobijar, exercitar* en vez de *abrigar, ha de jugar* (ib.),[75] *retaguardia* en vez de *reguarda* (*Canc. Medina*, 1570) y *retaguarda* (Timoneda).[76]

6. Conclusión al arcaísmo o innovación en el léxico

Con todas las reservas que he formulado anteriormente, recapitulo ahora los datos que estas páginas me facilitan: arcaísmo léxico del *Cancionero de romances*, s. a.; innovaciones en la *Silva* de Zaragoza y en el *Romancero* de Escobar; convergencia de influjos sobre la compilación de Timoneda.

70. Los textos pertinentes están en las pp. 270 y 280.
71. Ibídem, pp. 129 y 134.
72. En el romance *En el tiempo que reinaba* (*Ant. lír.*, VIII, p. 321) hay las siguientes oposiciones (cito en primer lugar el testimonio de Timoneda y, entre comillas de valor, el de la *Silva*): *adonde* 'do', *descanso* 'solaz', *contenta* 'gozosa', *furia* 'orgullo', *rebeldía* 'falsía', *sobrada* 'grande', *muy contenta* 'determina', *noble* 'grande'.
73. *Ant. lír.*, VIII, p. 413.
74. Ibídem, pp. 149 y 150. Menéndez Pelayo corrige *enertose*, pero su propuesta no me parece aceptable; se trata de *enhestar* 'levantar en alto, poner derecha y levantada una cosa'.
75. *Ant. lír.*, VIII, pp. 251, 387 y 393.
76. Ibídem, p. 107. Hay que corregir la lectura que don Marcelino hizo de la *Rosa* (vid. edición Moñino-Devoto, p. XCIV *v*).

7. Alternancia léxica sin consecuencias

La alternancia de términos sin otro valor que el de la preferencia por un término léxico, cuyos alcances ahora no nos afectan, aparecen en *domeñan-señorean, librado-a salvo, muy recio-fuertemente, hijosdalgo-esforzados, hizo la barba-afeitó*, etc.[77] En otros casos, la elección va marcada por el uso de términos distintos, que pueden tener valor en el contexto, por más que su significado sea diferente (*quebrar-quitar, traía-sentía, supo-oyera, tengáis cargo-fagáis caso*, etc.).[78] Cabe señalar, también, cierta correspondencia externa, basada en la proximidad fónica de las palabras, aunque el contenido semántico de las voces no las equipare; *estimada* - **extremada*,[79] **justicia* - *injuria*,[80] **hablando* - *razonando, quedado* - **quitado*,[81] etc. En algunos textos, las formas léxicas actúan como eufemismos para evitar el insulto procaz: *moros perros* - *caballeros, traidor de moro* - *cuitado moro*.[82]

8. Causas que condicionan la transmisión del vocabulario

La enumeración de todas estas circunstancias, por enojosa que pueda resultar —y no se me oculta— nos permite ver cómo la transmisión del vocabulario está condicionada por hechos muy diversos, pero —con ellos— las palabras van perdiendo sus valores inequívocos y entran en un terreno deslizante en el que los contenidos se van amortiguando hasta casi desaparecer; queda entonces un cascarón vacío que puede rellenarse con va-

77. Ejemplos tomados de las pp. 86, 109, 125, 160 y 180 de la *Ant. lír.*, VIII.
78. *Ant. lír.*, VIII, pp. 82, 91, 109 y 105.
79. Señalo con * las palabras que mejor convienen en los contextos.
80. Cf. *ninguna* - *ni injuria* en la p. 347 del volumen al que me vengo refiriendo.
81. *Ant. lír.*, VIII, pp. 86, 109, 142 y 148.
82. Ibídem, pp. 221 y 454.

lores no siempre precisos y, por otra parte, el sentido del contexto puede llevar a la distorsión de los significantes, que vienen a ser conjuntos de sonidos, divorciados —ya— de cualquier forma inequívoca. En el primer caso podemos incluir las sustituciones de *venidos* o *pasados* por *llegados*,[83] las de *queráis* por *cumple*; *haya de, han de*.[84] En cuanto a la segunda de las posibilidades que anoto, hay que considerar los numerosos yerros de transmisión, producidos por falsa interpretación de lo que se oye o se lee. Cuando la confusión se da entre palabras fonéticamente muy próximas, parece aceptable creer que alguien copió el romance de oídas, transcribiendo mal. En el *Canc. rom.*, s. a., hay numerosos testimonios de este tipo: *tierras* por *tiendas*,[85] *ya mudar no se podía* por *menearse*,[86] *caça* por *zaga* o *casa*,[87] *pasad* por *posad*,[88] *que te fuere* por *eres* o *te es*,[89] *espadas* por *espaldas*,[90] *robaban el campo* por *roban el ganado*,[91] *compañía* por *compaña*,[92] etc.[93] Cierto que no son yerros únicamente del *Canc. rom.*, s. a., pero en él constan con numerosa frecuencia, superior —según mis cotejos— a los otros romanceros. Desde estas confusiones ya no es difícil llegar al puro galimatías: *dromedal* por *tremedal*,[94] *destigallo* por *castigallo*,[95] *la moneda*

83. *Ant. lír.*, VIII, p. 171. En otra ocasión, *llegaba* equivale a *(se) viene* (ib., p. 329).
84. Ibídem, pp. 316 y 457.
85. *Ant. lír.*, VIII, p. 87. En la 160, es Timoneda quien se equivoca y el *Canc.*, s. a., reproduce bien.
86. Ibídem, p. 37. Al *Canc. rom.*, s. a., siguen otros varios textos viejos.
87. Ibídem, p. 340, rectifico la lectura de *Ant. lír.*, según la p. 16 *r* del *Canc. rom.*, s. a.
88. Ibídem, p. 340.
89. Ibídem, p. 159.
90. Ibídem, p. 163.
91. Ibídem, p. 180. Se habla de correr tierras - robar ganado (según la lectura de la *Silva*) - forzar mujeres - comer la cebada sin pagarla - hacer otras desvergüenzas.
92. Ibídem, p. 183.
93. En otros textos: *suyas* por *sucias* en la *Flor de enamorados* (*Ant. lír.*, VIII, p. 125), *afinado* por *afilado* en la *Silva* (ib., p. 126), *dáñelo* por *dámelo* en el *Canc. rom.* de 1550 (ib., p. 130), *vida* por *viuda* en un romance del *Canc. de Estúñiga* (ib., p. 216), *disparate* por *desbarate* en la *Floresta* (ib., p. 339), *vano* por *vago* en el *Canc. rom.* 1550 (ib., p. 270), etc.
94. La primera forma en el *Canc. rom.*, s. a.; la segunda en Timoneda (*Ant. lír.*, VIII, p. 89).
95. *Canc. rom.*, s. a. *(destigallo)* y otras edic. de la compilación *(castigallo)*, ibídem, p. 137.

por *almoneda,*[96] *deseximiento* por *desafiamiento,*[97] *sin pare* por *sin paz,*[98] etc.

9. Paralelismo con la tradición viva

No deja de ser curioso que deturpaciones semejantes a las que ahora comento, o voy a aducir, se dan también —y a veces en las mismas palabras— en la tradición oral de hoy. El romance *En sancta Gadea de Burgos* dice en uno de sus versos finales: «todos llevan lanza en puño / y el hierro *acicalado*», según la lectura de la *Silva* de 1550 (p. 155) y de Timoneda (p. XXXIV *r*),[99] mientras que el *Canc. rom.*, s. a., transcribe *acecalado* (p. 154 *v*); en un romance judeo-español, de Marruecos, se lee «espada *acercalada*».[100] En dos ocasiones —frente a la correcta transmisión del *Canc. rom.*, s. a., y de un pliego suelto— encuentro fundidas las palabras *antigua* y *edad* en *antigüedade(s)*, según se lee en la *Silva*, en la *Floresta* o en una *Glosa* de Francisco de Lora.[101] Del mismo modo, en la literatura sefardí, la historia de la linda Melisenda hace decir a los versos a Clara Niña, «moza era y de *antigüedade*», según una variante tetuaní.[102] Sin salir del mundo judeo-español y como ilustración a varias cuestiones de las que acabo de tratar, podríamos recordar las falsas interpretaciones que, han experimentado las viejas palabras españolas al pasar —durante siglos— de unos labios a otros. Baste repasar el vocabulario de la *Poesía tradicional* recién citada para encontrar *anjilas* 'aljibes', *argeñado* 'alheñado', *asobarcado* 'su-

96. *Canc. rom.*, s. a. y *Silva*-Timoneda, respectivamente (ib., p. 287).
97. *Canc. rom.*, s. a. y *Silva* (ib., p. 333).
98. *Canc. rom.*, s. a. y *Silva* (ib., p. 359). Acaso la forma del *Canc.* sea una simple errata tipográfica, pues la *-e* podría ser paragógica, según es frecuente en muchos textos de esa colección.
99. Claro que en otros romances también se dan motivos semejantes a éstos: *el orfil* por *alférez* en Timoneda (*Ant. lír.*, VIII, p. 216), *una gata* por *una jara* en la *Floresta* (ib., p. 168), *el arena* por *Llerena* en la *Silva* (ib., p. 187).
100. Vid. *Poesía tradicional de los judíos españoles*, México, 1966, p. 9 (en otra variante, *asercalada*, p. 8). La voz reaparece —ahora vale como testimonio del vaciamiento significativo de que he hablado antes— en la p. 11, núm. 10, de la misma obra.
101. *Ant. lír.*, VIII, pp. 361 y 463.
102. A. de Larrea, *Romances de Tetuán*, I, Madrid, 1952, p. 116.

bido en una barca', *barbel* 'carnero (< vervex)', *coronal* 'carnal', *chinela* 'cibera', *descaviñado* 'desaliñado', *afletado* 'hinchado (afectado)', *ginquilí* 'ajonjolí', *jaraba* 'jaral', *malaña* 'malhaya', etcétera.

10-12. Repercusión de las sustituciones léxicas

10.1. El romance *Preso está Fernán González* en algunas versiones —como la *Silva* de 1550— tiene unos cuantos versos en *-á* incrustados entre dos tiradas en *-áo*. Timoneda —por su parte— ha reestructurado todas estas rimas de apariencia anómala y su versión —sea tradicional, sea por él reconstruida— ha tenido que afectar a numerosos elementos léxicos: *visitar - hablallo, voluntad - buen grado, preso está - aprisionado, quitádole han - le han quitado, le fue a hablar - le ha hablado, echado estar - estar echado.*[103] En el *Romance de Rico Franco* [104] hay que pensar en la mala transmisión del texto por la falta de respeto a la rima: todo el texto es asonante en *-é*, salvo un verso («y así facian tres *reyes*») cuyo final deberá leerse *res*, como se documenta en lo antiguo;[105] si mala es la actualización *reyes*, peor me parece decir *reyes tres*, como hace el *Canc. rom.* 1550, con una fórmula contraria a la sintaxis del español y, por supuesto, a la espontaneidad de la tradición.

10.2. En otros casos, es el p a r a l e l i s m o lo que resulta afectado por las sustituciones léxicas. En el *Romance de Diego Ordóñez* un pliego suelto lee *lo mismo haría* donde la *Silva* de 1550 imprimió *matarían*; en efecto, el texto es correcto en la versión zaragozana por cuanto mantiene el paralelismo que —de una u otra forma— se ha establecido.[106] Del mismo modo, en el romance *Muchas veces oí decir*, me parece preferible leer, como hacen varias impresiones, «a mí quemaba las barbas, / y a vos

103. *Ant. lír.*, VIII, p. 108. Esa alternancia de rimas se respeta —sin embargo— en los piegos sueltos del siglo XVI que imprimen el *Romance de la reina Elena* (ib., p. 268).
104. Ibídem, p. 277.
105. Cf. *Auto Reyes Magos*, v. 134 *(rees)*, *Disputa del alma y el cuerpo*, v. 30 («los quendes ie los *res*»).
106. *Ant. lír.*, VIII, p. 142.

quemaba el brial», que no romper el paralelismo para introducir el retórico y poco popular *y a vos, señora,* según se imprime en la *Silva* de 1550.[107] Por eso creo que es más auténtica la versión del *Canc. rom.* (1550) que todas las demás, porque en el romance *Buen conde Fernán González* tiene paralelismo donde en los demás falta.[108]

11. Todos estos testimonios que voy aduciendo afectan a la ordenación sintagmática de los elementos. Por eso, y a causa de la propia condición del poema (argumento, motivos que en él figuran, etc.), las exigencias de la rima, la naturaleza del léxico, etc., la perturbación de uno de tales elementos produce modificaciones en cadena de alguno o algunos de los demás: «el uno era *tio mio* / el otro *mi primo hermano*»;[109] al sustituir *tio mio* por *mi primo,* según hace la *Silva* de 1550, el *primo hermano* queda reducido a *hermano,* para evitar la repetición de *primo.*[110] De la misma manera, en *Ya se salía el rey moro,* el texto del *Canc. rom.*, s. a., dice «Yo te la daré, *buen rey* [...] Diésesmela tú, el *morico*»; al cambiar Timoneda el primero de estos sintagmas (por *señor*), tiene disponible el sustantivo *rey,* que lo utiliza en vez de *morico* («Yo te la daré, *señor* [...] Muéstramela, dijo el *rey*»).[111] En otro romance, el *Cancionero de Medina* (1570) emplea en rima las voces *salido, atrevido, metido, abatido,*[112] pero Timoneda cambia —sin mucha lógica— la segunda palabra por *metido* y, entonces, sustituye la tercera por *rendido,* acaso motivada por el término que figura en último lugar.[113] Válganos

107. Ibídem, p. 288.
108. *Ant. lír.*, VIII, p. 107, nota número 2.
109. *Ant. lír.*, VIII, p. 213.
110. No trato sino de ejemplificar, pero no pretendo decir que —en este caso— la versión de Argote sea la mejor. Podríamos mudar las tornas y el testimonio de la sustitución sería igualmente válido. Los versos que he citado en el texto vuelven a encontrarse en la *Farsa del obispo D. Gonzalo* de don Francisco de la Cueva (R. Menéndez Pidal, *Poesía popular y romancero,* en «Revista de Filología Española», II, 1915, p. 132).
111. *Ant. lír.*, VIII, p. 221.
112. Ibídem, p. 231.
113. De manera concorde con ésta, si se suprimen unos versos, los que continúan deben obviar la falta. Así, en el romance de Eneas y Dido, Timoneda prescinde de tres versos (*¡Oh reina Pantasilea,* etc.) en los que se hace alusión a los muertos en la guerra. Entonces, el impresor da continuidad a la narración cambiando el «que los muertos sobre Troya — rescatar no se podían» por «Que la pérdida de Troya, etc.». Unos versos antes (*¡Oh reina, cuán mejor fuera!*) hay un testimonio válido para lo que apunto en el texto.

un último ejemplo: en *Mi padre era de Ronda,* la *Silva* de 1550 lee, con otras ediciones:

Siete días con sus noches — anduve en almoneda:
no hubo moro ni mora — *que por mí diese moneda,*
si no fuera un moro perro — que por mí cien doblas diera
(*Ant. lír.*, VIII, 287).

En el *Canc. rom.*, s. a., según he dicho, *almoneda* ha sido cambiada —posiblemente error material—[114] por *moneda,* pero algo extraño se debió de percibir en la proximidad fónica de estas palabras, cuando Timoneda imprimió *que por mí una blanca diera* en el hemistiquio que señalo entre asteriscos; entonces —para evitar los *diera* como rima de dos versos consecutivos— trocó el tercero en *que cien doblas ofreciera.*

12. En otros casos —y como consecuencia de haberse modificado algunos versos— vendrían a encontrarse unidos elementos léxicos que poseemos aislados. Para evitar este encuentro, se han eliminado fragmentos enteros del romance. Tal ocurre con la siguiente tirada:[115]

¿Qué es de ti, mi nuevo amor, — *qués de ti, triste hija mía?
que en verdad hija tú tienes,* — Estrella, por nombradía.

En otro pliego suelto, distinto del que se toma como base, al iniciarse la tirada con un *¿Qué es de ti, mi triste hija?*, se eliminan los dos hemistiquios comprendidos entre asteriscos. No de otra manera a lo que ocurre en el romance *Lunes se decía, lunes,* donde el *Cancionero llamado flor de enamorados* lee

— Confesar me dejes, duque, — y mi alma ordenaría.
— Confesáos con Dios, duquesa, — con Dios y Santa María.

que Timoneda transcribe «Confesar me dexeys, duque, — con Dios y santa María» (p. LXXVII *v*), haciendo inútiles un hemistiquio de cada uno de los versos transcritos.

114. Digo esto porque en la rima siguiente se repite *moneda.*
115. *Del rey don Juan, que perdió Navarra* (*Ant. lír.*, VIII, p. 245).

13. Unos ejemplos sintácticos

13.1. El sintagma artículo + posesivo + sustantivo es sentido como arcaísmo en ciertos textos,[116] de ahí la eliminación del artículo o del posesivo en algunos romanceros, sin que haya correspondencia con lo que otras veces hemos considerado. Como tantas veces, el *Cancionero de romances,* s. a., es el más arcaizante de todos nuestros repertorios: imprime *al tu precioso Hijo, las mis barbas, la su mano,* donde la *Silva,* la *Floresta* o el *Cancionero* de 1550 prescinden del posesivo.[117] La fórmula posesivo + sustantivo aparece en Timoneda, que moderniza el *de los sus ojos,* tan frecuente en las gestas.[118]

13.2. Paralelas a las anteriores son las construcciones *una su tía* o *un tal hermano* del *Canc. rom.,* s. a.,[119] en las que *un* y *su / tal* funcionan de manera semejante a *el* + posesivo.

13.3. En algún texto, Timoneda presenta arcaísmo frente a un códice del siglo XVI en el empleo antepuesto de los pronombres átonos: *me dieses, le respondió, les soltaba* por *diésedesme, respondiérale, soltádosele ha,*[120] mientras que —en estos casos— la *Silva* de 1550 sigue criterio distinto *llévanle, cuĕstasme, vínome* en vez de *le van a presentar, me cuestas, me vino.*[121] En la construcción de infinitivo y pronombre átono, el *Canc. rom.,* s. a., se inclina por el arcaísmo *(me cortare).*[122]

13.4. En otros giros —sea por falta de ejemplos o por no disponer de distribuciones que puedan cotejarse— no puedo ni siquiera anotar ciertas tendencias. Tal es el caso de las construc-

116. Cf. *Cid,* I, pp. 302-303. Para la cronología del uso a lo largo del s. XVI, vid. H. Keniston, *The Syntax of Castilian Prose,* Chicago, 1937, p. 246, § 19.33.
117. *Ant. lír.,* VIII, pp. 351, 358 y 375. En un códice del siglo XVI, hay *la lanza* en un pasaje donde Timoneda copia *la su lanza* (ib., p. 124).
118. Ibídem, p. 279.
119. Frente a *una señora y vuestro hermano* de Timoneda (ib., p. 183). Cf. Keniston, *op. cit.,* p. 262, § 20.496.
120. *Ant. lír.,* VIII, pp. 225-226.
121. Ibídem, pp. 240, 249, 251.
122. La *Silva,* simplemente, *cortar* (ib., p. 358). En algún pliego suelto hay *me echar* y *querádesme* frente a idéntica alternancia, *echarme, me queráis* (*Ant. lír.,* IX, pp. 51 y 55).

ciones de tipo absoluto,[123] de otras temporales con variedad de matices,[124] en el empleo de los infinitivos sustantivados o no,[125] etcétera.

14. Modificaciones en cadena: testimonios actuales

14.0. La geografía folklórica actual nos permite estudiar —con una abundancia de materiales, con una exactitud en la distribución de las variantes— muchos de los problemas que han sido tratados en líneas anteriores. Quisiera fijarme en un par de ejemplos: uno de adaptación de un término nuevo motivado por similitud externa; otro a un condicionamiento en cadena, producido al sustituir un elemento léxico por otro.

14.1. El romance de *La boda estorbada* o *La Condesita* debió de nacer entre los siglos XV y XVI en la zona vecina al mar Mediterráneo;[126] allí el nombre del protagonista era, principalmente, «conde Alzón», pero la pronunciación meridional (seseo, pérdida de *-n* final) convirtió *Alzón* en *Alsó*. En este momento actuó la etimología popular y la palabra se convirtió en *el só*. Y ya, para siempre, el asignificativo *Alzón* se convirtió en el brillante y evocador *conde Sol*.

14.2. Por lo que respecta al segundo caso, voy a aducir —también— un ejemplo de Menéndez Pidal. Cuando Gerineldo es sorprendido por el rey, quiere aplacar con una disculpa de fidelidad las justas quejas del afrentado monarca. Así, en versiones asturianas aparecen versos como «vengo de cortar las rosas / y de *rondar* el castillo». Oído este verso por los gallegos, y por culpa de la equivalencia fonética entre el castellano *ronda* y el gallego *rola*, el término *ronda* fue sustituido por *rola* 'tórtola', con lo que el romance tuvo que ser modificado para que cobrara sentido ese nuevo término que se había incrustado:

123. *Pasada la media noche* frente a *desde rato que llegó, el conde salido* frente a *fuera salieron, la batalla ya pasada* frente a *después de aquesta batalla* (ib., pp. 108 y 281).

124. *Que hubo yantado* y *de haber yantado* (ib., p. 125), *allegando Montesinos* y *llegó en esto M.* (p. 413).

125. *Después querer pagallo* contra *no nos la quiera pagar* (ib., p. 180), *con el abajarse* contra *se abajaba* (ib., p. 185), *vio estar* contra *vido que sale* (ib., p. 392).

126. R. Menéndez Pidal, *Sobre geografía folklórica. Ensayo de un método*, en «Revista de Filología Española», VII, 1920, pp. 229-338.

—Veño de velar a *rola* — do outru lado do rio.
—Buena *rola,* Xirineldo, — buena *rola* t'has cogido.

y de ahí se explican fácilmente otras variantes portuguesas, como la de San Miguel, Azores («venho de caçar a *rõla* — da outra banda do río»), o ésta más complicada:

—D'onde vens, oh Gerinaldo, — venho de caça perdido,
So achei una garça — dentro d'aquelle Castillo.
—Essa garça, Gerinaldo, — foi creada no meu trigo.

En otra nueva migración, el romance vuelve a España y una nueva traducción aparta totalmente las versiones de Burgos y Nocedo del antiguo espíritu:

—Vengo de correr la garza — de la orillita del río.
—Esa garza, Gerineldo, — más acá la habrás cogido.

Ya no importa la antigua justificación de fidelidad al rey y el cuidado de su fortaleza; ahora la justificación se ha trivializado. Sin el conocimiento de los hechos lingüísticos difícilmente podríamos interpretar la naturaleza del cambio folklórico.

15-19. Conclusiones

15. Al llegar a esta terminación, tras un caminar que —ciertamente— no ha sido fácil ni cómodo, se nos plantea la cuestión de intentar obtener las conclusiones que hayan justificado nuestro trabajo. A mi modo de ver, se nos imponen dos órdenes de hechos: de una parte, la transmisión textual y, gracias a ella, la caracterización de los romanceros antiguos y, de otra, el posible paralelismo entre lo que sabemos de la tradición vieja y las ejemplificaciones modernas. Me parece innecesario decir que la segunda conclusión queda claramente vinculada a las enseñanzas que se desprenden de la primera.

Con su incalculable valor, el testimonio de los impresores del siglo XVI es muy limitado para el logro de unos resultados inequívocos, al menos en la tarea que nos hemos impuesto. Porque no podemos conocer la procedencia de cada texto, ni los caminos de su transmisión. Todo ello dificulta nuestro quehacer. Sin embargo, y a pesar de toda la cautela con que ensordinemos nuestras afirmaciones, creo que alguna luz podemos proyectar después de los cotejos que hemos llevado a cabo. Los cancioneros de romances se formaron —ya se ha dicho— por aluvión —pliegos impresos con anterioridad, cuadernos manuscritos, tradición oral y la previsible colaboración de maestros de imprenta y compiladores— y el aluvión pasó a otras nuevas ediciones. Así y todo, algunos aspectos de la transmisión romancesca se pueden ver nítidamente.

16. El carácter de estas compilaciones se percibe en determinados usos lingüísticos. En líneas generales podemos hablar de su carácter a r c a i c o o de su condición i n n o v a d o r a. La eliminación de rasgos fonéticos, sentidos como antiguallas a mitad del siglo XVI, no es siempre perceptible de manera inequívoca: la permanencia de *f-* inicial, que había de persistir tercamente en los *romances en fabla,* no da sino unos resultados confusos y enmarañados (§ 2.1); sin embargo, otros fenómenos nos son de gran utilidad, aunque —rara vez— cada una de las soluciones practicadas sea unívoca. Así, por ejemplo, el mantenimiento de la *-d-* intervocálica en las terminaciones *-ades, -edes* (§ 2.2) es un conservadurismo que practica el *Canc. rom.,* s. a., frente a la *Silva* de 1550, en tanto Timoneda manifiesta un carácter ecléctico. El mismo arcaísmo vuelve a denunciar la compilación de Amberes con su *-rl-* (§ 2.4) en vez de la *-ll-* neologista de la *Silva* o de la *Floresta* de Damián López de Tortajada (Alcalá, 1608), con sus formas de futuro sin soldar (§ 3.2), con sus giros sintácticos (§ 13.1). Tradición septentrional la suya —muy claramente marcada— frente al carácter innovador o ecléctico de otros textos (§§ 4.2 - 4.3). De estos hechos se pueden inferir algunas consecuencias culturales y el paralelismo entre las circunstancias que permiten la transmisión de la tradición vieja y de la nueva (§ 4.3.1).

17. El estudio del vocabulario suscita problemas semejantes a los anteriores: en él se ve con una gran claridad el proceso que ha llevado a prescindir de las cosas que se consideran inope-

rantes ya, pero su eliminación determina una serie de reacciones en el cuerpo del romance a las que hay que atender. El arcaísmo léxico —un eslabón más en esa cadena de antigüedades mantenidas— es abundantísimo en el *Canc. rom.*, s. a. (§§ 5.1 - 5.1.2), mientras que Escobar modernizaba sus textos en mayor medida que el resto de los impresores (§ 5.3); también modernizaba el léxico de *Silva* de Zaragoza (§ 5.3), mientras que Timoneda (§ 5.2) unas veces mantenía el arcaísmo (respeto a los textos que copiaba) [127] y otras aceptaba las innovaciones (escritor que estaba al día).

17.1. Las modificaciones del léxico pueden llevar tanto a incomprensión del vocabulario (§ 8) como a la modificación de los textos. Lógicamente, interesa este segundo aspecto porque permite que nos inclinemos hacia determinadas lecturas según respeten o no ciertas fórmulas tradicionales o las estructuras paralelísticas (§ 10.2). Las modificaciones del texto a que acabo de hacer referencia pueden obligar a la reestructuración de algún verso, con su consiguiente repercusión sobre el poema (§ 11).

18. Estos rasgos de transmisión tradicional que se descubren en los textos antiguos tienen su paralelo en lo que podemos estudiar —bien que con otros recursos— en la situación actual. Del mismo modo que los romances impresos en el siglo XVI podían mostrar una situación lingüística que no correspondía a la realidad de su tiempo, las recolecciones de hoy nos muestran también cómo en los textos romanceriles hay unos fósiles arcaizantes que pugnan con el estado de lengua de nuestra época (§ 4.3.2). Pero desde el momento en que un elemento lingüístico se convierte en arcaísmo, deja de ser comprendido por buena parte de la comunidad, que trata de darle un puesto en el sistema normal. Si lo consigue, ese elemento —adaptado a la nueva realidad— vivirá en el nuevo hueco que se ha labrado y si no, continuará —incomprendido— arrastrado por la fuerza de la inercia, hasta que sea segregado de la memoria de quienes recitan los romances (§ 9). Pero de cualquier modo, el cuerpo del poema no permanece insensible: si se readapta el viejo elemento, tendrá que producirse

127. También mostraba resabios arcaizantes en el empleo de los pronombres átonos antepuestos (§ 13.3).

un proceso de asimilación por parte de la estructura primitiva, y en tal caso lo que era un hecho externo habrá pasado a ser un hecho interno con capacidad para modificar total o parcialmente la estructura del poema. Si esa partícula incomprendida fuera eliminada, el cuerpo vivo del romance necesitará —también— reestructurarse para salvar aquel punto en el que se ha producido una debilidad, y también estaremos ante un hecho externo que —desde su ausencia— repercute sobre el texto (§§ 14.0 - 14.2).

19. Paralelismo entre los resultados que hemos inferido al cotejar las variantes de los romanceros viejos y la situación de la tradición actual. Paralelismo que acertamos a ver en esos datos inmediatos que poseemos, que hay que intuir en cuanto queda perdido en el tiempo. La tradición de hoy permite unos análisis mucho más ricos y variados. No en vano podemos disponer de cientos de variantes, de su distribución geográfica, de su cuidadosa recolección. Pero es una tradición muchas veces empobrecida. Lo que nos hace volver los ojos a lo que, con mayor o menor acierto, recogieron aquellos impresores que elaboraron el punto de partida de nuestro quehacer investigador. Del mismo modo que —al coleccionar hoy nuestros textos— estamos convirtiéndolos en el comienzo de unos futuros estudios de tradicionalidad, si es que los romances viven dentro de otros cuatrocientos o quinientos años. Tradición vieja de la que nosotros nos servimos, tradición actual de la que se servirán nuestros herederos. Vida de una poesía que aún tiene capacidad para hacernos sentir su belleza.

ROMANCES EN PLIEGOS DE CORDEL (SIGLO XVIII)

1. PRESENTACIÓN

1.0. Al publicar los *Villancicos dieciochescos* de una colección malagueña,[1] tuve ocasión de hablar de otra romancesca. Creo oportuno ocuparme de ella para ver no sólo un aspecto cultural de la ciudad en el siglo XVIII, sino para ilustrar un aspecto muy poco conocido de nuestra literatura general. Desde hace algunos años poseemos un libro de Caro Baroja dedicado a la literatura de cordel;[2] obra fundamental en la que se hermanan el muchísimo saber con la agudeza de interpretación. Pero este hecho, lejos de hacernos descansar, obliga a penetrar en todos los recovecos que una obra de conjunto no puede sino plantear. En el Archivo Municipal de Málaga hay una colección facticia en dos gruesos volúmenes que aún puede ofrecernos numerosos motivos de consideración. A ella voy a dedicar las páginas que siguen.

1.1. Con signatura 1789-7 y 8 están catalogados, con encuadernación del siglo XIX, un conjunto de pliegos sueltos (en el tejuelo pone «Colección de romances»), en su mayor parte de romances, aunque hay alguna hoja de seguidillas, no muy frecuentes en verdad, y otras —más raras todavía— en metros distintos. En total, son 263 textos, impresos en Málaga 107 de ellos;

1. Delegación de Cultura. Excmo. Ayuntamiento de Málaga, 1973, p. 9, § 1.1.

2. *Ensayo sobre la literatura de cordel*, Madrid, 1969. En esta obra, p. 30, CARO BAROJA se muestra generosísimo del más trivial de los servicios recibidos: no de todos los linajes se puede decir lo mismo. El gran etnólogo ha publicado una antología, *Romances de ciego*, Madrid, 1966.

en Córdoba, 70; en Valencia, 12 y sin lugar, 74.[3] Los malagueños —sin excepción— salieron de los tórculos de don Félix de Casas y Martínez,[4] que tenían oficina frente al Santo Cristo de la Salud, en la plaza principal de la ciudad, donde trabajó desde 1781 a 1805.[5] Según el padre Llordén, máxima autoridad en cuestiones tipográficas malagueñas, el número de sus ediciones sobrepasa las setenta «y en pocos años nos dejó, como fruto de su actividad, impresiones de gran valor». Teniendo en cuenta sus impresiones de pliegos, hay que aumentar mucho los informes de mi sabio amigo, aunque el carácter ocasional de estas hojas volanderas no sea de importancia material tan grande como obras de mayor empeño. Sin embargo, confío hacer ver cómo pliegos de poco valor lo tienen enorme para la historia literaria, para la cultural y para la sociológica.

1.2. Los pliegos debieron ser recogidos antes de que los poseyera [6] don Jerónimo Fuenmayor y La Fuente. Pero en unas notas manuscritas que figuran al final del primer tomo, consta que el volumen le perteneció, y después pasó a poder de don Estanislao Lossa Fuenmayor, que vivía en Sevilla, calle de Cervantes, número 4. Otra letra hizo una acotación llena de perspicacia: «Sevilla 26 de Diciembre de 1870: segundo día de Pascua de Navidad: : : mañana tercero de Pascua

> Esta noche es noche buena, y mañana Cañamones a parido la Estanquera un celemín de ratones...

Joven Castro de Villanueva del Ariscal.» Al parecer, don Estanislao Lossa es el amanuense de una línea inclinada en la que

3. Cf. A. Rodríguez-Moñino, *Historia de los catálogos de librería españoles (1661-1840). Estudio bibliográfico.* Madrid, 1966. Don Luis de Ramos, el impresor cordobés de nuestros volúmenes, tenía unos 300 romances y relaciones, según el inventario del erudito investigador.

4. No nos extrañe: la diligencia de Francisco Aguilar sólo ha encontrado dos pliegos impresos en Málaga por cada uno de los maestros Vázquez Piédrola y Martínez de Aguilar, frente a 161 de Casas.

5. Cf. P. Andrés Llordén, *Impresores malagueños (siglos XVII y XVIII)*, «Jábega», núm. 3, septiembre 1973, p. 43. En efecto, algunos de nuestros pliegos están fechados: post 1782 (II, 297), 1787 (II, 140) y 1789 (I, 1; I, 204; II, 286 *v*). En mi referencia, el número romano indica tomo y el arábigo página manuscrita, según letra antigua.

6. Cf. § 9.1.

se lee «mucho vino y poco pan» y de otras que, en la página siguiente, acreditan también su agudeza: «Sevilla 28 de Diciembre de 1873. E. Lossa. Ayer fueron los Santos Inocentes.»[7]

La procedencia sevillana de la colección nos explica el origen malagueño y cordobés de los textos, aunque nos deja sin aclarar el porqué de la preferencia.[8]

Por último, una misma mano ha puesto —no sin equivocarse a veces— numeración correlativa en el ángulo superior derecho de las páginas impares. A ella me referiré para indicar los textos.

Don Antonio Mateos, conocido librero-anticuario de Málaga, adquirió la colección en una librería sevillana. De él pasó al Ayuntamiento de la ciudad.

2-3. Localismo y difusión nacional

2.0. Del mismo modo que dije al estudiar los *Villancicos*, el interés de una colección como ésta rebasa con mucho el significado local, aunque de él tengamos que partir. Porque el ser malagueños o cordobeses los pliegos nos dice —sí— la importancia que tales impresiones tuvieron en Andalucía, lo que ya es mucho, pero ello no es sino testimonio aislado de algo mucho más general: la difusión de una literatura y un arte muy populares.[9] Basten unos cuantos ejemplos de carácter diverso.[10]

2.1. Don Manuel Sancha de Velasco es autor de un *romance nuevo* «en que se expone al público un monstruo de naturaleza

7. En una hoja de guarda, al final del t. I, se lee a lápiz: «los 2 tomos 15».

8. Es una muestra más del andalucismo de esta literatura de cordel como han visto claramente los investigadores a quienes voy a aducir inmediatamente (cf. J. Caro Baroja, *Ensayo sobre la literatura de cordel*, Madrid, 1969, p. 102; Francisco Aguilar, *Romancero popular del siglo XVIII*, Madrid, 1972, p. XIII).

9. Francisco Aguilar, en su exhaustiva recopilación, ha hecho ver la importancia de las prensas andaluzas para la difusión de este romancero. Tiene razón al negar que, en el siglo XVIII, los romances hubieran muerto (*op. cit.*, p. XI).

10. En la obra de Aguilar recién aducida, cada papeleta bibliográfica va acompañada de cuantas referencias útiles se necesitan (descripción minuciosísima del pliego, grabado, localización, etc.); de este modo se pueden comprobar sin mucho esfuerzo los lugares donde se imprimió cada romance. El valor singularísimo de la obra que comento hace inútiles las informaciones de Durán en el t. II de su *Romancero*.

triforme», que apareció en Monte Doresta (Jerusalén) en noviembre de 1788. Casi toda la primera página de este pliego la ocupa un grabado muy idóneo: rampando sobre una calavera, hay un monstruo cuadrúpedo con garras, rostro barbado de hombre cornudo, cuerpo cubierto de escamas, lomo alado, cola en arpón y ubres en forma de caramillo. La preciosidad fue impresa por don Luis de Ramos y Coria, en la ciudad de Córdoba. Lo notable es que una xilografía bien semejante a ésta es la que se conserva en la Biblioteca de Cataluña (Barcelona) como *La fiera malvada,*[11] impresa en Reus en el siglo XIX.

2.1.1. En la colección malagueña están las dos partes del *Romance de don Claudio y doña Margarita* (I, 4) que imprimió Agustín Laborda en la Bolsería de Valencia. Cada una de estas partes va encabezada por el mismo grabado: en un abrupto paisaje, la dama afligida tiene un hijo a sus pies, mientras una osa, bastante convencional, se lleva al niño que iba a criar. Más tosco todavía es el dibujo que Trullás imprimió en Manresa en el siglo pasado y con idéntico argumento.[12] Don Félix de Casas publicó el romance en Málaga (I, 385), repitiendo el texto; no las xilografías, aunque de los tacos que emplea sólo uno se labró especialmente para el texto.

2.1.2. Indudable parentesco tienen el violinista dieciochesco de Casas (I, 399) y el que en el siglo XIX utilizaba —a pesar de lo anacrónico del traje— el impresor José Rubió de Barcelona [13] o, más que otros afines, el tañedor de las *Glosas* malagueñas y su acompañante la dama de las flores (II, 254) con las figuras del mismo José Rubió.[14]

2.2. Tenemos aquí algunos testimonios de la repetición de un arte popular que anquilosa su iconografía y la va repitiendo en épocas y, por supuesto, en ciudades distintas. Pero no creamos

11. Número 191 de la obra *Grabados populares españoles,* de AGUSTÍ DURÁN SANPERE. Barcelona, 1972.
12. DURÁN SANPERE, *op. cit.*, fig. 102.
13. Ibídem, fig. 103.
14. La utilización del mismo taco en romances distintos me hace pensar en que algunos pliegos sin lugar de impresión sean de la misma oficina de otros documentados. De ello trataré ocasionalmente luego.

que éste es pecado del siglo XVIII o del XIX; venía, si pecado puede llamarse, de mucho más lejos: los tacos utilizados con fines diversos se pueden ver —entre otros muchos testimonios— en el *Romancero historiado* de Lucas Rodríguez (Alcalá, 1582) [15] o en los pliegos sueltos de Castañeda y Huarte,[16] y resulta notable ver cuán cerca están los dos caballeros que tornean en los textos de Lucas Rodríguez (pp. 120, 126, 135) y, sin venir a cuento, en *Los bandidos de Toledo* (II, 173, 175 y, repetido, 219, 220) o la casita de *Las coplas de unos disparates* [17] con la de *Los amorosos lances y trágicos sucesos de doña Paula Félix* (II, 307). Sería fácil aducir muchísimos testimonios en los que si evoluciona algo es el atuendo, no la disposición o forma de los personajes: adaptación y pervivencia en una determinada época de grabados cuya vida se prolonga según usos tradicionales. A esto tendremos que volver, pero hagamos unas consideraciones de carácter literario.

2.3. Al hablar de las xilografías hemos visto cómo hay motivos escritos que se repiten: en Andalucía y Cataluña existen *fieras malvadas* y *don Claudio y doña Margarita*. Bástennos estos motivos aducidos con otros fines, pero que ahora nos evitan nuevas repeticiones. Volviendo los ojos a la colección malagueña podemos ver cómo las dos partes *Del cautivo del Puerto de Santa María* (II, 128), impresas en Málaga, constan también sin lugar (I, 112),[18] lo mismo que ocurre con los *Romances de Jacinto Rovira* (II, 154 y 184, respectivamente);[19] que la relación de la

15. Vid. edición de ANTONIO RODRÍGUEZ-MOÑINO, Madrid, 1967. Basta con repasar las xilografías intercaladas en el texto.

16. *Colección de pliegos sueltos, agora de nuevo sacados, recogidos y anotados*, por VICENTE CASTAÑEDA y AMALIO HUARTE, Madrid, 1933.

17. CASTAÑEDA-HUARTE, II, p. 21.

18. Creo que debe de ser impresión malagueña porque utiliza la misma greca que en II, 186. Vid. nota siguiente.

19. Repiten la misma xilografía, muy específica, por lo que me inclino a creer que son dos ediciones distintas de don Félix de Casas. Estas razones —empleo del mismo taco— me hacen considerar como malagueños los pliegos que empiezan en II, 248 (cf. II, 75 y 77) y II, 176 (cf. II, 110 y II, 276). La primera parte de *Los amorosos sucesos y trágica historia de don Diego de Peñalosa y doña María Leonarda* (II, 162) tiene dos viñetas muy desiguales de valor, pero unidas por el argumento; en la segunda parte del texto, consta la referencia a la tipografía malagueña. En II, 180 y II, 182, figuran las dos partes del mismo romance, pero sin lugar de impresión. Creo que es Málaga —obviando otras razones— porque figura, en cada una de las partes, uno de los tacos de la impresión localizada.

Sibila del Oriente y gran reina de Saba (I, 45), impresa en Málaga dos veces cuando menos (I, 45, y II, 174), se editó con gran ampulosidad en Córdoba (II, 152); que *La gitana de Menfis* vio la luz en Málaga (II, 116) y Córdoba (II, 178), lo mismo que *El animal de Hungría* (II, 258 y 333) o *Los desagravios de Cristo* (II, 366 y 374).[20]

2.4. Por último, no son muchos los autores identificados por los propios romances; sin embargo, la nómina tiene cierta entidad:[21]

Don Domingo Máximo Zacarías Abel (I, 54), imprime en Málaga.

Cristóbal Bravo, ciego de Córdoba (II, 61), s. l.

Maestro Manuel Díaz (I, 144), en Málaga.

Josef Francisco (II, 163 *v*), en Málaga.

Pedro Navarro (I, 69 *v*), en Málaga.

Don Agustín Nieto, en Córdoba (I, 95, 166, 407; II, 331, 347, 402).

Lucas del Olmo Alfonso, natural de Jerez de la Frontera, en Valencia (I, 425), en Málaga (II, 133 *v*, 171 *v*, 381 *v*), en Córdoba (II, 394) y sin constancia de lugar en I, 8, 233 y II, 335.[22]

Pedro Portillo (I, 384 *v*), en Málaga.

Jerónimo Romero, de Huelva (II, 306 *v*), en Málaga.

Manuel Sancha de Velasco, natural y vecino de Hinojosa del Duque (Córdoba), en Córdoba (I, 1) y en Málaga (II, 140).

Dr. Zavallos, natural de Sevilla, en Valencia (I, 229) y en Málaga (I, 253).[23]

20. La *Bibliografía* de Aguilar permite una rápida ampliación de estos datos. Muy al azar, busco y encuentro romances como el de *Sebastiana del Castillo,* impresos en Valencia, Madrid, Málaga y s. l.; el de *Doña Juana de Acevedo* impreso y reimpreso varias veces en Málaga, Madrid, Córdoba; el de *La más constante mujer*, en Valencia, Córdoba, Málaga y s. l., etc.

21. Los pliegos estudiados por JOSEPH E. GILLET son sevillanos, y salidos de seis oficinas diferentes (*A neglected Chapter in the History of the Spanish Romance*, «Revue Hispanique», LVI, 1922, pp. 436-437). En la bien trabajada bibliografía de Aguilar se pueden identificar todos los nombres que aduzco en el texto (excepto Jerónimo Romero). Como la obra tiene unos magníficos índices, a ellos me remito.

22. Sus romances rebasaron con mucho el ámbito meridional: en 1756, la Inquisición de Valladolid prohibió algunos, según consta en un edicto publicado por MANUEL GARCÍA BLANCO (*Unos romances del siglo XVIII prohibidos por la Inquisición*, «Revista de Filología Española», XXVIII, 1944, p. 467).

23. El texto es el mismo y las viñetas extraordinariamente parecidas.

3. He aquí tres consideraciones —grabados, romances, autores— que muestran bien a las claras cómo una manera de hacer arte popular tiene poco carácter local. Si las xilografías migran de una parte a otra y en la misma ciudad se utilizan para fines distintos, no es menos cierto que los temas literarios también se difunden por una geografía más amplia que la puramente localista o que los autores —de donde sean— tienen proyección en oficinas también diferentes. Las razones de todos estos hechos se apoyan en motivos económicos: los pliegos de caña o de cordel eran un par de hojas impresas sin demasiado primor, en mal papel y, por supuesto, a costo insignificante. El editor no podía hacer filigranas: reducir la inversión para que aquella literatura resultara rentable. Tenía, pues, que utilizar cuanto le llegaba a mano: tacos dispuestos para otros menesteres o, si para éstos, bien poco costosos, literatura tradicional o popular y, si de autores vivos, lo menos cara posible... Como bienes mostrencos se iban repitiendo láminas y textos; a veces se echaba mano a dibujos de calidad, pero eran los que servían para otros fines. Así y todo, había un mutuo condicionamiento entre grabado e impresión: las cuatro páginas no se podían rebasar, y el formato del dibujo se repetía siempre del mismo tamaño para que el texto literario tuviera su adecuada extensión. Si aquél era grande, éste se reducía; si éste resultaba largo, la xilografía podía desaparecer. O se preparaba una *segunda parte,* en la que el dibujo volvía a repetirse, y las cuatro páginas se alargaban hasta ocho.

Literatura a bajo precio y con medios muy pobres para su presentación. Pero, paradójicamente, estos condicionantes vinieron a resultar de singular valor, porque la pobreza obligó a la repetición de motivos artísticos, por cuanto un artesano podía preparar nuevos grabados copiando el orden y la distribución de los viejos; por cuanto se repitió lo que ya se tenía impreso, determinando así un estatismo conservador; por cuanto no se buscó la originalidad de un autor, sino que se copió lo ya conocido. La economía determinó la tradicionalidad artística y la pobreza hizo que se mantuvieran unos determinados principios.

Es más, economía y pobreza obligaron a esta literatura a ser, muchas veces, «buena literatura» y no subliteratura, infraliteratura o cualquier otra connotación negativa. Pero de esto habrá mucho que hablar.

4. Persistencia del teatro barroco

4.1. Resulta sorprendente encontrar un riquísimo repertorio de textos cuyo origen es el teatro.[24] Muchas de estas *Relaciones* no son otra cosa que la reducción de una pieza dramática a cuatro u ocho páginas de impresión. Alguna vez, rarísima, aún se mantiene el conato dramatizado, pero lo habitual es que el texto se reduzca a un monólogo para galán o dama, o, lo que resulta más curioso, se vierta en sendas redacciones diferentes según sea el personaje que actúa: así *La gitana de Menfis* puede ser para hombre (II, 116) o para mujer (II, 120) lo mismo que *El mayor monstruo, los celos* (II, 317, y II, 408).

4.2. En algún caso, el propio pliego indica el autor de la obra original, pero lo habitual es silenciarlo. Por supuesto que la identificación no es fácil, y está expuesta a los yerros de identificar comedia con relato, por la sola coincidencia de título. No obstante, he aquí una lista de previsibles autores para los títulos que nos llegan en desamparo;[25] a ella incorporo, señalando con asteriscos, las atribuciones de los pliegos:

Calderón: *La Sibila del Oriente y gran reina de Saba* (I, 45; II, 152), **El purgatorio de San Patricio* (I, 47), *Las manos blancas no ofenden* (I, 130), **El veneno y la triaca* (I, 142), *Los hijos de la Fortuna, Teágenes y Clariquea*[26] (I, 154), **La vida es sueño* (I, 156), auto de *La vacante general* (I, 158), *El rigor de las*

24. Durán excluyó estos pliegos de comedias del índice del t. II de su *Romancero*; a ellos dedicó Joseph E. Gillet el estudio citado en nota 21.

25. Es innecesario decir cuán útil es para efectos de identificación el *Catálogo bibliográfico y biográfico del teatro antiguo español, desde sus orígenes hasta mediados del siglo XVIII*, de Cayetano Alberto de la Barrera, Madrid, 1860.

26. Otra obra de este mismo título se debe a la pluma de Montalbán.

desdichas, atribuida (I, 195), *El mayor monstruo los celos* (II, 317; II, 408).[27]

CORDERO:[28] *El juramento ante Dios* (I, 239), *Victoria por el amor* (I, 241).

SOR JUANA INÉS DE LA CRUZ:[29] **Los empeños de una casa* (II, 311).

CUBILLO DE ARAGÓN:[30] *El conde de Saldaña* (I, 148), **Los desagravios de Cristo* (II, 366; II, 374).[31]

DIAMANTE:[32] *El negro más prodigioso* (I, 237), *Amor es sangre* (II, 97), *La magdalena de Roma, Santa Engracia* (II, 136), *El Cid Campeador*[33] (II, 156), *Esquivez y amor a un tiempo*[34] (II, 114).

ENRÍQUEZ GÓMEZ:[35] *La prudente Abigail* (I, 118; *II, 138).

FIGUEROA Y CÓRDOBA:[36] *Rendirse a la obligación* (I, 124).

LOZANO:[37] *Trabajos de David y finezas de Micol* (I, 128), *El*

27. Sólo *El mayor monstruo* y *El rigor de las desdichas* están en la colección estudiada por Gillet, que tiene otros varios títulos.

28. Jacinto Cordero nació y murió en Lisboa (1606-1646), dedicó a Lope su *Elogio de poetas lusitanos*. La primera de las comedias del texto se imprimió en la *Parte cuarenta y cuatro*, de diversos autores (Zaragoza, 1652); la segunda, en la *Parte sexta* (Zaragoza, 1635-1654), según La Barrera, s. v. *El juramento* está también en los textos leídos por Gillet (núm. 16).

29. Llamada en el pliego «el Fénix de Nueva España».

30. Vid. LA BARRERA, pp. 112*a*-115*b*.

31. Gillet (19 y 20) identificó dos títulos: *La perfecta casada* y *Las venganzas del imperio y desagravios de Cristo*.

32. Fecundo dramaturgo de la segunda mitad del siglo XVII; en 1670 y 1674 publicó dos volúmenes con 24 de sus comedias. Sólo la primera de las que cito consta en el repertorio sevillano de Gillet (núm. 21).

33. Liñán y Hurtado de Velarde escribieron sendas obras sobre el héroe castellano; sin embargo, el pliego está inspirado en *El honrador de su padre*, de DIAMANTE, que procede de *Las mocedades del Cid*, de GUILLÉN DE CASTRO, y de *Le Cid*, de CORNEILLE (la comedia se encuentra en la *Parte once*, Madrid, 1659). En el siglo XVII, se imprimió una comedia de don FERNANDO DE ZÁRATE, que no tiene nada que ver con nuestro pliego, por más que esté inspirada en Rodrigo Díaz: *El noble siempre es valiente o vida y muerte del Cid, y noble Martín Peláez*.

34. Creo que se trata de *Alfeo y Aretusa* de nuestro autor.

35. Todavía es muy útil la información recogida por LA BARRERA, pp. 134*b*-142*a*. En la colección sevillana hay un título de este autor: *Engañar para reinar* (núm. 22).

36. Estos dos hermanos —don Diego y don José— de noble linaje, florecieron en Madrid a mitad del siglo XVII y abundaron sus trabajos en colaboración, o con ayuda de otros escritores (LA BARRERA, pp. 160*a*-161*b*). En Sevilla se hicieron, cuando menos, tres reducciones de la comedia (Gillet, números 17, 18 y 23).

37. El doctor Cristóbal Lozano era de Hellín (c. 1618), fue capellán de Reyes Nuevos en Toledo. En Madrid (1658) publicó *Los monjes de Guadalupe, Soledades de la vida y desengaños del mundo*, donde se incluyen, entre otras, las tres comedias de nuestros pliegos.

estudiante de día y galán de noche (II, 291),[38] *En mujer venganza honrosa* (II, 192).[39]

MATOS FRAGOSO:[40] *El hijo de la piedra* (I, 201).

MIRA DE AMESCUA: *La mesonera del cielo*[41] (I, 70), *La desgraciada belleza*[42] (II, 239).

MONTALBÁN: *Para con todos hermanos, y amantes para nosotros, don Florisel de Niquea* (I, 289), **La más constante mujer* (II, 93), *La gitana de Menfis, Santa María Egipciaca* (II, 116; II, 118; II, 120; II, 232), *Lo que son juicios del cielo* (II, 237).[43]

MONROY:[44] *Ruina y fragmentos de Troya* (II, 122), *Mudanzas de la fortuna* (II, 250).

MORETO: **El desdén con el desdén* (I, 150).[45]

ROJAS ZORRILLA: **Los áspides de Cleopatra* (II, 124; II, 126).[46]

TIRSO DE MOLINA: *Los lagos de San Vicente* (I, 379), *El burlador de Sevilla* (I, 166).

LOPE DE VEGA: *El príncipe de los montes*[47] (I, 251), *El animal de Hungría* (II, 258; II, 333), *El esclavo de su dama, don Félix de Rojas*[48] (II, 380).

ZAMORA:[49] *Destrucción de Tebas* (I, 43).

38. Este título último también se imprimió en Sevilla (Gillet, núm. 27).

39. Gaspar Lozano Montesino aparece como autor de la comedia en uno de los pliegos citados por Aguilar (núm. 1964); en otros es el doctor Cristóbal Lozano. La Barrera da la comedia como de éste.

40. La obra del famoso escritor se imprimió en la *Primera parte* de sus comedias; su título completo es: *El hijo de la piedra y segundo Pío V, San Félix de Cantalicio.*

41. El título consta en la segunda parte de un romance de Pedro Navarro. La obra se ha atribuido también a Zabaleta.

42. Tal vez, aunque está muy desfigurada, pueda ser *La desgraciada Raquel*, de MIRA, conocida también como *La judía de Toledo*, según la atribución a Diamante.

43. Gillet da como suyas cuatro comedias (37-40), de las cuales, dos (nuestras segunda y cuarta) tienen correspondencia con la colección malagueña.

44. Don CRISTÓBAL MONROY Y SILVA nació en Alcalá de Guadaira, de donde era regidor perpetuo (1639). Su *Epítome de la historia de Troya* se publicó en 1641; la *Destrucción de Troya* es una comedia suelta, catalogada por La Barrera (p. 264*a*). En la colección sevillana sólo consta una comedia suya: *El horror de las montañas* (Gillet, núm. 29).

45. Gillet señaló cuatro comedias de Moreto (núms. 30-35), pero no ésta.

46. Dos títulos diferentes, en Gillet (núms. 41 y 42).

47. Es la comedia titulada *Princesa de los montes o los hermanos encontrados. (Satisfacer callando)*, adaptada a monólogo de hombre; por eso el cambio.

48. Aunque los nombres están mudados y la historia pasada a hombre, se trata de *La esclava de su galán.*

49. Vid. LA BARRERA, 502*b*-505*b*.

ZÁRATE:[50] *Las misas de San Vicente* (I, 122; I, 162), *El médico pintor, San Lucas* (I, 193), **El maestro de Alejandro* (II, 99).

4.2.1. De unas cincuenta comedias, sólo dos, si es que lo son, han quedado sin identificar: *Lisardo y Polidora* (I, 263),[51] y *La osadía castigada y el amor agradecido* (II, 349), lo que muestra bien a las claras que los adaptadores seguían de cerca a modelos conocidos no ocultándolos, sino manteniendo los mismos títulos.[52] De este modo había continuidad entre el teatro y los pliegos, por cuanto éstos evocaban comedias conocidas por su éxito en las tablas o por otras impresiones. En el primer caso, la literatura de cordel iba orientada a un público amplio y fácilmente receptor; en el segundo, el éxito de las comedias conocidas favorecía la difusión de las otras. Porque es difícil creer que pudieran dirigirse estos pliegos a gentes que gustaran de la buena literatura o que tuvieran dinero para comprar libros.

4.2.2. Si redujéramos a un índice de frecuencias lo que hemos ordenado alfabéticamente, creo que podríamos obtener una información nada desdeñable; tras el nombre de cada autor figura el número de comedias con que ha contribuido a la colección que estudio:

Calderón, 9; Diamante, 5; Montalbán, 4; Lozano, Lope de Vega y Zárate, 3; Cordero, Cubillo, Mira de Amescua, Monroy y Tirso de Molina, 2; el resto, 1.

Sé las limitaciones de mis materiales y la arbitrariedad que pudo presidir la elección del compilador. Pero no menos cierto me parece que los dos volúmenes del archivo malagueño son de cierta extensión (más de 1 700 páginas) y de gusto muy ecléctico, según puede verse en la selección de motivos que estudiaré más adelante. Pienso que todas estas páginas se acopiaron por aluvión, según iban encontrándose (fuera o no Fuenmayor su

50. Sobre este don Fernando de Zárate y de su existencia real (se le quiso identificar con Enríquez Gómez), vid. LA BARRERA (506*a*-508*a*). Los tres títulos que cito están en las *Comedias escogidas de los más célebres e insignes poetas*, Bruselas, 1704.

51. No figura como comedia en los índices de Aguilar.

52. En I, 59, se imprime la redacción de *La bandolera de Italia*, por «un ingenio de Madrid». La Barrera (530*b*) conoció la obra, pero no identificó el autor.

primer colector) y sin ningún criterio selectivo. Los informes que de ellas podemos recoger son, pues, objetivos en un estudio del tipo como el que llevo a cabo. Y entonces hay que reconocer que —desde nuestra perspectiva histórica— no estaba tan estragado el gusto de los impresores del siglo XVIII por cuanto servía una literatura de la más preciada o, cuando menos, decorosa. Ahora bien, no todo sería virtud de los impresores, sino gusto del «pueblo necio» que aún se identificaba con el teatro de la edad áurea.

4.3. Y esto trae a colación otras ideas. Los pliegos que estudio son posteriores a 1781. El teatro en Málaga había sido prohibido en 1745 y no se restituyó hasta 1768.[53] Nuestra colección es el testimonio, tácito pero elocuente, de una necesidad social. Si he podido mostrar cómo la Iglesia intentó orientar un teatro contra el que había combatido,[54] estos impresores de literatura popular continuaron manteniendo el gusto por unas creaciones que el neoclasicismo no podía sustituir por otras. Y la gran creación barroca siguió viviendo —sin enemigo posible, por cuanto no había teatro— en estos pliegos de finales del siglo XVIII. A vueltas de truculencias, de realismo inmediato y de relatos noticieros, el teatro de la edad de oro volvía a las plazas para ser una llamada heroica, novelesca, exótica o de cualquier otro talante, según fueran los abalorios escogidos. Seguía vivo, transformado ahora, pero calentando aquellos oídos que escuchaban atónitos el relato de un ciego o la lectura de cualquier zagal.

4.4. Resulta, pues, que los pliegos de cordel habían perpetuado un teatro nacional en los momentos de mayor afrancesamiento del país. El pueblo seguía siendo tradicional, conservador, arcaizante. Pero esto que podría motejarse de manera negativa, resultó la salvación de un arte nacional. He aquí cómo la penuria económica de los impresores (repetir o reducir, pero no inventar) fue un cauce de comunicación para dar al pueblo

53. Cf. NARCISO DÍAZ DE ESCOBAR, *El teatro en Málaga*, Málaga, 1896, páginas 57-59.
54. *Villancicos dieciochescos*, ya citados, p. 16.

lo que el pueblo deseaba, y cómo la convergencia de ambas necesidades (la material del editor y la espiritual del pueblo) mantuvo viva la antorcha del nacionalismo.

El teatro suprimido se transformó en pliegos de cordel; se perdió la comunicación a través de las representaciones, pero siguieron los versos sonoros, las peripecias de los argumentos, el eco de algo que llegaba ensordinado. Y todo ello como un testimonio vivo de lo que era ya arcaísmo, igual que las xilografías, igual que otros temas literarios, igual que la vida toda de España.

5-7. Pliegos de cordel y romances antiguos

5.1. La persistencia de romances anteriores al siglo XVIII se acredita en algunos casos. Sin lugar de impresión aparece la *Relación que trata de cómo el Conde Alarcos mató a su mujer, para casarse con la Infanta* (II, 176). Creo que es edición malagueña porque la figura del rey que aparece en la cabecera es la misma que hay en la *Relación hecha por un mozo soltero* (I, 108) y en *La magdalena de Roma* (I, 136) en tanto difiere de otra —muy parecida pero no igual— de los pliegos cordobeses de *El rey Claudio y Teodomiro* (I, 33) y del *Cid Campeador* (I, 156).

5.1.1. El texto que poseemos reproduce con gran fidelidad alguno de los antiguos: tiene el mismo número de versos, mantiene arcaísmos *(vidola, recaudo, mañana aquel día)*, pero creo poder precisar más: hay pasajes (*si la condesa es burlada, asentóse él a comer, que me escriba por traidor, socorred mis escuderos,* etc.) que responden a las redacciones más arcaicas, en pugna con las lecturas posteriores al *Cancionero* de 1571. Como por otra parte hay dos versos —y esto es decisivo— que sólo figuran en la *Floresta de varios romances* de Damián López de Tortajada (1608),[55] creo que habrá que referir el pliego malagueño a esta compilación —muy reimpresa en el siglo XVIII— o a alguna otra sumamente próxima a ella. Anteriormente he ha-

55. Son los que dicen: «que no se los demandé, / ni se lo demandaría» (vid. Menéndez Pelayo, *Antología de líricos*, VIII, p. 326, nota 5).

blado de los problemas de la transmisión textual en los romances antiguos,[56] no se van a zafar de una constante estos pliegos dieciochescos, pero —creo— los elementos agrupadores son muy claros y convincentes.

5.2. Dentro de esta tradición romancesca mantenida —bien que ahora con no poco empobrecimiento— están las *Primera y segunda parte de los romances de Bernardo del Carpio* (I, 293). Durán conoció un pliego del siglo XVIII titulado *Seis romances famosos, de la historia de Bernardo*[57] en el que figuran los textos —también seis— que imprimió don Félix de Casas.[58] Se trata de una serie de romances de finales del siglo XVI, alguno de autor conocido, y cuyos antecedentes podemos fijar así: el pliego malagueño —que no puede ser anterior a 1781, año en que el impresor Casas comienza sus trabajos— procede de otro madrileño al que no hace sino copiar: fue impreso, sin año, por Francisco Sanz y, según se dice en el pliego, estos romances fueron «todos compuestos por Diego Cosío».[59] Pero las cosas son más complicadas: *No os llamo, canalla vil* no ha sido encontrado con anterioridad al pliego madrileño, como tampoco *Hincado está de rodillas*, por tanto pueden atribuirse a Diego Cosío, que los arreglaría, copiaría o escribiría. Siguiendo el orden del pliego, *Las varias flores despoja* es una imitación de los romances moriscos hecha por Gabriel Lobo Laso de la Vega, que la imprimió en su *Romancero y Tragedias*,[60] igual que los empezados *Con crespa y dorada crin*,[61] *Áspero llanto hacía*. Por lo que respecta al último (*Con sólo diez de los suyos*) se imprimió en el *Romancero General*, como dice Durán, pero es anterior: consta en la *Sépti-*

56. Vid. el trabajo anterior a éste en el presente volumen.
57. Vid. su *Romancero general*, I, núm. 647, p. 432*a*.
58. Los romances comienzan: 1. *No os llamo, canalla vil;* 2. *Las varias flores despoja;* 3. *Con crespa y dorada crin;* 4. *Áspero llanto hacía;* 5. *Hincado está de rodillas*; 6. *Con sólo diez de los suyos*. Este mismo orden es el de la impresión del pliego madrileño al que me refiero en el texto.
59. Poeta de finales del siglo XVII, al que Durán considera plagiario (*Romancero*, I, p. 435*b*).
60. Alcalá, 1587. Laso era madrileño, fue servidor en la guardia de Felipe II, y escribió hasta 60 romances de asunto histórico, entre los que figuran los de Bernardo (vid. R. MENÉNDEZ PIDAL, *Romancero hispánico*, II, pp. 120 y 161-162).
61. Rehecho en el pliego madrileño (Durán, núm. 652, p. 433), que tiene numerosas variantes con el nuestro.

ma parte de flor de varios romances nuevos, recopilada por Francisco Enríquez.[62]

6. Queda por considerar el *Nuevo romance de Oliveros y Fierabrás* (II, 420), transmisión muy vulgar de un tema pseudocarolingio narrado en ocho partes, «sin el menor influjo del estilo tradicional».[63] Se trata de un relato «en gran parte turpinesco de las guerras de Carlomagno en España», que está firmado por Juan José López.[64]

7. He aquí cómo esta literatura —tan desatendida, tan de escasas pretensiones— vuelve a suscitar cuestiones que ya sabemos. Al repetir viejos motivos, estaba practicando una suerte de tradicionalidad, constante y viva en nuestra historia cultural. En el ancho río de los pliegos de cordel cabían romances viejos, nuevos y aun novísimos, y éstos con arraigo en lo que había sido una literatura antigua: la tradición carolina con un florecimiento exuberante de mil formas anoveladas. Pero, al mismo tiempo, comprobaremos un hecho válido para toda la literatura de cordel: su difusión uniforme. Don Félix de Casas, en Málaga, copiaba sin ningún empacho lo que Francisco Sanz había impreso mucho antes en Madrid. Tan sin empacho como Diego Cosío decía ser suyos unos romances que eran conocidos desde que Francisco Enríquez los editó en 1595 o Laso de la Vega, autor de otros, los había incluido en una obra suya de 1587. Doscientos años de andadura libresca se perpetuaban en los pliegos malagueños. Doscientos años que llevaban hacia el romanticismo a unos textos nacidos antes de que cuajara el barroco.

62. Madrid, 1595, edic. facsímil de la Academia (1957), a cargo de A. Rodríguez-Moñino, *Las fuentes del romancero general,* t. IX. El texto ocupa las páginas 74-76.
63. Menéndez Pidal, *op. cit.,* II, p. 247.
64. En I, 319, hay una *Nueva relación de don Reinaldos de Montalván,* impresa en Córdoba por don Luis de Ramos.

8-9. TEMAS DE ESTE ROMANCERO

8.0. Ordenar temáticamente unos contenidos es franquear una serie de escollos de los que no siempre se puede salvar la nave. Los temas se enlazan, es difícil el deslinde, el subjetivismo amenaza. Así y todo, hay que intentar aclarar las cosas, mucho más desde el momento en que hemos ido levantando una serie de estratos que han reducido bastante la materia primitiva. Claro que los temas teatrales o del romancero antiguo son también clasificables, pero me parece que es lícito proceder como hago: eliminar lo que pertenece a un fondo antiguo o tradicional y proceder al análisis de lo actual. Teatro y romances antiguos son una diacronía operante, pero que pertenece a un pasado en el cual pueden ordenarse; los motivos de hoy —ese hoy de finales del siglo XVIII— están incardinados en otro orden de cosas distinto del que pueda amparar a la reina de Saba, a Santa María Egipciaca o a la infanta Solisa. Bien sé que, bajo apariencia de modernidad y de una u otra forma, nos encontraremos motivos tan remotos como éstos. Pero también sé los pocos temas que maneja la imaginación del hombre para narrar los argumentos. La diferencia va a estar un tanto en la vestidura —vieja o nueva—, en el reconocimiento de esa vestidura y en el tiempo en que pretenda insertarse.

8.1. Un intento de sistematizar los romances podría ser el que sigue:[65]

1. Religiosos. Con diversos subgrupos:

ASCÉTICOS: *La vanidad del mundo y sus engaños* (I, 30), *El mar del presente siglo* (I, 315), *Romance para contemplar en la hora de la muerte* (I, 359), *Estaciones de la vía Santa* (I, 365), *Los cuatro novísimos o postrimerías del hombre* (I, 381), *Las cosas que puede alcanzar la oración con Dios* (II, 260), *Despertador espiritual* (II, 327).

65. Hay otros —como los de Caro y Aguilar— pero si intento esta clasificación es por atenerme a los materiales de la colección malagueña.

DEVOTOS: *Modo de oír la misa* (I, 35), *Requisitos necesarios para hacer una buena confesión* (I, 116).

HAGIOGRÁFICOS: *La vida de San Albano* (I, 169), *Nacimiento del glorioso San Alabano* (I, 197), *Vida del serafín llagado San Francisco de Asís* (I, 305), *La impresión de las llagas al serafín de la Iglesia* (II, 95), *Grandezas de la Virgen de la Cabeza* (II, 170).

MILAGROS: *Maravilloso milagro de Santa Bárbara* (I, 191), *Maravilloso portento que ha obrado el SS. Cristo de los Milagros* (II, 262), *Milagrosísimo portento con un hombre llamado Juan Isidro* (II, 410).

ANTIJUDÍOS: *El judío de Toledo* (I, 72).

2. De historia:

EXÓTICA: *El rey Casimiro de Irlanda y la princesa Enriqueta* (I, 39), *La princesa Ismenia* (I, 138).

ESPAÑOLA: *La batalla naval* [Lepanto] *a lo divino* (I, 203).

3. Novelescos y de aventuras: *Don Carlos y doña Laura* (I, 144), *El valor bien empleado por la hermosa doña Blanca* (I, 307), *Trágica historia en que se da cuenta de varios sucesos de amor* (II, 276), *Amable historia de don Carlos y Lucinda* (II, 285), *Don Jacinto y doña Marcelina* (II, 313), *Los valerosos hechos del invenable Pedro Romero* (II, 319).

4. De cautivos: *Trágico suceso de un caballero llamado Alonso González* (I, 207), *Maravilloso milagro con dos devotos en Argel* (I, 347), *Prodigioso milagro con una señora y tres hijos pequeños librándolos del poder de los turcos* (I, 361), *Carta que escribió un cautivo* (II, 73), *Milagro de S. Antonio con un cautivo* (II, 87), *Don Antonio Mellado y doña Eugenia López* (II, 158), *Don Diego y Arlaja* (II, 194), *El sacerdote de Valencia y Audalá* (II, 252).

5. De valientes y bandoleros: *Bizarrías animosas de Felipe Centellas* (I, 56), *Muertes y atrocidades de Francisco Pomares* (I, 209), *El invencible andaluz Juan de Lucena* (I, 311), *El andaluz más valiente llamado Francisco Correa* (I, 367), *Vida, hechos y atrocidades de don Agustín Florencia, natural de Jerez de la Frontera* (II, 65), *Jacinto Rovira* (II, 154), *El capitán de bandoleros Ramón Guardiola, natural de Valls* (II,

297), *Francisco Esteban, natural de la ciudad de Lucena* (II, 352),[66] *Don Rodulfo de Pedrajas, natural de Morales del Rey* (II, 376), *El valiente negro en Flandes llamado Juan de Alba* (II, 400).[67]

6. Historias domésticas: *Don Raimundo de Tejada y doña Rosa Peralta* (I, 49), *Lo que sucedió a una principal señora por un falso testimonio* (I, 385), *Don Diego de Peñalosa y doña María Leonarda* (II, 162).

7. De crímenes: *Sebastiana del Castillo* (II, 77), *Sacrílega muerte que ejecutó un pérfido barbero* (II, 295).

8. Sátiras, burlas y parodias: *Romances famosos del gato*[68] (I, 243), *De la antigüedad y excelencias del borrico* (I, 393), *Motivos que pueden considerarse para no casarse* (II, 108), *Dos graciosos chascos a dos frailes* (I, 355), *Graciosa burla que hizo a cierto galán un estudiante* (II, 303).

9. Amorosos: *Cómo don Pedro Juan de la Rosa se enamoró de doña María de Vargas* (I, 213), *De doña Violante de Segovia* (I, 215), *La mujer que engañó a siete galanes* (I, 399).

10. Líricos: *Lamentación amorosa* (I, 54), *Un amante explica las perfecciones de su dama, pintándolas en un dulce sueño* (I, 415), *Un fino amante pinta las perfecciones de su dama* (II, 274).

9.1. Una ojeada sobre los grupos anteriores nos hace ver el sentido religioso, muy vivo, entre las gentes a que se dedicaba esta literatura: desde romances sobre la vanidad del mundo hasta milagros insólitos. Todas las formas de religiosidad están aquí y no escasamente representadas: el ascetismo más seco, las vidas de santos, los prodigios para mantener la piedad popular. La Iglesia aún alimentaba el espíritu de las gentes sen-

66. Contra estos romances lanzaba su invectiva el abate Marchena, que reconocía su popularidad: «aun hoy día pocos son los andaluces que no sepan de memoria los siete romances que dan cuenta de la vida y hechos de Francisco Esteban, apellidado el Guapo» (*Discurso sobre la literatura española*, Burdeos, 1820, cit. por AGUILAR. *cit.*, p. XV.

67. Sólo muy de refilón cabe este texto en el grupo. Valga, únicamente, su talante valeroso.

68. Se trata de una versión «a lo gato» del famosísimo romance *Mira, Zaide, que te aviso*, de LOPE.

cillas a que estas hojas se dirigían.[69] Al empezar el volumen, una tinta desvaída conserva la anotación de un antiguo propietario: «En este Libro Letra O está el romance espiritual O Dulce Esposo del Alma.» Y creo que es una caligrafía anterior a la que usaron Fuenmayor y Lossa, tardíos propietarios del volumen.

9.2. Pero no todo ha de ser religiosidad. Hay, y muchas, historias llenas de azares y sorpresas, de peregrinajes y casos estupendos. Lo que es la aventura, con su extrañeza, su casualidad, se entremezcla con la novelería de fábulas insólitas y fingidas. A veces es difícil separar lo que se presenta como posible de lo que es sólo fantasía; por eso he agrupado juntas dos series que no siempre están bien definidas. Novelas y aventuras, eternas en el espíritu del hombre; sobre todo, del hombre que tiene que vivir la monotonía de su existencia y que en este modo increíble viene a encontrar el logro de su evasión.

9.2.1. Son frecuentes los romances con historias de cautivas. A veces pueden enlazar con los novelescos y aventureros. Otras, no. Entonces se convierten en testimonio de una realidad que atosiga y de la que no es posible zafarse. Más arriba he hablado de los romances de cautivos como faz negativa de los romances moriscos;[70] entonces hacía referencia a estos textos que hoy tenemos en nuestras manos; relatos poco poéticos, pero «arrancados de la vida cotidiana: y es que la historia no admitía poetizaciones». La colección que ahora comento no pudo haberse empezado antes de 1781; nada improbable sería que muchos de estos textos —como hemos visto para otros nada escasos— pertenecieran a historias anteriores. Lo cierto es que las historias estaban harto próximas, pues en 1765 Carlos III pedía a Marrue-

69. La Inquisición no lo entendía así y prohibió unos pliegos de cordel porque contenían «milagros fingidos, proposiciones seductivas de gente sencilla [...], proposiciones heréticas y mal sonantes, hablándose con ignorancia. Y por los mismos motivos se prohíbe que, en adelante, se escriban relaciones de milagros, que no estén aprobados por el ordinario». Tales eran las palabras de la Inquisición de Valladolid el 15 de enero de 1756 (vid. M. García Blanco, *Unos romances del siglo XVIII prohibidos por la Inquisición*, «Revista de Filología Española», XXVIII, 1944, p. 468).

70. Vid. pp. 135-140.

cos la libertad de los españoles cautivos, en 1767 desaparecía el cautiverio entre los dos países, que se restableció en 1774 y volvió a anularse un año después. Los textos que narran tales historias no son de ficción; cuentan algo que actuaba sobre la carne viva en días que se tocaban con la mano, cuentan la zozobra de vivir en precario, cuentan —real o fingida— la historia que puede alcanzar a cada uno. Algo insoslayable en unas playas abiertas a los piratas de Salé o de Argel.[71]

9.3. En relación con los romances novelescos y de aventuras caben algunos aspectos de los que agrupo como de valientes y bandoleros. En todos ellos, también, el acaso y lo insólito enredando la trama del vivir, pero con unas connotaciones específicas. Independizados de esta serie, vemos cómo los romanceros de valientes y bandoleros se confunden muchas veces: en potencia, el fanfarrón y pendenciero está en el camino de hacerse forajido. Bien es verdad que el bandido puede convertirse en fuerza «de orden». Uno de nuestros textos cuenta que Felipe Centellas, indultado por Felipe V, fue a servirle a la guerra al mando de una compañía de caballos. No es caso único ni irreal; la historia viene a ser más increíble: José María Hinojosa *El Tempranillo* (Jauja, 1805-Alameda, 1843) se hace bandolero por una reyerta de honra, en la serranía de Ronda mantiene en jaque a intendentes y alcaides, ponen precio a su cabeza e indultado por Fernando VII es encargado de organizar un escuadrón de caballería para combatir a los malhechores (1833). Un antiguo colega, *El Barberillo,* perseguido ahora, le descerraja tres tiros y acaba con la vida del más famoso de los bandoleros. La Guardia Civil se creó en 1844 y no fue ajena a la colaboración del *Tempranillo.* Literatura plebeya la de estos romances, pero que —de pronto— arranca pedazos de realidad. Para un malagueño del 780 o del

71. La Inquisición no veía bien muchos de los portentos que ocurrían —pliego de cordel en ristre— a los cautivos y así en 1756 prohibía diez «romances o relaciones de ciegos»; una de ellas contenía «dos milagros que obró Dios, por intercesión de Nuestra Señora de Guadalupe, con un caballero y dos hijos suyos, fingiendo que renegaron en Argel» (M. García Blanco, *Unos romances del siglo XVIII prohibidos por la Inquisición,* ya citados, página 467).

790 no sonaría a fantasía nada de todo esto: vivo y bien vivo estaba el *Tragabuches*, rondeño, gitano, torero (tomó la alternativa en 1802), vengador de su honra, bandolero... Perteneció a la partida de los Siete Niños de Écija, que fue destruida fuera de nuestros límites cronológicos (1805): ejecutados todos sus compañeros (1817 y 1818), sólo se salvó José Ulloa, *Tragabuches*, de quien no volvió a saberse.

9.4. Pobre es la representación de los romances de crímenes. Y no creo que por falta de gusto en escucharlos. Pensamos hoy en ese pueblo tranquilo y apacible —creemos— que es Suiza. Sin embargo, mucho se parece a lo que nos denuncian estos pliegos de unas gentes que son —dicen— de sangre caliente y apasionadas. Richard Weiss ha estudiado el *Volkskunde der Schweiz*[72] y, naturalmente, ha tenido que hacerse cargo de lo que lee el pueblo:

> La Santa Escritura es el libro popular más extendido [...] Por entre los libros se prefieren los temas excitantes. Atraen a los lectores los viajes a países exóticos y aventuras peligrosas, cuentos de bandidos [...] y, finalmente, las enternecedoras historias de amor. Sentimentalidad y brutalidad están en el pueblo, a menudo, una al lado la otra.[73]

Nuestra colección refleja algo sabido: la acción de la censura. En 1767 se prohibió «imprimir romances de ciegos y coplas de ajusticiados, de cuya edición resultan impresiones perjudiciales en el público, además de ser una lectura vana y de ninguna utilidad a la pública instrucción»;[74] en 1775 volvía a recordarse la prohibición y se decía «que en las escuelas no se debían leer romances de ajusticiados». La reprobación fue más lejos y alcanzó, en las plumas de Tomás de Iriarte y Meléndez Valdés,

72. Erlenbach-Zürich, 1946.
73. Vid. el *Estudio crítico*, de César Dubler («Revista de Dialectología y Tradiciones Populares», VI, 1950, p. 225).
74. *Novísima recopilación*, VIII, 18, 4.ª, cit. por Menéndez Pidal, *Romancero hispánico*, p. 249. Sin embargo, las cosas no se resolvieron hasta que en 1826 se impuso, como texto escolar único, el *Arte de hablar*, de Hermosilla (Aguilar, *op. cit.*, p. xiv). Cf. Caro Baroja, *op. cit.*, pp. 22-23.

a toda suerte de romances vulgares. Valle-Inclán los indultaría: «el romance de ciego, hiperbólico, truculento y sanguinario, es una forma popular».[75] El peso de las interdicciones cayó sobre la colección malagueña y apenas si asoman historias de crímenes aunque otras haya no menos truculentas.

10-13. Resumen y conclusiones

10. Los romances en pliegos de cordel fueron durante el siglo XVIII una literatura despreciada por los hombres cultos. Su descrédito duró hasta nuestros días en que los investigadores han querido ver en ellos problemas sociológicos que pasaban inadvertidos a los historiadores literarios. Resulta entonces que estas hojas volanderas han empezado a contar, pero falta mucho que ver y no poco que valorar, aun en el mismo campo literario. Literatura de cordel y romance de ciego eran sinónimos de desprecio.[76] Veremos cómo la colección malagueña obliga a matizar y a rectificar. Málaga es ahora, como lo fue en la historia de los *Villancicos*, ciudad de singular importancia. Por la imprenta, por los temas. Valle-Inclán tuvo una de sus agudas intuiciones al colocar el *Epílogo* de *Los cuernos de don Friolera* en «La plaza del mercado en una ciudad blanca, dando vista a la costa de África», allí «el ciego pregona romances» y don Estrafalario y don Manolito escuchan enchironados.[77] Cierto que en cualquier plaza de mercado podrían oírse romances como el que empieza *En San Fernando del Cabo*: por 1946, en las escaleras salmantinas de Pinto aún oí cantar romances de ciego; Lorca incrusta alguno de esos versos vulgares en su *Amnón y Tamar* granadino;[78] y, por otras latitudes, J. Álvarez pintaba una escena

75. *Los cuernos de don Friolera*, Madrid, 1925, p. 34.
76. Pero creo que tildar de «vulgar» esta literatura es sólo presentar una de sus faces (cf. Aguilar, *op. cit.*, p. XIII).
77. Por 1790, en Málaga, hubo algún pleito del ciego Mateo Mata contra el viejo Juan de Valenzuela, que tenía un puesto de libros y romances en la Plaza Nueva (vid. A. Rubio Argüelles, *Pequeña historia de Málaga del siglo XVIII*, Málaga, 1951, pp. 63-64, apud Caro, *op. cit.*, p. 69, nota 71).
78. Vid. más arriba, pp. 246-247.

semejante.[79] Pero el acierto de Valle-Inclán está en haber venido a incidir en algo que la colección malagueña nos denuncia: la importancia de ver aquella costa de África, donde se hacían vida los romances de cautivos. Más aún, de servirnos para pasar a la orilla de Marruecos donde los sefardíes escuchaban también estos romances y los convertían en materia poética propia, tan tradicional como los viejos motivos anteriores a la diáspora. Recuérdense, por ejemplo, *Sépase por todo el mundo,*[80] *En la cibdad de Toledo,*[81] *Málaga, escuras murallas,*[82] o los que se copiaban en los cuadernos, tan familiares a cualquier conocedor de la literatura sefardí.[83]

Esta literatura —sin embargo— no podría ser clasificada a humo de pajas como subliteratura o infraliteratura. ¿Dónde están los límites? Muchos de sus temas son, sí, disparates y truculencias, pero otros no; es la tradición española, viva, tercamente persistente: romances viejos, romancero nuevo, recreaciones de temas antiguos. El espíritu nacional, el mejor espíritu nacional, se salvaba en la literatura de cordel, en estos pliegos que si tenían algo absolutamente malo era el papel. Lo otro, barbarie y absurdos, es el fruto de la chabacanería de cualquier época, y ninguna época se ha visto libre de plebeyez.

11. Al estudiar los veneros que han alimentado a este ancho río, nos hemos encontrado con las fuentes de su arcaísmo. Antes de llegar a la llanura, han serpeado numerosas corrientes que sirven para caracterizar toda una fisonomía. Porque —y esto es importantísimo— lo que nos dejan entrever los dos gruesos volúmenes malagueños no es la historia literaria y social de su ciudad, sino unos hechos de validez general: xilografías reitera-

79. Está en la portada del *Romancero aragonés* de José Gella Iturriaga (Zaragoza, 1972).
80. Vid. Paul Bénichou, *Romancero judeo-español de Marruecos,* Valencia, 1968, pp. 265-266.
81. Ibídem, pp. 269-271.
82. Ibídem, pp. 272-273.
83. En una de estas libretas tetuaníes tengo un típico romance de ciego («Señores se cometió / un crimen fatal y triste») copiado junto a un «cantar» del Cid o a otro de Gerineldo. Un día, transcribiendo en Larache, mi recitadora quería que copiara el «cantar» de la Virgen del Pilar. Entonces me pareció indigno de mi quehacer y, pienso, hoy me hubiera sido útil.

das en lugares muy distantes y en épocas separadas, temas que se repiten por dilatada geografía al amparo de toscos grabados de madera, persistencia en los dibujos y en los versos de rasgos muy arcaizantes. Si el arte popular es un arte muy poco local, porque sus procedimientos y sus motivos pertenecen al acervo común, estos pliegos de cordel no hacen sino repetir la constante: más allá de la geografía en que se imprimen y más allá del tiempo en que nacen. Parcelilla tan limitada como se quiera, pero auténtica, de un arte para el que no cuenta demasiado el *hic* y el *nunc*. Así resulta que estaban vivos en la Málaga del XVIII, que allí se imprimían, los motivos del conde Alarcos o de los romances pseudo-carolingios, que tenían plena vitalidad las historias de Bernardo, anteriores al *Romancero General* o escritas por Gabriel Lobo Laso de la Vega (1587), que *Flores y Florestas* como las de Francisco Enríquez (1595) y las de Damián López de Tortajada (1608) aún dejaban oír sus voces. Y, junto a ellas, el enorme caudal de nuestro gran teatro nacional: Calderón, Diamante, Montalbán y muchos más nombres.[84] Se quiera o no, el estilo acababa, mejor, no había dejado de ser barroco: hoy nos parecería increíble que un pliego dirigido a la gente menos instruida pudiera empezar con estos versos:

> Por las cristianas provincias
> suene el clarín resonante
> de mi retumbante voz
> y a todos sirva de atlante.

Nos parecería increíble poder escuchar a un ciego recitando cosas como ésta:

> Vuelta en sí la blanca rosa,
> y bellísima princesa,
> de aquel natural desmayo,
> le ofreció naturaleza
> al armiño de su rostro
> palideces de sus etnas.

84. El teatro en Málaga intentó suprimirse en 1715, pero no se consiguió hasta treinta años después (ESCOBAR, *op. cit.*, p. 56). Los intentos de don Diego Rubio sólo se lograron con el obispo don Juan de Eulate y Santa Cruz.

Y es que la gran floración barroca —contra todo lo que se imaginan los simplificadores de manual— no se había agotado, ni siquiera corría soterraña. Estaba ahí, en el pueblo, en la literatura que por unos pocos cuartos podía comprarse para que los niños empezaran a leer o para que los hombres sintieran su deleite. No voy a ponderar la trascendencia de estos hechos: nuestro arte popular de hoy es estático y barroco; arcaizante, en más breves palabras. Pero arcaizante a la manera del siglo XVII, porque el espíritu español se sintió identificado con esa época, y el pueblo conservó la fidelidad.[85] Hemos visto cómo toma a finales del siglo XVI el testigo de la carrera de relevos, lo transmite sin perderlo, y llega a estos últimos años del siglo XVIII, a los albores del XIX, y el barroquismo está enhiesto, frente a cuantas didascalias y neoclasicismos se le hayan querido oponer. Se llega así a tocar los dedos del romanticismo, otra época barroca, y estamos en un ayer cercano. La literatura culta y extranjerizante poco ha podido cumplir; a borbotones iban surtiendo estas otras vetas que no fueron anegadas.[86]

12. Junto a la voz de la tradición, se oyen otras —¿acaso no tradicionales?— que hablan de ascetismo y religiosidad, de vidas prodigiosas y de forzados. Esto es bien humano. Querer que desaparezcan los milagros apócrifos o las proposiciones seductivas porque no cuenten con la aprobación del ordinario, es no saber nada de la condición humana. Si cada poetastro fuera un bollandista, ciertamente no hubieran existido los romances de cordel. Pero en el siglo XVIII, como en el XX o como en el XIII, los espíritus piadosos tienen bastante con su fe. Creer juzgar con criterios teológicos la falta de lógica es atentar, precisamente, contra esa creencia a la que se aspira a servir. Porque luego resulta que

85. En tiempos de Carlos III, lo que se intentó fue «la prohibición de ejecutar comedias del siglo XVII, para que prosperasen las imitaciones del teatro de ultrapuestos», aunque ya vemos con qué resultados (cf. EMILIO COTARELO, *Bibliografía de las controversias sobre la licitud del teatro de España*, Madrid, 1904, p. 32).

86. CARO BAROJA, en la p. 56 de su *op. cit.*, ha escrito: «La "Literatura de cordel" de los siglos XVI, XVIII y XIX, la literatura en boca de ciegos es, precisamente, la que nos puede dar una idea más perfecta de los procesos de formación de lo que es estrictamente popular, porque popular es su público y popular el que vive de ella.»

la vida se encarga de hacer disparates tan grandes como los que inventa una religiosidad poco objetiva. Ahí están los romances de valientes y bandoleros: ¿hay historia comparable a la vida real del *Tragabuches* o del *Tempranillo*? ¿Quién sería capaz de poner en tela de juicio el equilibrio mental del Rey de las Españas? Al pueblo se le quería educar con buenos ejemplos, lo que siempre resulta aburrido, pero a Fernando VII se le ocurrían cosas que convertían en arrope las más insignes truculencias. Por eso el pueblo se iba educando por otros caminos que le enseñaban los ciegos con sus lazarillos los impresores: literatura de disparates, muchas veces sí, pero con el mantenimiento, todo lo empobrecido que se quiera, de una tradición española.[87] Cuando Valle-Inclán escribe *Los cuernos de don Friolera* ha transmutado en buen oro todas aquellas vulgaridades que recibía; con la broma y el sarcasmo, el esperpento acababa lo que no pudo atajar el buen deseo de las pelucas dieciochescas.

12.1. La voz de Valle-Inclán no suena sola. En contrapartida, Fernando Villalón dignificará el género de cordel. Pero sin perdonar nada: *Oración de San Antonio,* mezcla de estilizaciones y piedad popular; canciones de contrabandistas y *Romances del 800.* Ahora las figuras trágicas de los toreros convertidos en guiñapos —Pepe-Hillo, El Espartero—, el airón heroico de los garrochistas o el alzado por la libertad. El siglo XIX se va adentrando con sus muchos problemas. Pero aquí está el eco repetido de todos aquellos romances que desdeñaban los hombres de la Ilustración. Dándose la mano con los bandoleros del siglo XVIII, los Niños de Écija, y, como una apoteosis de abanico barato y pañuelo de percal, «La plaza de piedra de Ronda», con su espada, su maestrante, sus bandidos y sus manolas, todos en una beatífica solidaridad:

87. Habría que anotar otras cosas que ahora quedan al margen de mi trabajo: llamar *corridos* a los romances (I, 69 *v*; I, 71 *v*; I, 140 *v*); imprimir *trovos,* que no son sino quintillas improvisadas como las de la tradición del sudeste español (vid. «Revista de Filología Española», XLIV, 1961, p. 184) o las décimas puertorriqueñas (IVETTE JIMÉNEZ DE PÁEZ, *La décima popular en Puerto Rico,* Xalapa, 1964). Y aún quedaría margen para poder hablar de la literatura de «disputa», presente también en la colección malagueña.

Plaza de piedra de Ronda,
la de los toreros machos:
pide tu balconería
una Carmen cada palco;
un Romero cada toro,
un Maestrante a caballo
y dos bandidos que pidan
la llave con sus retacos.[88]

Es el 850. El romanticismo ha echado el resto y la estampa del pliego de cordel se ha ennoblecido con otras literaturas. Ayer mismo, en el bandolerismo aún se quería ver el gesto de rebeldía contra una sociedad injusta, la generosidad de un hombre arriscado o la guapeza de quien se jugaba la vida contra la organización del Estado. Literatura la de Fernando Villalón que idealiza y poetiza los mismos temas que, a su manera, idealizaban y poetizaban los versificadores de finales del siglo XVIII. Que en los días del conde de Miraflores de los Ángeles se llamarían *Pernales*, Flores Arocha o *Pasos Largos*.

13. Pero queda la cuestión principal. ¿Por qué los impresores ayudaron en estos quehaceres? La respuesta es, sencillamente, económica. Los pliegos de dos hojas tenían que servirse a precios bajísimos; la defensa del costo debía hacerse recurriendo a todos los procedimientos: las xilografías eran viejas porque no resultaba rentable hacer otras nuevas; cada taco con un dibujo se empleaba en mil circunstancias distintas, unas veces con acierto y otras muchas sin él; la preparación de nuevos grabados era obra de gentes sin gran capacidad que —otra vez la economía— copiaban y adaptaban lo viejo, pero eran inútiles para inventar por cuenta propia. En la literatura se repetía el mismo principio: copiar en 1789 a un impresor de 1587 o de 1595 no era demasiado grave, pues muerto y bien muerto estaba; refundir para dos hojas una comedia clásica siempre era más barato que encargar

88. FERNANDO VILLALÓN, *Poesías*. Prólogo de José María de Cossío, Madrid, 1944, p. 150.

un romance nuevo; si el romance se editaba —salvo casos excepcionales como el de Eugenio Gerardo Lobo— podía hacerlo cualquier versificador adocenado del que todos se aprovecharían; recíprocamente, este versificador tampoco se esforzaría en inventar novedades, sino que repetía unos cuantos tópicos que le ayudaban a salir de su empeño... Todo esto era un esfuerzo para buscar el abaratamiento de la mercancía. El papel era digno de tales pretensiones. Pero resulta que esta literatura de humilde consumo había descubierto —en su penuria— unos filones de incalculable valor: la poesía tradicional, el teatro del barroco. Los mercaderes, sin querer, estaban colaborando en la gran empresa de la literatura española: su sentido tradicional. Sin querer, también, estaban librando, y ganando, la gran batalla contra el afrancesamiento y las influencias cortesanas. Sin querer, también, salvaban el espíritu nacional que reverdecería en 1808. Por uno de esos azares de la historia, las gentes ignaras y menesterosas vieron con más claridad que los ilustrados. Y junto a sus vulgaridades y chabacanerías hacían perdurar la mejor tradición, con lo que vino a resultar que la literatura de la edad de oro era salvada, parcialmente, por la penuria económica.

UNA RECOGIDA DE ROMANCES EN ANDALUCÍA (1948-1968)

1. Introducción

Desde mi incorporación a la Universidad de Granada, intenté la recogida de materiales romancescos como tarea complementaria de mis clases de historia de la lengua. Era una especie de ensayo para acercar a mis alumnos a esa otra tradicionalidad que es el dialecto hablado por ellos. La recogida de romances presentaba la posibilidad de que los estudiantes se aficionaran a la búsqueda en sus pueblos sin necesidad del aprendizaje de la transcripción fonética, de la utilización de los cuestionarios dialectales, del manejo de aparatos. Bastaba un repertorio sobre el que preguntar y la propia experiencia de «oyentes» o de «cantores» romanceriles.

La mayor dificultad en los comienzos era saber qué se debía preguntar. Para ello compusimos una guía semejante al *Catálogo del romancero judío-español*: unos versos que sirvieran de recordatorio y un argumento que completábamos con breves referencias para el caso de que fallara la memoria de la recitadora.

Teníamos la experiencia marroquí. Allí, desde 1949 llevábamos una recogida sistemática que había dado frutos a partir del primer momento: Tetuán, Larache, Tánger. En mis visitas al entonces Protectorado, establecí contacto con las comunidades sefardíes, que me permitieron allegar centenares de textos. Cuando, en ese mismo año 1949, Juan Martínez Ruiz me visitó para que le dirigiera una tesis doctoral, le propuse la recogida de la tradición de Alcazarquivir, donde él era profesor del centro oficial de segunda enseñanza, y localidad a la que no habían llegado mis colectas romancescas. La abundancia de frutos obtenida en Marruecos nos animó a rebuscar en Andalucía, por diferentes que fueran ambas situaciones.

En un primer momento los trabajos se empezaron para allegar materiales andaluces que pudieran completar —y que sirvieran de contraste— a los que ya poseía de la tradición sefardí. Por eso mis pretensiones aspiraban en gran medida a disponer de versiones abundantes de aquellos textos que estaba estudiando. Esporádicamente, cuando se lograban buenas recitadoras, la cosecha se extendía y ampliaba por los campos más variados. Los materiales así recogidos fueron guardados y sólo esporádicamente utilizados.

Por su parte, Juan Martínez Ruiz —tras el entusiasmo del doctorado y aprovechando unas vacaciones en Güejar Sierra— recogió en este pueblecito granadino una buena colección de textos que publicó en la «Revista de Dialectología y Tradiciones Populares» (XII, 1956).

2. Recogida de romances

Con estos antecedentes, con los materiales del *Romancerillo canario* de Mercedes Morales y María Jesús López de Vergara y un romancero malagueño que entre todos habíamos allegado, hicimos una lista de temas que probablemente podrían recogerse. Claro está que siempre tendríamos la dificultad de encontrar los textos menos frecuentes, pero debíamos empezar por la tarea más fácil para no desanimar a los principiantes.

En 1958 di en mi Facultad un curso monográfico sobre «Tradición antigua y vitalidad del romancero», cuyo fin era familiarizar a mis estudiantes con nuestros problemas. Distribuí la lista de romances que habíamos elaborado anteriormente y, al final de las vacaciones de Navidad, los alumnos debían traer los primeros frutos de sus rebuscas. Los resultados fueron, más o menos, los previsibles: de algunos textos se allegaron muchas variantes; de otros, pocas o ninguna. Sin embargo, el interés suscitado dio sus frutos y en la provincia de Málaga se hizo una intensa rebusca —gracias al entusiasmo de Ascensión Pastor Sedano— cuyos resultados puedo comentar.

Las pesquisas se llevaron a cabo en una serie de pueblos que, de occidente a oriente y —en su caso— de norte a sur, son: Gaucín, Ronda, Estepona, Cañete la Real, Yunquera, Marbella, Sierra de Yeguas, Campillos, Álora, Pizarra, Coín, Mollina, Antequera, Almogía, Málaga, Archidona, Colmenar, Cútar, Almáchar, Algarrobo, Benajarafe, Sayalonga, Vélez-Málaga, Sedella, Frigiliana y Torrox.

Lógicamente, la abundancia de alumnos de Málaga permitía indagar en la capital con cierta seguridad de éxito; los resultados, sin embargo, no fueron muy satisfactorios. Se pensó en llevar a cabo una encuesta sistemática en Ronda (foco importante de tradición romancesca, según Durán), pero, ante el temor que se repitiera la experiencia de la capital, se hizo hincapié en los pueblecitos de la serranía, aunque la tarea sólo parcialmente pudo cumplirse.

3. La tradición en las generaciones jóvenes

La realización de estas encuestas romancescas planteó a mis alumnos numerosos problemas. Pensando en las gentes viejas como conservadoras de la tradición, se lograban unos resultados bastante negativos: algún romance de la guerra de Cuba [1] y poco más. Sin embargo, los mejores resultados se obtuvieron con mujeres de catorce a cuarenta años y, particularmente, entre chicas de catorce a veintitantos. Se dio el caso paradójico de que eran las jóvenes quienes gustaban de cantar y retener de memoria los romances que oyeron a sus madres; en tanto éstas, con los azares de la vida, han ido olvidándose de la tradición de

1. Así el pedestre «Al recibir la noticia / que el gobierno lo llamaba». Estos romances de la guerra de Cuba han alcanzado —a veces— muy larga persistencia. En Martos (Jaén), una mujer de treinta años recitó el del *Cabecilla* («Soldado soy de a caballo / con mi armamento y mi medallón»).

que un día fueron depositarias.[2] A guisa de ejemplo quisiera recordar una estupenda versión del romance de *Don Bueso y su hermana* que cantó una niña de trece años, Josefa Avilés Peláez, en Zújar (Granada), en el mes de mayo de 1967.

En las encuestas andaluzas, las mujeres han sido nuestras más asiduas colaboradoras; aunque en algún pueblo malagueño, El Algarrobo, por ejemplo, en los atardeceres veraniegos, los mozos se reúnen en grupos para cantar romances y canciones como *San Antonio y los pajaritos*. Justamente, estas reuniones de mozos y mozas —separados o mezclados— han dado excelentes resultados en la recolección.

Como en tantas partes, el mayor número de romances se consiguió entre gentes de escasa o ninguna cultura y en ámbitos rurales o en los que se reúnen muchachas recién venidas de ellos: Casa del Servicio Doméstico o talleres de bordadoras.

4. Grabaciones

Los romances fueron grabados en su mayor parte, lo que permitió la transcripción musical de muchos de ellos. Los frutos de estas encuestas han sido utilizados —bien que escasamente— en mi *Romancero viejo y tradicional* (México: Editorial Porrúa, 1971). Claro que el magnetófono —imprescindible ahora— no siempre era buen colaborador: mi alumna Ascensión Pastor Sedano había conseguido que le cantaran todo, incluso lo que parecía menos recomendable. Pero la grabadora vino a perturbar las cosas: «Ceñorita, eh que yo ice ehercicio ehpirituale la cemana pazá y le dihe ar cura que no cantaría mah coplah verde». Había que volver a convencer de que los romances no eran coplas verdes y el magnetófono estaría siempre muy calladito.

2. Me pregunto si en todas partes habrá sido lo mismo: en mayo de 1971, volvía de Melgar a Bogotá. El autobús iba lleno de gente y un coro de muchachos y muchachas —infatigablemente, durante tres horas— destrozaba cuantas canciones sabía. En un momento dado, una voz inició un romance, que conocía todo el grupo. Era el de *Alba Niña* (ó).

5. Repertorio de textos

La primera encuesta sistemática en la provincia de Málaga permitió una ordenación temática de los romances, que puede ser útil para futuras cosechas. Con un criterio bastante externo, pero aprovechable, podrían clasificarse como sigue (señalo con * los que se han recogido con más frecuencia):

A) Amor fiel
1. *El conde Niño*
2. *La aparición de la amada muerta*
3. *Francisco y Francisca.*
4. **Las señas del marido (é.a)*
5. **Alfonso XII*
6. *La muerte ocultada*
7. **Las señas del marido (é)*
8. *El quintado*

B) Esposa desdichada
9. *La mala suegra*
10. **El parto en lejas tierras*
11. **La malcasada («Me casó mi madre»)*

C) Adulterio
12. *Alba Niña (ó)*
13. *El caballero que corteja a una mujer casada*
14. **La infanticida (é.a; á.a)*
15. *El corregidor y la molinera*

D) Forzadores
16. **Blancaflor y Filomena*
17. *Santa Irene*

E) Incestos
18. **Tamar y Amnón*
19. **Delgadina*
20. **Silvana*

F) Aventuras amorosas
21. *Gerineldo + La Condesita*
22. *El conde Niño + Gerineldo + La Condesita*
23. *El prisionero + Gerineldo + La Condesita*
24. *La penitencia (ó)*

25. *Conde Claros en hábito de fraile*
26. *La mala hierba*
27. *El molinero y el cura*
28. *Otros tres y son seis*
29. *La dama y el segador*
30. *El villano vil* [*La dama y el pastor*]

G) Amorosos varios
[12 romances distintos, en su mayor parte modernos]

H) Religiosos
[8 romances distintos, también modernos en buena parte]

I) Cautivos
51. **Don Bueso y su hermana*
52. **Las tres cautivas*

J) Varios
53. **La doncella guerrera*
54. **Don Gato*
55. **Mambrú*
[y otros 8 romances probablemente modernos].

Este total de 63 temas diferentes nos permitió preparar un nuevo cuestionario, que enriquecía la experiencia anterior. En el curso 1967-1968 se recogieron romances por toda Andalucía, pero el trabajo se interrumpió apenas iniciado: mi traslado a la Universidad de Madrid significó la detención de las encuestas. Ojalá mis alumnos de Granada hayan seguido cuidando una tarea en la que tanta ilusión habíamos puesto todos.

6. Presentación de algunos informes

De los textos reunidos —casi siempre de manera poco sistemática— se pueden obtener algunos datos significativos para conocer la situación actual de la tradición andaluza. Cierto que los materiales —numéricamente bastante abundantes— no son de una riqueza extraordinaria, ni de una variedad envidiable. Sé cómo se hicieron las encuestas y me anticipo a cualquier reserva que pueda formularse, pero no deja de ser notable la asiduidad con que afloraban ciertos textos y el enmudecimiento que producían otros. Tal como es mi colección —y prescindo de los muchos temas vulgares, religiosos y ocasionales, por más que tengan un valor sociológico—, sirve para saber qué es lo que posee vitalidad. Sabemos, pues, lo que ya existe; hay que buscar otros romances para salvarlos antes de su total desaparición, si es que aún perduran.[3]

Y aun habría que buscar la pervivencia del romance fuera de las estructuras propiamente romancescas, tal como ocurre en Canarias. Un día, en el otoño de 1969, estaba haciendo una encuesta dialectal en Tijarafe (isla de La Palma). Preguntaba por el nombre de los meses del año y las tareas agrícolas que en ellos se llevan a cabo. Llegamos a mayo y la respuesta a ambas peticiones estaba en una «copla», surgida del romance de *El prisionero*:

> Mes de mayo, mes de mayo, el de los fuertes calores,
> que se siegan las cebadas y los trigos cogen colores.

¡Curiosa forma de sobrevivencia de la poesía del Romancero más allá de la perduración de los romances!

En otra ocasión, leyendo las *Memorias de Pepe Monagas* (Madrid, 1958, p. 80), encontré cómo un escritor insular, el canario Pancho Guerra, hallaba en el Romancero fórmulas de medicina popular:

> Busqui un campo ondi haya borrajas. Pasée por arriba de esta hielba y pisotéela, que di antiguo está dichu: «Hay una hielba en el campo — que la llaman la borraja; — toda mujé que la pisa — luego se siente preñada».

Lo notable del caso es que ninguna de las versiones canarias publicadas en *La Flor de la Marañuela* habla de la borraja, ni de ninguna clase de hierba, sino que comienzan más o menos como ésta de Agüimes (núm. 529):

> En Sevilla está una fuente que echa el agua turbia y clara
> aquel que bebiese de ella al momento está ocupada.

3. Durán dice que en la Serranía de Ronda se recogió el *Mira, Zaide, que te aviso* (*Romancero*, I, p. 136*b*), que ha desaparecido. Vid. más arriba, página 108, notas 65 y 66.

7. Fragmentarismo de la tradición actual

No deja de ser curioso que en nuestras encuestas el romance de *Las señas del marido* (*é*), tan insistentemente recogido por todo el mundo hispánico, no haya dado más que versiones truncadas. Del pliego suelto de 1605, apenas queda nada; el romance-cuento ha perdido todos los elementos tradicionales (la dama que ignora hablar con su esposo, el reconocimiento, etc.) y ha quedado en esa estructura abierta que llama muy poco a la imaginación personal. Ascensión Pastor Sedano transcribió la siguiente versión en Mollina (marzo de 1959):

Esta es la rueda del mundo la rueda del mundo es.
—¿Ha visto usté a mi marido en la guerra de un marqués?
—No, señora, no lo he visto, ni tampoco sé quien es.
—Mi marido es alto y rubio, alto y rubio, aragonés.
en la punta de la espada, lleva un pañuelo francés,
que lo bordé cuando chica, cuando chica lo bordé,
y otro que le estoy bordando y otro que le bordaré.[4]

Idéntico carácter truncado tiene otra versión de Málaga (transcrita en diciembre de 1959), bien que ahora esté alargada con un comienzo en el que se recuerda otro tema romanceril (el de *Rico Franco*),[5] pero la rima en *-é* ha venido a fundir estas dos narraciones en un nuevo texto:

En Madrid hay un palacio forrado de oro y pre[6]
y en el palacio una niña que se llamaba Isabel,
que su padre no la daba, ni por oro ni marqués,
ni por dineros que vale la corona de Isabel.
Un día estando jugando al juego del ajedrez,
se presentó un caballero, caballero aragonés.

4. Muy parecido a éste —salvando un vulgarismo mayor— es el que recogió en Granada (1967) María Amalia Ceballos y que pasó a nuestra colección. Tenemos una versión completa de Almería.

5. La versión andaluza es harto parecida a la santanderina de Sixto Córdova y Oña, *Cancionero infantil español*, t. I (Santander, 1948), p. 130.

6. Transcribo con la ortografía habitual, por más que mis textos están recogidos en la pronunciación local. Ahora esto es muy secundario. Ese *oro y pre* ha de ser *oropel*, según asegura el texto montañés.

—¿No ha visto usted a mi marido, que no es conde ni marqués?
En la punta de la lanza, tiene un pañuelo francés,
que lo bordé cuando niña, cuando niña lo bordé.[7]

Del mismo modo, al lado de versiones largas y minuciosamente completas del romance de *La doncella guerrera*,[8] hay otras sumamente reducidas, en las que toda la historia queda limitada al episodio de cortarse los cabellos para cobrar apariencia varonil.[9]

8. Interferencias romancescas

De pasada he hablado de interferencias de algún romance sobre otro. La colección atestigua cien casos de ello. Una versión del romance de *Alba Niña (ó)* [10] comienza con unos versos que recuerdan al *Conde Niño* y *La misa de amor*;[11] en una abreviadísima versión de *La mala hierba*,[12] el motivo de la dolencia es pretexto para incrustar la consulta de los médicos [13] según el

7. De Zújar (Granada), Martos (Jaén) y Santa Ana la Real (Huelva), tengo sendos textos, recogidos en 1967, que comienzan con rima en *é.a*, para pasar luego a *é*, como el que publicó Dámaso Ledesma en su *Cancionero salmantino* (Madrid, 1907), p. 170.

8. Empiezan: «Un rey escribió una carta / de Sevilla a Badajoz, // la más pequeña de todas / la carta fue y la leyó»; «El rey ha echado un bando / desde Sevilla a Aragón, // pena de la vida tiene / el que no tenga varón».

9. Comienza: «En Sevilla a un sevillano / la desgracia le tocó, // de siete hijas que tuvo / y ninguna fue varón». Una versión de Granada, con comienzo idéntico, queda truncada muy poco después de ésta. Un texto muy completo lo recogimos en Sevilla.

10. Texto de Málaga (recogido en marzo de 1959). Se puede leer en mi *Romancero viejo y tradicional* (México, 1971), p. 269 (núm. 199*a*). También tengo otra versión de Mairena del Alcor (Sevilla).

11. Idéntico principio en otra versión de Sedella (Málaga).

12. Frente a la riqueza de las versiones catalanas *(La infanta seducida)*, mallorquinas, asturianas *(Doña Enxendra)* o zamoranas (todas en mi *Romancero viejo y tradicional*, pp. 186-190, donde indico procedencias).

13. El texto malagueño reza:

En el jardín del rey, hay una hierba malvada,
cada aquel que la pisare se quedaría baldada.
La pisó la hija del rey y ésa fue la desgraciada.
Han mandado a llamar a tres sabios de Granada:
uno le tomaba el pulso y el otro le recetaba,
y el otro que le decía: «Señora, usté está baldada».
A los cuatro o cinco meses, cayó una rosa en su cama.
—«Dime dónde está ese árbol pa ir y cortar una rama».
—«No te lo puedo decir porque está malo en la cama».

de *La muerte del príncipe don Juan,*[14] o para dar paso al romance de *Delgadina* (Alcalá de Guadaira, prov. Sevilla; Chiclana, prov. Cádiz); *La misa de amor* da entrada a la versión octosilábica de *Don Bueso* en un texto de Huéscar (Granada); *Las señas del marido (é.a)* va precedido de unos versos que recuerdan otros del de *Santa Irene* (textos de Santa Ana la Real, prov. Huelva, y Alcalá de Guadaira, prov. Sevilla); el nombre de *Tarquino* se incorpora a versiones del romance de *Tamar y Amnón,* según he estudiado anteriormente[15] (textos de Málaga y Algarrobo, Yunquera).[16]

Todo esto nos pone en camino de considerar las versiones híbridas, los romances resultantes del cruce de dos o más narraciones distintas. Dentro de nuestra bibliografía, es un indudable punto de referencia el estudio de Menéndez Pidal sobre las versiones de *Gerineldo + La Condesita,* seguido de otras aportaciones de fundamental interés (de D. Catalán, de A. Galmés, de D. Devoto, de J. Horrent y de G. Di Stefano). En Huéscar, Pinos Puente (Granada), Maricheño, Mojácar (Almería) y Los Pérez (Benajarafe, prov. Málaga), la fusión de *Gerineldo*[17] y *La Condesita,*[18] se hace a través de los sabidos versos que hablan de la promesa a la Virgen de la Estrella;[19] en Granada, Láchar, Iznalloz (Granada) y Sayalonga (Málaga) la complejidad es mayor, puesto que se unen tres romances: *El Conde Niño, Gerineldo* y *La Condesita;*[20] en Martos (Jaén) y Algarrobo (Málaga) los dos textos habituales son introducidos por el romance de *El prisionero.*[21] También en esta línea de contaminación y, por ende, adaptación a nuevas circunstancias, está el viejo romance de *La*

14. Así ocurre también en el de *Tamar y Amnón.* Es más, creo que el último verso transcrito en la nota anterior hace referencia al fingimiento de Amnón para gozar de su hermana. Véase más arriba, pp. 216-217. En Mairena del Alcor, se llama *Atarquino* el caballero del romance de *Blancaflor y Filomena.*

15. Vid., más arriba, pp. 181-182.

16. Vid., más abajo, pp. 394-396.

17. Texto simple de Almería, Pinos Genil (Granada), Ciudad Real.

18. Versiones exentas de este poema: La Roda (Sevilla), Los Gallardos (Mojácar, prov. Almería).

19. Véase el texto en *Romancero viejo y tradicional,* pp. 202-203. Versiones diferentes de Mairena del Alcor (Sevilla), Granada, Gabia Grande, Guájar Alto, Cúllar-Baza (Granada).

20. Véase *Romancero viejo y tradicional,* pp. 203-204.

21. La versión de éste es como sigue:

aparición, recogido aislado en una versión muy tradicional («En la ermita de San Jorge, / una sombra oscura vi»), pero adaptado —como en todas partes— al fallecimiento de la primera esposa de Alfonso XII («¿Dónde vas, Alfonso XII? / ¿dónde vas tú por aquí?»;[22] «De los árboles frutales / me gusta el melocotón», etc.).[23]

9. Romances hexasilábicos

La tradición de los romances hexasílabos se ha conservado en unos cuantos textos, que —si bien son bastante conocidos— aportan nuevos datos para la evolución externa de los poemas (persistencia del verso de seis sílabas sin pasar hacia el de ocho) y para conocer la vida tradicional de esos temas. Así el romance de *La muerte ocultada,* cuyo original estaba en pareados,[24] y que tiende a convertirse en un romance en *-ía* e incluso en los octosílabos consabidos. Los textos de Málaga, Ribera Baja de Alcalá, de Martos (Jaén), de Valderrubio (Granada) ofrecen en sus primeros versos la versión en pareados, según señaló Menéndez Pidal,[25] aunque luego se normaliza la rima, que a veces sólo en

---

Era en el mes de mayo, cuando las recias calores,
cuando los maíces crecen y los trigos echan flores,
cuando los enamorados regalan con sus amores:
unos regalan con lirios, otros regalan con flores,
y el conde Erineldo encerrado en una torre,
sin saber cuando es de día, sin saber cuando es de noche,
sino por los pajaritos que andan por los rededores.
—Erineldo, Erineldo, Erineldito pulido,
¡quién te pillara esta noche tres horas a mi albedrío!...

22. Textos de Mairena del Alcor (transcrito en 1958), Algarrobo (recogido en marzo de 1959), Martos (copiado en 1967).

23. Textos de Venta de las Palomas (Almogía, recogido en 1960), Granada (varias versiones transcritas en 1968), Órgiva (Granada, ídem.). En una versión de Íllora (Granada), estos versos figuran como remate del poema.

24. R. Menéndez Pidal, *Romancero hispánico,* I, p. 134.

25. La versión de Martos reza:

Ya viene don Pedro de la guerra herido,
y viene que vuela, por ver a su hijo.
—¿Cómo estás, Teresa, de tu feliz parto?
—Yo estoy buena, Pedro, si tú vienes sano.
—Acaba, Teresa, de darme razones,
que me está esperando el rey en la corte.

los dos últimos versos vuelve al esquema de los pareados. Otro tanto cabría decir de la variante allegada en Venta de las Palomas (Almogía, prov. Málaga), por más que falte el coloquio de los dos esposos y no deje de ser caótico el desarrollo del argumento. En esta versión, sólo un pareado al principio y el ya sabido del final perturban la estructura romancesca que han adquirido los viejos pareados hexasilábicos:

Ya viene don Pedro de la guerra herido.
Ya viene que vuela por ver a su hijo.
A la entrá del cuarto, don Pedro expiró.
Ya quedó Teresa con pena y dolor... [26]

Del romance de *El parto en lejas tierras* se allegaron versiones, todas muy bellas, de Mairena del Alcor, Granada, Málaga, Algarrobo y Yunquera. También aquí alterna la rima de romance (*é.a*) con los pareados, con predominio de esta estructura formal sobre aquélla. El comienzo de las diversas versiones es distinto:

La recién casada fuera de su tierra... [27]

Una casadita fuera de su tierra... [28]

Maridito mío, si tú me quisieras... [29]

Los recién casados se van a su tierra... [30]

La misma vacilación entre los pareados y la rima continuada se ha dado en *Don Bueso y su hermana cautiva*. Los textos derivados directamente —todo lo directamente que la tradición permite— del poema austriaco de *Kudrun* (siglo XIII) [31] presentan

26. De Granada capital poseo alguna versión que puede relacionarse con ésta. Es romance perfecto —falto también de la conversación matrimonial— el texto que tengo de Mairena del Alcor (versión hexasilábica).
27. Versión de Málaga.
28. Versión de Algarrobo (Málaga).
29. Versión de Yunquera (Málaga).
30. Versión de Torre Cardela (Granada).
31. Cf. R. Menéndez Pidal, «Supervivencia del poema de *Kudrun*», *RFE*, XX (1933), pp. 1-59.

hoy generalmente la rima en *-ía* a lo largo de todo el poema (versiones asturianas, de Arcera [Santander], Mollina [Málaga], Cuevas de Almanzora [Almería], cordobesa y —salvo un pareado— de Alfondeguilla [Castellón],[32] siendo raras en la tradición las que mantienen una alternancia de rimas que hace pensar en el carácter original, en pareados, que debió tener el poema [33] y que se conserva entre los judíos y en el norte peninsular.[34] Tan sólo en una magnífica versión de Guájar Alto (transcrita por Purificación Correa, en 1967), demasiado bella para ser auténtica,[35] encuentro fórmulas de ese tipo:

¡Cuánta buena gente llevan cautivada!
¡Cuánta buena gente que llevan cautiva!...

Tornéis vos, señora, esta cautivita,
Tornéis vos, señora, esta cautivada...

No quiero yo, no, a la cautivita,
No la quiero, no, a la cautivada...

¡Oh, qué lindas manos, en el agua fría!
¡Oh, qué blancas manos, en el agua clara!

La recogida de materiales andaluces ha permitido —además— documentar versiones en romance octosílabo como las que empiezan «Al llegar a los torneos» (Melilla). «Un domingo de torneo» (Mairena del Alcor) o «El día de los torneos / marché por la morería» (Málaga), «Apártate, mora bella, / apártate, mora linda»,[36] «Carmela se paseaba / por una sala hacia arriba» (Órgiva, Zújar, prov. Granada, y Frigiliana, prov. Málaga),[37] «La

32. Las dos primeras figuran en la *Antología de poetas líricos,* IX, p. 190, y en N. Alonso Cortés, «Romances tradicionales», *RHi,* L (1920), pp. 208-209; las otras proceden de mi colección.
33. *Romancero hispánico,* II, p. 338.
34. Algunos de estos textos se pueden leer en el apéndice de esta obra.
35. En efecto, procede de R. Menéndez Pidal, *Flor nueva de romances viejos.*
36. Textos de Almería, Níjar, Gérgal (Almería), Santa Fe, Valderrubio (Granada), Algarrobo (Málaga) y, con muchas discrepancias, Huéscar (Granada).
37. Comienzo que procede del romance de *La mala suegra,* muy conocido en España y en el mundo sefardí.

reina salió a paseo / por un arroyito arriba» (Cañete la Real),[38] todas con rima en *-ía* sin modificar, pero sin el paralelismo que Menéndez Pidal ha encontrado algunas veces.[39]

Otro romance de tema no muy dispar es el de *Las tres cautivas*, siempre hexasílabo, en que al lado de versos en *í.a* aparecen otros en *-ó* (y en *á.a*), que modifican la unidad romancesca. Así en versiones de Santander, Segovia, Zafra (Badajoz) y, en mi colección, de Málaga, Iznalloz, Órgiva, Alcudia de Guadix, Pinos Puente, Fuente Vaqueros (Granada).[40]

El romance de *Santa Irene*, como todos los hexasilábicos, tiene dos rimas: una al principio y al final (*á.a*) y otra en (*ó*).[41]

De entre todos estos romances hexasilábicos, sólo el archisabido de *La malcasada* («Pensó el mal villano»),[42] que no fue recogido en los romanceros del siglo XVI por su condición métrica, ha desafiado gallardamente a la acción del tiempo.[43]

10. Tradicionalización de textos impresos o grabados

Claro que otras veces la tradición actual no continúa, sino que aprende en textos impresos lo que después se canta. En este sentido, son harto significativos los romances de gusto plebeyo que proceden de pliegos de cordel o de relatos de ciego. Pero, a veces, surge la tradición vieja porque un maestro de escuela, una profesora de la Sección Femenina, un oidor de las canciones

38. Versión contaminada por el romance de las *Hermanas reina y cautiva*, también en un texto de Bacares (Almería), en otro de Martos (Jaén), otro —bastante complejo— de Granada y otro de Alcalá de Guadaira (Sevilla).
39. *Romancero hispánico*, I, p. 133.
40. Las de Segovia y Zafra figuran —respectivamente— en A. Marazuela, *Cancionero segoviano* (Madrid, 1964), pp. 384-385 y M. Menéndez Pelayo, *Antología de poetas líricos*, IX, pp. 287-288.
41. Textos de la provincia de Málaga, de Almería, de Huéscar, Pinos Genil, Guájar Alto, Montillana (Granada), Mairena del Alcor (Sevilla). Otra rima más tiene en la versión de Güéjar Sierra (Granada) publicada por J. Martínez Ruiz (*RDTP*, XII [1956], 366). Cf. el trabajo de J. Pérez Vidal, «*Santa Irene*. Contribución al estudio de un romance tradicional», *RDTP*, IV (1948), 518 y ss.
42. *Romancero hispánico*, II, 80. Cf. también *Cantos de boda judeo-españoles* (Madrid, 1970), pp. 108-109.
43. Mis numerosas versiones son bastante uniformes: «Me casó mi madre / chiquita y bonita // con un caballero (uno del campo), / que yo no quería».

de la Argentinita, incorpora a su repertorio aquello que le ha emocionado. Una mujer malagueña de treinta años cantó en 1958 los cuatro primeros versos del romance de *La lavandera de San Juan* («Yo me levantara, madre, / mañanita de San Juan») según el *Cancionero de romances* impreso en Amberes, sin año (anterior a 1550).[44] Y el 22 de abril de 1967 una mujer de veintidós años nos cantó 11 versos (22 hemistiquios) de *Lanzarote y el ciervo del pie blanco* («Tres hijuelos había el rey»), tal y como aparece en el *Cancionero de romances* (s. a.) y en la *Antología de poetas líricos* (t. VIII, pp. 301-302). No nos perdonó ni un solo arcaísmo (*se tornó, estad parado, vos, diésedes, dároslo he yo, de grado*) y, sin embargo, el romance era cantado, repitiendo cada hemistiquio en la salmodia. Por los mismos días, nos recitaba en Granada una muchacha de diecinueve años el romance del *Conde Niño*, según el texto de la *Flor nueva de romances viejos* («Amor más poderoso que la muerte»).

Basten estos testimonios. Pero no olvidemos su valor. En Larache me cantaban las niñas de un grupo escolar sefardí (1951) unos romances que creían propios de su comunidad: eran los textos armonizados por García Lorca y que su maestra había aprendido en Madrid, cuando estudió en el Instituto Escuela. La moderna tradicionalización peninsular interfería sobre el venerable conservadurismo sefardí,[45] pero se estaba cumpliendo un viejo proceso: el de mezclar versiones distintas para dar nacimiento a una nueva.

No de otro modo ocurrió en los procesos de tradicionalización que nosotros podemos considerar con alguna perspectiva. En la colección que vengo comentando se ha recogido varias veces (Algarrobo,[46] Murcia) el romance pseudo-carolingio del *Conde Claros en hábito de fraile*. En su origen fue un poema juglaresco impreso en el siglo XVI: amores de Emma, hija de Carlomagno, con Eginhardo. Ahora, tal como podemos estudiar las versiones

44. Vid. edición facsímil por R. Menéndez Pidal, fol. 228 *r*.
45. Me referiré, siquiera en nota, pues no podría aducirse de otro modo, a la recogida de textos españoles modernos en ciudades sefardíes. En 1967, en Casablanca, transcribió Luis A. Vidal el romance de *Don Bueso y su hermana*, según la versión octosilábica.
46. Texto en el *Romancero viejo y tradicional*, p. 212.

modernas, nos ofrecen un complicado proceso de tradicionalización con interferencia de otros motivos novelescos —del mismo carácter pseudo-carolingio— con elementos de *Gerineldo* (en definitiva se trata de la misma historia) y de *Silvana*. De los textos primitivos apenas si queda otra cosa que el relato novelesco y la rima en *-á,* mientras que las asonancias en *ó.e* y en *í.a* denuncian claramente las contaminaciones.

11. Actualización de los viejos motivos

El muy bello romance de *La aparición de la amada muerta* se ha recogido en una versión abreviada que coincide virtualmente con la asturiana de la *Antología de poetas líricos* (IX, p. 252),[47] lo que hace pensar en un aprendizaje libresco (cn la escuela, directamente sobre la obra de Menéndez Pelayo). Tiene, por tanto, las modernizaciones que se encuentran en Asturias (*soldadito* en vez del *escudero* de la versión de finales del siglo XV, del *caballero* de las impresiones del siglo XVI)[48] y, a su vez, el estado primitivo sin contaminar por las alusiones a la muerte de Mercedes, la esposa de Alfonso XII.

Apena ver la modernización —lamentable sin atenuantes— de alguna de las mejores joyas de nuestra lírica. Por 1958 se transcribió en Granada el hermosísimo romance de *El prisionero,* en una versión totalmente actualizada. Basten los primeros versos:

Preso pa toda la vida sin oír ruidos de coche,
sin saber cuando es de día, sin saber cuando es de noche,
sólo por un pajarillo, que habita en aquella torre;
cuando es de día me canta, cuando es de noche se esconde.

Otras veces, lo que se da es la persistencia del arcaísmo. El romance truculento de *La infanticida* tiene una serie de sustitu-

47. La versión de Málaga, oída en 1958, a una mujer de veintinueve años, se puede ver en mi *Romancero viejo y tradicional,* p. 311, núm. 214*b*.
48. R. Menéndez Pidal, *Romancero hispánico,* II, pp. 14-15. *Soldadito* vuelve a sustituir a *caballero* en el romance de *La aparición* («En la ermita de San Jorge», etc.).

ciones para hacer comprensible la ocupación (lencero) del padre: *lancero* o *lucero* en textos de Zaragoza, *lanchero* en Málaga, *manchego* en Sierra de Yeguas, pero —frente a todos ellos— un texto de Mairena del Alcor (Sevilla) dice *mancebo,* bien fuera de los usos idiomáticos actuales.

12. Creaciones modernas recientes

Naturalmente, el romance tardío ha dado lugar a nuevos brotes de tradicionalidad. Tal es el caso de *El Corregidor y la molinera,* que poseo en versiones más o menos completas del Algarrobo (Málaga), de Almería y de Granada y otra excelente de Pinos Genil (Granada), por más que el tema haya gozado de mejor prestigio literario; los de clérigos metidos en negocios de faldas (*La penitencia* [ó], según textos de Gabia la Grande, Pinos Genil y Mollina): los de enamorados bajo el cobijo de Celestinas (*El novio y la alcahueta,* recogido en Venta de las Palomas); los de muchachas sacrificadas por su amante (*El novio librado del servicio,* muy difundido; *Antonio,* texto de Guájar Alto, prov. Granada); los de comparaciones irreverentes (*Sacramentos de amor,* versiones de Sayalonga y Algarrobo), amén de los muchos de quintos y de asunto religioso, cuyos vulgarismo y carácter reciente no necesitan mayor detención. Acaso el de *Los naipes* (Corumbela y Málaga) merezca una alusión independiente porque recuerda —en su enumeración a lo divino— las conocidas versiones de *El arado,* de feliz andadura: desde la Fernán Caballero hasta el cancionero de Madrid, pasando por otras muchas obras de Andalucía o Extremadura. En los pliegos de cordel que se imprimían en Málaga y Córdoba a finales del siglo XVIII y comienzos del siglo XIX, hay una buena colección de romances de cautivos; tampoco nuestro romancero ignora motivos muy vulgares en conexión con ellos.

13. Romances de pastores

No abundan los temas relacionados con la vida pastoril (incluso extraña su existencia todavía hoy). Sin embargo, aparece alguno como persistencia arcaizante de algo que ha quedado —definitivamente— marginado. En la colección figura el romance de *Lucas Barroso* (texto de Mairena del Alcor, prov. Sevilla), que, si bien es moderno, «cuenta con bastante antigüedad», según Menéndez Pidal.[49]

A su lado hemos recogido con más frecuencia un texto que tiene —a lo menos— cinco largos siglos de documentación. Me refiero al tema de *La gentil dama y el rústico pastor,* que ha sido suficientemente estudiado por Menéndez Pidal;[50] a principios del siglo xv el tema se generalizó y en 1421 quedaba recogido por escrito. Se trata de una pastorela «al revés», en la que la dama ofrece sus gracias para seducir a un galán. Tengo materiales transcritos *in situ* de Fuente del Maestre (Badajoz), que ahora no nos atañen, y otros de la provincia de Málaga (Sedella y Almogía) y de la de Jaén (Martos). La versión que ahonda mejor en el espíritu tradicional es la de Almogía —mejor también que la de Sedella—, por más que la de Martos esté muy actualizada y responda a lo que podría ser una tradicionalidad con motivos de hoy.[51]

49. *Romancero hispánico,* II, p. 424.

50. *Flor nueva de romances viejos,* «Col. Austral», núm. 100, pp. 259-263; *Romancero hispánico,* I, pp. 339-343.

51. La de Almogía dice:

—Pastor que estás en la sierra comiendo con cucharones,
si te casaras conmigo, comieras con tenedores.
—No quiero tus tenedores, responde el villano vil;
tengo el ganado en la sierra y allí me tengo que ir.
—Pastor que estás en la sierra durmiendo entre bolina,
si te casaras conmigo, dormieras en cama fina...

14. Truculencia y sentimentalismo

En nuestra colección abundan las versiones de temas truculentos. Por más que historias de incestos, parricidios, infanticidios, etc., sean de especial deleite para nuestras gentes, no hemos de caer en la simplicidad de creerlas exclusivamente meridionales. En un país como Suiza, el pasto espiritual del pueblo son «los temas excitantes [...], cuentos de bandidos y novelas policíacas [...], sentimentalidad y brutalidad están en el pueblo, a menudo una al lado de otra.[52]

Igual que en los pliegos de cordel tardíos, la tradición oral ha conservado motivos de adulterio, con la inmolación de la víctima más inocente, temas de forzadores, relatos de incestos... Y hemos de pensar que —desgraciadamente— nada se inventa: las historias de Progne y Filomena o de Amnón y Tamar tienen su cobijo en la literatura clásica o en la *Biblia*, por más que ahora las sorprendamos en narraciones faltas de arqueología. Pero son ellas, sin dificultades para su identificación, por más que el ropaje cotidiano haya sustituido al de la ropavejería teatral. Y, en contraluz, los romances más llenos de sentimentalismo, como el de la muerte de la enamorada de Francisco (*La muerte del novio*) [53] o la adaptación del poema *Lux aeterna*, de Juan Menéndez Pidal, a las necesidades de los relatos.[54]

15. Conclusiones

Las muestras aquí presentadas no pretenden otra cosa que indicar —somera, parcialmente— la tarea emprendida, los mate-

52. Cito de C. E. Dubler, «Estudio crítico sobre Richard Weiss, *Wolkskunde der Schweiz*, *RDTP*, VI (1950), p. 225.
53. Versiones de Mollina y de Yunquera, bastante dispares entre sí. Menéndez Pidal piensa en el origen salmantino del texto (*Romancero hispánico*, II, p. 424).
54. Cf. *Endechas judeo-españolas*, 2.ª ed. (Madrid, 1969), pp. 197-203. Versiones recogidas en La Carolina, Ribera Baja de Alcalá, Martos (Jaén), Almería, Granada, Pinos Genil, Guájar Alto, Zújar (Granada).

riales allegados, la información que de todo ello se puede obtener en una rápida ojeada. Tal vez, ni grandes novedades ni grandes hallazgos. Pero es una aportación recogida allí donde se dice, lo que ya es algo pensando en una futura geografía folklórica; son unos datos que con su justa cronología ayudarán a fijar unos procesos en la historia romancesca; se trata de una información que muestra el desarrollo de la tradición vieja y la posible génesis de otra nueva. Y, sobre todo, una vez más, la persistencia. Para seguir viviendo, para no resignarse a morir.

APÉNDICES

En las páginas que siguen publico unos cuantos romances que pueden ayudar a comprender alguno de mis estudios o, cuando menos, se ofrecen los textos en su integridad y no con las limitaciones que han impuesto los análisis de cada trabajo.

En el primer grupo *(Los romances de Tamar)* incluyo una serie de redacciones procedentes de unas cuantas regiones. Me limito a transcribir algunas versiones publicadas o a divulgar otras recogidas por mí. No incluyo ninguna de Menéndez Pidal por razones obvias. El número que figura junto a la localización del texto es el que corresponde a la lista de las páginas 167-170; en ellas podrá verse la procedencia de los textos, si es que ya han sido publicados.

En cuanto a los *Romances sefardíes,* doy sólo poemas recogidos por mí y —justamente— los precisos para aclarar mi exposición.

I. LOS ROMANCES DE TAMAR

12. Quirós *(Asturias)*

El rey moro tenía un hijo que Tranquilo se llamaba;
un día estando cenando, se enamoró de su hermana.
Al otro día siguiente, cayó enfermito en la cama;
subió su padre a verle allá arriba donde estaba.
—«¿Qué te pasa, Tranquilito, que enfermito estás en cama?»
—«Tengo unas calenturitas, que me han dado esta mañana.»
—«¿Quieres que te mate un ave, de esas que vuelan por casa?»
—«Máteme aunque sea un ciento, que me la suba mi hermana.»
Como era por el verano, se la subió en ropa blanca;
Tranquilito que la vio, dio un saltito en la cama;
la coge por la cintura y la metió para la cama.
—«Mira, Tranquilo, lo que haces, mira que yo soy tu hermana.»
—«Si eres mi hermana, que seas, no haber nacido tan guapa.»
Un día que iban a misa su madre la reparaba:
—«¿Qué te pasa, hija mía, que tanto vuela tu saya?»
—«Tengo unas calenturitas, que me han dado esta mañana.»
Llamaron cuatro doctores, para ver lo que pasaba;
se miran unos a otros, sin saber decir palabra,
hasta que el más pequeño dijo: «La niña está embarazada.»
Aquí termina la historia de Tranquilito y su hermana.

17. Mieres del Camino *(Asturias)*

Se pasea Altamarina por las calles de Altamara:
alta era como un pino, derecha como una espada.
Cuatro duques la pretenden, también el rey de Granada
y un hermanito que tiene, de su hermosura celaba,
y, celando de su hermosura, cayó malito en la cama.

Y subió su padre a verle, el domingo por la mañana:
—«¿Qué tienes, hijo querido? ¿Qué tienes, hijo del alma?
—«Calenturas, padre mío, que me devoran el alma.»
—«¿Quieres que te mate un ave, de esas que vuelan por casa?»
—«Mátenme aunque sea un ciento; que me lo suba mi hermana,
que me lo suba ella sola, que no suba acompañada;
que si acompañada sube, mis penas serán dobladas.»
Por la escalera de amor, sube la linda Altamara,
alta era como un pino, derecha como una espada.
—«¿Qué tienes, hermano mío? ¿Qué tienes, que guardas cama?»
—«Del mal que yo tengo, hermana, tus ojos tienen la causa.»
—«No lo quiera Dios del cielo, ni la Virgen soberana;
mis ojos no son tan bellos para que tú guardes cama.»
La cogió por la cintura, la tiró sobre la cama;
hizo de ella lo que quiso, hasta escupirle en la cara.
—«Ahora, márchate de aquí, que de mí vas deshonrada;
ya no doy por tu hermosura, ni el valor de una avellana.»
Por la escalera de amor, baja la linda Altamara,
con el pelo despeinado, la cara desencajada.
Su padre la está mirando desde una linda ventana:
—«¿Qué tienes, Altamarina? ¿Qué tienes, hija del alma?
Que te voy a meter monja, de las hermanas sagradas.»
—«Vaya consejos de padre para una hija deshonrada;
que me quiere meter monja de las hermanas sagradas.
Primero que mis amigas me llamen mujer mundana,
me pegaré cuatro tiros.» Y murió la desgraciada.

35. Astudillo *(Palencia)*

Por la sala de Altamar iba la linda Altamara;
ella es alta como un pino, reluce como una espada.
Esta tal tiene un hermano que está malito en la cama.
Fue su padre a visitarle un lunes por la mañana.
—«¿Qué tienes, hijo, qué tienes, qué tienes en esa cama?»
—«Tengo unas calenturillas que me roen las entrañas.»
—«Si te gustara una polla te la guisara Altamara.»
—«Si me la guisa Altamara venga sola sin compaña,
que también la mucha gente algunas veces enfada.»
Por la sala de Altamar iba la linda Altamara
con una polla en dos platos y en la otra una toalla,

y en su mano derecha lleva una jarra de plata.
—«¿Qué tienes, hermano mío, qué tienes en esa cama?»
—«Los tus amores, traidora, que me roen las entrañas.»
La agarró de los cabellos, la tiró encima la cama,
hizo lo que quiso de ella hasta escupirla en la cara.
Por la sala de Altamar iba la linda Altamara
pegando voces y gritos y al cielo pide venganza.
—«¿Qué tienes, hija, qué tienes? —No te asustes tú por nada,
que si tú tendrías hembra será la reina de España,
y si sería varón, lo mismo le acompañara.»
—«¡Vaya un dicho para un padre, no le pasa las entrañas!»
Coge el puñal más pequeño y el corazón se traspasa:
—«Quiero morir con honor, que no vivir deshonrada.»

39. Palencia

Un gran rey tenía un hijo que era príncipe de España,
se enamoró de Altamar, de Altamar, que era su hermana.
Tanto le venció el amor, que cayó enfermo en la cama,
y su padre, que era el rey, tres veces le visitaba:
la una, a medio día; las otras, por la mañana.
—«¿Qué mal es el que tiés, hijo, o qué mal es el que te mata?»
—«Dolor de cabeza, padre, y una calentura falsa.»
—«Dicen que para los reyes no hay cosa más regalada,
que el ala de un palomino, la pechuga de una pava.»
—«Altamar que me lo guise, Altamar que me lo traiga,
Altamar, que venga sola, que no venga acompañada.»
Por aquella sala de oro, la linda Altamar entraba,
vestida de seda verde desde los pies a la cara;
con los platos en la mano, acercaba pa la cama.
Se les cogió con gran furia, al patio se les tiraba.
Le ha puesto un puñal al pecho, pa que no se revolcara;
una mordaza en su boca para que ella no chillara.
Por aquella sala de oro, la linda Altamar marchaba,
maldiciendo su cabello, maldiciéndose su cara.
En el medio la escalera, con su padre se encontraba:
—«¿Por qué lloras, hija mía? Mi Altamar, ¿por qué lloraba?»
—«Si en el cielo no hay castigo, y en la tierra no hay venganza,
que le corten la cabeza y a los perros se la echara.»
Los perros no la comían porque era carne cristiana.

70. Macotera *(Salamanca)*

El rey moro tenía un hijo más hermoso que una playa,
y, al llegar a quince años, se enamora de su hermana.
Al ver que no podía ser aquello que él deseaba,
cayó malito en la cama
con dolores de cabeza y una calentura mala.
Al subir su padre a verle, en el cuarto donde estaba:
—«¿Qué te pasa, hijo querido? ¿Qué te pasa, hijo del alma?»
—«Es un dolor de cabeza y una calentura mala.»
—«Te mataremos un ave de los mejores que haya.»
—«No, padre, no quiero ave, ni tampoco quiero nada;
quiero una taza de caldo, que me la suba mi hermana.»
Al subir por la escalera, con el traje de verano,
con la tacita de caldo, fuera a dársela a su hermano.
—«Hermana, si eres mi hermana, yo te quiero de verdad,
que en una reunión de mozos, por ti me dejé pegar.»
—«Si te duele la cabeza, arrímate a mi cintura,
que tengo una hierba buena, que todos los males cura;
si te duele la cabeza, arrímate a mi pañuelo,
que mi pañuelo se llama quita pena y da consuelo.»

74. Alcuéscar *(Cáceres)*

Un rey moro tenía un hijo más hermoso que la plata,
que, d'edad de quince años, s'enamoró de su hermana.
Viendo que no podía ser, cayó malito en la cama,
con doloreh de cabeza y calenturillah mala.
Subió su padre a verle: —«¿Qué tienes, hijo del alma?»
—«Tengo una calenturilla, qu'el corazón me traspasa.»
—«¿Quieres que te mate un ave d'esoh que vuelan en casa?»
—«No quiero que mates ave, ni tampoco mateh nada;
quiero una taza de caldo, que me la suba mi hermana.
Si sube, que suba sola, que no sub'acompañada,
que, si acompañada sube, soy capaz de rechazarla.»
Y al dar la taza de caldo, el muerto resucitaba:
la cogió por la cintura y a su cama la llevaba;
como era tiempo verano, ha subido en falda blanca,

con un pañuelo de seda, la carita la tapaba.
El colchón era de pluma, y las sábanah, de Holanda;
la colcha que la cubría era de seda bordada.
—«Hermano, si ereh mi hermano, no me quedeh deshonrada,
¡vah! ehmiajar una flor y a manchar un crihtal fino.
Y luego te voy a poner en el tribunal divino.»
Estando un día en la mesa su padre la remiraba:
—«¿Qué me mira, padre mío, qué me mira usté a la cara?»
—«Hija de mi corazón, pedazo de mis entrañas,
que te levanta el vestido como una mujer casada.»
Yamaron cuatro dotore, loh mejoreh de Granada:
unoh le toman el pulso, otroh le miran la cara,
otroh le dicen al rey: «Tiene hidropesía de agua»,
y el último ha declarado: —«Su hija está embarazada...»
A eso de loh nueve mese, un niño yora en su casa:
—«No yoreh, niño chiquito; no yoreh, hijo del alma,
que a tu madre le da pena que no seah de casada.»

87. Villamedianilla *(Burgos)*

Un rey tenía un hijo que era príncipe de España.
De Altamar se enamoró, de Altamar, su linda hermana.
Tanto le venció el amor que cayó enfermo en la cama,
y su padre le visita tres veces a la semana.
—«¿Qué dolor tienes tú, hijo, qué dolor el que te mata?»
—«Dolor de cabeza, padre, y una calentura falsa.
Dicen que para los reyes no hay cosa más regalada
que el alón de un palomino y la pechuga de una pava.
Altamar que me la guise y Altamar que me lo traiga,
Altamar que venga sola, que no venga acompañada.»
Por aquella sala de oro la linda Altamar entraba,
vestida de raso azul desde los pies a la cara.
—«No digas nada, Altamar, Altamar, no digas nada,
que si tú tienes un hijo será príncipe de España.»
La ha cogido los platos y al corral se los tiraba;
ella contra él se rebela dándole de puñaladas.
La cabeza le cortó y a los perros se la echaba;
los perros no la comían porque era carne cristiana.

93. HARO *(Logroño)*

Un rey moro tuvo un hijo que Tranquilo se llamaba,
a la edad de quince años se enamoró de su hermana.
Como no podía ser cayó malito en la cama.
Su padre subía a verle dos veces a la semana.
—«¿Qué te pasa, hijo mío? ¿Qué te pasa, hijo de mi alma?
.... Haría que te curara
el ala de un palomino, la pechuga de una pava.»
—«Altamar que me lo guise, Altamar que me lo traiga,
Altamar que suba sola, que no suba acompañada.»
Por aquellas aras de oro, sube la linda Altamara:
toda vestida de verde, desde los pies a la cara.
—«¿Qué te pasa, hermano mío? ¿Qué pena es la que te mata?»
—«De las penas que yo tengo, tu amor tiene la causa.»
—«Pues muy bien, hermano mío, mi amor para ti es nada.»
El plato y la taza fueron tirados por la ventana;
la agarró por la cintura y la echó sobre la cama;
hizo lo que quiso de ella, hasta escupirla en la cara.
Por aquellas aras de oro, baja la linda Altamara,
tirándose del cabello y pateando de rabia.
—«¿Qué te pasa, hija mía? ¿Qué te pasa, mi Altamara?»
—«Que mi hermano, el bribón, me ha robado honra y fama.»
A los nueve meses justos, cayó enferma en la cama;
llamaron a tres doctores, los mejores de Granada.
Uno le tocaba el pulso, otro la mira a la cara,
y otro le dice a su madre: «Esta niña está embarazada.»
—«Pues, muy bien, hija mía, si sale varón será príncipe de [España;
si sale hembra será como reina coronada,
y si no lo quiere ser, monjita de Santa Clara.»

136. MÁLAGA

Un rey moro tenía un hijo que Tarquino se llamaba.
Un día por altas mares se enamoró de su hermana.
Viendo que no podía ser cayó malito en la cama.
Subió su padre a verlo un domingo de mañana.
—«¿Qué tienes, Tarquino mío, el Tarquino de mi alma?»

—«Padre, una calenturita que es muy mala de curarla.»
—«¿Quieres que te mate un ave de esos que se crían en casa?»
—«Mátemelo usted, mi padre que me lo suba mi hermana,
que no suba con compaña, que si no no hacemos nada.»
Como era veranito subía en enaguas blancas.
Al subir a la habitación se la ha sentado en la cama.
La cogió de la cintura y la echó sobre la cama.
Estando un día a la mesa su padre la recreaba.
—«Que te se sube el vestido como a una mujer casada.»
A eso de los nueve meses, un domingo de mañana,
tuvo un hermoso niño que Tarquino se llamaba.

153. Algarrobo *(Málaga)*

Rey moro tenía hijo, que Ataquino se llamaba,
se ha enamorado de Altamare, que era su querida hermana.
Viendo que no podía ser, malito cayó en la cama.
Su padre fue a visitarlo, un domingo de mañana.
—«¿Qué tienes, hijo Ataquino? ¿Qué tienes, hijo del alma?»
—«Una calentura, padre, que me ha traspasao el alma.»
—«¿Quieres que te traiga un ave de esos que se crían en casa?»
—«Mátemelo usted, mi padre, que me lo traiga mi hermana,
y, si lo trae mi hermana, venga sola y sin compaña,
porque, si compaña trae, mis penas serán dobladas.»
Como era en el verano, iba con enaguas blancas;
con una taza de caldo, los muertos resucitaban.
—«Toma, hermanito Ataquino, toma hermanito del alma.»
—«No quiero taza de caldo; tírala por la ventana.»
Con una cintita verde, los ojos se los vendaba,
y allí hizo lo que quiso, y lo que le dio la gana.
—«¡Del cielo venga un castigo, ya que la tierra no habla,
que caiga sobre mi padre, que solita me mandaba!»
Un día estaba en la mesa, su padre la remiraba:
—«Padre, ¿qué me mira usted?» «Hija, no te miro nada,
que tienes los ojos hundidos como una recién casada.»
Llamaron a tres doctores, los mejores de Granada;
uno le tomaba el pulso, y otro le toma la cara,
y el otro va y le dice; «Su hija ya está casada.»
A eso de los nueve meses, tuvo una rosa temprana,
y por nombre le pusieron hija de hermano y hermana.

158. Yunquera *(Málaga)*

Un día por Altamare se enamora de su hermana.
Como no podía ser, cayó malito en la cama,
con una calenturita que le traspasaba el alma.
Subió un día el padre a verlo, domingo por la mañana:
—«¿Qué tienes, Tarquino mío? ¿Qué tienes, hijo del alma?»
—«Papá, una calenturita, que me traspasaba el alma.»
—«¿Quieres que te mate un ave, de esos que andan por casa?»
—«Que me lo mate mi madre, y me lo suba mi hermana.»
Como era veranito subió en enaguas blancas.
La cogió por la cintura, y la echó sobre la cama;
hizo lo que quiso de ella, hasta escupirle en la cara.
Vinieron cuatro doctores, los mejores de Granada.
El primer doctor le dijo: «Su hija no tiene nada.»
El segundo doctor le dijo que tiene blanca la cara.
El mejor de los doctores: «Su hija está embarazada.»
A los ocho o nueve meses, tuvo una rosa encarnada
y por nombre le pusieron hijo de hermano y hermana.

161. Granada

Rey moro tenía un hijo que Tarquino se llamaba
se enamoró de Altamares que era su querida hermana,
cayó malito de amores, cayó malito en la cama.
Su padre fue a visitarlo domingo por la mañana.
—«¿Qué tienes hijo querido, qué tienes hijo del alma?»
—«Tengo calenturas, padre, no me se quitan con nada.»
—«¿Si te comieras un ave de esas que vuelan por casa?»
—«Mátamela usted, mi padre, que me la traiga mi hermana,
y si a traérmela llega venga sola y sin compaña,
porque si compaña trae mi pena será doblada.»
Y a otro día de mañana, Altamares le llevaba
una tacita de caldo que a los muertos resucitaba.
Al verla en su habitación se ha tirado de la cama
y le ha vendado los ojos con una cinta encarnada.
—«¡Venga justicia del cielo si en la tierra no la hay,
para castigar mi padre que con mi hermano me manda!

Hermano, si eres mi hermano, no digas que he sido gozada.»
Estando un día en la mesa su padre que la miraba.
—«Padre, ¿qué me mira tanto?» —«Hija, no te miro nada,
que te hace cola el vestido como si fueses casada.»
Mandaron por cuatro médicos, los mejores de Granada,
uno le tomaba el pulso, otros le toman la cara
y por no asustar al padre le dicen que está opilada;
y a eso de los nueve meses la pilita rebosaba
con una blanca camelia que Tarquina se llamaba.

162. Granada

Rey moro tenía un hijo que Paquito se llamaba,
un día en el automóvil se enamoró de su hermana;
como no podía hacer malito cayó en la cama,
con unas calenturitas que a Dios le entregaba el alma.
Mandaron llamar los médicos, los mejores de Granada,
y unos le tientan el pulso, y otros le tocan la cara,
y otros médicos le dicen: su hijo no tiene nada.
—«¿Quieres que te guise un ave de esos que vuelan por casa?»
—«Guísemelo usted, mi padre, que me lo suba mi hermana.»
Como era veranito y ella subió en enaguas blancas,
y con mucho disimulo se ha apeado de la cama;
con una tranca de hierro, la puerta se la atrancaba,
con un pañolito blanco los ojos se los tapaba;
y allí hizo lo que quiso y lo que le dio la gana.
—«¿Qué tiene esa hija mía, debajito de la falda?»
—«Llevo rosas y claveles y una rosita encarnada.»
—«Y el rosal que echó esa rosa yo le cortaré las ramas.»

166. Cúllar Baza *(Granada)*

Rey moro tenía un hijo que Paquino se llamaba
se enamoró de Altamares siendo su querida hermana.
Sábado por la mañana cayó malito en la cama
y subió su padre a verlo domingo por la mañana.
—«¿Qué tienes Paquino mío, Paquino de mis entrañas?»
—«Tengo una calenturita que me ha traspasado el alma.
Que me maten un pichón de esos que se crían en casa

y si un caso me lo suben que me lo suba mi hermana:
que me lo suba ella sola, que no suba con compaña.»
Como era veranito lo subió en senaguas blancas.
(Con una taza de caldo los muertos resucitaban.)
Con un pañuelito blanco ya los ojos le vendaba,
la ha cogido de la mano y la ha metido en la cama.
—«¡En un corro de mocitos, Paquino no digas nada!»
Estando un día en la mesa, su padre que la miraba
—«Padre, ¿qué me miras tanto?» —«Hija, no te miro nada,
que se te alza el vestido como mujer obligada.»
Llamaron a los doctores los mejores de Granada;
unos le cogen el pulso, otros le miran la cara.
—«Que no tengan que sentir la niña es que está opilada.»
Al cumplir los nueve meses tuvo una blanca muchacha.
¿Cómo le van a poner, hija de hermano y hermana?

REBORDAINHOS (*Bragança*)

Três filhos tinha el-rei, todos como uma prata,
o mais novinho de todos D. Basílio se chamava.
Bem se passeia el-rei, muito bem se passeava.
—«Tu que tens, ó D. Basílio, que eu to mandara guisar?»
—«Comera eu um guisado, se Tomásia o guisara,
se Tomásia o trouxera, venha só, sem camarada.»
Bem se passeia Tomásia, muito bem se passeava,
numa mão levava o prato, noutra a alva toalha.
—«Tu que tens, ó D. Basílio, ó mano da minha alma?»
—«'Stou doentinho na cama, por teus amores, Tomásia.»
—«Meus amores, D. Basílio, para ti não valem nada.»
Pegara-lhe pela mão, p'ra sua cama a levara.
Tanto que zombou dela, que na cara lhe escarrara!
—«Agora, Tomásia linda, agora, linda Tomásia,
agora não dou por ti a casca da noz furada.»
—«Justiça do Céu me valha, que na terra não na havia!
Mano que esforça uma mana grande castigo mer'cia!
Que lhe cortem a cabeça, que lha arrastem pela vila!»

II. ROMANCES SEFARDÍES

1

ZAIDE
(Tetuán)

Por la calle de su dama, se pasea el moro Saide,
aguardando que sea hora que se asome para hablarle.
Viola salir al balcón, más bella que cuando sale,
el sol en el mediodía, la luna en sus escuredades.
Llegóse el Saide diciendo: «Bella mora, Dios te guarde,
de las moras sos más bellas de cuantas hay en el valle.»
—«Escucha, moro, lo que digo: que no pases por mi calle,
ni preguntes con quién duermo, ni quién viene a visitarme,
ni qué fiestas me hacen gala, ni qué músicas me placen;
la trenza de mi cabello que tú llevas en el turbante,
ni quiero que me la des, ni menos que te la quites.»
—«Que dicho me habían dicho que intentaban casarte
con un moro feo y tonto de las tierras de tu padre.»
Cierró la reina el balcón y al Sidi dejó en la calle.
Ya se desmaya el Sidi, desmayado cae en la calle,
—«No te desmayes, moro, ni lo tomes a pesares.»
Otro día de mañana, la rica boda se armare.

2

EL POLO Y LA INFANTA DESHONRADA
(Tetuán)

Pensativo estaba Polo, malo y de melancolía,
todo lo que gana en un año, se le va en un día:
en comida y en bebida y en amigas que él tenía.

Tiróse a la mar salada por dar descanso a su vida;
sentóse en un prado verde por ver quién iba o venía,
vio venir a un pajecito, de en casa de re venía.
—«Por tu vida el pajecito, así Dió guarde a tu amiga,
que si la tienes en Francia, Dió te la traiga a Sevilla;
y si la tienes encinta, Dios te la haga parida;
y si no la tienes paje, Dios te la percuraría.»
—«Por tu bien hablarais, Polo, un cuento vos contaría.
Que se pensaba la reina que honrada hija tenía;
con ese conde Vergicos, tres veces parido había,
con el que en el cuerpo tiene de los cuatro sería.
Decíanselo a la reina, la reina no lo creía:
cobijóse manto de oro, fue a ver si es verdad o mentira.
—«En buena hora estéis, la infanta.» —«Bien vengáis, madre mía.»
—«Ay, hija, si tú estás libre, reina serás de Castilla,
y si no lo fueres mal fuego estés ardida.»
—«Tan libre estoy, la mi madre, como a vuestros pies nacida.»
Colores de la su cara se le iban y se le venían.
—«¿Qué tienes tú, la infanta, que te veo tan amarilla?»
—«Cené mucho anoche, me dio dolor de barriga;
perdón, perdón, la mi madre, que yo acostarme quería.»
Tomó almohadita en mano, subióse a la sala arriba,
y entre almena y almena, un hijo parido había;
envolviólo en seda y grana y asomóse a la ventana;
vio venir a Vergicos, la prenda que bien amaba:
—«¡Ay Vergicos, ay Vergicos!, un hijo te nacería.»
«No estés de nada mi alma, no esté de nada mi vida,
el que cría de los tres, de los cuatro criaría.»
Y en mitad de aquel camino, con el buen re se encontrara.
—«¿Qué lleváis ahí, Vergicos?, ¿qué lleváis en la tu falda?»
—«Llevo yo almendritas verdes para las embarazadas.»
—«Déme unas cuantas, Vergicos, para mi hija la infanta.»
—«No puedo yo, buen re, porque las traigo contadas.»
Ellos en esas palabras, la criatura llorara.
—«¿Qué tienes ahí, Vergicos?, gran traición te veo armada.»
—«De vuestra hija, buen reye, de vuestra hija la infanta.»
Otro día de mañana, la rica boda se armara.

3

Rey envidioso de su sobrino
(Tetuán)

Paseábase Bueso por toda Sevilla,
vara de oro en mano tan bien le lucía.
—«Sobrino, sobrino, hijo de mi hermana,
¿de quién es Sevilla, de quién es Granada?»
—«Mía es, mi tío, si quieres, llevaila.»
—«Sobrino, sobrino, hijo de mi hermana,
¿de quién es la esposa que está en Granada?»
—«Mía es, mi tío, por ella dó el alma.»
—«Sobrino, sobrino, hijo de mi hermana,
convidarte quiero a almorzar mañana.»
—«Madre tengo en casa, yo iré a preguntarla.»
—«Madre, la mi madre, mi madre leale,
mi tío me llama con él a almorzare,
no sé si es por bien o será por male.»
—«Mi hermano es don Bueso, no te hará male.»
Ya se va don Bueso, arriba al altare,
mientras que se aprontan los buenos manjares.
Hallara a su tía con la escala rompida:
—«Tía, la mi tía mi tía leala,
¿por qué tiene la escala rompida?»
—«Muerto se me ha muerto una hermana mía.»
Ya sube don Bueso a la sala arriba,
mientras que se aprontan las buenas comidas;
mesa vido puesta en ella non pane,
cuchillos agudos, saleros sin sale.
Allí vido Bueso sus malas señales,
—«Ya lo sé mi tío, me queréis matare;
con el mi caballo, dejéisme hablare.»
—«Caballo, caballo, de silla dorada,
ve y dila a mi madre, a mi madre la mala,
que te quite la silla, te ponga la albarda,
te mande a los campos como bestia mala.»
Dio vuelta al caballo y a su tío matara.
Otro día en la mañana en su lugar reinara.

4

GERINELDO
(Larache)

¡Quién tuviera tal fortuna para ganar lo perdido
como tuvo Gerineldo mañanita de domingo!
—«¡Quién te me diera esta noche, tres horas a mi servicio!»
—«Como soy vuestro criado, Señora, burláis conmigo.»
—«Yo no burlo, Gerineldo, que de veras te lo digo.»
—«¿Y a qué hora vendré, Señora, y a qué hora daré el castío?»
—«Y a la ora da media noche, cuando canta el gallo primo.»
Media noche ya es pasada, Gerineldo no ha venido;
eya en estas palabras a su puerta dio un suspiro.
—«¿Quién es ése, o cuál es ése, qu'a mi puerta dio un suspiro?»
—«Gerineldo soy, señora, que vengo a lo prometido.»
Hayó la escalera puesta, derecho subió al castío,
con zapatito de seda para no hacer roído;
hayó la cama hecha, almohadas cuatro y cinco.
¡Qué de besos y abrasos! Er sueño los ha vensido.
Y a eso de la media noche, y el güé ré ha consentido:
—«Mataré yo y a la reina? Viviré con so sospiro.
¿Mataré yo a Gerineldo? Mi reinó será perdido.
Más vale que yo me caye y no se lo diga a ninguno.»
Y al rey con su reinado, puso cuerno en este mundo.

5

LA BODA ESTORBADA
(Alcazarquivir)

Que alta que está la luna más que el sol de al mediodía,
se despidió el rey Umbardo de su adorada María.
—«Si a los siete años no vengo te puedes casar, María.»
Siete años ya han pasado rey Umbardo no ha venido,
un día estando a la mesa le dize el padre a María.
—«¿Por qué no te casas, hija, te quieres casar, María?»
—«¿Cómo quieres que me case si el rey Umbardo está en vida?»

—«Que viejesito me veo y la edad mo lo obliga.»
—«Disme permiso, mi padre, yo a buscarlo m'iría.»
—«Yo te lo doy, mi hija, si Dios te lo quere dar.»
Yeva un rosario en la mano, para el camino arresar.
A la entrada de un barranco atravesara un portal.
—«¿De quién son esos cabayos que aquí traéis a domar?»
—«Del rey Umbardo, señora, mañana se va a casar.»
Al yegar aquella casa, limosna li quieren dar.
—«Yo no lo pido por fuersa que a gusto me lo dará,
Quiero mirar a buen reye qu'en su aposiento está.»
Ya bajaba el rey Umbardo a darle hospitalidad.
—«¿De quién es usted, señora, de qué tierra y qué sibdad?»
—«De Fransia soy, cabayero, De Fransia soy natural.»
—«¿Qué novedades me traes, ése es mi pueblo natal?»
—«Novedades d'ese pueblo son muy dignas de contar,
que el rey Umbardo s'ha ido, y a Fransia no ha vuelto más;
su castío está serrado, sus puertas y su portal,
las yaves están osidadas desde el primero de Adar,
mi padre es ese don Pedro que tiene gran capital,
tiene una hija María que en su aposiento está.»
—«¿Delante de quién yo hablo? ¡Frente de mis ojos está!
Levántate pues, María, y no yores ya más,
tanto que yo te quería me hisieron olvidar
aquellos fresquitos ojos que delante de mí están.»
Y la cogió de la mano y con eya se fue a pasear,
enseñándola el castío, donde iba a habitar;
ya bajaban a la novia, María subió al altar,
con la ropita de vieja María se iba a casar.

6

Gerineldo y la boda estorbada
(Tetuán)

Se armara una guerra de Francia para Granada,
llevan a Gerineldo, de capitán general.
—«Si al fin de siete años no vengo, hija, te puedes casar.»
Siete años ya pasados, Gerineldo no vendrá.
Vistióse la romerita y fuese en su busquedad,
y en mitás de aquel camino, se encontró con un vacar.

—«Vaquerito, vaquerito, ¿de quién es ese ganado
que trae sello y señal?»
—«De Gerineldo, mi señora, que está ya para casar.»
—«Darte he yo cien marcos de oro y enséñame su lugar.»
Ya se iba el vaquerito y le enseña su lugar.
Ella se puso a la puerta pidiendo una limosna;
salióla Gerineldo, la lismona le da.
—«No vengo a pedirte limosna, sino que soy tu esposa leal.»
La otra de ver aquello, muerta quedó en el sofá.

7

La linda Melisenda
(Tetuán)

Todas las aves dormían, cuantas Dios creó a su imagen,
levantóse Belisera, la niña del imperante,
de amores del Conde Niño que se quería finare.
Salto diera de la cama, como la parió su madre.
Pusiérase una sayita entapando su briale;
vase para los palacios, donde sus doncellas yacen.
Fuése para los palacios, donde el conde Niño yace,
se encontró con Martinico, el alguacil de su padre.
—«¿Dónde vas, tú, Belisera, a estas horas por la calle?
Si tienes mal de amores o los querías tomare,
mañana por la mañana se lo diré al rey tu padre.»
—«Ni tengo yo mal de amores, ni los quería tomare;
si quisieras, Martinico, emprestarme tu puñale,
mataría yo a los perros que ladran por la mi calle,
porque la noche pasada no podía asosegare.»
Ya le empresta Martinico, ya le daba su puñale;
la cabeza entre los hombros, al suelo se la arrojare.
—«Vaite ahora, Martinico, díselo al rey mi padre.»
Fuérase para los palacios donde Conde Niño estare,
—«¿Dónde vienes, Belisera, a estas horas por la calle?
—«Tus amores, Conde Niño, que me quieren afinare.»
—«Veite ahora, Belisera, veite ahora a donde estare,
mañana por la mañana, te pediré al rey tu padre.»
Otro día de mañana, la rica boda se armare.

8

Hermanas reina y cautiva
(Tetuán)

La reina jarifa mora, la que mora en la Armería,
dice que tiene deseos de una cristiana cautiva.
Los moros como lo oyeron, de repente se partían:
dellos iban para Francia y dellos para Almería.
Se encontró con conde Flores que a la condesa traía;
libro de oro la su mano, las adoraciones hacía:
pidiendo iba a Dió del cielo que la diera hijo o hija
para heredar a sus bienes, que heredero no tenía.
Ya matan al conde Flores, que a la condesa traía;
se la llevan de presente a la reina de Almería.
—«Tomí, señora, esta esclava, la esclava que vos querías:
que no es mora ni es cristiana, ni es hecha a la malicia,
que es condesa y es marquesa, señora de gran valía.»
—«Tomí, señora, estas llaves de la espensa y la cocina.»
«Yo las tomaré, señora, por la gran desdicha mía:
ayer condesa e marquesa, hoy tu esclava en la cocina.»
Quiso Dios y la fortuna las dos quedaron encinta,
iban meses y vienen meses, las dos paren en un día.
La esclava tuviera un niño, la reina tuvo una niña;
las perras de las comadres para ganar su platita
dieron el niño a la reina y a la infanta dan la niña.
Un día estando la infanta con la niña a la cocina,
con lágrimas de sus ojos, lavó la cara a la niña:
—«Ay mi niña de mi alma, ay mi niña de mi vida!,
quién te me diera en mis tierras, en mis tierras de Almería,
te nombrara Blancaflor, nombre de una hermana mía,
que la cautivaron moros, día de Pascua Florida,
cogiendo rosas y flores en las huertas de Almería.»
—«Por su vida la esclava, repite esa cantartica.»
—«Yo ya repetiré, señora, por la gran desdicha mía.»
—«¿Qué señas tiene tu hermana, qué señas ella tenía?»
—«Tiene un lunar en el pecho debajo de la tetilla.»
.... Siete vueltas le daría
y de allí se conocieron que eran hermanas queridas;
se cogieron de la mano y se fueron para Almería.

9

ROSAFLORIDA
(Tetuán)

En Castilla está un castillo aquel castillo lucero,
rodeado está de almenas del oro de la Turquía.
Entre almena y almena, está una piedra zafira,
dentro estaba una doncella, se llama Rosaflorida
tanto arrelumbra de noche como el sol de almedidía;
siete duques la demandan y un rey que más valía;
a todos los desechaba, más era su valentía.
Namoróse de Montesinos, la gloria que más quería.
A eso de la media noche, gritos da Rosaflorida:
—«Si se ajaldró aquí alguno, que de mí tenga mancilla,
que me lleven esta carta a Francia la bien guarnida,
se la entreguen a Montesinos, la gloria que más quería,
que venga presto y aína para la Pascua Florida;
si no quisiere venir, le pagaré su venida,
le regaré sus caminos de aljófar y piedras finas,
le daré cien marcos de oro que gaste todos los días,
le daré las cien vaquitas todas paridas en un día,
le daré los cien molinos que molan de noche y día,
le daré los cien negritos vestidos a la Turquía,
le daré las cien negritas que le guisen la comida,
le daré clavo y canela que asabore la comida,
encima de todo esto, mi cuerpo que más valía;
si no me quiere a mí, le daré una hermana mía:
yo la gano en hermosura y ella en su galanía.»
Ellos en estas palabras, Montesinos llegaría.
—«¿Hijo de quién sois, mi alma? ¿hijo de quién sos, mi vida?»
—«Hijo só de un carbonero, que mi padre lo vendía.»
Como eso oyó Rosaflorida en un desmayo caería.
—«No vos desmayéis, mi alma, no vos desmayéis, mi vida,
hijo só del rey de Francia, nieto del rey de Castilla.»
Como eso oyó Rosaflorida, del desmayo volvería;
echóla en sus ricos brazos, para su casa se iría.
Y otro día a la mañana la rica boda se haría.

Mapa nº 1.
LOCALIDADES.

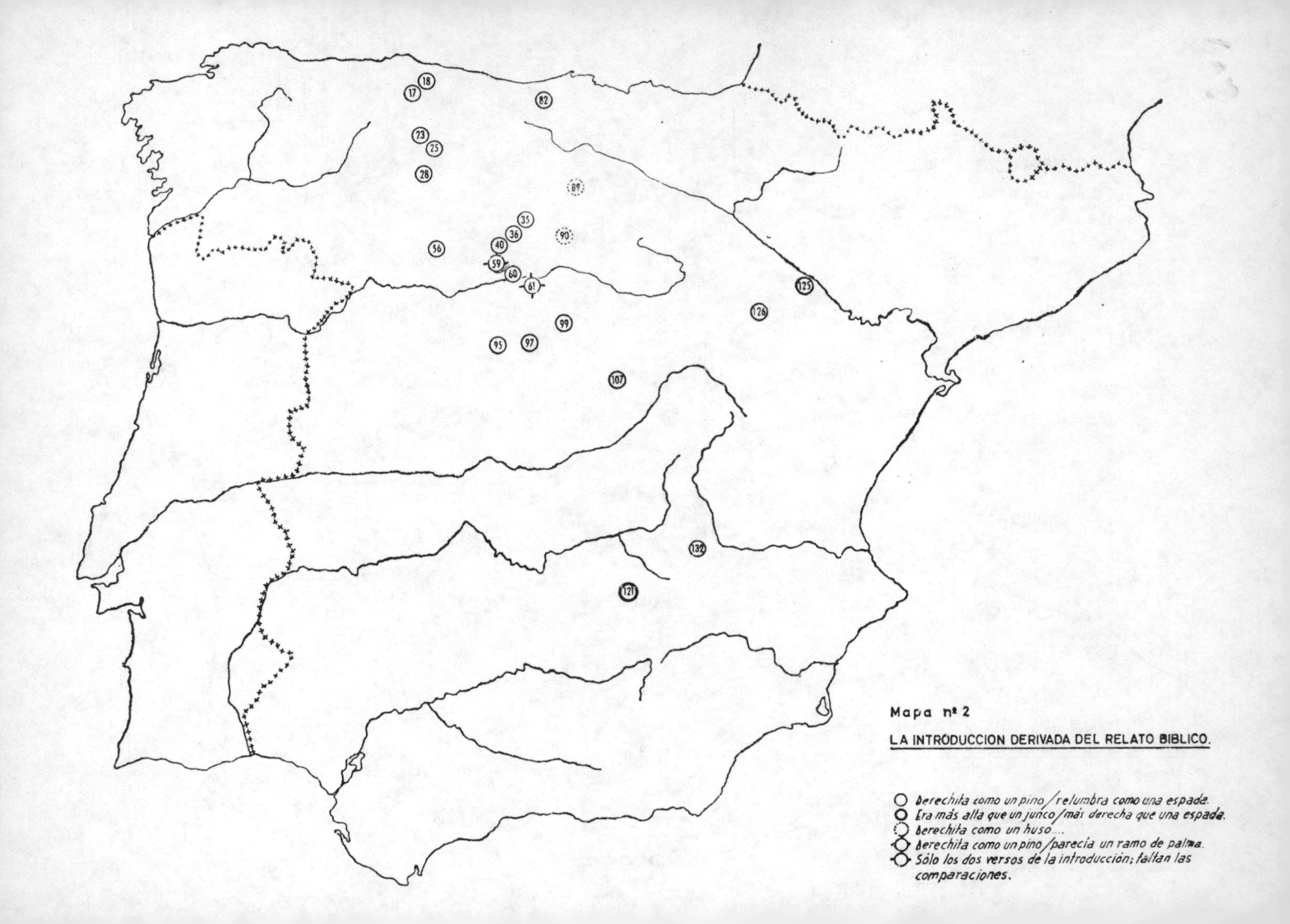
Mapa nº 2
LA INTRODUCCION DERIVADA DEL RELATO BIBLICO.
Derechita como un pino / relumbra como una espada.
Era más alta que un junco / más derecha que una espada.
Derechita como un huso....
Derechita como un pino / parecía un ramo de palma.
Sólo los dos versos de la introducción; faltan las comparaciones.
17
18
82
23
25
28
89
35
36
90
40
56
59
60
61
125
126
99
95
97
107
132
121

Mapa nº 3.
CONDICION DE LOS PRETENDIENTES.
Condes y duques la quieren.
Otras fórmulas ocasionales.
Y hasta el marqués de Granada.
También el rey de Granada.
Y hasta el señor de Vizcaya (y variantes).
Y hasta el rey mismo de Italia.
17
18
22
24
25
26
28
34
36
40
56
59
60
61
90
91
95
97
99
107
131
132

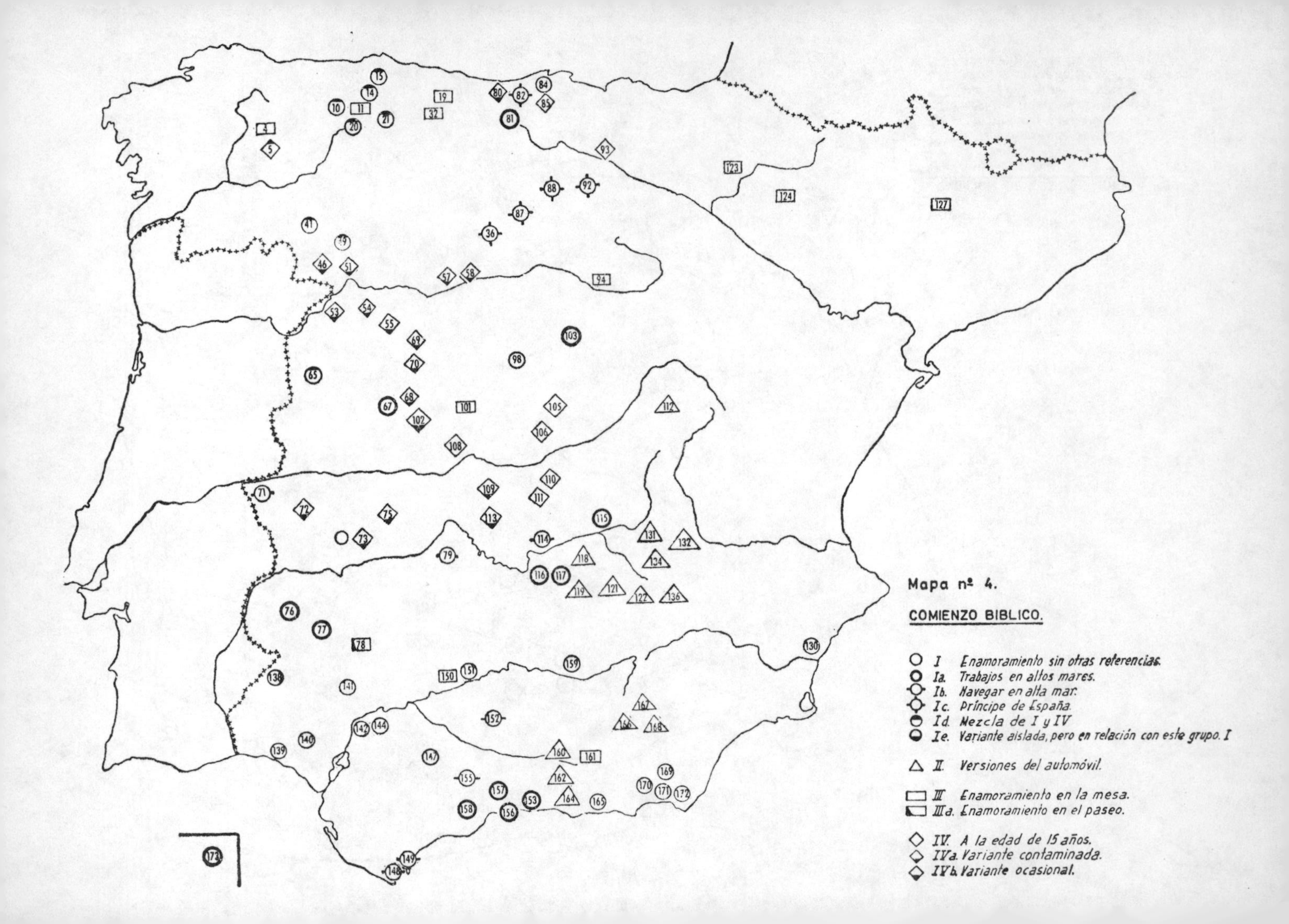
Mapa nº 4.
COMIENZO BIBLICO.
I Enamoramiento sin otras referencias.
Ia. Trabajos en altos mares.
Ib. Navegar en alta mar.
Ic. Príncipe de España.
Id. Mezcla de I y IV
Ie. Variante aislada, pero en relación con este grupo. I
II. Versiones del automóvil.
III Enamoramiento en la mesa.
IIIa. Enamoramiento en el paseo.
IV. A la edad de 15 años.
IVa. Variante contaminada.
IVb. Variante ocasional.

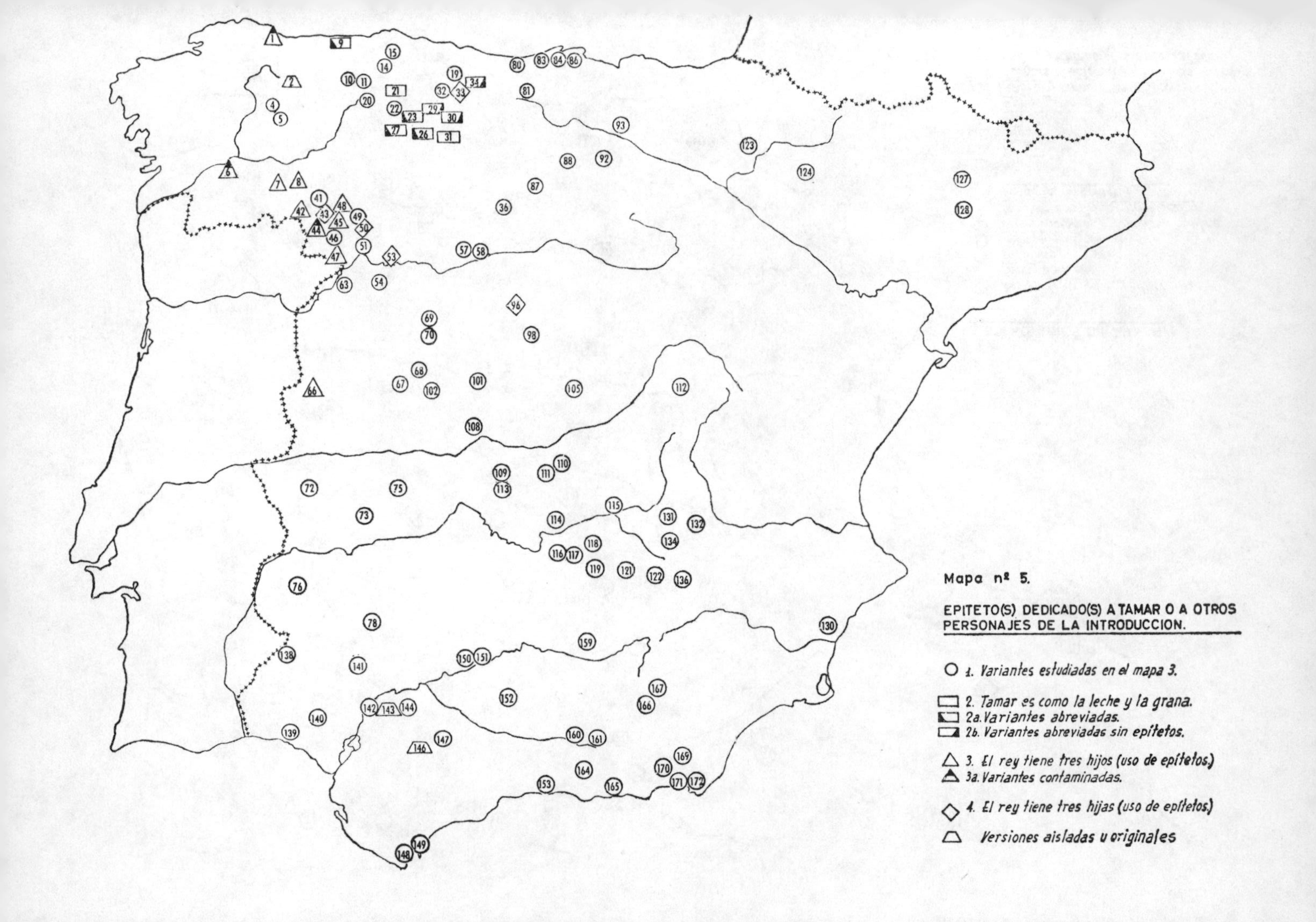
Mapa nº 5.
EPITETO(S) DEDICADO(S) A TAMAR O A OTROS PERSONAJES DE LA INTRODUCCION.
1. Variantes estudiadas en el mapa 3.
2. Tamar es como la leche y la grana.
2a. Variantes abreviadas.
2b. Variantes abreviadas sin epítetos.
3. El rey tiene tres hijos (uso de epítetos.)
3a. Variantes contaminadas.
4. El rey tiene tres hijas (uso de epítetos.)
Versiones aisladas u originales

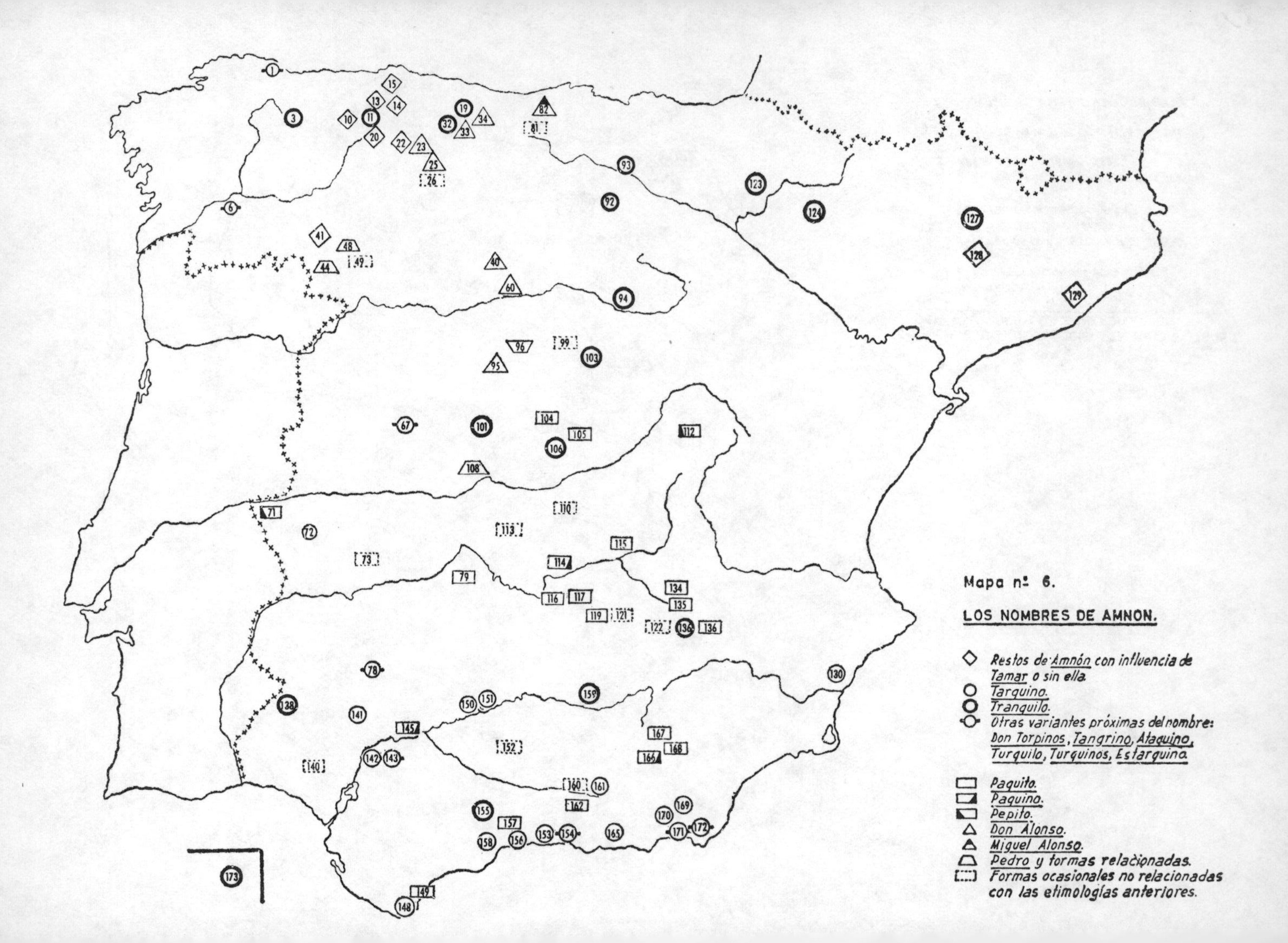
Mapa nº 6.
LOS NOMBRES DE AMNON.
Restos de Amnón con influencia de Tamar o sin ella.
Tarquino.
Tranquilo.
Otras variantes próximas del nombre: Don Torpinos, Tangrino, Ataquino, Turquilo, Turquinos, Estarquina.
Paquito.
Paquino.
Pepito.
Don Alonso.
Miguel Alonso.
Pedro y formas relacionadas.
Formas ocasionales no relacionadas con las etimologías anteriores.

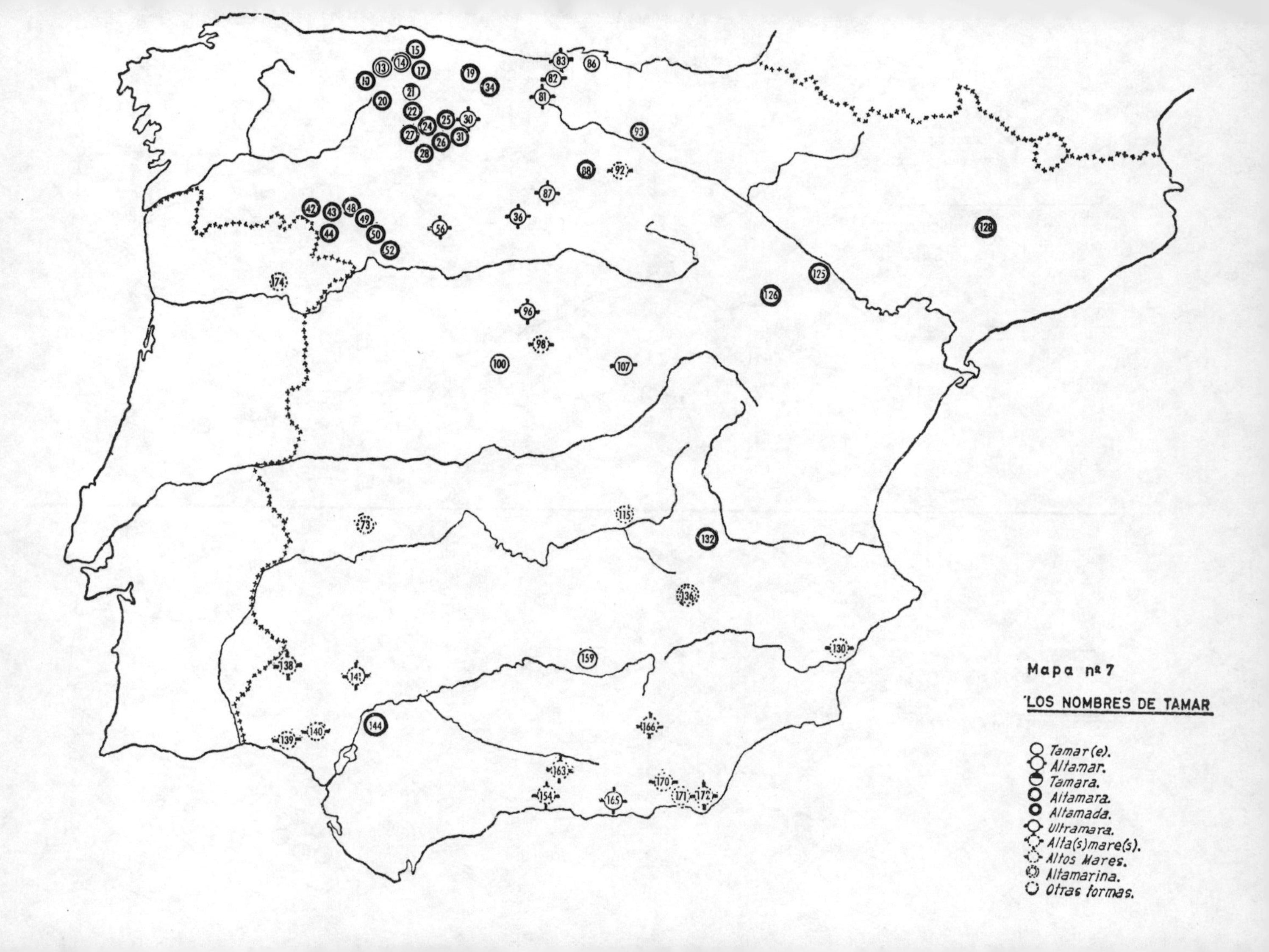
Mapa nº 7
LOS NOMBRES DE TAMAR
Tamar (e).
Altamar.
Tamara.
Altamara.
Altamada.
Ultramara.
Alta(s)mare(s).
Altos Mares.
Altamarina.
Otras formas.

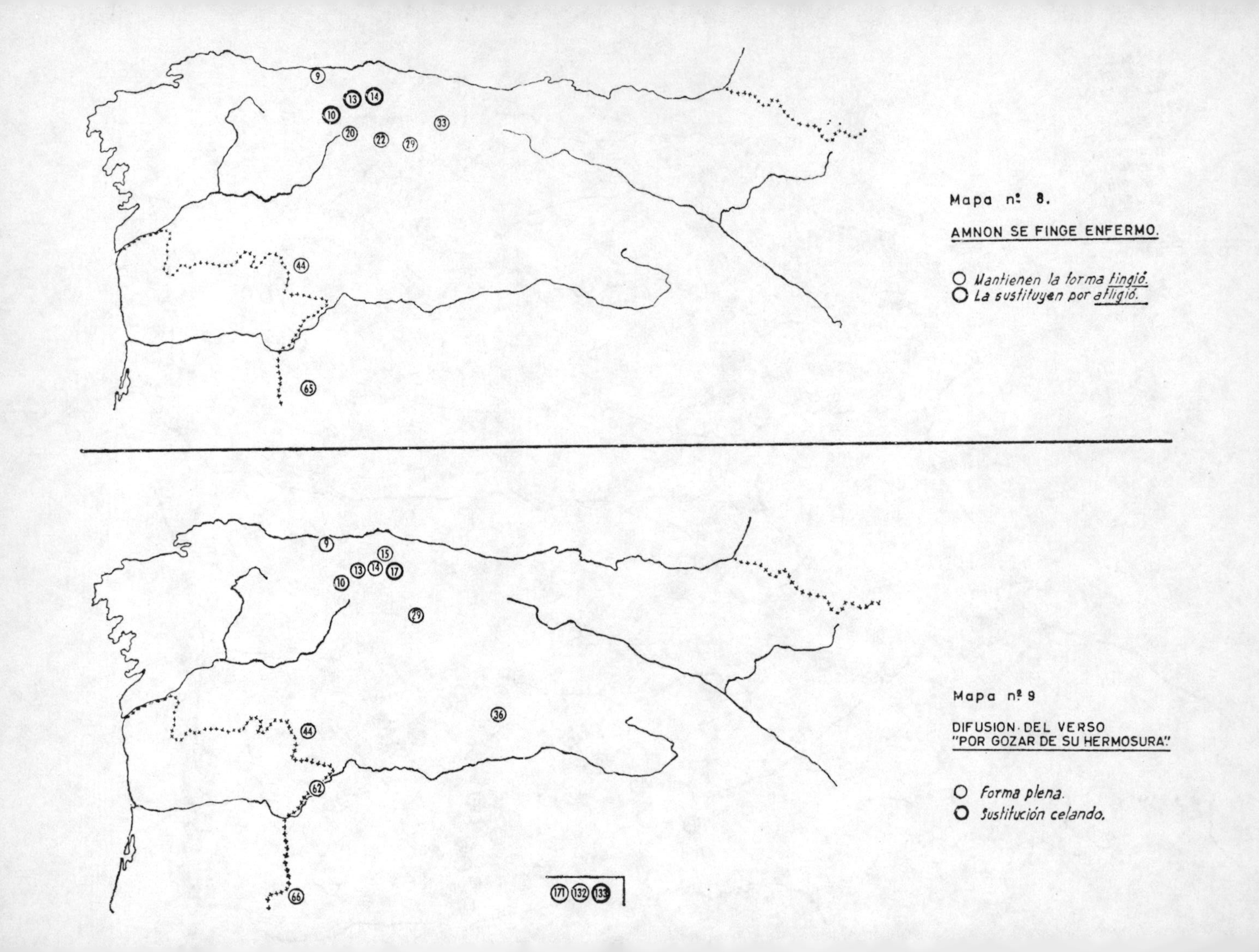
9
13
14
10
20
22
29
33
44
65
Mapa nº 8.
AMNON SE FINGE ENFERMO.
Mantienen la forma fingió.
La sustituyen por afligió.
9
15
13
14
17
10
29
36
44
62
66
171
132
133
Mapa nº 9
DIFUSION DEL VERSO
"POR GOZAR DE SU HERMOSURA".
Forma plena.
Sustitución celando.

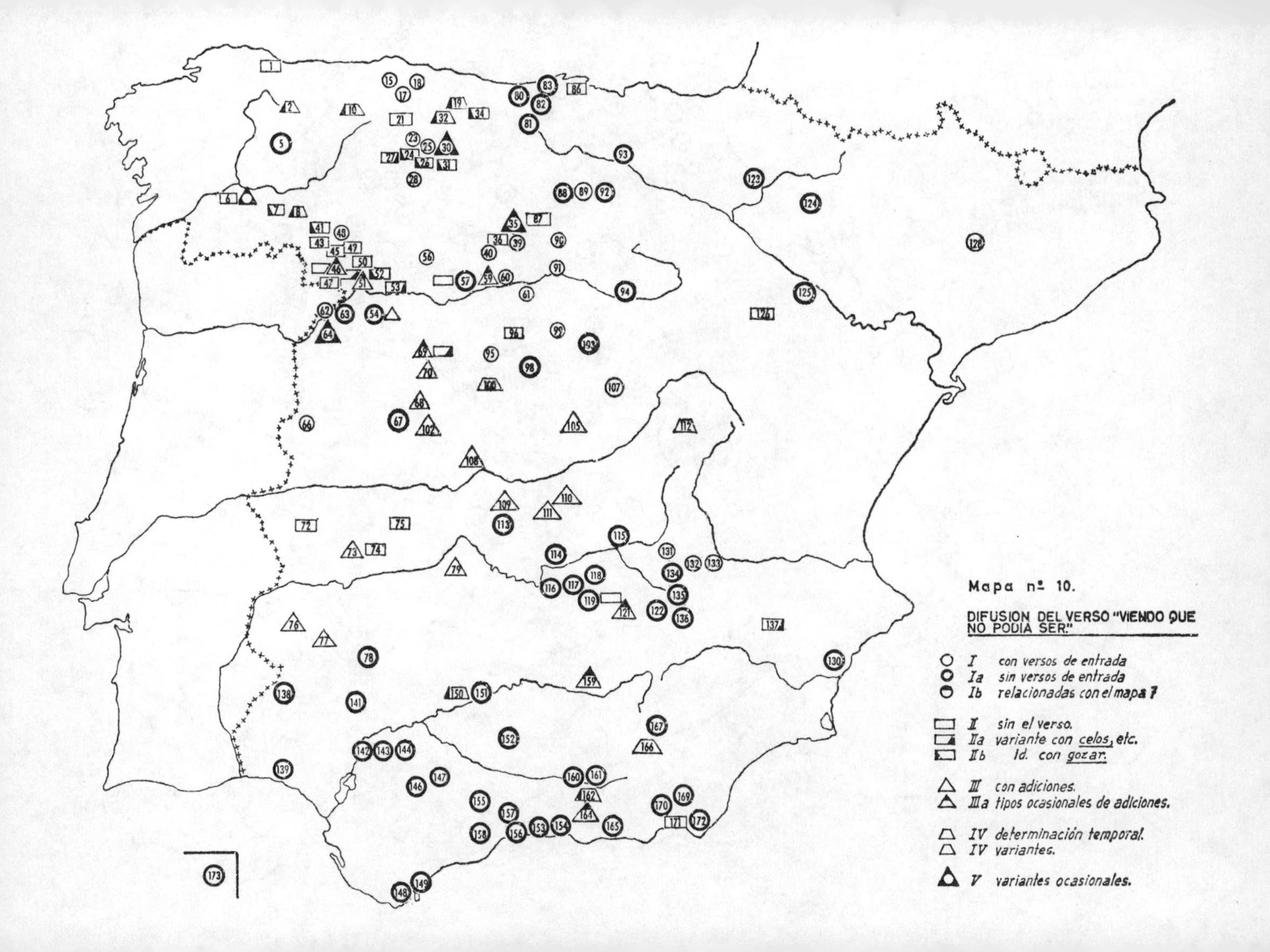
Mapa nº 10.
DIFUSION DEL VERSO "VIENDO QUE NO PODIA SER."
I con versos de entrada
Ia sin versos de entrada
Ib relacionadas con el mapa 7
II sin el verso.
IIa variante con celos, etc.
IIb Id. con gozar.
III con adiciones.
IIIa tipos ocasionales de adiciones.
IV determinación temporal.
IV variantes.
V variantes ocasionales.

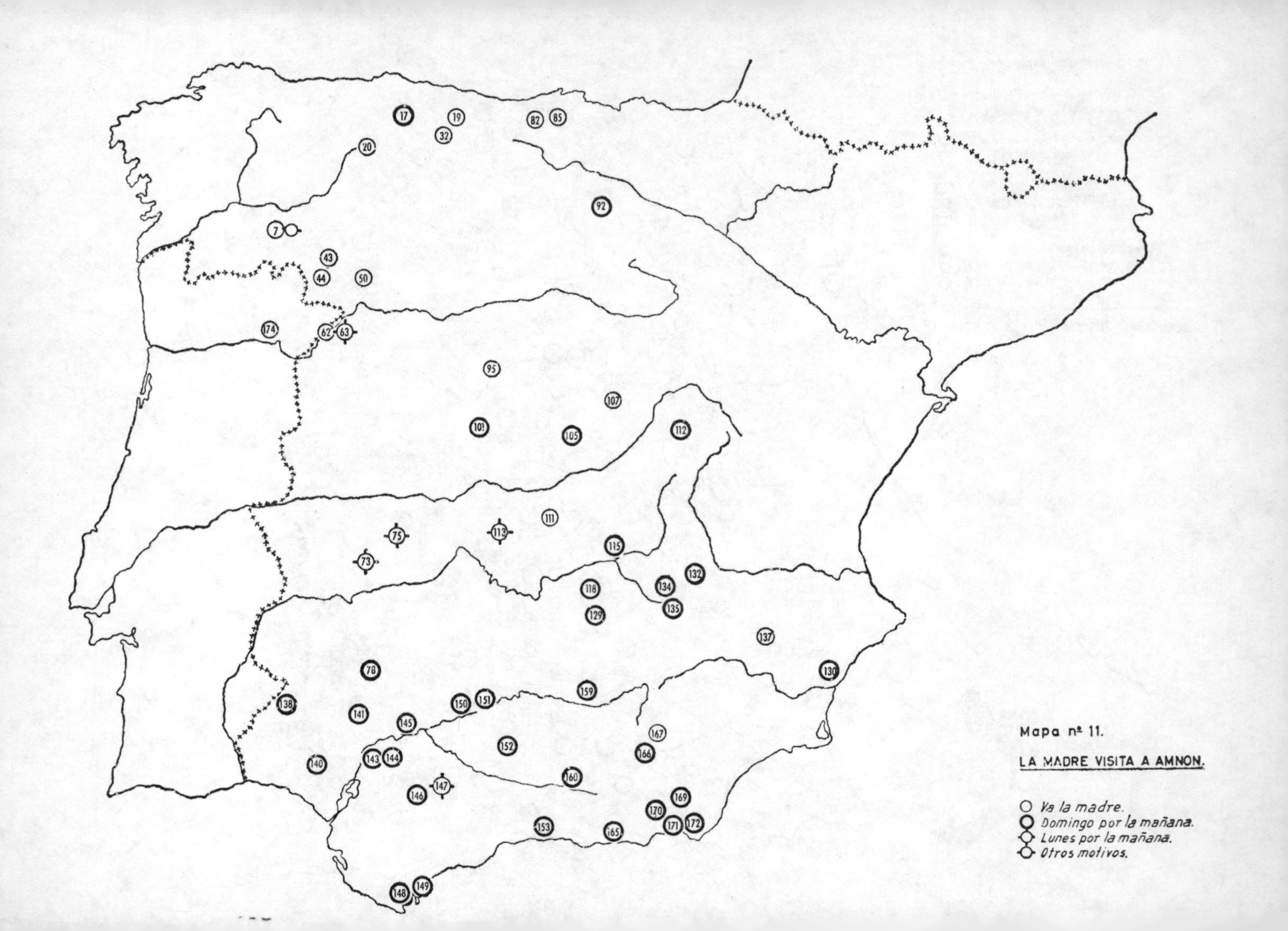
Mapa nº 11.
LA MADRE VISITA A AMNON.
Va la madre.
Domingo por la mañana.
Lunes por la mañana.
Otros motivos.
17
19
32
82
85
20
92
7
43
44
50
174
62
63
95
107
101
105
112
111
113
75
73
115
132
118
134
135
129
137
78
130
138
159
141
150
151
145
167
152
166
140
143
144
160
147
146
169
170
171
172
153
165
148
149

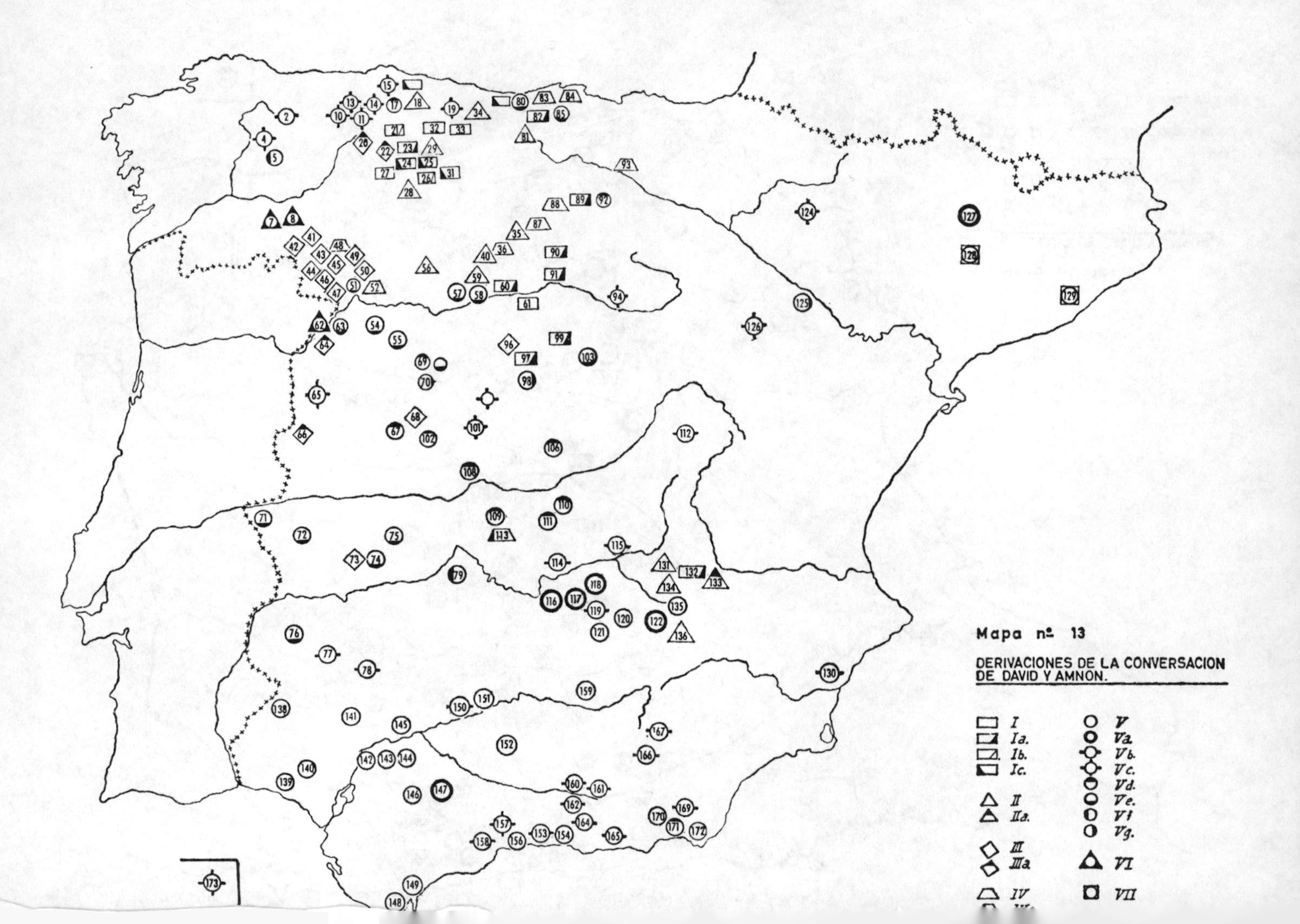
Mapa nº 13
DERIVACIONES DE LA CONVERSACION DE DAVID Y AMNON.
I
Ia.
Ib.
Ic.
II
IIa.
III
IIIa
IV
V
Va.
Vb.
Vc.
Vd.
Ve.
Vf
Vg.
VI
VII

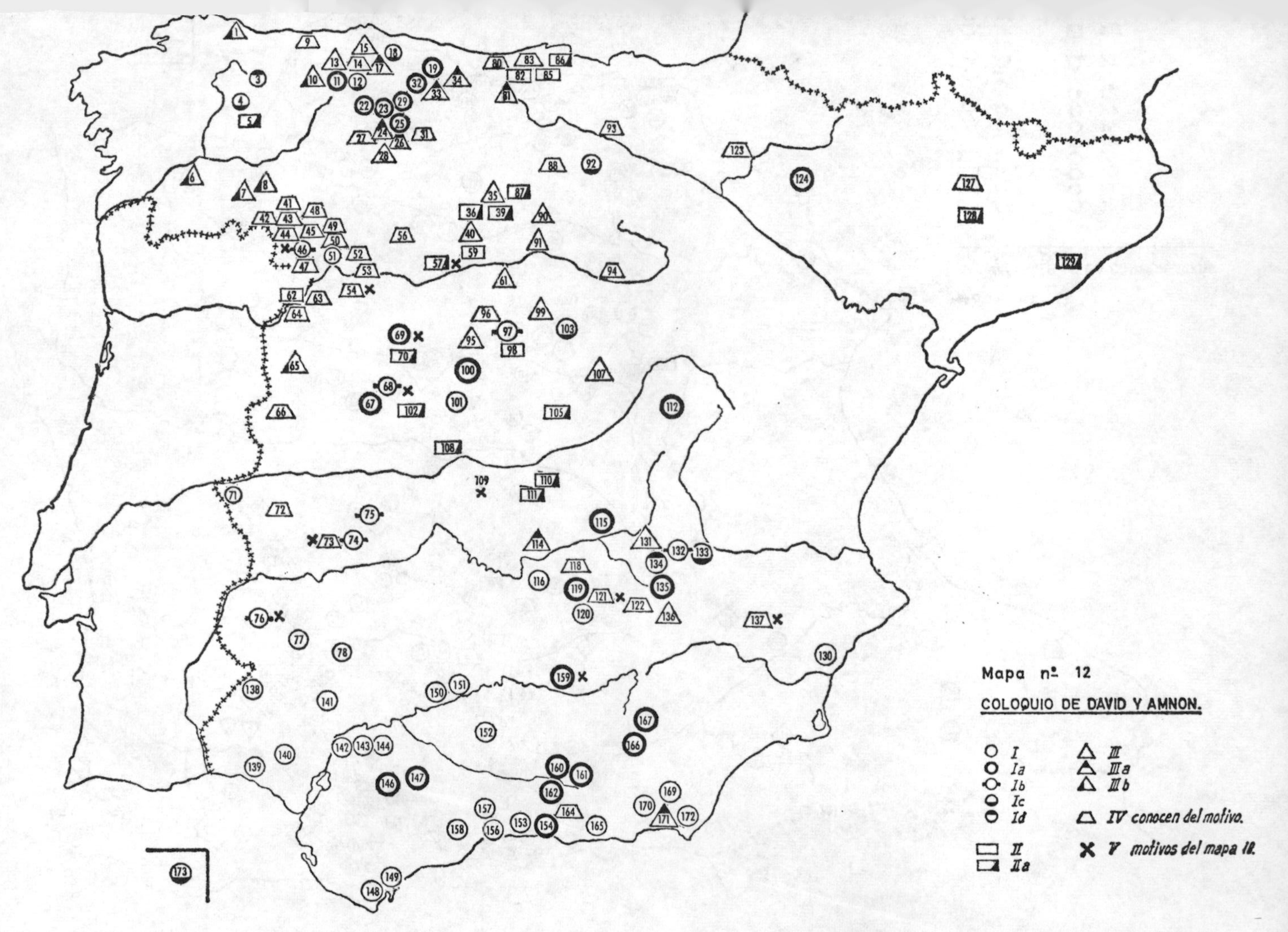
Mapa nº 12
COLOQUIO DE DAVID Y AMNON.
I
Ia
Ib
Ic
Id
II
IIa
III
IIIa
IIIb
IV conocen del motivo.
V motivos del mapa 11.

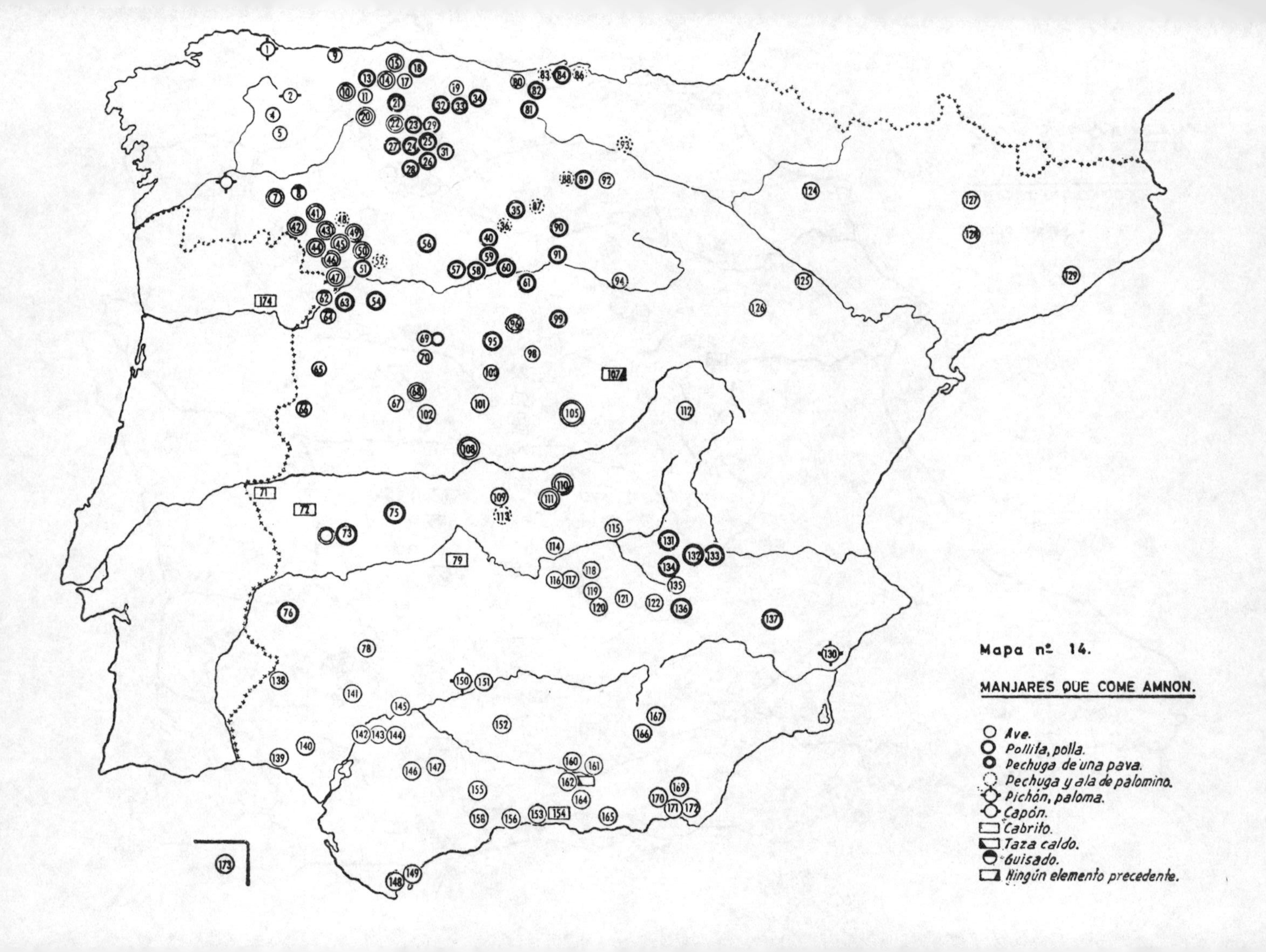

Mapa nº 14.
MANJARES QUE COME AMNON.
Ave.
Pollita, polla.
Pechuga de una pava.
Pechuga y ala de palomino.
Pichón, paloma.
Capón.
Cabrito.
Taza caldo.
Guisado.
Ningún elemento precedente.

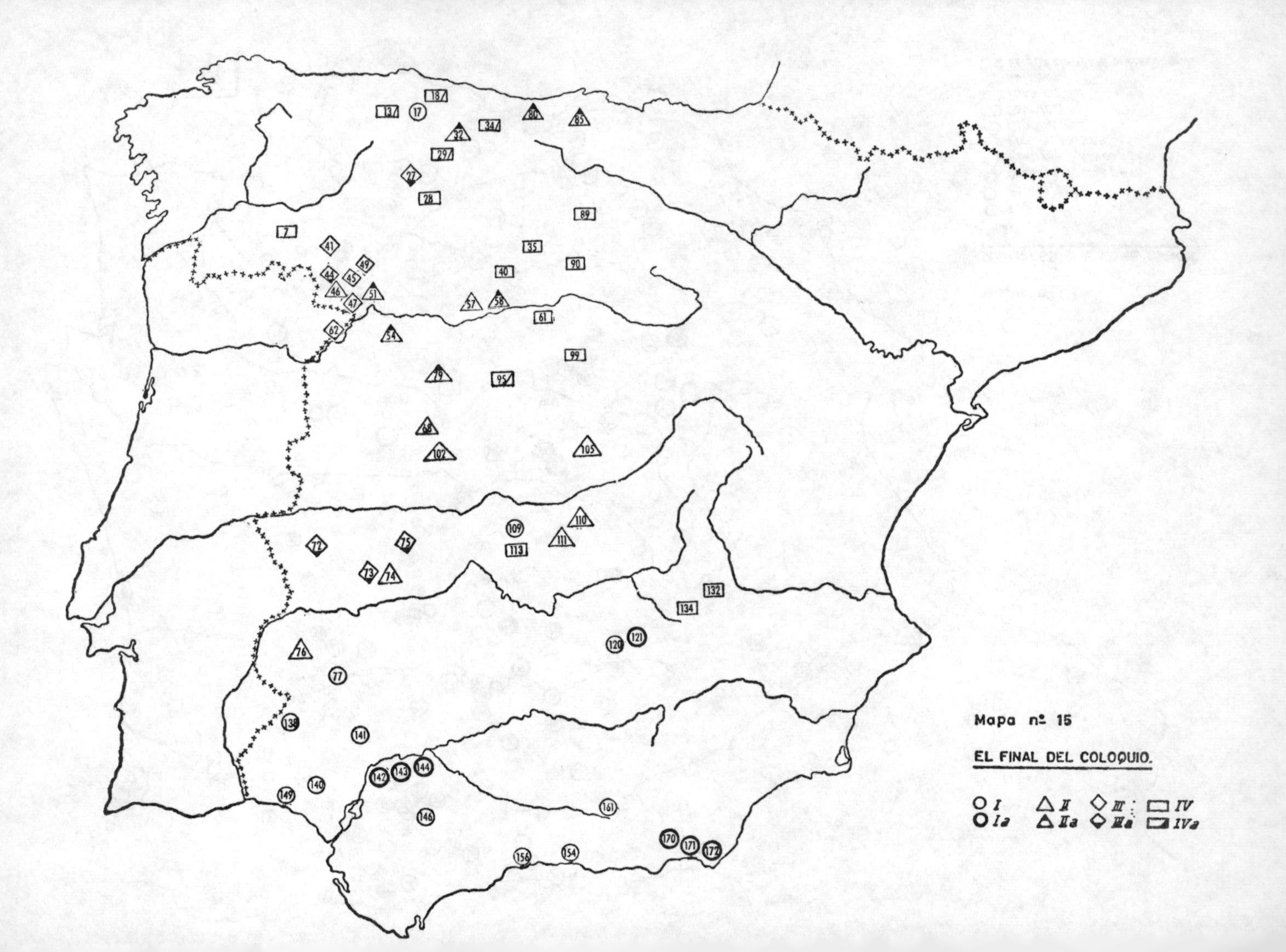
Mapa nº 15
EL FINAL DEL COLOQUIO.
I
Ia
II
IIa
III
IIIa
IV
IVa

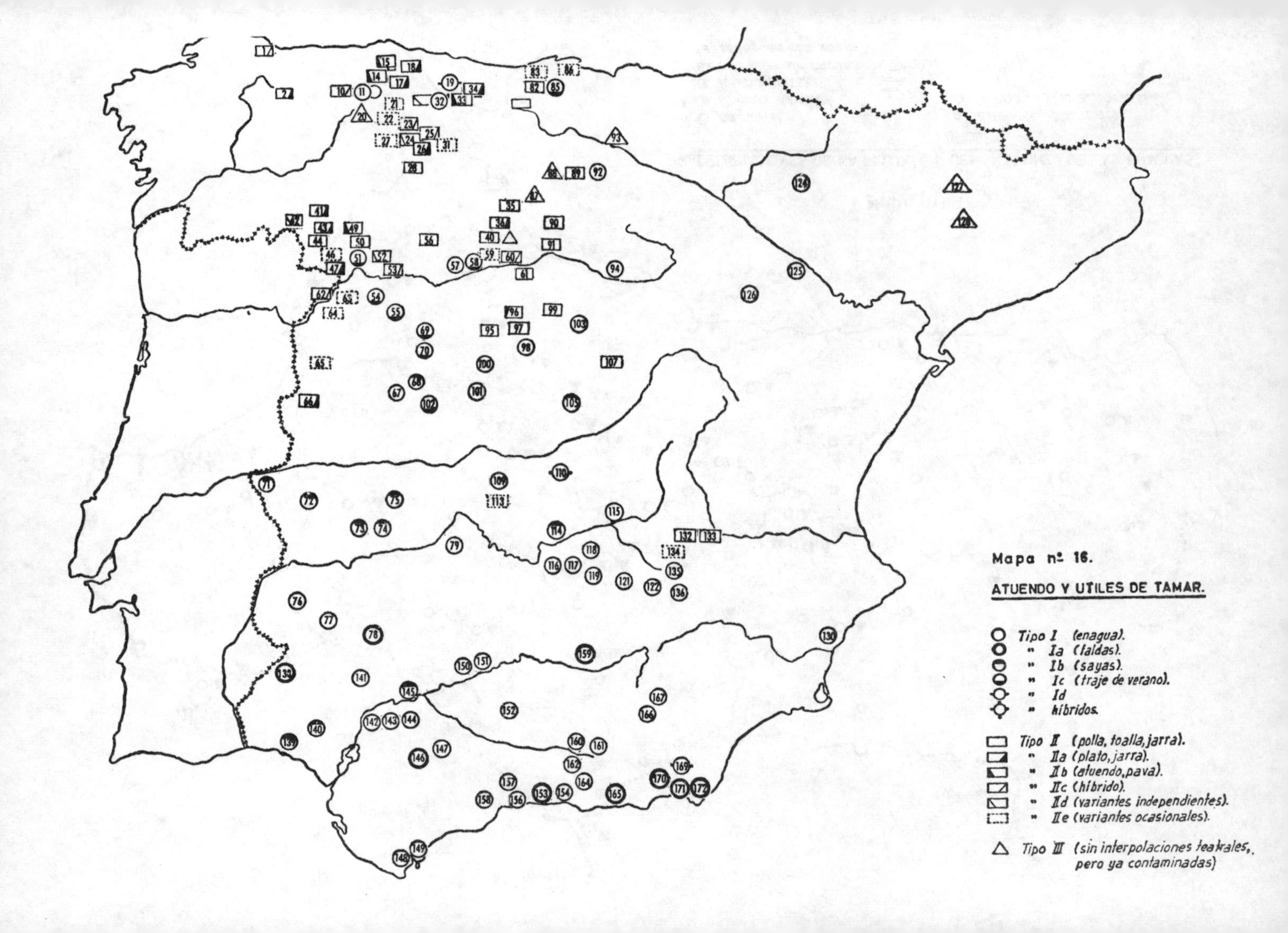
Mapa nº 16.
ATUENDO Y UTILES DE TAMAR.
Tipo I (enagua).
" Ia (faldas).
" Ib (sayas).
" Ic (traje de verano).
" Id
" híbridos.
Tipo II (polla, toalla, jarra).
" IIa (plato, jarra).
" IIb (atuendo, pava).
" IIc (híbrido).
" IId (variantes independientes).
" IIe (variantes ocasionales).
Tipo III (sin interpolaciones teatrales, pero ya contaminadas)

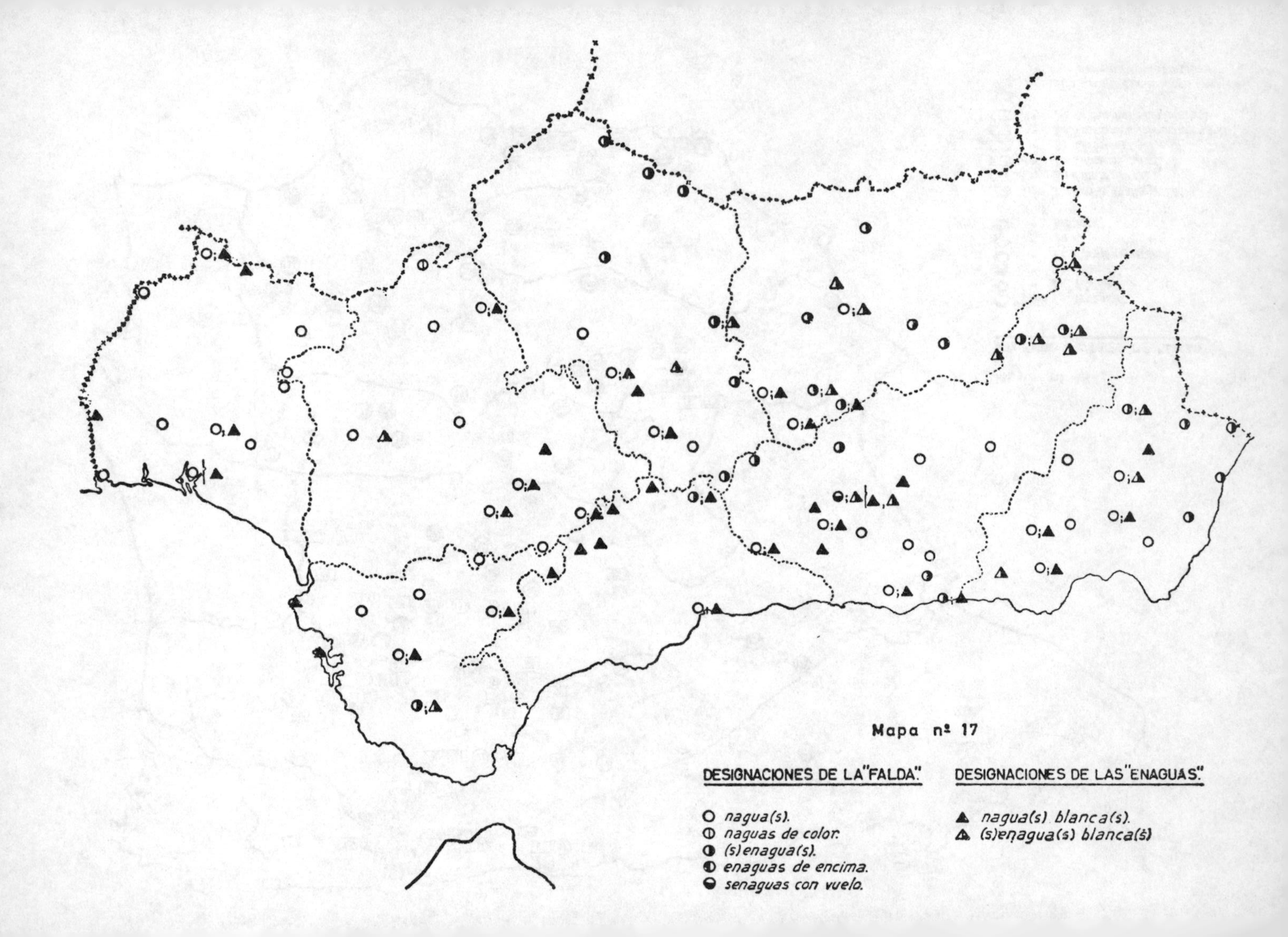
Mapa nº 17
DESIGNACIONES DE LA "FALDA".
nagua(s).
naguas de color.
(s)enagua(s).
enaguas de encima.
senaguas con vuelo.
DESIGNACIONES DE LAS "ENAGUAS".
nagua(s) blanca(s).
(s)enagua(s) blanca(s)

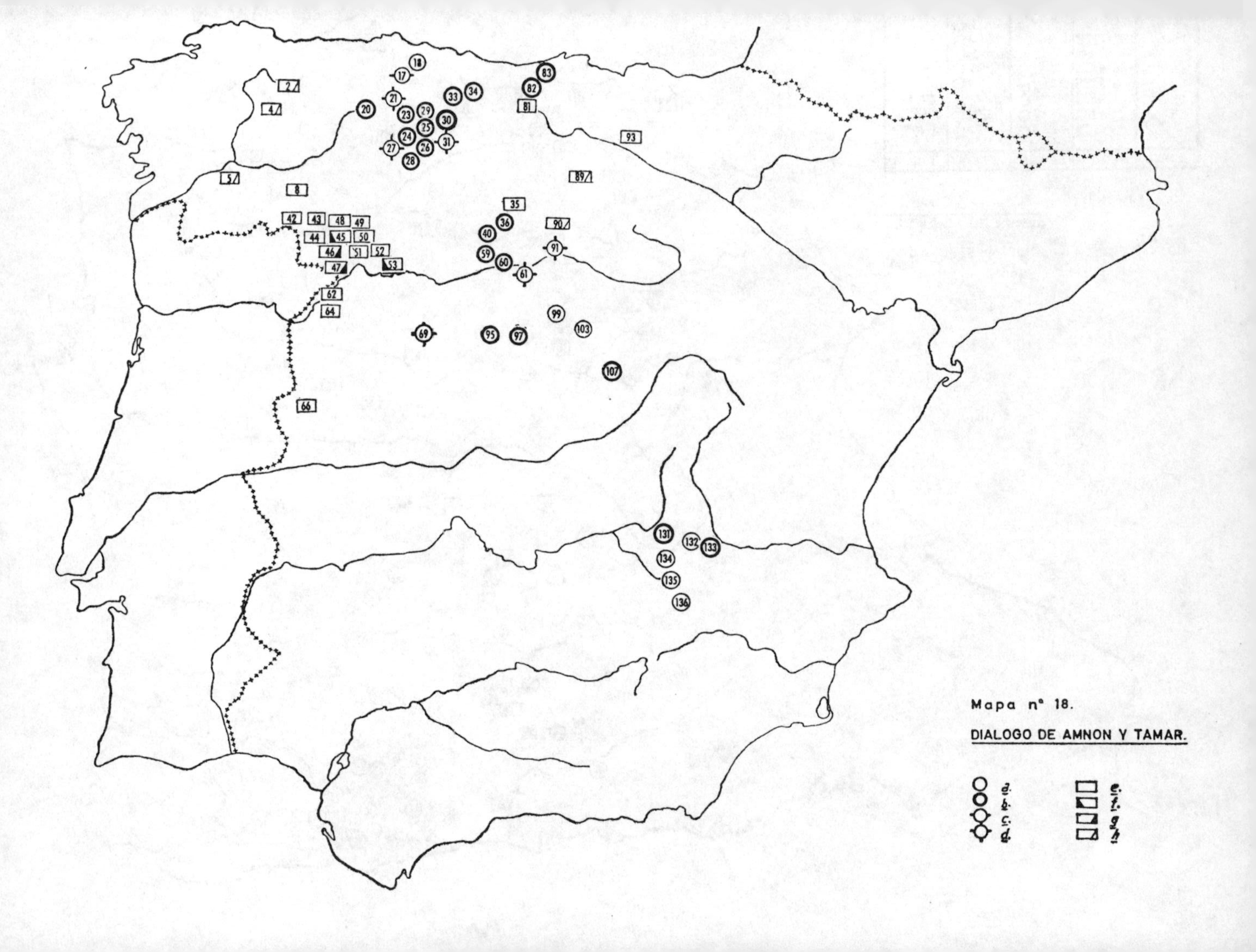
Mapa nº 18.
DIALOGO DE AMNON Y TAMAR.
a.
b.
c.
d.
e.
f.
g.
h.

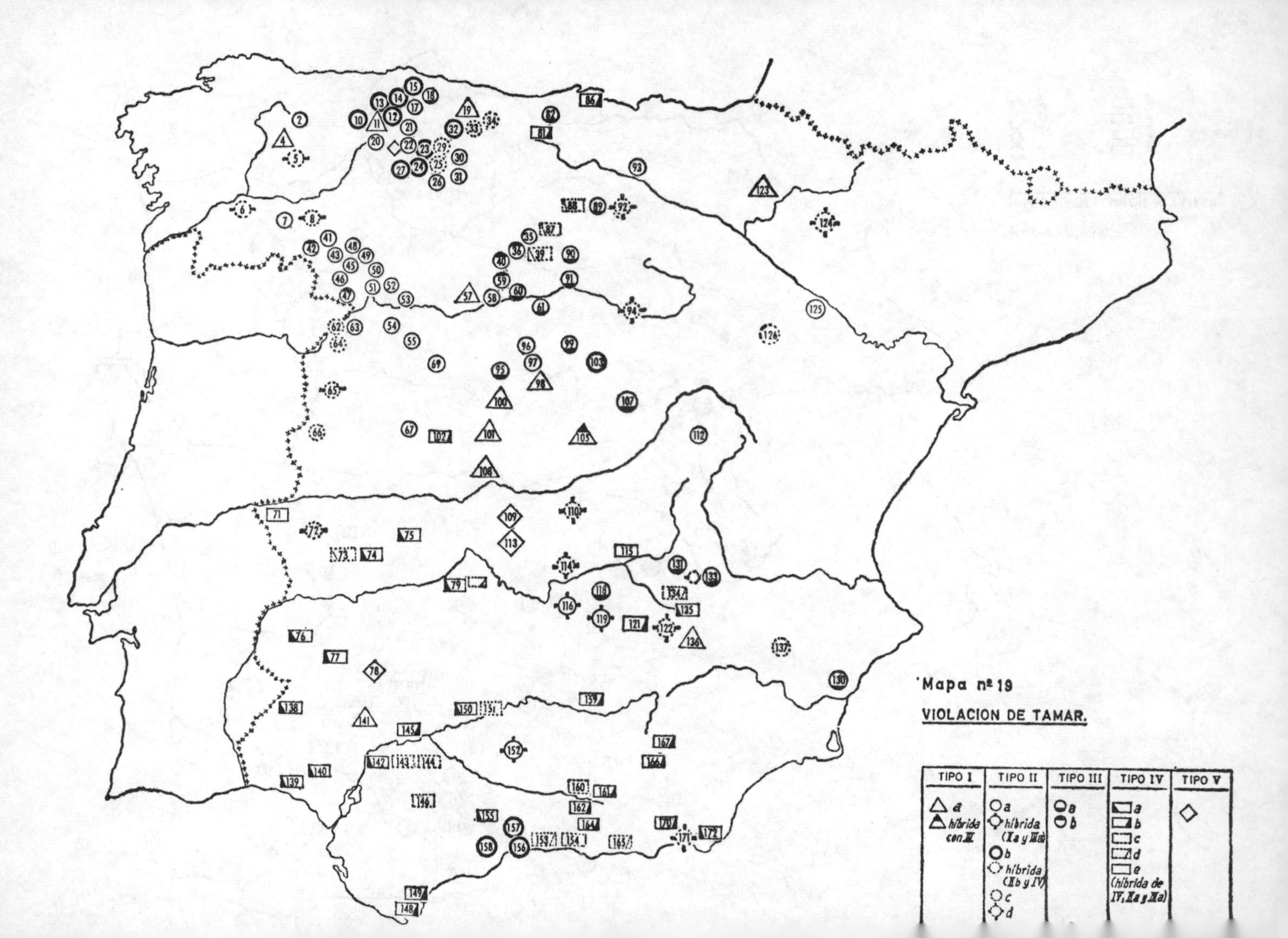
Mapa nº 19
VIOLACION DE TAMAR.
TIPO I
a
híbrida con III
TIPO II
a
híbrida (IIa y IIIa)
b
híbrida (IIb y IV)
c
d
TIPO III
a
b
TIPO IV
a
b
c
d
e
(híbrida de IV, IIa y IIIa)
TIPO V

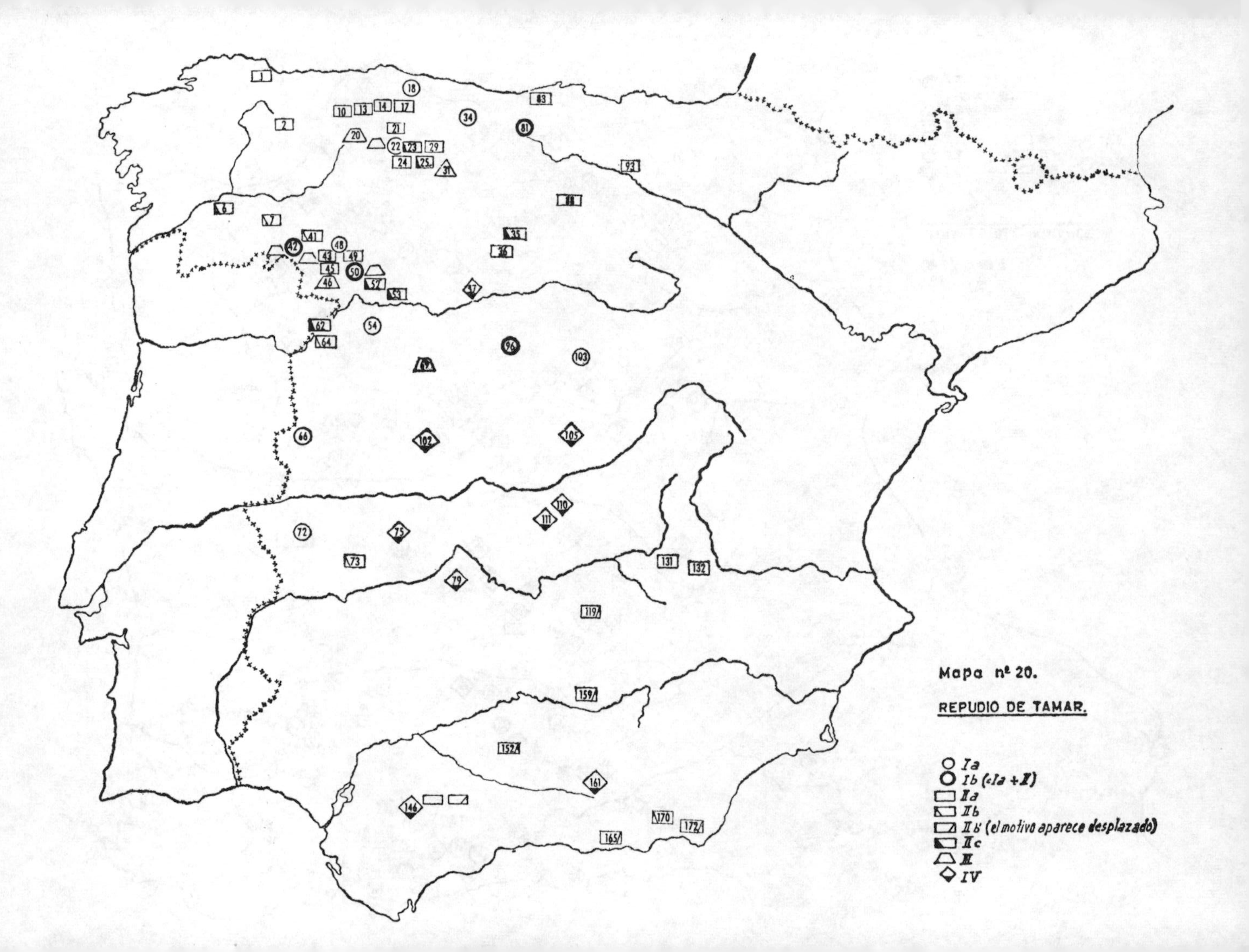

Mapa nº 20.
REPUDIO DE TAMAR.
Ia
Ib (=Ia + II)
IIa
IIb
IIb' (el motivo aparece desplazado)
IIc
III
IV

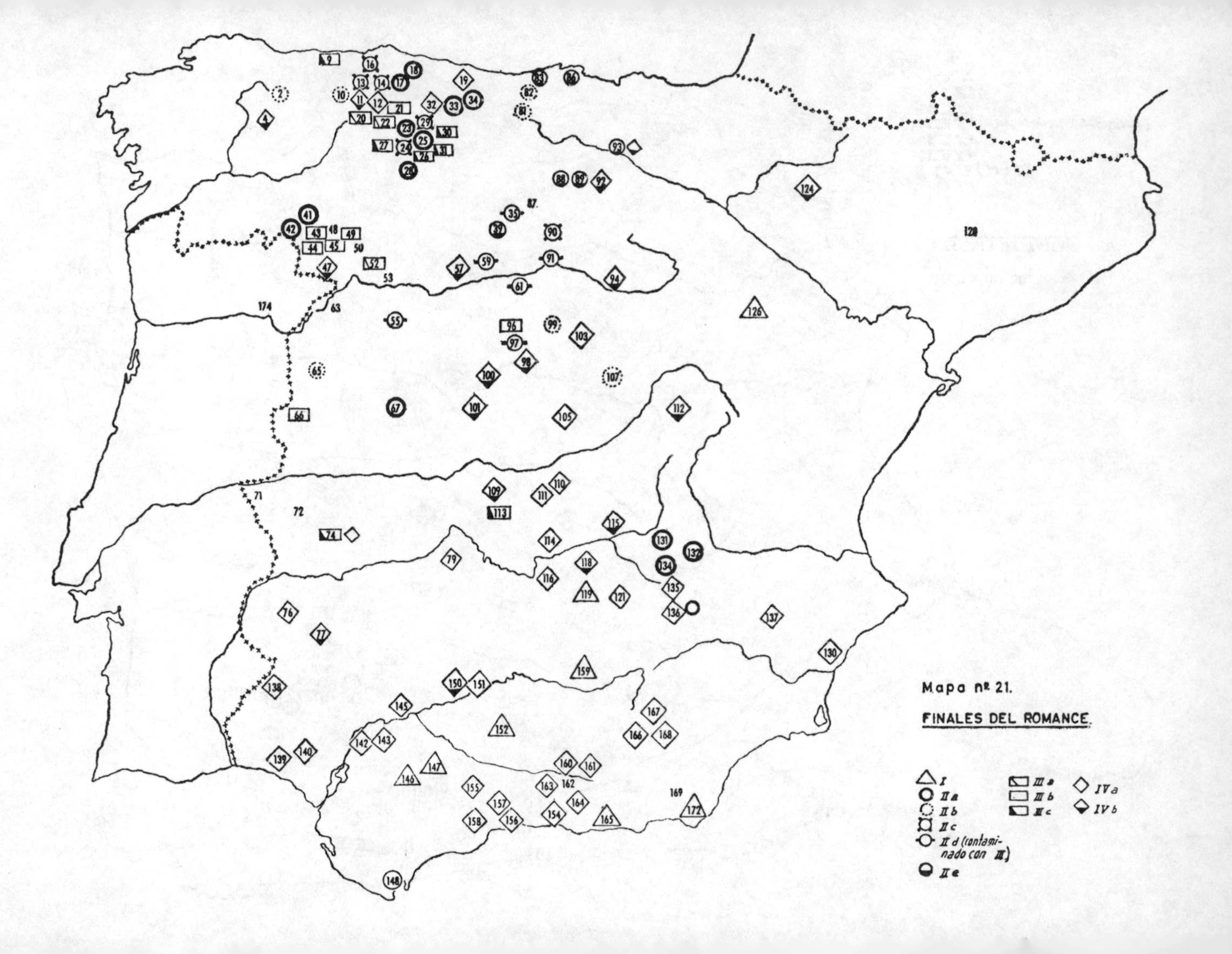
Mapa nº 21.
FINALES DEL ROMANCE.
I
II a
II b
II c
II d (contaminado con III)
II e
III a
III b
III c
IV a
IV b

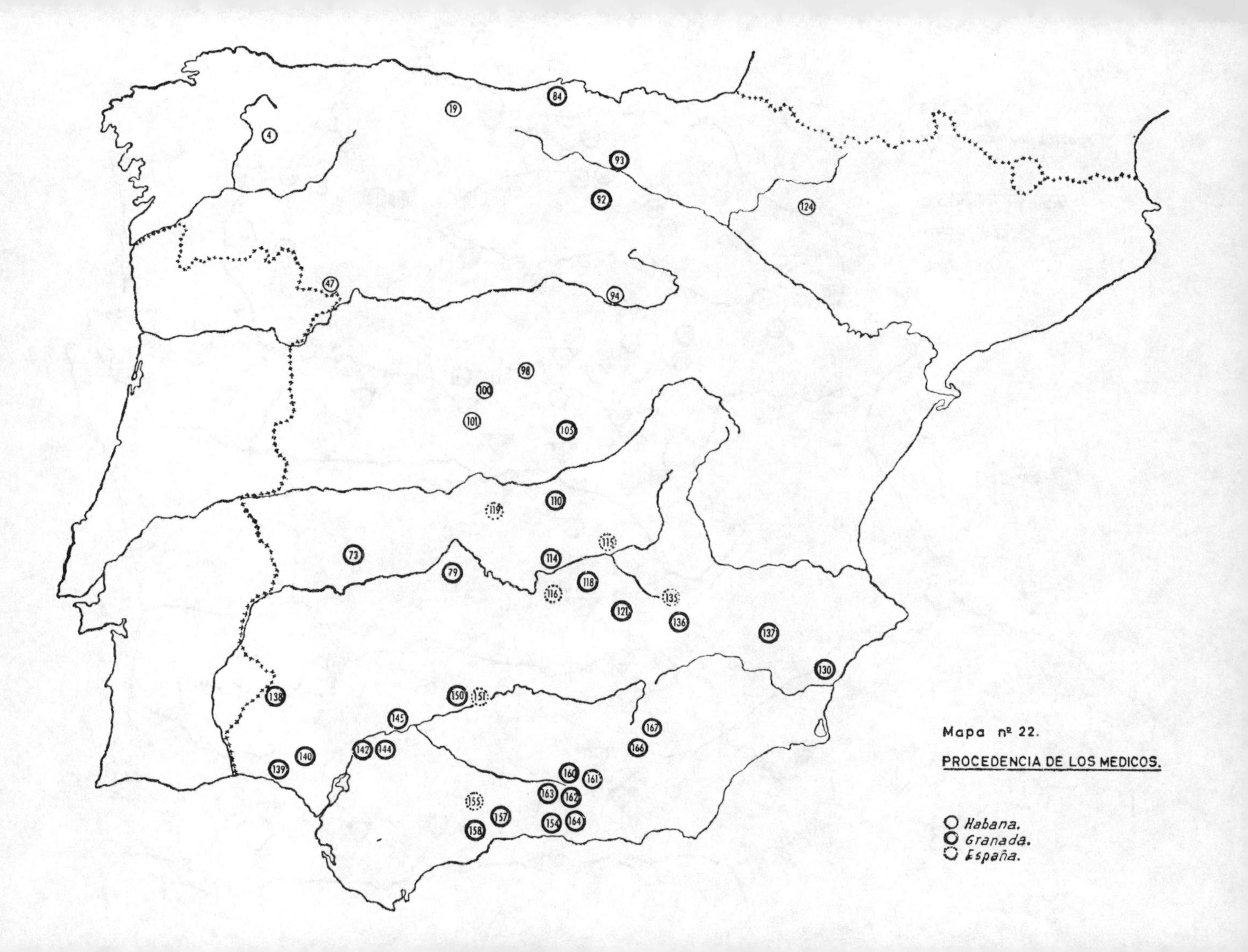

Mapa nº 22.

PROCEDENCIA DE LOS MEDICOS.

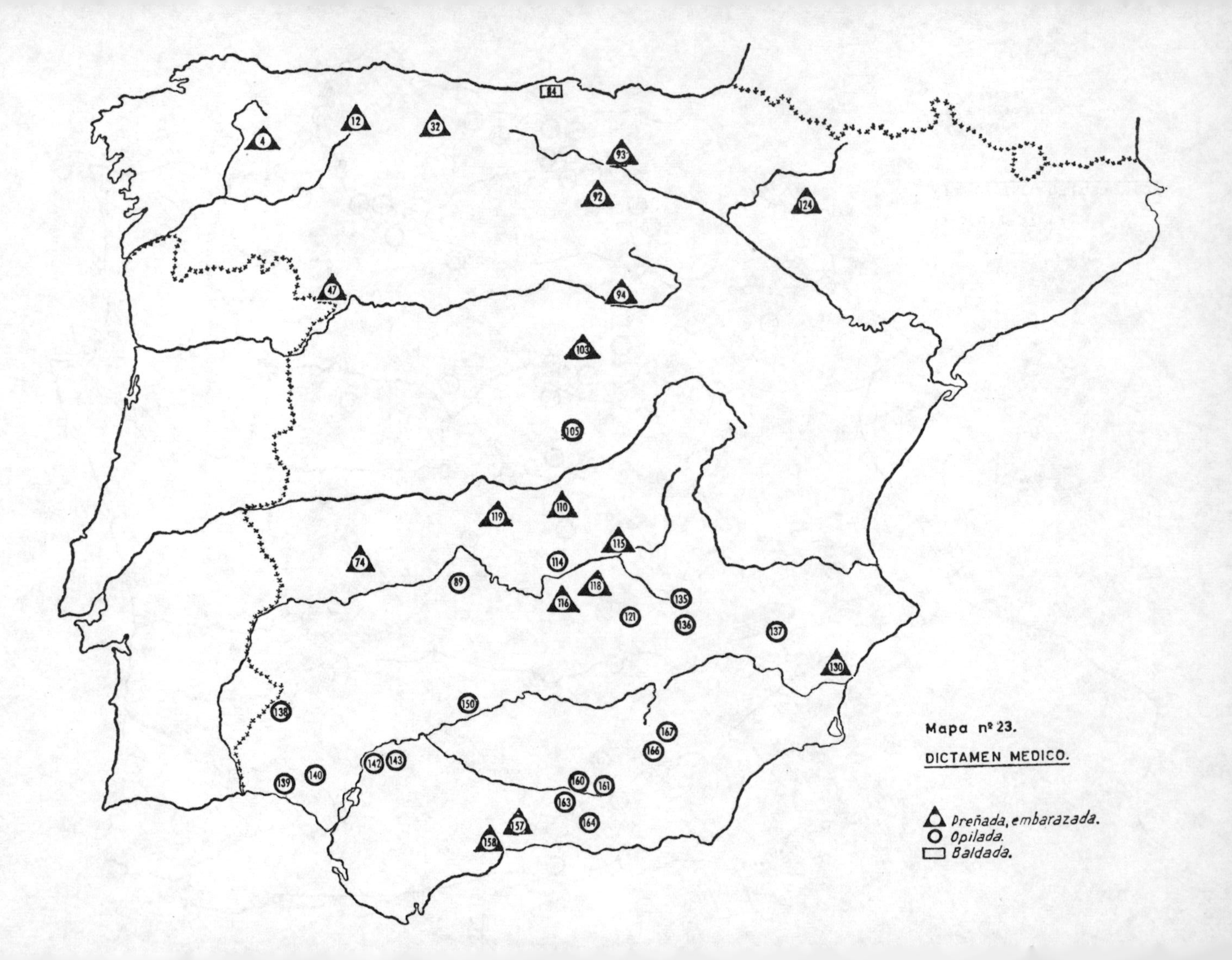
Mapa nº 23.
DICTAMEN MEDICO.
Dreñada, embarazada.
Opilada.
Baldada.
84
4
12
32
93
92
124
47
94
103
105
110
119
115
74
114
118
89
116
135
121
136
137
130
150
138
167
166
142
143
140
139
160
161
163
164
157
158

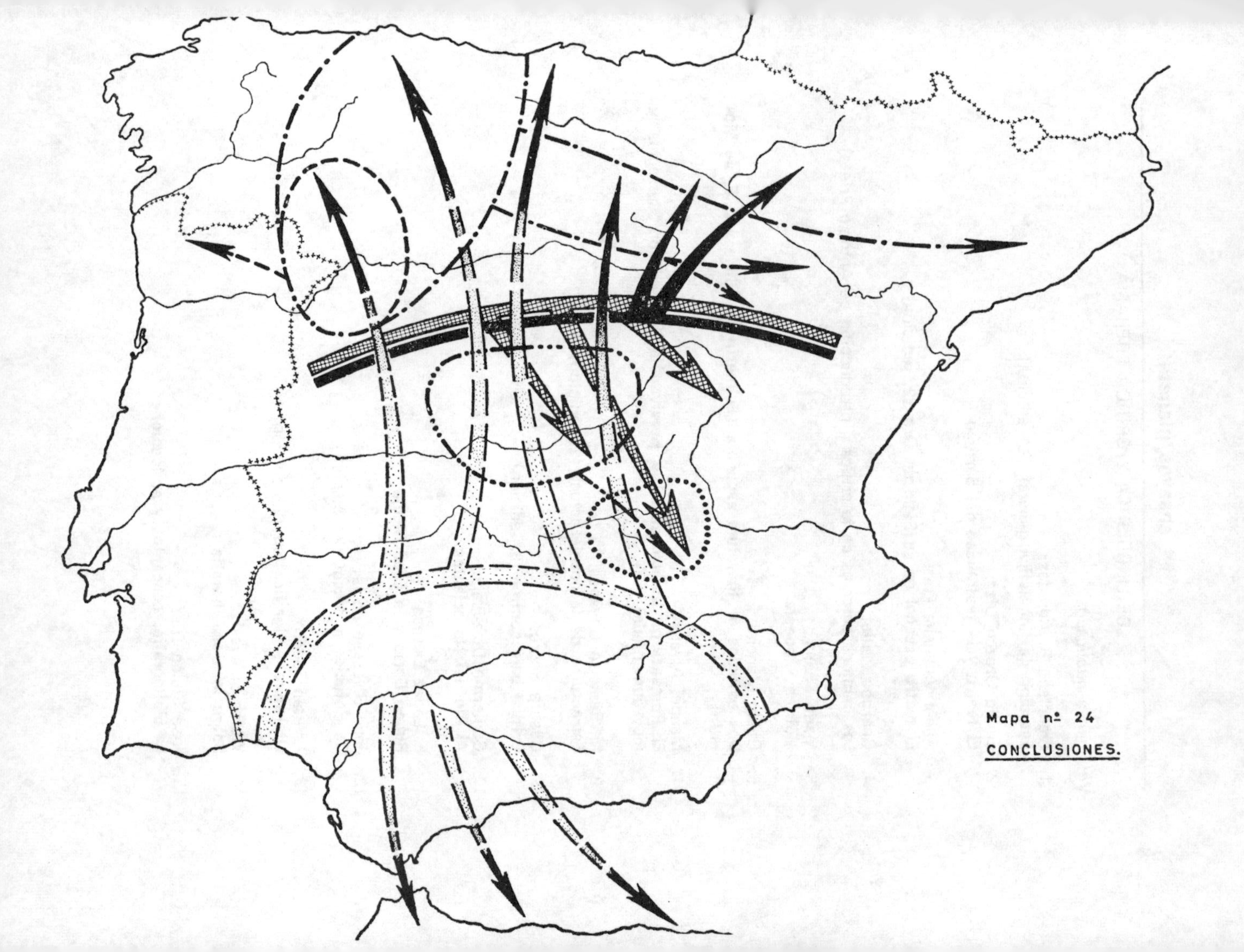
Mapa nº 24
CONCLUSIONES.

ensayos/planeta

DE LINGÜÍSTICA Y CRÍTICA LITERARIA

Volúmenes publicados

1. Francisco R. Adrados:
Estudios de lingüística general (2.ª edición)

2. Emilio Orozco Díaz:
El teatro y la teatralidad del Barroco

3. Ángel Valbuena Prat:
El teatro español en su Siglo de Oro (2.ª edición)

4. Georges Poulet:
Los caminos actuales de la crítica (Introducción de Antonio Prieto)

5. Mario Fubini:
Métrica y poesía

6. Guido Mancini:
Dos estudios de literatura española (Palmerín de Olivia y L. F. de Moratín)

7. Manuel Alvar:
El Romancero: tradicionalidad y pervivencia (2.ª edición, corregida y muy aumentada)

8. M. Baquero Goyanes:
Estructuras de la novela actual (2.ª edición)

9. Cesare Segre:
Crítica bajo control (2.ª edición)

10. Guillermo Díaz-Plaja:
Al filo del Novecientos

11. F. López Estrada:
Rubén Darío y la Edad Media

12. José S. Lasso de la Vega:
De Sófocles a Brecht (2.ª edición)

13. Tzvetan Todorov:
Literatura y significación (2.ª edición)

14. Victor Sklovski:
Sobre la prosa literaria

15. José Simón Díaz:
La bibliografía: conceptos y aplicaciones

16. José María Valverde:
Azorín

17. Antonio Prieto:
Ensayo semiológico de sistemas literarios

18. Helmut Hatzfeld:
Estudios de literaturas románicas

19. Erich von Richthofen:
Tradicionalismo épico-novelesco

20. Gabriela Makowiecka:
Luzán y su Poética

21. Alfredo Hermenegildo:
La tragedia en el Renacimiento español

23. Esteban Pujals:
La poesía inglesa del siglo XX

24. Leo Pollmann:
La épica en las literaturas románicas

25. Joaquín Arce:
Tasso y la poesía española

26. Juan Villegas Morales:
La estructura mítica del héroe en la novela del siglo XX

27. Antonio García Berrio:
Significado actual del formalismo ruso (La doctrina de la escuela del método formal ante la poética y la lingüística modernas)

28. Ignacio Prat:
«Aire nuestro» de Jorge Guillén

29. Isidoro Montiel:
Ossián en España

31. Isabel Criado:
Personalidad de Pío Baroja (Trasfondo psicológico de un mundo literario)

En preparación

Francisco R. Adrados:
Estudios de semántica y sintaxis

J. M. Díez Borque, Luciano García Lorenzo y AA. VV.:
Semiología del teatro

James W. Harris:
Fonología generativa del español

Helmut Hatzfeld:
Estudios de estilística

Martín de Riquer:
Los trovadores. Estudio y textos (2 vols.)

Antoni Comas:
Literatura catalana

Manuel Alvar y Bernard Pottier:
Morfología histórica del español

Ulrich Weisstein:
Introducción a la literatura comparada

Antonio Prieto:
Morfología de la novela

Antonio García Berrio:
Introducción a la poética clasicista: Cascales

Valerio Báez San José:
Introducción a la gramática generativa